JAMT技術教本シリーズ

# 一般検査
# 技術教本

監修　一般社団法人　日本臨床衛生検査技師会

丸善出版

# JAMT 技術教本シリーズについて

本シリーズは，臨床検査に携わる国家資格者が，医療現場や検査現場における標準的な必要知識をわかりやすく参照でき，実際の業務に活かせるように，との意図をもって発刊されるものです。

今日，臨床検査技師の職能は，医学・医療の進歩に伴い高度化・専門化するだけでなく，担当すべき業務範囲の拡大により，新たな学習と習得を通じた多能化も求められています。

“臨床検査技師による臨床検査技師のための実務教本”となるよう，私たちの諸先輩が検査現場で積み上げた「匠の技術・ノウハウ」と最新情報を盛り込みながら，第一線で働く臨床検査技師が中心になって編集と執筆を担当しました。

卒前・卒後教育は言うに及ばず，職場内ローテーションにより新たな担当業務に携わる際にも，本シリーズが大きな支えとなることを願うとともに，ベテランの臨床検査技師が後進の教育を担当する場合にも活用しやすい内容となるよう配慮しています。さらには，各種の認定制度における基礎テキストとしての役割も有しています。

一般社団法人　日本臨床衛生検査技師会

# 本書の内容と特徴について

本書は，JAMT技術教本シリーズとして2017年に発刊された『一般検査技術教本』の改訂版であり，2015年に発刊された『髄液検査技術教本』の改訂版と合冊した形となっている。臨床の現場で活躍している臨床検査技師の手による臨床一般検査学における主要な検査を包括した技術書である本書は，臨床検査技師を目指す学生と現場で臨床一般検査に従事する臨床検査技師に役立つ「教本」である。

本書は，臨床一般検査学総説，尿検査の基礎，尿の外観検査，尿検査各論，尿沈渣検査，尿の自動分析装置，便検査，髄液検査の基礎，体腔液検査，精液検査，寄生虫検査から構成されており，臨床一般検査室で取り扱う検体検査をほぼ網羅した。本文中には学生が教科書や参考書として利用しやすいように基礎知識，臨床的意義，検査法を見やすく掲載し，また臨床検査技師が臨床現場において疑問に思うことに答えるようなQ＆A，参考情報，検査室ノートを取り入れる工夫を加えた。

医療分野の技術革新は目まぐるしく，次々と新しい技術が導入され検査法が開発されている。しかし，採血など穿刺時に患者に痛みを与えてしまう点は改善されない。それに対し臨床一般検査は，取り扱う検体は自然排泄されるものが多く，患者に検体採取の苦痛をほとんど与えず，多くの臨床診断に有用な結果を得られる素晴らしい臨床検査分野である。このような患者に優しい臨床検査を進歩・発展させることは，われわれ臨床検査技師の責務ではないだろうか。そのために今回の改訂では，内容は簡明にわかりやすく記述することとし，病態への意識を深めるべく関連する領域の診療ガイドラインを盛り込み，命の大切さを見つめる臨床検査の布石となるように心がけて編集した。

本書が多くの臨床検査技師と臨床検査技師を目指す学生に末永く愛読していただければ幸甚である。

「一般検査技術教本 第2版」編集部会

# 編集委員および執筆者一覧

## 編集委員


石山　雅大　弘前大学医学部附属病院　医療技術部
小関　紀之　獨協医科大学埼玉医療センター　臨床検査部
川満　紀子　九州大学病院　検査部
星　雅人　藤田医科大学　医療科学部
山下　美香　広島赤十字・原爆病院　検査部
油野　友二*　北陸大学　医療保健学部
横山　貴　新潟医療福祉大学　医療技術学部

中山　茂　日本臨床衛生検査技師会

［*は委員長］


## 執筆者


石山　雅大　弘前大学医学部附属病院　医療技術部
小関　紀之　獨協医科大学埼玉医療センター　臨床検査部
川満　紀子　九州大学病院　検査部
星　雅人　藤田医科大学　医療科学部
松村　隆弘　北陸大学　医療保健学部
山下　美香　広島赤十字・原爆病院　検査部
油野　友二　北陸大学　医療保健学部
横山　貴　新潟医療福祉大学　医療技術学部

［五十音順，所属は2023年12月現在］

# 初版 編集委員および執筆者一覧

## 『一般検査技術教本』初版（2017年）

**編集委員**［*は委員長］

| | | | |
|---|---|---|---|
| 酒井　伸枝 | 白川千恵子 | 保科ひづる | 堀田　真希 |
| 横山　　貴 | 岡田　茂治* | 小郷　正則 | 小澤　　優 |

**執筆者**

| | | | |
|---|---|---|---|
| 青井　陽子 | 石山　雅大 | 岡田　茂治 | 小郷　正則 |
| 小澤　　優 | 小関　紀之 | 片桐　智美 | 加藤　裕一 |
| 久野　　豊 | 酒井　伸枝 | 白川千恵子 | 徳原　康哲 |
| 奈良　　豊 | 羽原　利幸 | 星　　雅人 | 保科ひづる |
| 堀田　真希 | 見手倉久治 | 山下　美香 | 山西　八郎 |
| 山本　徳栄 | 油野　友二 | 横山　　貴 | 米山　正芳 |
| 脇田　　満 | | | |

［五十音順］

## 『髄液検査技術教本』(2015年)

**編集委員**［*は委員長］

大田 喜孝　宿谷 賢一*　山下 美香　岡田 茂治
小郷 正則

**執筆者**

藍原 康雄　石山 雅大　大田 喜孝　岡田 芳和
宿谷 賢一　常名 政弘　中村 彰宏　奈良 豊
日高 洋　保科ひづる　堀田 真希　増田亜希子
山下 美香　横山 貴

**医学アドバイザー**

菊池 春人

**写真提供者**

秋山 晋　石山 雅大　磯田 典子　大田 喜孝
石澤 毅士　木場由美子　宿谷 賢一　常名 政弘
田中 雅美　中村 彰宏　奈良 豊　西山 大揮
久末 崇司　保科ひづる　堀田 真希　松岡 拓也
山下 美香　横山 貴　米山 正芳

［五十音順］

# 謝　辞

本書の編集にあたっては，多くの皆様のお力添えをいただきました。

本書は，2017年に出版され好評をもって迎えられた『一般検査技術教本』より基本構成および編集方針を踏襲しており，初版の記載内容を継承している部分も多くあります。また，今回の第2版では，2015年に刊行された『髄液検査技術教本』の内容も統合したことで，髄液検査に関する情報が非常に充実しました。『一般検査技術教本』初版ならびに『髄液検査技術教本』の執筆者，写真提供者，査読者の貢献に対し，この場を借りて感謝申し上げます。

第2版の執筆および査読には，全国の病院や教育機関等で活躍されている方々にご参加いただきました。業務で多忙な中，初版の内容を精査し，より有益かつ最新の内容になるよう多大なるご尽力をいただきました。また，研究上の貴重な資料やデータをご提供いただいた諸氏，企業各社，ならびに，初版に対する種々のご意見を頂戴した読者の皆様にも厚く御礼を申し上げます。

「一般検査技術教本 第2版」編集部会

# 目　次

## B. 便検査



## C. 髄液検査



## D. 穿刺液検査



## E. 精液検査



## F. 寄生虫検査



本書における顕微鏡写真の倍率は，撮影条件の倍率を表記しており，印刷時の都合で拡大・縮小を行っているものがあります。

## Q&A，検査室ノート一覧

### Q & A



### 検査室ノート

# 1章 臨床一般検査学総説

SUMMARY

2022年度より施行された臨床検査技師学校養成所カリキュラム（新カリキュラム）では，新たな検査項目の登場や検査機器の高度化などにより検査の幅が広がっているため，生物化学分析検査に関する科目を「尿・糞便等一般検査」，「生化学的検査・免疫学的検査」および「遺伝子関連・染色体検査」に再区分している。その中で尿・糞便等一般検査においては，疾病時の臓器・組織・細胞などの形態学的検査および寄生虫学とその検査について学修することを必修化するとされている。本書では「尿・糞便等一般検査」に化学的および免疫学的検査も含め，臨床一般検査学として集約している。

本章では尿検査が各種病態やほかの検査領域とどのような関係にあるかをとくに理解してほしい。

# 1.1 | 臨床一般検査学とは

・臨床一般検査学は養成校指定カリキュラムにおいては「尿・糞便等一般検査学」として位置付けられている。
・臨床一般検査は診療の初期段階に行われ，その情報から各種病態推定の糸口となることが多いので，検査法の理解とともに各種病態の理解が重要である。

## 1. 臨床検査技師学校養成所カリキュラムにおける学習の目的と意義

臨床検査技師を取り巻く環境の変化に伴い，臨床検査技師の養成に必要な教育内容と教育目標およびその単位数について検討がなされてきた。その中では臨床一般検査学は養成校指定カリキュラムにおいては「尿・糞便等一般検査学」として位置付けられている（表1.1.1）。この教科の学びの目的は，「身体の構造，とくに疾病時の臓器・組織・細胞などの形態学的検査および寄生虫学とその検査について学び，各種生体試料について，尿・糞便など一般検査の観点からの生物化学的分析の理論と実際を修得し，結果の解析と評価について学修する」とされている。

尿検査は最も日常的な検査であり，初期診療の必須項目となっている。これは単に腎尿路系の病態のみならず全身の代謝の最終産物である尿からの情報が非常に多岐にわたるもので，次の臨床検査へつなぐという位置付けによるものである。その一端を図1.1.1に示す。検査法の理解とともに各種病態の理解が重要である。

脳脊髄液検査は，髄膜炎や脳炎などの中枢神経疾患の診断や治療効果を把握するのに有用な検査である。コンピュータ断層撮影（CT）や磁気共鳴画像法（MRI）などの画像診断が発展した現在でも，急性細菌性髄膜炎，ウイルス性髄膜炎などの中枢神経系感染症や白血病，悪性腫瘍などの診断・治療には欠くことのできない検査材料であり，検査の緊急性と重要度について十分に理解が必要である。

本科目にはその他，糞便検査，精液検査，穿刺液検査，寄生虫検査などが含まれており，それぞれの対象とする病態の理解とともに，その患者さんに寄り添う気持ちが肝要である。

## 2. 臨地実習への対応

次の世代を育てることは，医療に不可欠な臨床検査にとって重要なことである。臨地実習はそのための重要な場であるとともに，臨床検査技師として従事している者が指導することにより自らの業務を再認識し，説明・相談のできる技師となる課程であると考える。

今回の養成校指定新カリキュラムにおいては，臨床検査

表1.1.1　養成校指定カリキュラム（2022）における尿・糞便等一般検査学の概要（3単位）

| Ⅰ 尿・糞便など一般検査 | Ⅱ 寄生虫学 |
|---|---|
| 1 尿検査<br>（1）尿の生成と組成<br>（2）一般的性状<br>（3）化学的検査法<br>（4）尿沈渣検査<br>（5）尿自動分析装置<br>（6）腎機能検査<br>2 脳脊髄液検査<br>（1）髄液の生成と組成<br>（2）一般的性状<br>（3）化学的検査法<br>（4）細胞学的検査法<br>3 糞便検査<br>（1）糞便の生成と組成<br>（2）一般的性状<br>（3）糞便検査法<br>4 その他の一般検査<br>（1）喀痰検査<br>（2）精液検査<br>（3）穿刺液検査<br>（4）その他<br>5 学内実習<br>（1）尿検査<br>（2）脳脊髄液検査<br>（3）糞便検査<br>（4）喀痰検査<br>（5）その他の検査<br>（6）検査結果の解析と評価<br>6 臨地実習 | 1 寄生虫の分類と疾患との関係<br>（1）寄生虫症の疫学<br>（2）寄生虫の生活と疾患<br>（3）寄生虫の生殖と発育<br>2 各種寄生虫の生態・鑑別と疾患との関係<br>（1）線虫類<br>（2）吸虫類<br>（3）条虫類<br>（4）原虫類<br>（5）衛生動物<br>3 寄生虫検査法<br>（1）検査材料の採取と保存<br>（2）糞便の検査<br>（3）血液の検査<br>（4）その他の検査<br>4 学内実習<br>（1）検体の取扱方法<br>（2）線虫類の検査<br>（3）吸虫類の検査<br>（4）条虫類の検査<br>（5）原虫類の検査<br>（6）その他の検査<br>（7）検査結果の解析と評価<br>5 臨地実習 |

〔厚生労働省医政局医事課：「臨床検査技師学校養成所カリキュラム等改善検討会報告書」，2020，https://www.mhlw.go.jp/stf/newpage_10734.html より〕

用語　コンピュータ断層撮影（computed tomography；CT），磁気共鳴画像法（magnetic resonance imaging；MRI）

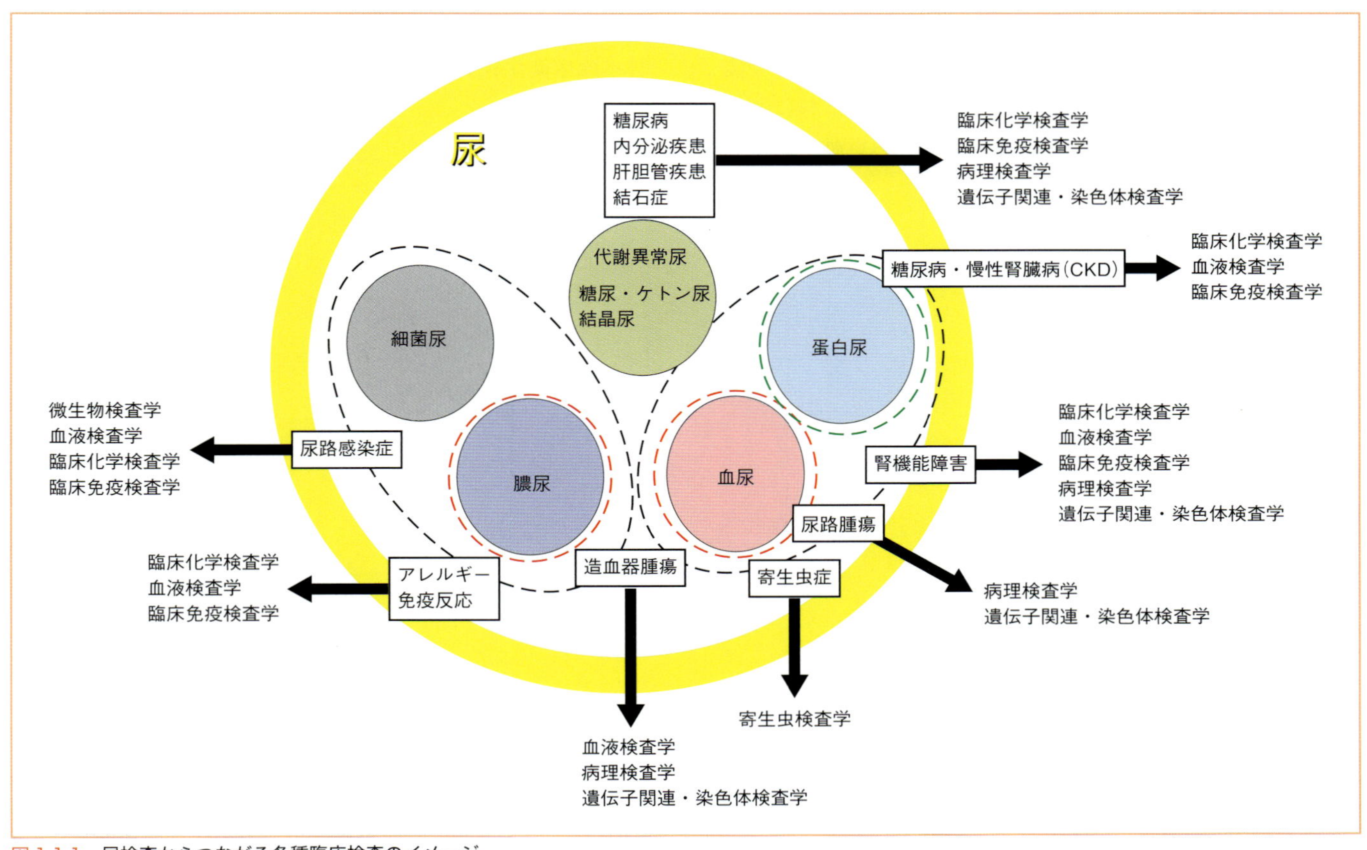


図 1.1.1　尿検査からつながる各種臨床検査のイメージ

技師を目指す学生が臨地実習において実施すべき基本的行為について経験および修得すべき技術の範囲を明確化のうえ，整理し，臨地実習において学生に必ず実施させる行為，必ず見学させる行為，および実施させることが望ましい行為として定められた。

- 臨地実習において必ず実施させる行為：尿定性検査
- 臨地実習において必ず見学させる行為：尿・糞便など一般検査
- 臨地実習において実施させることが望ましい行為：尿沈渣検査

また，臨地実習の前に養成校においては，実習に見合う技能を有しているかを審査するための技能修得到達度評価という科目を設け，修了することが実習の要件となった(表 1.1.2)。

## 3. 日臨技認定センター認定一般検査技師制度

認定一般検査技師に求めることは，一般検査領域の検査材料を正しく取り扱う知識，検査技術を有し，後進の指導，

表 1.1.2　臨地実習前の技能習得到達度評価における評価内容

| | | |
|---|---|---|
| 尿沈渣検査 | JCCLS の指針にもとづく標準的手法による | 尿検体を撹拌し，尿カップから沈渣用遠沈管へ分注することができる |
| | 尿沈渣標本の作製 | 分注量を理解している |
| | | 沈渣成分を分離できる |
| | | 適量の沈渣を残して遠心上清を吸引できる |
| | | スライドガラスに必要情報を記入することができる |
| | | スライドガラスに適量の沈渣を載せることができる |
| | | 空気が入らないようにカバーガラスをかけることができる |
| | | 染色液を選択することができる |
| | | 1 枚のスライドガラスに無染と染色の両標本を作製することができる |
| | | 10 分程度で標本を作製することができる |
| | 鏡検法−顕微鏡操作 | 弱拡大と強拡大それぞれの対物レンズを選択できる |
| | | コンデンサ絞りを調整することができる |
| | | 標本をステージ上で移動することができる |
| | 鏡検法−鑑別とカウント | 代表的な尿沈渣成分を鑑別することができる |
| | | カウント結果を表すことができる |
| | | 結果から主な病態を推定できる |

〔厚生労働省医政局医事課：「臨床検査技師学校養成所カリキュラム等改善検討会報告書」，2020，https://www.mhlw.go.jp/stf/newpage_10734.html より〕

**用語**　慢性腎臓病（chronic kidney disease；CKD），日本臨床検査標準協議会（Japanese Committee for Clinical Laboratory Standards；JCCLS）

育成を果たすことのできる技師とされ，日臨技の認定資格としては認定一般検査技師が最も早く制度化された。今後より多くの認定技師が生まれることで診療の最前線にある一般検査から安全・安心で質の高い医療への貢献が期待される（資格の詳細，認定一般検査技師制度カリキュラムは日本臨床衛生検査技師会のウェブサイト[1]を参照)。

［油野友二］

## 参考文献

1）日本臨床衛生検査技師会：「認定一般検査技師制度カリキュラム」，2022．https://www.jamt.or.jp/studysession/center/asset/docs/20220622ninnteiippanncurriculum.pdf

## A. 尿検査

# 2章 尿検査の基礎

章目次



SUMMARY

腎臓は左右一対のソラマメ形をした，成人で長径約10cm，幅約5cm，厚み約5cm，重量約100～150gの後腹膜臓器である。腎臓における尿生成の最小機能単位をネフロンといい，糸球体とボーマン嚢からなる腎小体（血液より原尿を生成）と尿細管（原尿の成分を調整）からなる。腎臓の機能は，① 尿の生成と体液の恒常性維持，② 酸塩基平衡の維持，③ 血圧の制御，④ 造血機能の調節，に分類することができる。腎機能の評価はGFRを指標とし，臨床の場ではクレアチニンクリアランスが最も広く測定されている。これに対して血清クレアチニン濃度，年齢，性別から算出されるeGFRはイヌリンクリアランスの推定値であり，CKDの病期ステージ分類の指標とされている。尿試験紙法による尿検査は，腎疾患のみならず，最も一般的なスクリーニング検査として広く実施されているが，採尿方法や採尿の時間（タイミング）を考慮して検査結果を解釈する必要がある。また，尿試験紙法は簡便な検査法であるが，誤った使用法は誤判定につながるため，基本操作法を正しく習得する必要がある。さらに，尿試験紙法では偽反応（偽陽性・偽陰性・異常発色）が多いため，各項目の反応原理を十分に理解しておく必要がある。

# 2.1 ｜ 腎・尿路系の基礎

- 腎・尿路系の位置や形態と機能，および腎・尿路系に付随する血管の走行を理解する。
- 腎臓の機能と，それを制御する各種ホルモンのはたらきを理解する。
- 腎機能の評価方法を理解する。

## 2.1.1 腎・尿路系の解剖学

### 1. 腎　臓[1)]

腎臓は，成人で長径約10cm，幅約5cm，厚み約5cm，重量約100～150gの，左右1対で存在するソラマメ形の後腹膜臓器である。左腎の上端は第12胸椎（T12）上縁，下端は第2腰椎（L2）～第3腰椎（L3）に位置し，右腎は肝臓の直下で左腎より約3cm低い位置に存在する（図2.1.1）。

腎臓に腎動脈，腎静脈，尿管が出入りする部分を腎門とよぶ（そのほかリンパ管と自律神経も腎門から出入りしている）。腎門はL1～L2の高さにあり，前方（腹側）より腎静脈→腎動脈→尿管の順で並んでいる（図2.1.2）。腎動脈は腹大動脈より分枝しており，右腎動脈は左腎動脈に比べて長い。腎静脈は下大静脈に注いでおり，左腎静脈は右腎静脈に比べて長く，上腸管動脈と腹大動脈にはさまれた部分が存在する。この血管走行の先天的異常が，ナットクラッカー現象の原因となることが知られている。

腎臓の縦断面では，外層の皮質と内層の髄質が区別される。腎臓における尿生成の機能単位をネフロン（腎単位）とよび，血液より原尿を生成する腎小体（糸球体，ボーマン嚢）と，原尿の成分を調節する尿細管より構成される（図2.1.3）。ただし，尿細管の中でも集合管は発生学的起源が異なるため，ネフロンには含まれないとされている。ネフロンは，その多く（約80%）が皮質に存在し皮質ネフロンとよばれ，一部（約20%）は髄質の近傍に存在し傍髄質ネフロンとよばれる。

下大静脈
腹大動脈
右の腎臓（左の腎臓より約3cm下にある）
副腎
副腎静脈
腎動脈と腎静脈
腎門
左の腎臓
大腰筋
尿管
総腸骨静脈
直腸
総腸骨動脈
膀胱
精索の血管叢
尿道
（正面）

図2.1.1　腎臓の位置

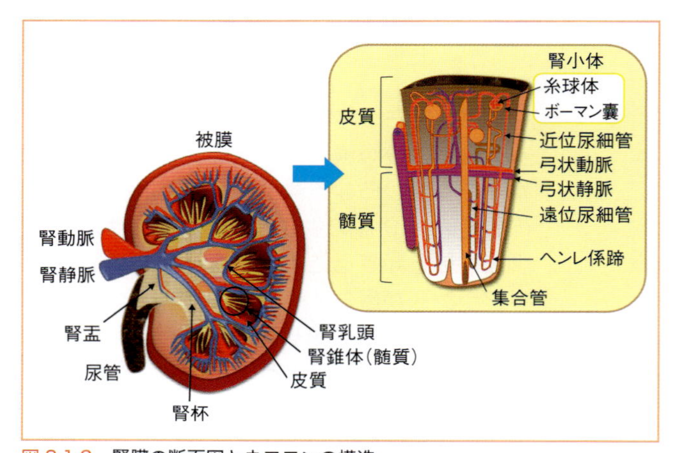


図2.1.2　腎臓の断面図とネフロンの構造
〔山下美香（イラスト）：「第1章 尿検査の基礎」，一般検査技術教本，2，日本臨床衛生検査技師会（編），2012より改変〕

用語　ボーマン嚢（Bowman's capsule），ヘンレ係蹄（ヘンレループ）（Henle's loop）

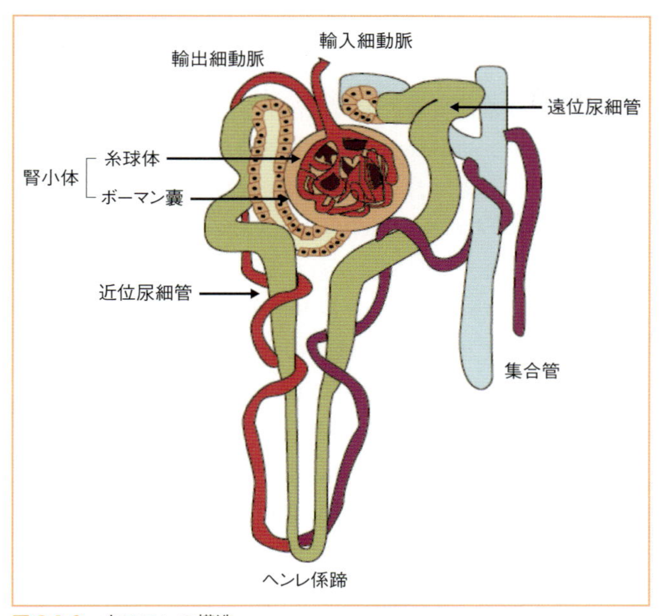


図 2.1.3 ネフロンの構造
〔山下美香（イラスト）：「第１章 尿検査の基礎」，一般検査技術教本，2，日本臨床衛生検査技師会（編），2012 より改変〕

### 2. 尿管・膀胱[2)]

尿管は腎盂から膀胱までをつなぐ，長さ約25cm，口径約5mmの管であり，大腰筋の前面を下降して精巣（卵巣）動脈の後方を通り，総腸骨動脈の前面を横切って骨盤内に入る（図2.1.1）。それから膀胱尿管移行部で膀胱粘膜を斜めに貫通し，尿管口（膀胱三角部）に開口する。この構造は，膀胱からの尿の逆流を防ぐ役割を果たしている。

尿管には3箇所の生理的狭窄部位（腎盂尿管移行部，総腸骨動脈交叉部，膀胱尿管移行部）が存在し，尿路結石が嵌頓（かんとん）しやすい。

膀胱は尿を一時的に貯留させるための伸縮性のある袋状の器官で，成人では300～500mLの尿を貯留させることができる（図2.1.1）。膀胱は基本的に内胚葉由来であるが，上述の膀胱三角部は中胚葉由来といわれている。

尿管および膀胱内腔の粘膜は，尿路上皮細胞で構成されている。

## 2. 1. 2 腎臓の機能[3)]

### 1. 尿の生成と体液の恒常性維持

#### (1) 尿の生成

腎動脈より腎臓に入った血液は，輸入細動脈から糸球体を経て輸出細動脈より出ていく過程で糸球体によりろ過される。糸球体ろ過を経て生成された原尿はボーマン嚢から近位尿細管に流入し，さらにヘンレ係蹄→遠位尿細管→集合管と流れていく中で，尿細管の各部位での再吸収と分泌により尿が生成される（図2.1.4）。

腎臓には尿細管および集合管の集合体から構成される錐体形の線条部が10～20個見られ，これを腎錐体という。生成された尿は腎錐体の先端部より腎杯に排出され，腎盂に集められ尿管を経て膀胱に貯められた後，尿道から体外に排泄される（図2.1.2）。

#### (2) 体液の恒常性維持

腎臓には心拍出量の1/4に相当する1,200mL/分の血液が流れ込む。これは，腎血漿流量（RPF）としては約500～600mL/分となる。糸球体ろ過量（GFR）は100mL/分であるため，腎臓に流入する血漿の20%が糸球体でろ過されることになり，糸球体で生成される原尿の量は約140～150L/日となる。

原尿には身体に必要な水分（$H_2O$），栄養素（低分子蛋白，グルコース，アミノ酸，ビタミン類），電解質（$Na^+$，$K^+$，$Cl^-$，$Ca^{2+}$，$Mg^{2+}$など），塩基（$HCO_3^-$）などが含まれており，これらは尿細管において再吸収され血液に戻される。糸球体ろ過を経て生成された原尿は99%以上が尿細管で再吸収され，最終的に尿として排泄される量は成人で約1.0～1.5L/日となる。また，尿細管では血液中の栄養素の代謝産物（尿素や尿酸），薬剤の代謝産物，老廃物〔クレアチニン（Cr）〕，有機酸，さらに摂取量と体内環境の状

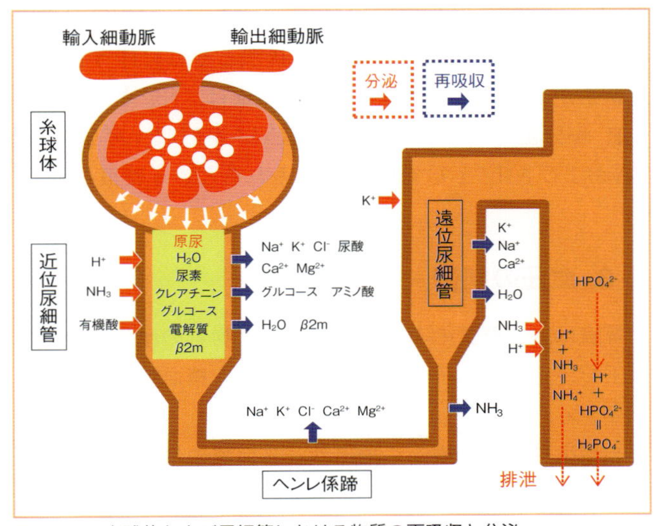


図 2.1.4 糸球体および尿細管における物質の再吸収と分泌

---

用語 腎血漿流量（renal plasma flow；RPF），糸球体ろ過量（glomerular filtration rate；GFR），クレアチニン（creatinine；Cr），ベータ２ミクログロブリン（β2 microglobulin；β2m）

態によっては電解質などが分泌され，尿中に排泄されている（図2.1.4）。

糸球体におけるほぼ一定量で大量のろ過と，それに続く尿細管における物質の再吸収・分泌を制御することにより，尿は生成される。つまり，尿の生成によって腎臓は体液の恒常性維持（適切な体内環境の維持）という非常に重要な役割も担っていることになる。そして，これらの機能の制御には，腎臓，副腎，下垂体後葉，心臓（おもに心房）で産生される各種のホルモンが深く関与していることを理解しておくことが重要である。

## 2. 酸塩基平衡の調節[4)]

腎臓は，体液のpHの維持（体液の恒常性維持）に重要な役割を果たしている。生体に負荷される酸には揮発性酸と不揮発性酸があり，炭水化物や脂肪の代謝による揮発性酸の二酸化炭素（$CO_2$）は肺より排泄される。一方，おもに含リン・含硫蛋白の代謝によるリン酸塩や硫酸塩などの不揮発性酸は，生体内で1mmol/kg/日が産生され，アンモニウム塩（$NH_4^+$）や滴定酸（TA）として腎臓から排泄される。

糸球体でろ過されたリン酸や硫酸は，集合管のα介在細胞から分泌された$H^+$と反応して，TAとして排泄される。さらに，集合管に分泌された$NH_3$も$H^+$と反応して，$NH_4^+$として排泄される（図2.1.4）。この，集合管のα介在細胞からの$H^+$の分泌は，副腎皮質ホルモンのアルドステロンにより促進される。

また，腎臓は不揮発性酸を排泄すると同時に，$H^+$の緩衝作用によって消費された$HCO_3^-$の回収と再生を行う。

糸球体でろ過された$HCO_3^-$は約80～85%が近位尿細管で，残りの約15～20%はヘンレ係蹄から遠位尿細管で再吸収される。また，集合管では$H^+$の排泄とそれに伴う$HCO_3^-$の新生が行われる。腎臓の酸排泄機構は，$Na^+$と引き換えに$H^+$が分泌されることにより$HCO_3^-$が回収・産生され，TAおよび$NH_4^+$として$H^+$が排泄されるという特徴をもつ。

## 3. 血圧の制御

腎臓は，体液量の調節や血管作動性物質の産生を介して，血圧を規定する因子である心拍出量や末梢血管抵抗に影響を与える。

心拍出量とは心臓から拍出される血液の量であり，体内の体液量に大きく影響される。体液はその分布の違いから細胞内液と細胞外液に分けられるが，体液量の調節機構において腎臓は，細胞外液中の水とナトリウムのバランスを保つという，重要な役割を担っている。

腎臓における細胞外液中の水とナトリウムのバランスは，下垂体ホルモンのバソプレシンや副腎皮質ホルモンのアルドステロン，心臓（おもに心房）で合成される心房性ナトリウム利尿ペプチド（ANP）などのホルモンにより制御されている。また，腎臓は自らもレニンの合成を介してレニン-アンジオテンシン-アルドステロン（RAA）系を制御することにより，細胞外液中の水とナトリウムのバランス調節に直接関与している。これらのホルモンによるバランス調節の機序としては，視床下部の浸透圧受容体や心房または頸動脈洞の圧受容体で感知された体液の浸透圧の変化や血圧の変動といった情報により，下垂体，副腎，あるいは心房で合成される上記の各種ホルモンが腎臓に作用し，連動して糸球体ろ過と尿細管における再吸収・分泌を制御することで細胞外液中の水とナトリウムのバランス調整が行われる。これにより腎臓は体液量の調節を行い，血圧の制御に関与している。

腎臓はさらに，血圧の変動を輸入細動脈に存在する圧受容体で直接感知する。圧受容体では感知が難しい微小な血圧の変動についても，それにより生じるGFRの変動を遠位尿細管にある緻密斑（マクラデンサ）で感知する。そして，輸入細動脈の圧受容体と連動して，血圧変動の情報シグナルを輸入細動脈に存在する傍糸球体細胞（レニン合成細胞）に伝え，レニン-アンジオテンシン（RA）系を制御することで血管作動性物質であるアンジオテンシンⅡの合成をコントロールし，ひいては血圧をコントロールしている（図2.1.5）。アンジオテンシンⅡは全身の動脈を収縮させるとともに，副腎皮質に作用してアルドステロンの合成を通じて（RAA系），近位尿細管における$Na^+$の再吸収を促進する。このように腎臓は，アンジオテンシンⅡ合成のコントロールにより，血圧の制御に関与している。

## 4. 造血機能の調節

腎臓は，エリスロポエチン（EPO）の主要な産生臓器である。EPOは赤血球増殖因子であり，骨髄の幹細胞が赤血球に分化するように刺激を与えるホルモンである。皮質と髄質外層の尿細管周囲の間質に存在する，タイプⅠ線維芽細胞から合成される。EPOの作用により，骨髄においては網状赤血球の産生が亢進し，さらに骨髄からの網状赤血球の早期放出が促される。慢性腎不全ではEPOの産生が低下し，貧血が生じる。成人での主要なEPO産生臓器は腎臓であるが，胎児や新生児では肝臓であることに注

**用語**　水素イオン指数（potential of hydrogen；pH），滴定酸（titration acid；TA），心房性ナトリウム利尿ペプチド（atrial natriuretic peptide；ANP），レニン－アンジオテンシン－アルドステロン（renin-angiotensin-aldosterone；RAA）系，レニン－アンジオテンシン（renin-angiotensin；RA）系，エリスロポエチン（erythropoietin；EPO）

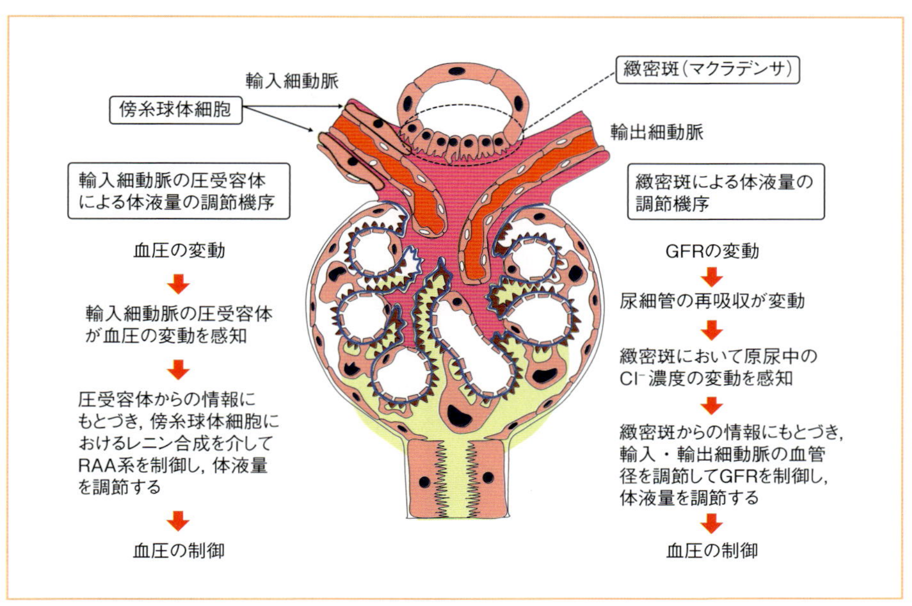


図 2.1.5　血圧制御のしくみ

意する。

尿細管での物質の再吸収には，通常はエネルギー消費を伴う。そのため，尿細管には酸素の供給が必要不可欠である。したがって，尿細管近傍は血中酸素濃度のモニタリングに最適な部位といえる。正常では腎臓でのEPO産生は抑制されているが，組織虚血を引き起こす貧血や動脈血$P_{O_2}$低下が生じると産生が促進される。低酸素血症では，最初は深部皮質の細胞においてEPOのメッセンジャーリボ核酸（mRNA）発現が刺激されその合成が亢進するが，低酸素が進行すると表層部の細胞においても合成が亢進する。この分布差は皮質から髄質深層への低酸素勾配を示しているが，これは，髄質の血流が直血管という特殊な血管走行から供給されるためである。低酸素血症におけるEPOのmRNA発現亢進に関与する転写因子として，低酸素血症誘導因子-Ⅰ（HIF-Ⅰ）が同定されている。

慢性腎不全患者では一般に貧血が認められるが，多くの患者では血中EPO濃度の上昇は認められない。これは，慢性腎疾患では腎の間質病変を有することが多く，EPOを合成する細胞であるタイプⅠ線維芽細胞がEPO合成能力の低下した筋線維芽細胞に変化しているため，貧血に反応して十分なEPOを産生することができなくなっているのが大きな要因と考えられる。

腎性貧血はおもにEPOの産生低下が要因であるが，ほかに尿毒素の蓄積による骨髄の造血抑制や赤血球寿命の短縮も関与していると考えられる。また，慢性腎疾患における貧血については腎性貧血以外に，消化管出血〔とくに慢性腎臓病（CKD）ステージ3程度までの患者〕，サイトカインによるEPO合成低下〔腫瘍壊死因子（TNF-α）による〕や造血抑制作用（インターフェロンβによる）なども念頭に置くことが重要である。

## 2.1.3　腎機能の評価

### 1. 糸球体ろ過量と腎血漿流量

ある単位時間（通常は1分間）に糸球体でろ過を受けた血漿量を糸球体ろ過量（GFR）といい，糸球体を含めた腎全体で浄化を受けた血漿量を腎血漿流量（RPF）という。生体はRPFが低下してもGFRをできるだけ一定に維持する調節システムを有しているため，GFRの低下は真に腎機能が低下していることを意味する。加えて，腎疾患は糸球体性が圧倒的に多いことから，臨床的にはGFRが腎機能の重要な指標となる。そこで，以下に述べるクリアランスの考え方を利用することによりGFRが測定されている。

### 2. 腎クリアランスの測定原理（図 2.1.6）

腎クリアランスとは，尿中に排泄されたある物質が，もともとどれほどの量の血漿に含まれていたかを示す一種の

**用語**　メッセンジャーリボ核酸（messenger ribonucleic acid；mRNA），低酸素血症誘導因子-Ⅰ（hypoxia induced facter-Ⅰ；HIF-Ⅰ），慢性腎臓病（chronic kidney disease；CKD），腫瘍壊死因子（tumor necrosis factor；TNF），クリアランス（clearance）

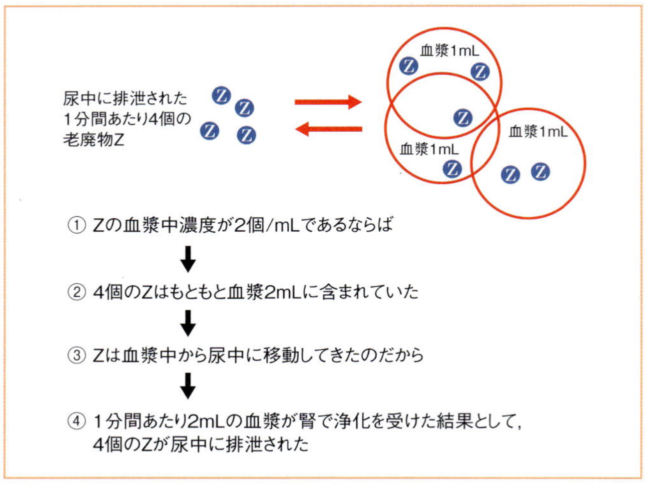


図 2.1.6　腎クリアランス測定原理のイメージ
〔山西八郎，堀田真希：「第1章 尿検査の基礎」，一般検査技術教本，4，日本臨床衛生検査技師会（編），2012より改変〕

排泄指標である。以下にその測定原理を概説する。

1) 完全排尿から一定の時間が経過した後の採尿量をv mL，尿中に排泄されたある物質Zの尿中濃度をU mg/mLとすると，尿中に排泄されたZの総量は，
　U　×　v　(mg)
2) 完全排尿から採尿までの時間（分）でvを除した値を単位時間尿量V mL/分とすると，1分間あたりのZの尿中排泄量は，
　U　×　V　(mg)
3) Zは血漿中から尿中に移動してきたのだから，Zの血漿中濃度がP mg/mLであるならば，2）で求めたU×V mgのZを含んでいた血漿量は，
　U　×　V　÷　P　(mL/分)
　で求められる。
4) つまり，1分間あたりU×V/P mLの血漿が腎で浄化を受けた結果，UVmgのZが尿中に排泄されたことを示しており，このUV/Pが物質Zのクリアランスとなる。

　ここで，Zが糸球体でのみろ過され，尿細管からは分泌・再吸収されない性質を有するのであれば，そのクリアランスはGFRを示す。一方，Zが腎全体で浄化されて尿中に排泄されるのであれば，そのクリアランスはRPFを示す。

## 3. 体表面積補正

正常な状態における腎クリアランスの値は，腎の大きさに依存する。そこで，体表面積（BSA）と腎の大きさがほぼ比例することを利用して，体重（kg）と身長（cm）から被検者の体表面積を求め，成人の国際標準体表面積 $1.73m^2$ あたりの値に補正する。体表面積計算式の1例を示す。

体表面積（$m^2$）＝身長$^{0.725}$ × 体重$^{0.425}$ × 0.007184

## 4. クレアチニンクリアランスとイヌリンクリアランス

クレアチニン(Cr)は糸球体でろ過されるので，そのクリアランス〔クレアチニンクリアランス（CCr)〕はGFRの指標となる。CCrは，臨床の場で最も広く測定されているクリアランス試験である。しかし，Crは血中濃度が上昇すると尿細管からも分泌され，また，その体内量（Crプール）は筋肉量に依存するので，CCrはあくまでも簡易的なGFR指標であることを認識しておく必要がある。

現在のGFRの国際標準的測定法は，イヌリンという多糖体を指標物質とするイヌリンクリアランス試験である。イヌリンはヒトの血中や尿中には基本的に存在せず，糸球体で選択的にろ過され尿中に排泄される。しかし，イヌリンクリアランス試験は術式が極めて煩雑であるため，日常検査法としては普及していない。

## 5. 推算糸球体ろ過量

推算糸球体ろ過量（eGFR）は血清Cr濃度，年齢，性別をパラメータとして次式により計算される。

eGFR(mL/分/$1.73m^2$)＝194×年齢$^{-0.287}$×血清Cr$^{-1.094}$
（女性はさらに0.739を乗ずる）

また，eGFRは体表面積が$1.73m^2$の標準的な体型（170cm，63kg）に補正した場合のGFR（mL/分/$1.73m^2$）が算出されるため，体格の小さな症例では腎機能が過大評価される。さらに標準的な体格と大きく異なる場合は，以下の式によりBSAで補正することができる。

eGFR（mL/分）＝eGFR（mL/分/$1.73m^2$）× BSA/1.73

この式は，イヌリンクリアランス試験で測定されたGFR値に上述のパラメータを回帰させた重回帰式であり，すなわちeGFRはイヌリンクリアランスの推定値である。eGFRはCKDの病期ステージ分類の指標とされており，eGFRが50mL/分/$1.73m^2$未満の場合は，心血管疾患の発症リスクも約2倍に増大すると報告されている[5)]。

Crを使用したeGFR推算式は，たとえば小児や四肢欠損，筋肉疾患，長期臥床，低栄養など著しく筋肉量が少ない場合は低くなり，スポーツ選手のように筋肉量が著しく多い場合や運動習慣のある高齢者は高くなる。そのような場合は，血清シスタチンC（Cys-C）を用いた推算式

用語　体表面積（body surface area；BSA），クレアチニンクリアランス（creatinine clearance；CCr），推算糸球体ろ過量（estimated glomerular filtration rate；eGFR） (eGFRcys) が有用である[6, 7]。しかし，Cys-Cは甲状腺機能異常症，一部の悪性腫瘍，HIV感染，ステロイドやシクロスポリンの使用で信頼性が低下することに留意する。

・**成人**

男性：eGFRcys (mL/分/$1.73m^2$)

$$= (104 \times \text{Cys-C}^{-1.019} \times 0.996^{年齢（歳）}) - 8$$

女性：eGFRcys (mL/分/$1.73m^2$)

$$= (104 \times \text{Cys-C}^{-1.019} \times 0.996^{年齢（歳）} \times 0.929) - 8$$

・**小児**

eGFRcys (mL/分/$1.73m^2$) ＝104.1/Cys-C − 7.80

＊Cys-C：血清シスタチンC濃度 (mg/L)

［星　雅人］

## 参考文献


1) 池森(上条)敦子(監修)：「腎臓の解剖」，病気がみえる Vol.8 腎・泌尿器，4-9，メディックメディア，2012.
2) 中井秀郎，横山　修(監修)：「尿路の解剖」，病気がみえる Vol.8 腎・泌尿器，10-11，メディックメディア，2012.
3) 川原克雅(監修)：「腎臓の機能」，病気がみえる Vol.8 腎・泌尿器，50-71，メディックメディア，2012.
4) 柴垣有吾(監修)：「酸塩基平衡」，病気がみえる Vol.8 腎・泌尿器，102-113，メディックメディア，2012.
5) 日本腎臓学会(編)：CKD 診療ガイド 2012，1-4，東京医学社，2012.
6) 日本腎臓学会(編)：CKD 診療ガイド 2012，18-19，東京医学社，2012.
7) Uemura O, *et al*："Cystatin C-based equation for estimating glomerular filtration rate in Japanese children and adolescents", Clin Exp Nephrol, 2013；18：718-725.
8) 宮田幸雄：「尿細管性アシドーシス」，別冊・医学のあゆみ 腎疾患，298-301，浅野　泰，小山哲夫(編)，医歯薬出版，2003.
9) 伊藤貞嘉(編)：「酸塩基平衡における腎臓の役割」，腎疾患のとらえかた，296-297，文光堂，2003.
10) 柴垣有吾(監修)：「水・ナトリウム代謝」，病気がみえる Vol.8 腎・泌尿器，78-80，メディックメディア，2012.
11) 伊藤貞嘉(編)：「糸球体濾過を一定に保つ機序」，腎疾患のとらえかた，10-13，文光堂，2003.
12) 安田貴氏(監修)：「慢性腎臓病(CKD)/慢性腎不全(CRF)/末期腎不全(ESKD)」，病気がみえる Vol.8 腎・泌尿器，218，メディックメディア，2012.
13) O'Callaghan C(著)，飯野靖彦(訳)：「エリスロポエチンと腎疾患における貧血」，一目でわかる腎臓 第2版，24-25，メディカル・サイエンス・インターナショナル，2007.

# 2.2　尿の採取方法と採尿の種類

・尿検体の正しい採取方法について理解する。
・尿検体の採取時間による特徴を理解する。
・検査目的に応じた尿の種類について理解する。

## 1. はじめに

尿検査は代表的な無侵襲検査であり，病気を推測するために広く利用されている。しかし，尿は同一人でも排泄量，pH，比重，浸透圧などが著しく変化すること，含有成分の生理的変動幅が大きいこと，細菌増殖などにより含有成分が変質しやすいこと，服用薬剤や飲料に含まれる成分が大量に排泄されることから，検査結果に偽りの情報が加わりやすいといった問題がある。

よって，尿検査の実施にあたっては，採尿から判定，結果の解釈までのすべての段階において，注意すべき事項がある。

## 2. 尿の採取方法と採取時間[1)]

尿は食事や運動などにより常に成分が変動するため，検査目的や患者の病態に応じた，適切な採取時間を選択しなければならない。

### (1) 採取方法

最初の尿は採取せず，排尿を止めずに途中の尿(中間尿)を採尿容器に採取する。最後の尿も採取せず破棄する。

1)男性：手をよく洗い，亀頭を露出させて先端を清拭する。

2)女性：手をよく洗い，片方の手で陰唇を開き，清拭，採尿が終わるまでその状態を保つ。それから外陰部を清拭し，とくに外尿道口付近はよく拭く。または温水洗浄装置（ビデ）の使用も効果的である。

### (2) 採取時間による尿の分類

**1）早朝第1尿**

就寝前に排尿し，以後一切の飲食を行わず，起床後最初に採取した尿のことをいう。尿は弱酸性に傾き，濃縮され，成分の安定性が高く，尿定性・尿化学検査，尿沈渣検査に適する。尿路感染症を推測するための亜硝酸塩検査は，尿が膀胱内に4時間以上貯留している必要があるため，早朝第1尿が最適とされている。また，学童期に多く見られる症状である起立性蛋白尿を除外できるため，学校検尿などに適する。

**2）早朝第2尿**

起床後最初の排尿の後に膀胱内に貯留した尿を採取したものである。主として尿定性検査に用いられ，日常（比較的活動時）の腎・尿路系の状態を反映する。

**3）随時尿**

任意の時間に採取した尿のことをいい，尿の希釈や濃縮の影響を受けているが，外来検査や検診などのスクリーニング検査に広く用いられている。

**4）24時間尿（1日尿，蓄尿）**

化学的成分の1日総排泄量を正確に測定するために用いられ，検査目的により適切な防腐剤や保存剤を添加して蓄尿する。尿定性検査には原則として使用しない。また沈渣成分が変性・崩壊するため，尿沈渣検査には不適である。

膀胱内の尿を完全排尿した時点が蓄尿開始時間となり，次に採取された尿からすべて蓄尿する。開始時間から24時間後の蓄尿終了時には，尿意の有無にかかわらず完全排尿させて蓄尿が終了となる。防腐剤や保存剤などを添加する場合は，原則として初回採尿時に添加する。

**5）負荷後尿**

薬剤，運動，入浴などの負荷後に採取した尿のことをいい，負荷の前後を比較する場合に用いられる。実生活に即した腎・尿路系の状態が反映され，糖負荷試験における採尿や起立性蛋白尿の有無を確認するための採尿もこれに含まれる。ほかに前立腺マッサージ後尿などもある。

**6）時間尿**

一定時間内に生成された尿のことをいい，その時間内に

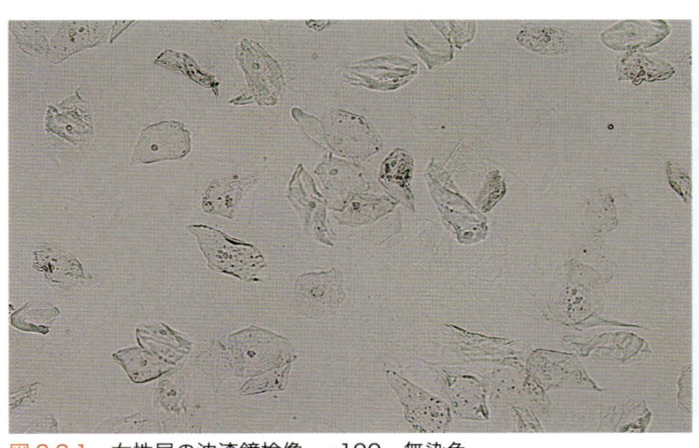
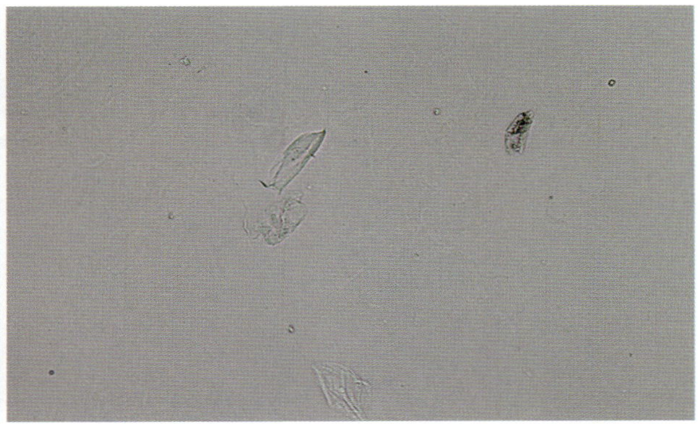

図 2.2.1　女性尿の沈渣鏡検像　×100　無染色
外陰部由来の混入物の影響は初尿（左）では大きく，中間尿（右）では小さい。
〔山西八郎，堀田真希：「第1章 尿検査の基礎」，一般検査技術教本，6，日本臨床衛生検査技師会（編），2012より〕

おけるすべての尿を採取する。一定時間あたりの排泄量を調べるクリアランス試験などに用いられる。採取開始方法は24時間尿と同様に行い，定められた時間になれば尿意の有無にかかわらず完全排尿させて終了となる。

## 3. 検査の目的に応じた採尿の種類[1)]

検査の目的に応じて採尿方法は多種にわたり，その種類により特有な成分が検出されることがある。自然尿以外の方法で採尿した場合は，その方法を記載するのが望ましい。

### (1) 自然尿

自然に排泄された尿。通常の尿検体である。

**1) 全部尿（全尿）**

自然に排泄された尿を全量採取したもの。

**2) 部分尿**

自然に排泄された尿の一部を採取したもの。

①初尿：最初に排泄された尿をいい，尿道炎（クラミジアなど）の検査に用いる。外陰部由来の混入物が影響するため，尿沈渣検査には不適である（図2.2.1左）。

②中間尿：初尿および終わりの尿は採取せず，排尿途中に採取した尿。尿定性・尿化学検査，尿沈渣検査に適している（図2.2.1右）。

③分杯尿：目的に応じて分割採取した尿。1つ目のコップ（第1尿）に排尿の前半20～30mL程度を採取し，2つ目のコップ（第2尿）に残りの尿を採取することで出血や炎症の病変部位を推測できる，トンプソン（Thompson）の2分杯尿法などがある（図2.2.2）。

### (2) カテーテル尿

尿道から膀胱あるいは尿管にカテーテルを挿入して採取した尿。意識障害や手術後などで排尿困難な場合や，尿路の異常により正常に尿排泄が行えなくなった状態（尿閉）の場合に用いられる。臨床微生物検査では，外陰部由来の混入物を排除するために用いられることもある。

### (3) 膀胱穿刺尿

膀胱を直接穿刺して採取した尿。急性尿閉を一時的に解除する場合や，カテーテルの挿入が困難な場合および臨床微生物検査に用いられる。

### (4) その他

回腸導管尿といった尿路変更（変向）術後尿などがある。

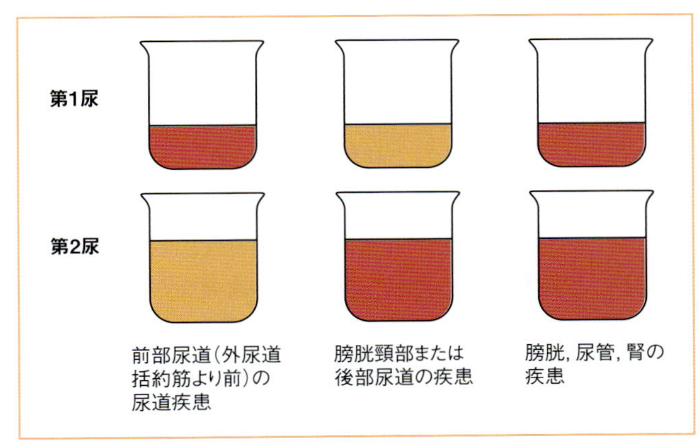


図 2.2.2　2分杯尿法における出血部位の推定
赤色が病変を示す。

［星　雅人］

## 参考文献

1) 尿試験紙検討委員会：「「尿試験紙検査法」JCCLS 提案指針」，日本臨床検査標準協議会会誌，2001；16：33-55.

# 2.3　尿試験紙法

・スクリーニング検査としての尿検査の目的を理解する。
・尿試験紙の構造と反応原理および，偽反応を理解する。
・尿試験紙法の基本的操作（dip and read）を習得する。

## 1. 尿試験紙法について

尿検査は，代表的な無侵襲検査である。中でも1956年にFreeやComerによって開発された尿定性・半定量試験紙法（尿試験紙法）は，検体の採取が容易であること，操作が簡便であること，さらに低コストで多項目を同時測定できることから，最も一般的なスクリーニング検査として広く実施され，今では必要不可欠な検査となっている。尿試験紙法は臨床検査技師に限らず，医師や看護師など，また，最近では，処方箋なしで入手できるOTC検査薬として薬局などで一般市民が購入して利用することも可能となり，簡便かつ基本的な臨床検査として広く普及している。

### (1) 尿試験紙法の目的

尿試験紙法は患者の病態を推測する検査として，臨床ではおもに次の3つの目的で利用されている。

1) 初診の患者や健康診断における，病気を推測するためのスクリーニング検査：腎疾患や肝・胆疾患，あるいは糖尿病などの有無について，臨床化学検査などと合わせて疾患を推測する重要な検査として位置付けられている。
2) 治療中の患者における病態変化の把握：蛋白尿や血尿などの結果は，投薬などの治療効果を判断するための情報として利用される。検査結果の変動によって，治療方法が変更になることもある。
3) 投与薬剤における副作用のスクリーニング検査：薬剤によっては副作用として腎障害，肝障害，横紋筋融解症などを発症する場合がある。低コストで多項目測定が可能な尿試験紙法は，病態変化を推測するためのスクリーニング検査として利用されることが多い。

### (2) 尿試験紙法における結果の解釈

上述のとおり，尿試験紙法は検査目的によって結果の解釈が変化する。たとえば，尿蛋白が病態の変化によって出現した場合と，薬剤の副作用として腎障害を発症したために出現した場合では，尿蛋白の意味が異なる。これらのことを推測するためには，患者情報（年齢，性別，入院・外来の区別，受診科名など）が非常に有用な情報となる。患者情報から病態などを考慮し，総合的に考えることが重要である。

## 2. 尿試験紙法の基本操作[1)]

尿試験紙法は，誰でも簡単に実施できる検査として広く用いられているが，誤った使用法では正しい結果が得られない。また，尿試験紙はろ紙に試薬をしみ込ませただけの単純な構造であり，原理も化学反応を利用したものが多い（表2.3.1，2.3.2）ため，偽反応（偽陽性，偽陰性，異常発色）が非常に多い検査でもある。

よって，尿試験紙の構造と反応原理を十分理解したうえで使用し，偽反応を見極めて正しい結果を報告することが大事である。また，尿試験紙は国内において十数社より販売されており，各社それぞれ特徴が異なるため，添付文書をよく読み，理解する必要がある（表2.3.3）。

### (1) 尿試験紙の構造と反応原理上の注意点

尿試験紙の反応部分はろ紙である。また，尿にはさまざまな物質（食事の影響によるものや薬剤の代謝物など）が含まれている。そのため尿試験紙は，尿にはある程度妨害物質が含まれていると考えて調製されている。精度管理を実施する場合には，市販のコントロール尿を使用すること

---

用語　薬を処方箋なしで入手できるセルフメディケーション（over the counter；OTC）

表 2.3.1　検査項目と測定原理の例※

| 検査項目 | 測定原理 |
|---|---|
| グルコース | グルコース + $H_2O$ + $O_2$ —[GOD]→ グルコン酸 + $H_2O_2$<br>$H_2O_2$ + [クロモーゲン・$2I^-$] —[POD]→ $H_2O$ + 酸化型クロモーゲン・$I_2$ |
| ビリルビン | ビリルビン + [ジアゾニウム塩] —カップリング反応 [強酸性]→ アゾ色素 |
| ケトン体 | アセト酢酸 + [ニトロプルシド・Na] —Lange 反応 [アルカリ性]→ $Na_3[Fe(CN)_5N{=}CH\text{-}C(OH)\text{-}CH_2COOH]$ |
| 比重 | 陽イオン + [$(-COOH)_n$] —pKa変化→ $H^+$の放出<br>$H^+$ + [pH 指示薬] → 指示薬呈色変化 |
| 潜血 | ヘモグロビン + [DBDH] + [TMB] —ヘモグロビンの POD様作用→ $H_2O$ + 酸化型TMB |
| pH | $H^+$ + [複合pH指示薬] → 指示薬呈色反応 |
| 蛋白 | アルブミン + [TBPB] —蛋白誤差反応 [pH3]→ TBPB変色点変化 |
| ウロビリノゲン | ウロビリノゲン + [$p$-ジエチルアミノベンズアルデヒド] —Ehrlich 反応 [強酸性]→ 縮合体 |
| 亜硝酸塩 | 亜硝酸塩 + [アルサニル酸] → ジアゾニウム化合物<br>ジアゾニウム化合物 + [THBQ・3ol] —カップリング反応→ アゾ色素 |
| 白血球 | 白血球のエステラーゼ + [ピロールアミノ酸エステル] —加水分解→ 3-OH-5-フェニルピロール<br>3-OH-5-フェニルピロール + [ジアゾニウム塩] —カップリング反応→ アゾ色素 |
| クレアチニン | クレアチニン + [Cu] + [TMB] —クレアチニン・銅複合体 POD様作用→ 酸化型TMB |

〰〰〰：検出物質　[　　]：試験紙中の試薬成分

※ 尿試験紙のメーカーによっては，本表の原理と異なる場合もある。

〔山西八郎，堀田真希：「第 1 章 尿検査の基礎」，一般検査技術教本，11，日本臨床衛生検査技師会（編），2012 より改変〕

が望ましいが，自家調製する場合には陰性尿[*1]に目的物質を添加したものを使用する。

強度の血尿は尿試験紙に血尿の色がかぶり異常発色を引き起こすため，本来，定性検査には適さないが，検査の必要がある場合には尿を500$g$で5分間遠心し，その上清を用いる。その際には「強度血尿」などのコメントを付記して参考値として報告することが望ましい。また，尿を遠心した場合は，潜血反応と白血球反応が低値傾向になること

**用語**　グルコースオキシダーゼ（glucose oxidase；GOD），ペルオキシダーゼ（peroxidase；POD），ランゲ（Lange）反応，1,4-ジイソプロピルベンゼンジヒドロパーオキサイド（1,4-diisopropylbenzenedihydroperoxide；DBDH），3,3',5,5'-テトラメチルベンジジン（3,3',5,5'-tetramethylbenzidine；TMB），テトラブロモフェノール青（tetrabromophenol blue；TBPB），エールリッヒ（Ehrlich）反応，3-ヒドロキシ-1,2,3,4-テトラヒドロ-7,8-ベンゾキノリン（3-hydroxy-1,2,3,4-tetrahydro-7,8-benzoquinoline；THBQ・3ol）

表 2.3.2　尿試験紙項目の測定原理，判定時間，測定範囲および感度

| 検査項目 | 測定原理 | 判定時間(秒)※1 | 測定範囲（比色段階） | | | | | | | 感　度 |
|---|---|---|---|---|---|---|---|---|---|---|
| グルコース | GOD･POD クロモーゲン（KI）反応 | 30 | 陰性 | 100<br>1+ | 200<br>2+ | 500<br>3+ | 1,000<br>4+ | 2,000<br>5+ | (mg/dL) | 75～125mg/dL<br>グルコース |
| ビリルビン | ジアゾカップリング反応 | 30 | 陰性 | 1+ | 2+ | 3+ | | | | 0.4～0.8mg/dL<br>ビリルビン |
| ケトン体 | Lange 反応の応用 | 40 | 陰性 | 5<br>± | 15<br>1+ | 40<br>2+ | 80<br>3+ | 160<br>4+ | (mg/dL) | 5～10mg/dL<br>アセト酢酸 |
| 比重 | 高分子電解質共重合体の pKa 変化 | 45 | 1.000 | 1.005 | 1.010 | 1.015 | 1.020 | 1.025 | 1.030 | — |
| 潜血 | ヘモグロビンの POD 様作用 | 60 | 陰性 | (非溶血)<br>± | (溶血)<br>± | | 1+※2 | 2+ | 3+ | 0.015～0.062mg/dL<br>ヘモグロビン<br>5～20個/μL<br>溶血していない<br>赤血球※3 |
| pH | 複合指示薬法 | 直ちに～60 | 5.0 | 6.0 | 6.5 | 7.0 | 7.5 | 8.0 | 8.5 | — |
| 蛋白 | 指示薬の蛋白誤差反応 | 直ちに～60 | 陰性 | ±<br>± | 30<br>1+ | 100<br>2+ | 300<br>3+ | 1,000<br>4+ | (mg/dL) | 15～30mg/dL<br>アルブミン |
| ウロビリノゲン | Ehrlich 反応の応用 | 60 | 正常<br>0.1 | 1 | 2 | 4 | 8 | | (Ehrlich 単位/dL) | 0.1 Ehrlich 単位/dL |
| 亜硝酸塩 | Griess 反応 | 60 | 陰性 | 均一な桃色の呈色はすべて陽性<br>（陽性の場合 $10^5$ 個/mL 以上の有意細菌尿を示唆） | | | | | | 0.06～0.1mg/dL<br>亜硝酸塩 |
| 白血球 | 色原体基質を用いるエステラーゼ活性検出反応 | 120 | 陰性 | ± | 1+ | 2+ | 3+ | | | 5～15個/HPF<br>白血球 |
| クレアチニン | クレアチニンと銅との複合体の POD 様作用 | 60 | 10 | 50 | 100 | 200 | 300 | | (mg/dL) | 10～300mg/dL<br>クレアチニン |

※1 試験紙の判定は 120 秒以内に行う。120 秒を超えての発色は信頼性がないため，診断に用いない。
※2 潜血の 1＋はヘモグロビンの 0.06mg/dL に相当し，赤血球に換算すると約 20 個/μL になる。
※3 尿分析器は肉眼比色法に比べ，溶血していない赤血球の検出感度は劣っている。
〔山西八郎，堀田真希：「第 1 章 尿検査の基礎」，一般検査技術教本，10，日本臨床衛生検査技師会（編），2012 より改変〕

表 2.3.3　尿試験紙に含まれる成分の例

| 検査項目 | 成　分 | 含有量/100 枚 |
|---|---|---|
| グルコース | GOD<br>POD<br>KI | 330μL<br>0.9mg<br>9mg |
| ビリルビン | 2,4-ジクロルアニリン<br>亜硝酸ナトリウム | 1.05mg<br>1.48mg |
| ケトン体 | ニトロプルシドナトリウム二水和物 | 36mg |
| 比重 | ブロモチモール青<br>メトキシエチレン無水マレイン酸共重合体 | 0.9mg<br>24mg |
| 潜血 | DBDH<br>TMB | 15.1mg<br>8.9mg |
| pH | メチル赤<br>ブロモチモール青 | 0.022mg<br>0.47mg |
| 蛋白 | TBPB | 0.24mg |
| ウロビリノゲン | *p*-ジエチルアミノベンズアルデヒド | 0.525mg |
| 亜硝酸塩 | THBQ・3ol<br>アルサニル酸 | 1.6mg<br>2.3mg |
| 白血球 | 3-(*N*-トルエンスルホニル-L-アラニロキシ)-5-フェニルピロール<br>1-ジアゾ-2-ナフトール-4-スルホン酸 | 0.42mg<br>0.094mg |
| クレアチニン | DBDH<br>TMB<br>硫酸銅 | 不明 |

〔山西八郎，堀田真希：「第 1 章 尿検査の基礎」，一般検査技術教本，9，日本臨床衛生検査技師会（編），2012 より改変〕

に注意する。

### (2) 目視における判定方法

尿試験紙法での呈色を判定する方法としては，次の3つがある。

1) 近似選択法：尿試験紙の呈色により近い色調表の色枠を選択する。
2) 切り捨て法：尿試験紙の呈色が色調表の色枠に達しない場合には切り捨て，濃度の低い色枠として判定する。
3) 切り上げ法：尿試験紙の呈色が色調表の色枠より少しでも濃い場合には切り上げ，濃度の高い色枠として判定する。

### (3) 基本操作（dip and read）[1]

基本操作の流れを図 2.3.1 に，注意点を以下に示す。

1) 遠心分離した尿は原則として使用しない。
2) 採尿直後に検査できない場合には冷暗所または冷蔵保存しておき，尿の温度を室温に戻してから4時間以内に検査を行うことが望ましい。尿の温度が低いとグルコースの値は低く，潜血は高く判定される場合がある[2]。
3) 試験紙部分の周辺部の呈色が中央部より濃い場合もあるが，原則として中央部にて判定する。
4) 照明の種類が判定に影響を及ぼす場合があるため，1,000 ルクス程度の昼光色の光源下で判定する。
5) 試験紙の呈色判定方法には前述の近似選択法，切り捨て法，切り上げ法があり，どの方法を採用するかは各施設であらかじめ協議して統一しておく必要がある。

**用語**　ヨウ化カリウム（potassium iodide；KI），グリース（Griess）反応，強拡大視野（high power field；HPF）

## 参考情報

＊1 陰性尿

尿試験紙法のすべての項目が陰性または正常で，アスコルビン酸陰性，比重1.015～1.020，pH5.0～6.5の尿をプールし，4℃で数日間保存してからろ過したものを陰性尿とする。4℃で保存する理由は，低温によって塩類の析出が促されることと，微量に存在するアスコルビン酸の分解が期待されることである。保存状況によっては数カ月～1年程度使用可能である。尿の色調が尿試験紙の呈色と同色または同系色を示す場合には，尿試験紙本来の呈色が妨害されることがある（偽反応，異常発色）（表2.3.4）。

表 2.3.4　おもな定性検査の偽反応

| 検査項目 | 偽陽性 | 偽陰性 |
|---|---|---|
| グルコース | 酸化剤の混入 | アスコルビン酸の存在，高比重尿 |
| ビリルビン | 薬剤（エトドラク）など | アスコルビン酸の存在 |
| ケトン体 | 薬剤（SH 基を有する）など | 採尿後，時間が経過した尿 |
| 潜血 | 酸化剤の混入，ミオグロビン尿 | アスコルビン酸の存在，高比重尿，亜硝酸塩 |
| 蛋白 | pH8.0 以上のアルカリ性尿 | pH3.0 以下の酸性尿（酸性蓄尿）<br>グロブリンやベンス・ジョーンズ蛋白は反応が弱い |
| 亜硝酸塩 | 薬剤（フェナゾピリジンによる着色尿）など | アスコルビン酸の存在，硝酸塩を還元しない細菌の感染，膀胱内に4時間以上貯留していない尿 |
| 白血球 | ホルムアルデヒドの混入 | 高蛋白尿，高糖尿，高比重尿 |

〔久野　豊：「尿検査」，ひとりでも困らない！検査当直イエローページ（臨床検査 増刊号 vol.59），1122，医学書院，2015 および福田嘉明：「ここまでやろう・考えよう尿検査 1）定性試験」，Medical Technology，2012；40：359 をもとに作成〕

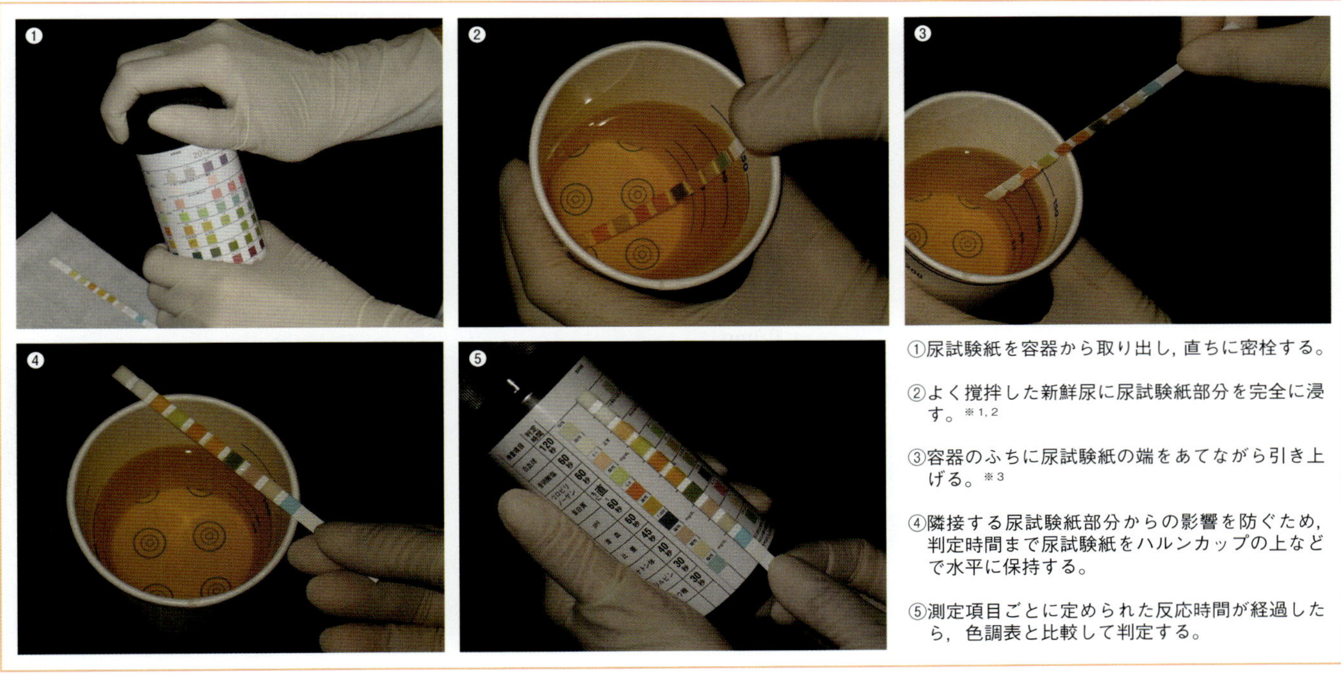

①尿試験紙を容器から取り出し，直ちに密栓する。

②よく攪拌した新鮮尿に尿試験紙部分を完全に浸す。※1, 2

③容器のふちに尿試験紙の端をあてながら引き上げる。※3

④隣接する尿試験紙部分からの影響を防ぐため，判定時間まで尿試験紙をハルンカップの上などで水平に保持する。

⑤測定項目ごとに定められた反応時間が経過したら，色調表と比較して判定する。

図 2.3.1　基本操作の流れ

※1 新鮮尿に尿試験紙を浸す時間は各社ごとまたは尿試験紙の種類により異なるため，必ず指定の時間で行う。

※2 新鮮尿に尿試験紙を浸す時間が短すぎると発色不十分となり，長すぎると尿試験紙中の試薬成分が尿中に溶出するため，いずれも正しい結果は得られない。

※3 この操作は，隣接する尿試験紙部分からの試薬混入を防ぐため，過剰な尿を取り除くのに必要である。

〔山西八郎，堀田真希：「第1章 尿検査の基礎」，一般検査技術教本，9，日本臨床衛生検査技師会（編），2012 より改変〕

［星　雅人］

用語　スルフヒドリル（sulfhydryl；SH）基，ベンス・ジョーンズ（Bence Jones；BJ）蛋白

## 参考文献

1）尿試験紙検討委員会：「「尿試験紙検査法」JCCLS 提案指針」，日本臨床検査標準協議会会誌，2001；16：33-55.

2）堀田真希，前田富士子：「尿試験紙法は尿の温度によってどの程度影響を受けるか？」，検査と技術，2007；35：286-289.

A. 尿検査

# 3章 尿の外観検査

章目次



SUMMARY

スクリーニング検査として広く実施される尿検査は，被検者に苦痛を与えず繰り返し行うことが可能である。尿検査の質が高められるならば，非常に有効な腎・泌尿器疾患の診断や治療管理方法として，臨床医学の発展に貢献できるであろう。

採取した尿は，まず撹拌してから検査する習慣を身に付けることが大切である。続いて外観的検査を行う。色調の観察をはじめとして，特有の臭い，血尿，膿尿など混濁の有無を観察する。外観や性状のみからでも病態を把握できることがあり，身体の異常がわかることもある。

あらゆる検査に先立って尿の外観を注意深く観察し，その性状を的確に表現し報告することが重要である。

# 3.1　尿の外観検査

・尿検査は尿の外観を観察することから始まる。
・尿の混濁鑑別の基本的操作法を知る。
・着色尿の臨床的意義を考える。

## 3. 1. 1　尿の基礎知識

健常成人では，摂取した水分の40～60％が尿として腎臓から排泄される。その成分はほとんどが水であるが，$Na^+$，$K^+$，$Cl^-$などの電解質も比較的多く含まれる。また，有機成分としては尿素，尿酸，クレアチニンが大部分を占めている。

## 3. 1. 2　尿外観検査の臨床的意義

尿検査の第一歩は，尿の外観（色調や混濁の有無）と臭いの観察である。これらが食事，運動，薬剤などの影響を受けることを考慮しつつあらゆる検査に先立って注意深く観察することは，定性検査や尿沈渣検査において重要な情報となり，検査結果の信頼性の向上へとつながる。さらに，患者の病態予測がある程度可能になり，腎臓のはたらきを客観的に推定することもできる。

## 3. 1. 3　尿外観検査

### 1. 尿　量

尿量は水分摂取や発汗・下痢といった水分の出納により変動する。健常成人の1日尿量は1,000～1,500mL（約1mL/kg/時）である。2,000mL/日以上を多尿とよび，水の量そのものが多い水利尿と溶質の量が多い浸透圧利尿とに大別される。また，400mL/日以下を乏尿，100mL/日以下を無尿といい，後者では尿の産生や排出が完全に欠如している場合が多い（表3.1.1）。0mL/日の場合は完全無尿という。小児の1日尿量は，1～6歳では300～1,000mL/日，7～12歳では500～1,500mL/日であり，体重kgあたりでは成人の3～4倍になる。

1回の排尿量は通常200～400mL，1日の回数は4～6回であり，1日2回以下あるいは10回以上は異常である。尿

表3.1.1　尿量の異常とその原因

| | 尿　量 | 原　因 |
|---|---|---|
| 多尿 | 2,000mL/日以上 | 水利尿：水分過剰摂取，尿崩症など<br>浸透圧利尿：糖尿病，利尿薬使用時 |
| 乏尿 | 400mL/日以下 | 腎前性：循環血液量の低下（嘔吐，発汗，脱水，胸水・腹水貯留，浮腫出血），<br>心拍出量の低下（心筋梗塞，心不全による夜間多尿）<br>腎性：糸球体病変，急性間質性腎炎，急性尿細管壊死<br>腎後性：水腎症，前立腺肥大，尿路結石，尿道炎，腫瘍の後腹膜浸潤，神経因性膀胱など |
| 無尿 | 100mL/日以下 | 腎炎やネフローゼなどが重篤な場合，不適合輸血，ショックなど |

〔白川千恵子，片桐智美：「第2章 尿の一般性状検査」，一般検査技術教本，12，日本臨床衛生検査技師会（編），2012より改変〕

量は増加せず排尿回数のみが増加する頻尿は，過活動膀胱症候群とされる。また，尿路の通過障害により排尿が停止するものを尿閉とよび，不随意に排尿が生じることを尿失禁とよぶ。

尿量は，腎濃縮力，排泄溶質量（電解質や尿素など），ホルモン濃度とも関連する。4.1節で述べられる，比重や浸透圧の測定を組み合わせた尿検査を行えば，自覚症状のない病気の早期発見や疾病の原因追究または経過観察に役立つことが多い[1,2]。

## 2. 臭　い

体臭や尿臭などの臭いは，古くから病気の診断に利用されてきた。健常人では，飲酒や食事によって独特の臭気を放つこともあるが，新鮮尿には特有のかすかな芳香がある。尿は細菌などが繁殖しやすく，放置すると細菌ウレアーゼにより尿素が分解されアンモニアが発生する場合がある。

新鮮尿における病的な尿臭を表3.1.2にあげる。

## 3. 色　調（図3.1.1）

通常，尿は淡黄～黄褐色を呈する。この色調には，尿細管で産生されるウロクロム色素のほか，ウロビリン，ウロエリスリンなどが関係している。色素の産生量と排泄量はほぼ一定であるため，尿量が多ければ（希釈尿）尿の色は薄く，尿量が少なければ（濃縮尿）尿の色は濃くなる。また，投与薬剤やビタミン剤，および肉眼的血尿などにより尿の着色が著しい場合には尿試験紙検査の妨げとなり，本来の判定を誤らせることがあるため注意が必要である。

尿の色調の種類とその原因（表3.1.3），および色調観察時の注意点*1を示す[2~7]。

表3.1.2　尿の臭いと病態

| 臭いの特徴 | 原因物質 | 病　態 |
|---|---|---|
| 特有のかすかな芳香 | 代謝産物など | 正常 |
| 不快な刺激臭，悪臭 | アンモニア | 膀胱炎などの尿路感染症 |
| 果実様の甘い臭い | アセトン体など | 重症糖尿病，飢餓状態など |
| ネズミの尿様/カビ様の臭い | フェニルピルビン酸 | フェニルケトン尿症 |
| 砂糖を焦がした臭い | α-ケト酸 | メープルシロップ尿症 |
| チーズ臭，蒸れた足の臭い | トリメチルアミン | トリメチルアミン（イソ吉草酸）尿症 |
| 油臭 | チロシン | チロシン症 |
| キャベツ/ホップ臭 | メチオニン | メチオニン吸収不良 |

表3.1.3　尿の色調の種類とその原因

| 色　調 | 原　因 | 備　考 |
|---|---|---|
| 水様透明 | 希釈尿，水分過剰摂取 | 尿崩症（比重チェック），糖尿病（尿糖チェック），萎縮腎 |
| 赤～赤褐色 | 血尿<br>ヘモグロビン尿，ミオグロビン尿<br>ポルフィリン尿（赤ブドウ酒色）<br>センナ，ダイオウ，サントニン，アロエ<br>ラキサトール，サルファ剤<br>エパルレスタット，アンチピリン剤 | 潜血反応（+），上清黄色<br>潜血反応（+），上清赤色<br>潜血反応（−），上清赤色<br>薬剤，アルカリ性で赤色<br>薬剤<br>薬剤，酸性で赤色 |
| 茶～黄褐色 | ビリルビン尿<br>ウロビリン尿 | 泡沫も黄色<br>泡沫は無色 |
| 暗褐～黒色 | メラニン尿<br>アルカプトン尿<br>血尿，ヘモグロビン尿，ミオグロビン尿<br>レボドパ，キニン，メチルドパ，フェノール | 悪性黒色腫<br>放置・アルカリ化で黒色化増強<br>放置で黒色化増強<br>薬剤 |
| 濃黄～橙色 | 濃縮尿<br>ビリルビン尿<br>センナ，ダイオウ，サントニン，エパルレスタット | 脱水，発熱，高比重尿<br>光により分解<br>薬剤，酸性で橙黄色 |
| 乳白色：白濁 | 脂肪尿<br>乳び尿<br>リン酸塩，炭酸塩<br>膿尿，細菌尿 | 嚢胞腎，エーテルに溶解<br>フィラリア症，リンパ液混入<br>酢酸で消失<br>希酢酸に不溶 |
| 鮮黄（蛍光）色 | 蛍光造影剤（フルオレセインナトリウム）<br>リボフラビン，アクリフラビン | 眼底検査（黄緑色蛍光）<br>蛍光色素 |
| 緑～青色 | インジカン尿<br>細菌尿<br>インドシアニン緑，インジゴカルミン，エバンス青，メチレン青<br>塩酸，アミトリプチリン | 便秘，腸閉塞<br>緑膿菌感染<br>検査薬剤<br>薬剤 |
| 赤紫～紫色 | 紫色バッグ症候群 | 尿路感染，便秘 |

〔今井宣子：「一般検査：肉眼的性状―色調，混濁」，新・カラーアトラス 尿検査，15，伊藤機一，野崎　司（編），医歯薬出版，2004より改変〕

用語　ウロクロム（urochrome），ヘモグロビン（hemoglobin）

**参考情報**

＊1 色調観察時の注意点

1) 無色：採尿カップが冷たい場合には，採尿時の水混入を疑う。尿浸透圧低値や，比重が限りなく1.001に近くなることで確認できる。また，尿が少量でも含まれていれば，試験紙でウロビリノゲンが淡いピンク色を示す。
2) 血尿：遠心後，上清の尿で定性検査を実施する。
3) 赤色：硫酸アンモニウムによる塩析法〔ブロンドハイム（Blondheim）塩析法〕で，塩析されるヘモグロビン尿か，塩析されないミオグロビン尿かを確認する。
4) 赤紫色（紫色バッグ症候群）：増殖した細菌により，尿中のインジカンが青色のインジゴと赤色のインジルビンに変化する。この2つは水に溶けないため，採尿バッグは混じり合って紫色になる。これはクロロホルムで抽出できる。

## 4. 尿の混濁

### (1) 混濁尿鑑別の意義

正常尿の多くは透明であるが，排尿直後から混濁を示すものや放置により混濁が増強するものなどもあり，多様である（図3.1.1）。混濁の程度は含まれる物質の種類と量により変化し，その鑑別には色調とpHが深く関与する。酸性尿ではピンク色の無晶性尿酸塩または尿酸結晶の析出が見られ，アルカリ性尿では白色の無晶性リン酸塩・炭酸塩が見られる。

混濁尿はすべてに病的意義があるわけではないが，赤色混濁の血尿や白色混濁の膿尿，細菌尿，脂肪尿，乳び尿などの病的混濁尿は疾病の診断につながる場合もあるため，これらの原因と関連疾患の把握は重要である[4~7]。

混濁尿の鑑別方法（図3.1.2）として，まずは混濁尿を遠心分離する。上清が不透明な場合はエタノール・エーテル混液添加により混濁の要因を鑑別する。一方，上清が透明である場合は，最初に30%酢酸液を沈渣に添加し，溶解する場合は炭酸塩やリン酸塩が推定され，不溶の場合は，新たな検体に30%塩酸を加えて溶解性を確認する。溶解した場合は，シュウ酸カルシウム結晶が推定され，不溶の場合には，新たな検体に10% KOHを添加し，不変であれば細胞成分，コロイド状に凝集すれば白血球，溶解すれば尿酸結晶が推定される。

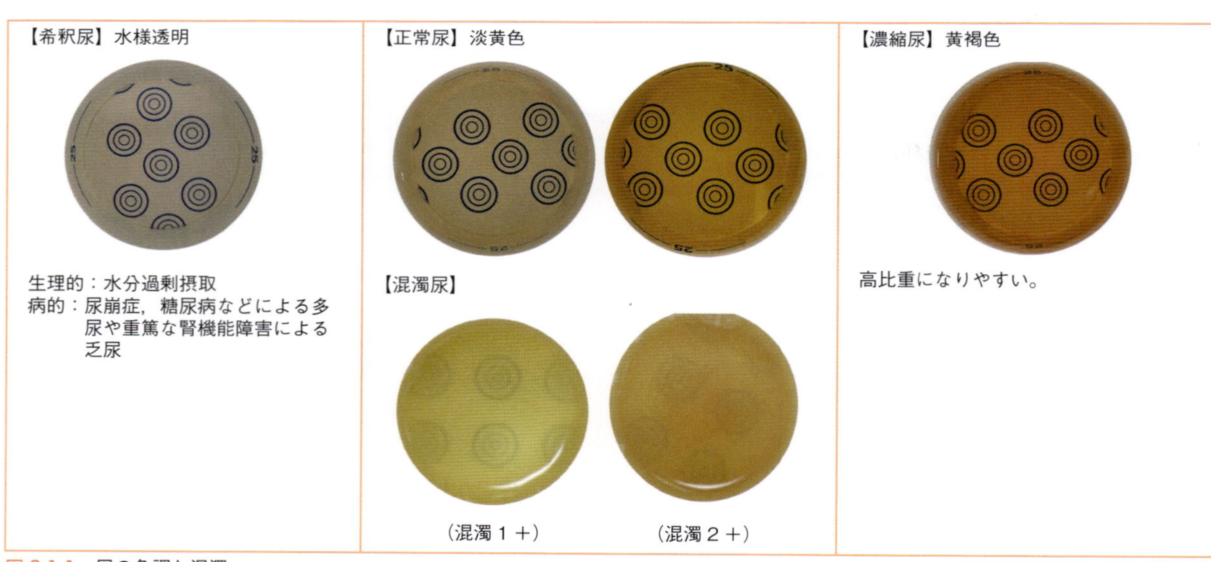


図3.1.1　尿の色調と混濁

**用語**　ブロンドハイム（Blondheim）塩析法，水素イオン指数（potential of hydrogen；pH）

【ビリルビン尿】茶～黄褐色

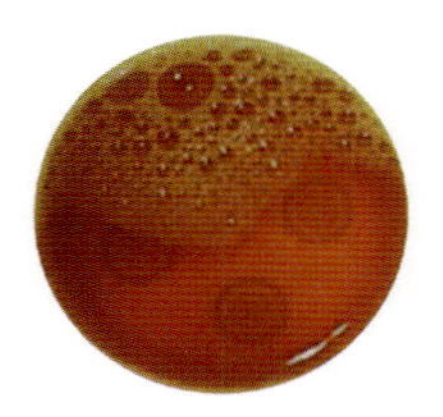

ビリルビン尿は泡沫まで黄染する。閉塞性黄疸や肝細胞障害で認める。

【肉眼的血尿】鮮紅色

採尿時

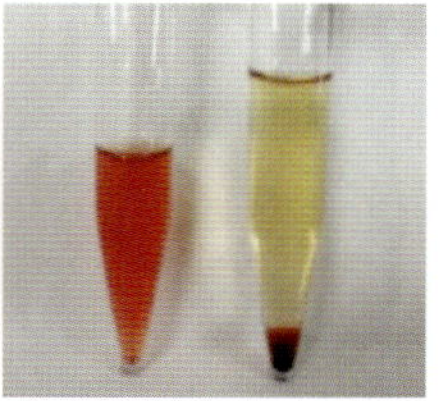

遠心前　遠心後

非糸球体性血尿

血尿は腎・尿路系や全身性の疾患による出血として認める。
ヘモグロビンは比較的新鮮で酸素飽和度も高いため，鮮紅色を示す。

【溶血尿】赤褐色：混濁

採尿時

遠心後

糸球体性血尿

赤血球は機械的・化学的な刺激を受けると変形し変性する。ヘモグロビンは酸素を失って変性し，暗赤褐色～コーヒー色になる。

【塩類・結晶尿】白色：白濁

採尿時

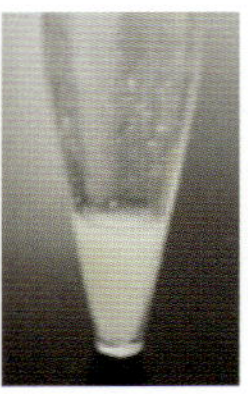

白色沈殿

アルカリ性尿では無晶性リン酸塩，炭酸塩の析出で白濁する。ファンコニー（Fanconi）症候群，尿路感染症，アルカローシスで認める。

【塩類・結晶尿】淡橙色～ピンク色

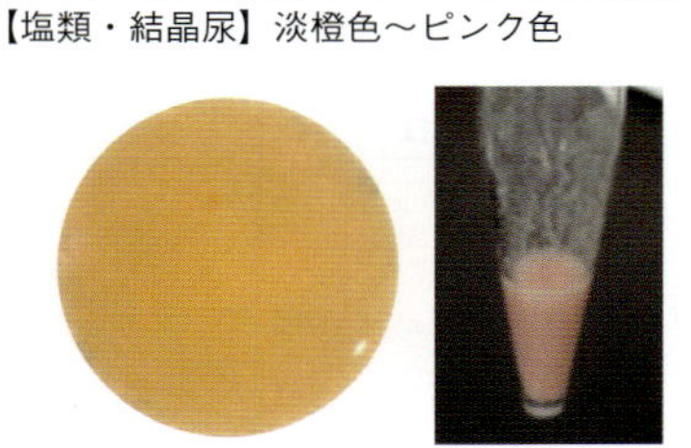

採尿時　遠心後

酸性尿や冷所放置で無晶性尿酸塩が析出する。

【膿尿】乳白色：混濁

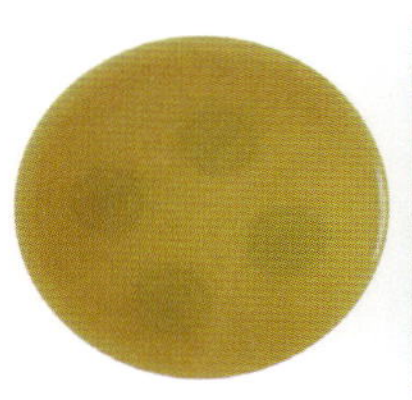

採尿時

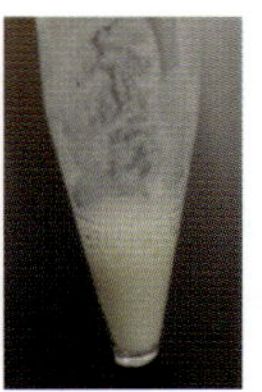

遠心後

白血球や細菌が増加している膿尿（尿路感染症）。乳び尿ではフィラリア症やリンパ管損傷が示唆される。

【糞便混入】褐色：混濁

便混入による膿尿や大腸がんの膀胱腸瘻が示唆されるため，鏡検時には糞便成分や異型細胞の存在を念頭に置いて観察する。採尿時のコンタミネーションとの鑑別が必要。

【薬剤着色尿】青色～暗青色

胃カメラ撮影時にインジゴカルミンを使用した後の尿。

【蛍光色素】鮮黄（蛍光）色

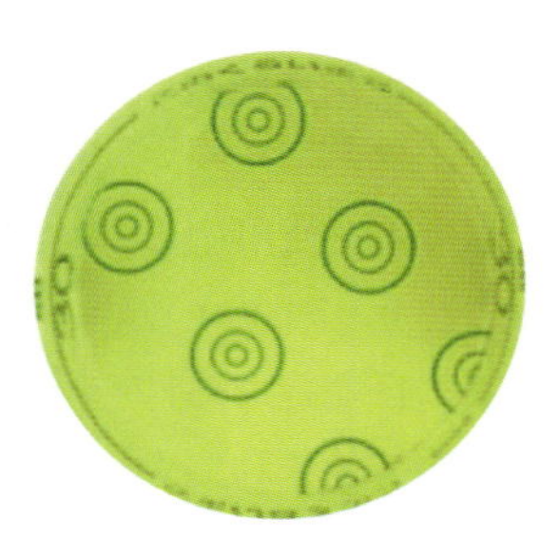

ビタミン剤や蛍光造影剤（フルオレセインナトリウム）を投与した後の尿。

図 3.1.1　尿の色調と混濁（続き）
〔河合　忠（監修），伊藤喜久，他（編）：最新尿検査　その知識と病態の考え方 第3版，33，メディカル・ジャーナル社，2021 より改変〕

用語　ファンコニー（Fanconi）症候群

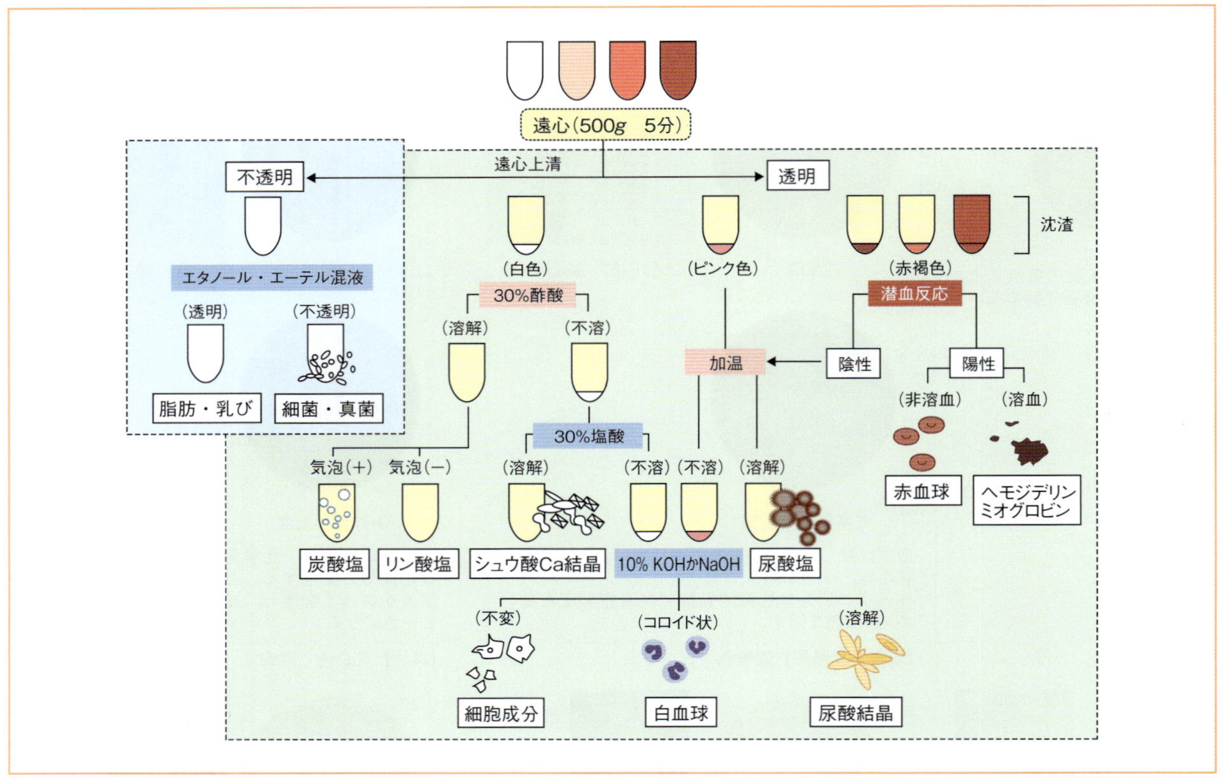


図 3.1.2　混濁尿の鑑別法

〔山下美香（イラスト）:「第 2 章 尿の一般性状検査」，一般検査技術教本，15，日本臨床衛生検査技師会（編），2012 より改変〕

## 検査室ノート　混濁観察時の注意点

・新鮮尿を用い，採尿後は適度な明るさのもとで速やかに観察する。

・十分に混和した検体を使用する。

・採尿コップは紙製やプラスチック製などで，底に目安となる印（ターゲット）が印刷されていると混濁を観察しやすいが，尿量に注意する。

・一定量の尿を透明な試験管に取り，混濁度を判定する（図 3.1.3）。

・自動分析装置の中には，比色法を原理とした測定を行うものもある。

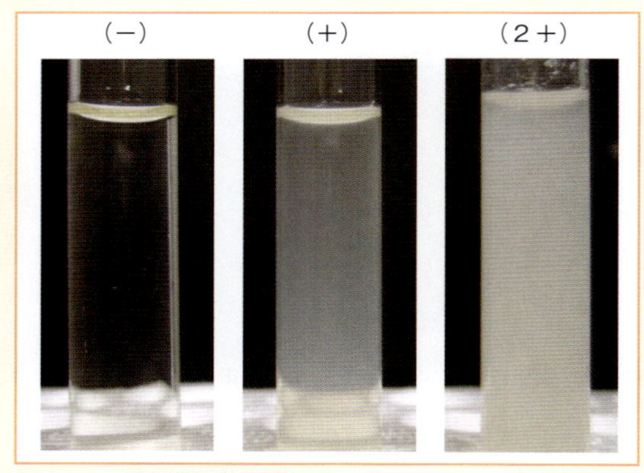


図 3.1.3　尿の混濁度の判定

〔栄研化学株式会社 販売推進室より許可を得て転載〕

## 検査室ノート　その他の混濁尿鑑別法の例

・尿沈渣鏡検も同時に行い，混濁の原因と有形成分の種類を把握する。

・無晶性塩類（リン酸塩，尿酸塩）は，0.4%エチレンジアミン四酢酸（EDTA）加生理食塩水で消失する。

・尿酸塩は，生理食塩水のみで消失する（図3.1.4）。

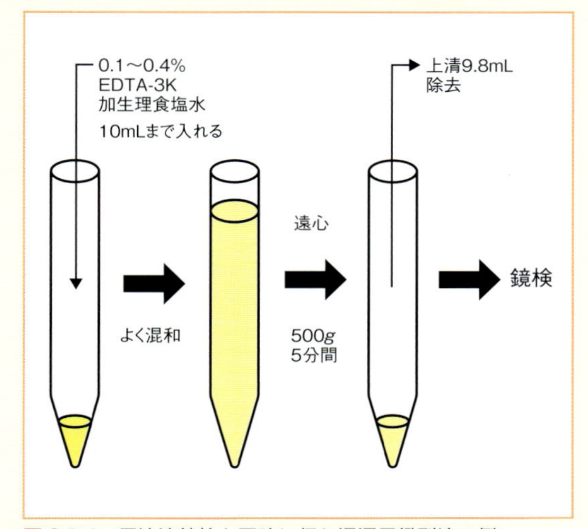


図 3.1.4　尿沈渣鏡検も同時に行う混濁尿鑑別法の例

［星　雅人］

用語　エチレンジアミン四酢酸（ethylenediaminetetraacetic acid；EDTA）

## 参考文献

1）金井正光(監修)：「尿量と排泄回数」，臨床検査法提要 改訂第 34 版，125-127，金原出版，2015.

2）安本博晃：「尿の物理学的検査一色調，尿量，尿比重，尿浸透圧，pH」，綜合臨牀，2009；58：1212-1216.

3）伊藤機一，野崎　司(編)：「一般検査：肉眼的性状一色調、混濁」，新・カラーアトラス尿検査，15-21，医歯薬出版，2009.

4）Brunzel NA(著)，池本正生，他(監訳)：「色調」「清澄度」「臭気」，ブルンツェル 尿・体液検査一基礎と臨床，79-84，西村書店，2007.

5）田頭安徳：「混濁尿の原因と対処法」，検査と技術，1998；26：215-221.

6）星　雅人，稲垣勇夫：「混濁尿の見方，考え方」，Medical Technology，2005；33：397-404.

7）河合　忠(監修)，伊藤喜久，他(編)：「尿定性検査一尿比重，尿浸透圧」，最新尿検査　その知識と病態の考え方 第 2 版，41-44，メディカル・ジャーナル社，2016.

## A. 尿検査

# 4章 尿検査各論

章目次



SUMMARY

尿検査は痛みなどを伴うことなく簡便に実施できる検査である。尿検査から得られる情報はかなり多く，国際規格にもとづく臨床検査室認定プログラムなどへの参加も広がる中で，検査結果に対する信頼性は著しく向上している。しかし，尿検体は生理的変動幅が大きいことや多くの代謝成分を含むため，偽陽性，偽陰性を起こしやすく結果の解釈，判断を誤りやすいことに注意しなければならない。尿検査の正しい検査法や検査の限界を知っておけば偽陽性，偽陰性をきっかけに診断につながることもあり，腎・尿系疾患はもとより全身性疾患のスクリーニング検査として有用な検査となる。

本章では代表的な尿検査である尿の一般性状から尿蛋白検査，尿潜血検査，尿糖検査，尿ケトン体検査などについて最新の知見にもとづいて記述を更新し，さらに尿中食塩検査，尿中細菌検査，先天性代謝異常症スクリーニング検査などについての検査法も記載している。日常業務の中で繰り返し実施される検査であるため確実に習得していただきたい。

# 4.1　尿 pH，比重，浸透圧検査

- 尿の pH の臨床的意義を考える。
- 尿の比重の臨床的意義を考える。
- 尿比重の測定法を理解する。
- 尿の浸透圧の臨床的意義を考える。
- 尿量と比重・浸透圧との関係を考える。

## 4. 1. 1　尿 pH の検査

### 1. 基礎知識

腎臓は，生体内の血液pHを7.40 ± 0.05の範囲に調節し恒常性を保つために，生体内の過剰な酸や塩基を尿中に排泄している。

### 2. 臨床的意義

健常人の尿はpH6.0前後で弱酸性であるが，食事，運動，睡眠などの生理的要因によって4.5〜8.5と幅広く変動する。食事の影響としては，酸性食品（肉・魚など）の多量摂取では酸性に，アルカリ性食品（野菜・果物など）の多量摂取ではアルカリ性になる。激しい運動を行うと，体内で乳酸が産生され酸性に傾く。睡眠中には肺換気が低下するため，二酸化炭素が蓄積し酸性に傾く。これらは，生体内の酸塩基平衡の変化に応じて，生じた過剰な酸または塩基が尿中に排泄され調整されているためである。

尿pHの変動を起こす生理・病態とその要因を表4.1.1に示す。臨床的にpHの測定が重要となるのは，下記の場合である[1〜4)]。

1) 薬物療法（抗生物質，抗がん剤など）による医原性病変
　予防や腎結石の形成防止のため，酸性・アルカリ性の

表 4.1.1　尿 pH の変動を起こす生理・病態とその要因

| 尿が酸性（pH < 5.5）になる要因 | |
|---|---|
| 代謝性アシドーシス | 生体内で有機酸が病的に増加すると，$HCO_3^-$が消費され，$H^+$の尿中への排泄量が増加する（腎前性）<br>腎不全になると生体調節が失われ，有機酸が貯留してアシドーシスとなる<br>糖尿病，飢餓，重度の下痢 |
| 呼吸性アシドーシス | 肺胞換気の低下により$CO_2$が排泄されず，炭酸や$H^+$が増加する。腎では代償性に$H^+$の排泄が増加する<br>肺気腫，慢性呼吸性疾患 |
| 尿細管性アシドーシス | 尿細管細胞からの$H^+$の排泄障害のため，$H^+$が体内に蓄積してアシドーシスになるが，<br>尿では対照的に$H^+$が低値のためpHは6.0以上を示す<br>尿毒症など |
| 酸性食品の摂取 | 蛋白食・動物性食品の多量摂取により有機酸などが増加すると，尿は酸性になる |
| 薬剤の投与 | 塩化アンモニウム，アルギニン塩酸塩，馬尿酸，ビタミンCなどの投与 |
| **尿がアルカリ性（pH > 7.0）になる要因** | |
| 代謝性アルカローシス | 生体内の$HCO_3^-$の増加。外因性の塩基性物質の過剰な投与や$H^+$の体外喪失に対して，<br>腎の代償作用により尿がアルカリ化する。$K^+$喪失によるものは酸性化することもある<br>嘔吐，腎不全 |
| 呼吸性アルカローシス | 過呼吸により$CO_2$が過剰に体外に失われると，$HCO_3^-$が相対的に増加しアルカローシスとなる<br>腎では$H^+$の排泄が減少し，$HCO_3^-$の排泄が増加する |
| アルカリ性食品の摂取 | 植物性食品（野菜・果物類）の多量摂取 |
| 薬剤の投与 | クエン酸カリウム，重炭酸ナトリウム（重曹）などの投与<br>痛風，高尿酸血症などの予防や治療 |
| 尿路感染症（UTI），放置尿*1 | 大腸菌，クレブシエラ属感染では，尿中の尿素が分解されて生じるアンモニアによりアルカリ化する |

用語　水素イオン指数（potential of hydrogen；pH），尿路感染症（urinary tract infection；UTI） pHを維持する必要がある場合。

2) 定性検査結果を判定する際に，補助的な情報として用いる場合。

3) 尿沈渣鏡検に際し，塩類・結晶類，代謝異常や結石症を疑う要因を鑑別する条件として必要な場合。

pHは尿の放置*1によっても変動するため，検査を実施する場合は新鮮尿で行われなければならない。

### 3. 測定法

**(1) 試験紙法：複合pH指示薬法**

$H^+$ + 複合pH指示薬 → 指示薬呈色変化

水素イオン（$H^+$）と，試験紙に含まれるpH指示薬〔メチル赤（MR），ブロモチモール青（BTB）〕との反応による色調変化を利用したものである。pH5.0～9.0まで，0.5あるいは1.0刻みで結果が得られる。

**(2) pHメーター：ガラス電極法**

ガラス電極と比較電極を用いて，電位差はネルンスト（Nernst）の式に従い，電位とイオン濃度の関係からpH値を求める。

着色尿や混濁尿，酸化剤や還元剤を含む尿，または蛋白尿であっても支障なく使用できるが，操作が煩雑であるため，日常の検査法としては実用的ではない[1~4]。

**参考情報**

＊1 長時間放置した尿ではウレアーゼをもつ菌により尿素が二酸化炭素とアンモニアになるため，検査は必ず新鮮尿で実施する。

尿がアルカリ性を呈するUTIでは，大腸菌（*Escherichia coli*）や緑膿菌（*Pseudomonas aeruginosa*）などの存在が疑われ，生体抵抗性の低下が示唆される。

## 4.1.2 尿比重の検査

### 1. 基礎知識

健常人では，24時間蓄尿における比重は1.015前後であるが，水分の摂取量や喪失（発汗など）量により1.002から1.045の間を変動する。病的状態は，低比重尿，等張尿，高比重尿に分類される。

### 2. 臨床的意義

尿比重は尿中の全溶質の濃度（重量）を示し，腎における尿の希釈・濃縮能を反映している。健常人では通常，尿比重と尿量は反比例し色調の濃さとは比例するが，病的状態ではこの関係が保たれなくなることがある（表4.1.2）。

比重の測定に多用される試験紙法は，正確性には欠けるが簡便である。比重は浸透圧と相関するので，浸透圧測定のスクリーニングとして用いられる。

### 3. 測定法

**(1) 屈折計法**

尿比重が尿屈折率とほぼ比例することを利用したもので，健常人の尿における相関にもとづいて作成されたノモグラム（表4.1.3）〔1979年 日本臨床病理学会（JSCP）標準化委員会尿比重検討小委員会による「屈折率による尿比重測定目盛の基準化案―日本臨床病理学会ノモグラム」[5]で測定目盛りの規格が統一された〕から比重が求められる。現在では，一部の全自動尿分析装置にも屈折計法が用いられている。

**1) 測定方法**

屈折計（図4.1.1）のプリズム面に精製水を1～2滴滴下し，境界線を1.000に合わせ0点校正した後，ガーゼで水を拭き取る。検体尿も同様に滴下し，比重の目盛り（屈折率からノモグラムを用いた比重の値に変換してある目盛り）（図

表4.1.2 比重と浸透圧および尿量の関係

| | | 尿量増加 | 尿量減少 |
|---|---|---|---|
| 比重・浸透圧 | 低比重尿（1.008以下）<br>低浸透圧尿：血漿浸透圧より低い※ | 水利尿，尿崩症〔中枢性（ADH分泌低下），腎性（ADH反応性低下）〕，心因性多飲症（水分過剰摂取），利尿薬投与，腎不全利尿期 | 尿路閉塞，急性腎不全，慢性腎不全末期 |
| | 高比重尿（1.030以上）<br>高浸透圧尿：血漿浸透圧より高い※ | 浸透圧利尿〔電解質利尿，非電解質利尿（糖尿病，造影剤投与，マンニトール投与）〕 | 熱性疾患，激しい下痢などによる脱水状態，水分摂取制限 |
| | 等張尿（1.010付近で固定） | | 腎機能不全（腎の濃縮・希釈能が著しく低下し，尿量が変化しても比重や浸透圧が変化しない状態） |

※ 尿浸透圧のみを診断に用いることはなく，血漿浸透圧と比較して尿濃縮能を評価する。

用語　メチル赤（methyl red；MR），ブロモチモール青（bromothymol blue；BTB），ネルンストの式（Nernst's eqation），日本臨床病理学会（Japanese Society of Clinical Pathology；JSCP），抗利尿ホルモン（antidiuretic hormone；ADH）

表 4.1.3　JSCP ノモグラム

| 比重 | 屈折率 | 比重 | 屈折率 | 比重 | 屈折率 | 比重 | 屈折率 |
|---|---|---|---|---|---|---|---|
| 1.000 | 1.3330 | 1.009 | 1.3360 | 1.018 | 1.3390 | 1.027 | 1.3420 |
| 1.001 | 1.3333 | 1.010 | 1.3363 | 1.019 | 1.3393 | 1.028 | 1.3423 |
| 1.002 | 1.3337 | 1.011 | 1.3367 | 1.020 | 1.3396 | 1.029 | 1.3426 |
| 1.003 | 1.3340 | 1.012 | 1.3370 | 1.021 | 1.3400 | 1.030 | 1.3430 |
| 1.004 | 1.3343 | 1.013 | 1.3373 | 1.022 | 1.3403 | 1.031 | 1.3433 |
| 1.005 | 1.3347 | 1.014 | 1.3376 | 1.023 | 1.3406 | 1.032 | 1.3436 |
| 1.006 | 1.3350 | 1.015 | 1.3380 | 1.024 | 1.3410 | 1.033 | 1.3440 |
| 1.007 | 1.3353 | 1.016 | 1.3383 | 1.025 | 1.3413 | 1.034 | 1.3443 |
| 1.008 | 1.3357 | 1.017 | 1.3386 | 1.026 | 1.3416 | 1.035 | 1.3446 |

〔河合　忠（監修），伊藤喜久，他（編）：「第 6 章 尿定性検査（基本尿検査）一尿比重，尿浸透圧」，最新尿検査　その知識と病態の考え方 第 3 版，44，メディカル・ジャーナル社，2021 より〕

4.1.2）を読み取る。

2）干渉作用への対処

比重を示す基準線のノモグラムは，尿中の主成分である食塩と尿素の排泄量をもとに多くのデータの基礎的検討から設定されている。よって，分子量の大きいグルコースや蛋白が多く含まれている尿では誤差を生じる[*2]ため，補正が必要となる。

糖補正：尿比重＝測定値－(0.004 × 糖 g/dL)

蛋白補正：尿比重＝測定値－(0.003 × 蛋白 g/dL)

なお，比重計（校正液）と尿の温度が同じであれば，温度補正は不要である。

### (2) 試験紙法（化学的比重測定法）[*3]

1）陽イオン抽出法

尿中溶質のイオン濃度（尿中陽イオン濃度）に応じて，試験紙の高分子電解質から水素イオン（$H^+$）が置換されて放出される。この水素イオンは，pH 指示薬の BTB の色調を変化させる（pH6.2～7.8 で黄→青）。

2）陽イオンメタクロマジー法

本法の試験紙中のメチレン青（MB）は，デキストラン硫酸ナトリウムとイオン会合（陽イオンと陰イオンの静電気的結合）することにより赤紫色を呈する。このイオン会合による色調変化や変色反応をメタクロマジーという。本法は，尿中に陽イオン（$Na^+$ や $K^+$ など）が存在するとこれらのイオン会合が乖離し，MB の色調が赤紫色から水色に変化する現象を利用した方法である。

3）リン酸緩衝液による測定法

リン酸緩衝液の pH が尿中電解質により低下する現象を，増感剤としての界面活性剤の存在下で，pH 指示薬（BTB，MB）の呈色変化として検出する方法である[1,2,4,6,8]。

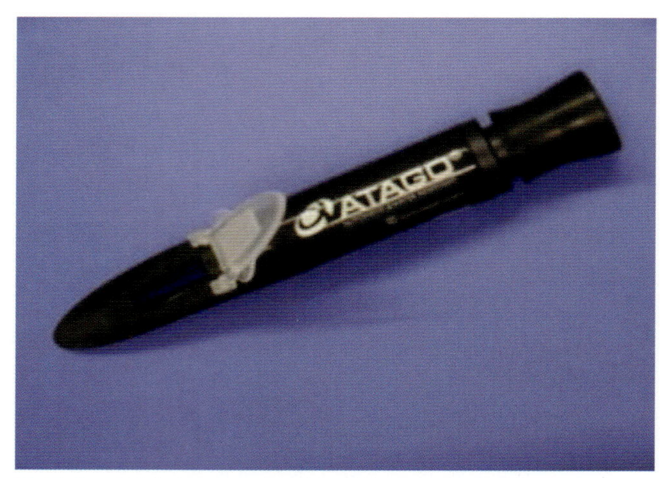


図 4.1.1　屈折計（ハンディタイプ）の外観

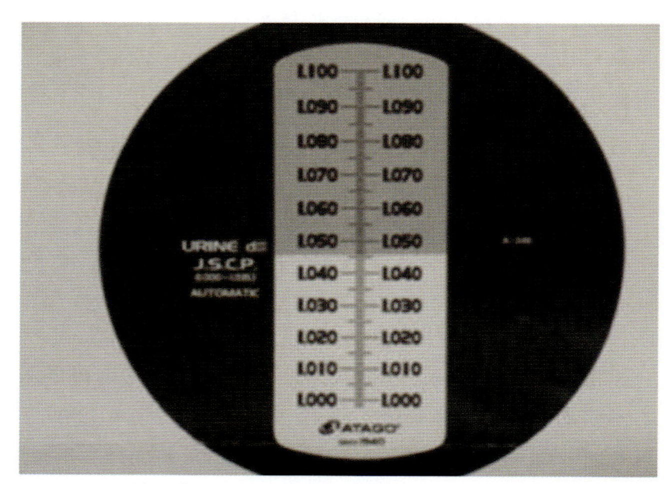


図 4.1.2　屈折計（ハンディタイプ）の目盛り

**参考情報**

＊2 比重が 1.035 を超える場合には，通常，各種の造影剤や血漿増補剤などの高分子化合物の混入が疑われるため，使用の有無を確認し付加価値情報として報告する。

尿は造影剤使用前に採取するか，尿中排泄率が 90～99％となる 24 時間後に再検査をするなど，いずれにおいても他部門とのコンセンサスが必要である。

混濁の強い尿は，遠心後の透明な上清で測定する。

＊3 試験紙法は尿中の陽イオン物質をとらえるものであり，非イオン物質〔糖，尿素，クレアチニン（Cr），および造影剤など〕が含まれていても比重には反映されない。そのため，屈折計法との乖離が生じる。

用語　メチレン青（methylene blue；MB），クレアチニン（creatinine；Cr）

## 4.1.3 尿浸透圧の検査

### 1. 基礎知識

半透膜をはさんで濃度差のある水溶液が接している場合，濃度の低い水溶液の水分子が高い水溶液へ移動する現象を浸透といい，その際に生じる圧力が浸透圧である。尿浸透圧は腎の希釈・濃縮能と密接に関係し，主として電解質（おもに$Na^+$と$Cl^-$）や尿素の濃度に左右されるが，比重に比べて糖，蛋白，造影剤などの高分子物質の影響は受けにくく，生体内の状態を反映する。

浸透圧は，水1kgあたりに含まれるすべての溶質の分子数（mol）の総計で示され，その単位は溶質1mol/kg・$H_2O$で1Osm/kg・$H_2O$となる。しかし，生体成分の総分子濃度はmmol/L（$10^{-3}$mol/kg・$H_2O$）単位であるから，浸透圧の単位はmOsm/kg・$H_2O$で表される[1,2,4,6~8]。

### 2. 臨床的意義

尿比重と同様に，腎の希釈・濃縮能を知ることを目的として測定する。体液・電解質バランスの監視としても有用である。これらは水分と溶質のバランスとそれを調節するホルモン〔抗利尿ホルモン（ADH）〕*4および腎の機能により決まる。異常値が見られた場合は，ADHの分泌異常あるいはADHに対する反応性の低下，腎実質の障害，水再吸収異常，および薬剤の影響などが疑われる（表4.1.2）。

尿浸透圧は健常人においても，水分摂取量，食事の成分，運動負荷，季節など多くの要因により50～1,300mOsm（ミリオスモル）/kg・$H_2O$と幅広く変動する。したがって，1回の検査値で評価せず，尿量やほかの検査値と比較しながら考えていくべきである。

### 3. 測定法

#### (1) 氷点降下法

氷点降下（凝固点降下）とは，純粋な溶媒に不揮発性の物質が含まれると，その溶液の氷点は純粋な溶媒の凝固点より低くなる現象である。この氷点降下は溶けている粒子の重量モル濃度（単位mol/kg）に比例し，1mol/kgあたり1.858℃降下する。

そこで，降下した氷点に達するまでに要した時間を測定し，浸透圧に換算する。

浸透圧＝1.000×氷点降下度（℃）/1.858（mOsm/kg・$H_2O$）

**参考情報**

**＊4 ADHとの関連**

尿の希釈・濃縮能には下垂体後葉で分泌されるADHが関与し，腎の集合管に作用して，血液中の水分が尿中に排泄されるのを調節している。

水再吸収低下により多尿をきたす尿崩症（水利尿）には，ADHの分泌低下による中枢性（ADH低値）と，集合管のADHに対する反応性低下による腎性（ADH高値）がある。これらの鑑別には，血漿ADH値とともに尿/血漿浸透圧比が指標となる。

また，中枢性尿崩症とともにADH分泌異常症に分類される抗利尿ホルモン不適合分泌症候群（SIADH）では，低浸透圧にもかかわらず不適切にADHが分泌され，低Na血症と軽度の体液貯留をきたす（高張な尿が少量排泄される）。浸透圧所見はこれらの診断基準となっている。

［山下美香］

**用語**　抗利尿ホルモン不適合分泌症候群（syndrome of inappropriate secretion of antidiuretic hormone；SIADH）

**参考文献**


1) 金井正光（監修）：「尿量と排泄回数」，臨床検査法提要 改訂第35版，120-121，金原出版，2020.
2) 安本博晃：「尿の物理学的検査―色調，尿量，尿比重，尿浸透圧，pH」，綜合臨牀，2009；58：1212-1216.
3) 伊藤機一，野崎　司（編）：「尿色調の種類とその原因」，新・カラーアトラス尿検査，医歯薬出版，2009.
4) Brunzel NA（著），池本正生，他（監訳）：ブルンツェル 尿・体液検査―基礎と臨床，84-91，西村書店，2007.
5) 日本臨床病理学会標準委員会尿比重検討小委員会：「屈折率による尿比重測定目盛の基準化案―日本臨床病理学会ノモグラム（JSCP）」，日本臨床検査医学会誌，1979；27：1026-1232.
6) 河合　忠（監修），伊藤喜久，他（編）：「第6章 尿定性検査（基本尿検査）―尿比重，尿浸透圧」，最新尿検査　その知識と病態の考え方 第3版，40-46，メディカル・ジャーナル社，2021.
7) 和田隆志：「多尿・頻尿」，臨床検査のガイドライン，207-209，日本臨床検査医学会ガイドライン作成委員会（編），宇宙堂八木書店，2021.
8) 白川千恵子，片桐智美：「第2章 尿の一般性状検査」，一般検査技術教本，12-17，日本臨床衛生検査技師会（編），東広社，2012.

# 4.2 | 尿蛋白検査

- 蛋白尿の定義とその種類（尿アルブミンなど）について理解する。
- 蛋白尿出現の原因について，障害部位および発症機序を理解し，臨床における症候分類や診断ガイドラインとの関係を理解する。
- 尿蛋白（尿アルブミンなどの各種蛋白も含め）の検査法とその臨床的意義および注意事項を把握する。

## 4.2.1 基礎知識

尿蛋白の多くは血漿蛋白，とくにアルブミンに由来し，そのほか尿細管に由来する蛋白により構成されている。糸球体基底膜（GBM）での選択的な血液ろ過では，一定量のアルブミンおよび低分子蛋白は通過し原尿として尿細管へ流れ込む。このアルブミンなどは近位尿細管でほとんど再吸収されるが，健常人でも1日100mgまでは尿への排出が見られる。

### 1. 糸球体のろ過機能と蛋白尿の考え方

腎糸球体の毛細血管壁（糸球体係蹄壁）は血管側から糸球体内皮細胞，GBM，ポドサイト（糸球体上皮細胞）の3層より構成される。ポドサイトには足突起が存在しこれらが尿蛋白の原因として重要な役割を果たしている。尿蛋白はサイズバリア（分子量69,000のアルブミンが通過できる程度の穴の大きさで，それ以上の分子量のものは通過できない）とチャージバリア*1（糸球体内皮細胞が陰性荷電をもつため同様の陰性荷電をもつアルブミンが通過できにくい）によって通過が制限される（図4.2.1）。チャージバリアの障害は，高選択性蛋白尿の原因となり，さらに強い糸球体上皮細胞傷害によりサイズバリアが破綻した場合に低選択性蛋白尿を生じると考えられており，これらの鑑別に尿蛋白選択指数*2が用いられている。

**参考情報**

＊1 チャージバリア
糸球体内皮細胞の細胞表層と窓部分はグリコカリックスとよばれる多糖類層によって被覆されており，このグリコカリックスは強い陰性荷電を有する。また，GBMはⅣ型コラーゲン，ラミニン，ヘパラン硫酸プロテオグリカンから構成されており，ヘパラン硫酸プロテオグリカンも陰性荷電を有する。このような陰性荷電をもつ構造は同様に陰性荷電をもつアルブミンなどの血漿蛋白をろ過させないチャージバリア機能をもつ。

＊2 尿蛋白選択指数（SI）
SI＝（尿IgG/血清IgG）/（尿トランスフェリン/血清トランスフェリン）
SI≦0.2　高選択性蛋白　ほとんどアルブミンが漏れ出ている
（チャージバリアの破綻：微小変化型ネフローゼなど）
SI＞0.2　低選択性蛋白　アルブミン以外の蛋白も多く漏れ出ている
（サイズバリアの破綻：膜性増殖性糸球体腎炎，巣状糸球体硬化症，膜性腎症など）

### 2. 分　類

起立時に出現し静臥により消失する起立（体位）性蛋白尿は，若年者に比較的多く見られる。病的なものは腎疾患を始め，心疾患，血液疾患，肝疾患，高熱をきたす疾患などに伴って出現する。また，ベンス・ジョーンズ（BJ）蛋白，ヘモグロビン，ミオグロビンなどの特殊な蛋白が見られることもある（表4.2.1）。

病的蛋白尿は，障害部位および発生機序から腎前性，腎

**用語**　糸球体基底膜（glomerular basement membrane；GBM），ポドサイト（podocyte），サイズバリア（size barrier），チャージバリア（charge barrier），尿蛋白選択指数（selectivity index；SI），ベンス・ジョーンズ（Bence Jones；BJ）蛋白

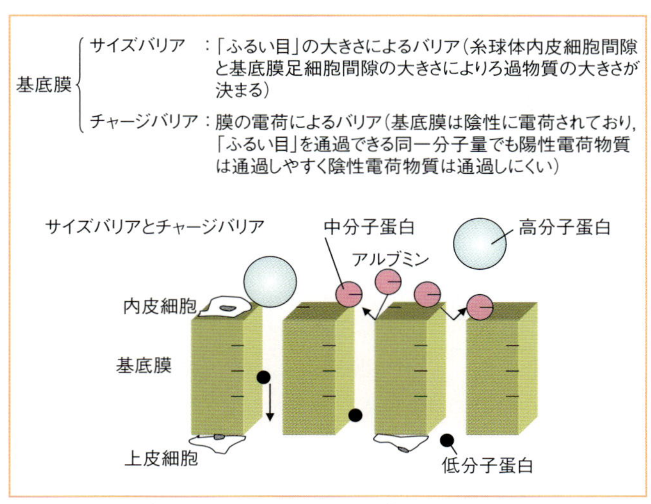

図 4.2.1 サイズバリアとチャージバリアの作用による蛋白の選択的ろ過

表 4.2.1 蛋白尿の分類

| 分類 | | | 成因 |
|---|---|---|---|
| 生理的蛋白尿 | 機能性 | | 運動後，入浴後，発熱時 |
| | 起立（体位）性 | | 起立時 |
| 病的蛋白尿 | 腎前性 | | ヘモグロビン尿，ミオグロビン尿，BJ 蛋白尿，心不全，甲状腺機能亢進症，貧血など |
| | 腎性 | 糸球体性 | 糸球体腎炎，ネフローゼ症候群，腎硬化症，膠原病，アミロイド腎，妊娠中毒症 |
| | | 尿細管性 | Fanconi 症候群，Lowe 症候群，Wilson 病，重クロム酸・水銀・カドミウム中毒，腎毒性薬剤による腎障害 |
| | 腎後性 | | 尿管・膀胱・尿道の炎症，結石，腫瘍 |

性，腎後性に分類される。腎性蛋白尿には，糸球体障害によるアルブミンを主成分とする糸球体性蛋白尿と，尿細管障害による低分子蛋白（分子量30,000〜40,000以下）を主成分とする尿細管性蛋白尿があり，これらの鑑別には尿蛋白の分画検査や成分測定が有用である。糸球体性蛋白尿以外での尿蛋白濃度は一般に低値で，50〜100mg/dL以下であることが多い。

## 4.2.2 臨床的意義

尿への蛋白排出は健常人でもある程度認められるが，尿定性検査で検出できるまでになった状態を「蛋白尿」とよぶ。定性検査は一般に尿蛋白試験紙法で実施され，検出感度はおよそ15mg/dLである。病的蛋白尿は，障害部位および発生機序から腎前性，腎性，腎後性に分類される。病的でないものとしては，過激な運動，精神的ストレス，多量の肉食，熱い湯への入浴後などに一過性に生じる機能性蛋白尿と，起立時に出現し静臥（せいが）により消失する起立(体位)性蛋白尿がある。尿蛋白測定は，腎疾患のみならず全身状態を把握するために重要な検査である。

### 1. 腎臓病と尿蛋白

腎臓病には，何を主眼とするかによって多くのカテゴリーが存在し，病理診断名，たとえば「半月体形成性糸球体腎炎」といった疾患の部位，性状や原因，腎不全の有無という機能的診断，症状および検査所見，といったさまざまな側面からのとらえ方があり複雑である。

尿蛋白の有無が大きく関与するのは，症状および検査所見による分類（臨床症候分類）と慢性腎臓病（CKD）である。臨床症候分類においては，診察時の①年齢，②発症様式，③身体所見，④浮腫，⑤蛋白尿，⑥血尿が有用な所見となり，これらをおもな基準として5つの症候診断名に分類される（表4.2.2）。

CKDとは，病因に関わりなく慢性に経過するすべての腎臓病であり，診断基準は「蛋白尿などの腎障害の存在を示す所見」，もしくは「腎機能低下が3カ月以上続く状態」とされている。CKDは，心血管疾患（CVD）および末期慢性腎不全（ESKD）発症の重要な危険因子である。わが国においては，CKDの早期発見と適切な対策を効率的に行うことを目的に，日本腎臓学会より「エビデンスに基づくCKD診療ガイドライン2018」が発表されている。その中での臨床検査関連のポイントは，①CKDの可能性の有無はおもに蛋白尿の存在と血清Cr値から判断すること，②腎機能は糸球体ろ過量（GFR）推算式で計算すること，

表 4.2.2 腎臓病の臨床症候分類

| | |
|---|---|
| 急性腎炎症候群 | 感染症（扁桃炎，咽頭炎，皮膚炎）などの後に，10〜14日の潜伏期間を経て，尿の異常，腎機能の低下，高血圧，浮腫が出現する。 |
| 急速進行性腎炎症候群 | まず尿の異常が出現し，週単位で腎機能が低下する。発熱，C反応性蛋白（CRP）値上昇などの炎症所見が多く見られる。 |
| 慢性腎炎症候群 | 発症時期は特定できないが，検診などで尿の異常が指摘され，徐々に（年単位で）腎機能が低下する。 |
| 持続性蛋白尿・血尿 | 蛋白尿，血尿，またはその両者が持続して認められ，浮腫，高血圧，腎機能の低下は認められない。 |
| ネフローゼ症候群 | 高度の蛋白尿（3.5g/日以上），低アルブミン血症（3.0g/dL以下）（血清総蛋白量6.0g/dL以下も参考になる），脂質異常症〔高LDL（低比重リポ蛋白）コレステロール血症〕，浮腫が見られる。 |

用語　ファンコニー（Fanconi）症候群，ロウ（Lowe）症候群，ウィルソン（Wilson）病，慢性腎臓病（chronic kidney disease；CKD），心血管疾患（cardiovascular disease；CVD），末期慢性腎不全（end stage kidney disease；ESKD），糸球体ろ過量（glomerular filtration rate；GFR），C反応性蛋白（C-reactive protein；CRP），低比重リポ蛋白（low density lipoprotein；LDL）

表 4.2.3　CKD の重症度分類

| 原疾患 | | 蛋白尿区分 | | A1 | A2 | A3 |
|---|---|---|---|---|---|---|
| 糖尿病性腎臓病 | | 尿アルブミン定量 (mg/日) 尿アルブミン/Cr 比 (mg/gCr) | | 正常 | 微量アルブミン尿 | 顕性アルブミン尿 |
| | | | | 30 未満 | 30 ～ 299 | 300 以上 |
| 高血圧性腎硬化症 腎炎 多発性嚢胞腎 移植腎・不明・その他 | | 尿蛋白定量 (g/日) 尿蛋白/Cr 比 (g/gCr) | | 正常 | 軽度蛋白尿 | 高度蛋白尿 |
| | | | | 0.15 未満 | 0.15 ～ 0.49 | 0.50 以上 |
| GFR 区分 (mL/分/1.73m²) | G1 | 正常または高値 | ≧ 90 | | | |
| | G2 | 正常または軽度低下 | 60 ～ 89 | | | |
| | G3a | 軽度～中等度低下 | 45 ～ 59 | | | |
| | G3b | 中等度～高度低下 | 30 ～ 44 | | | |
| | G4 | 高度低下 | 15 ～ 29 | | | |
| | G5 | 高度低下から末期腎不全 | <15 | | | |

重症度は原疾患・GFR 区分・蛋白尿区分を合わせたステージにより評価する。CKD の重症度は死亡，末期腎不全，CVD 死亡発症のリスクを緑■のステージを基準に，黄■，オレンジ■，赤■の順にステージが上昇するほどリスクは上昇する（KDIGO CKD guideline 2012 を日本人用に改変）。

〔日本腎臓学会（編）：エビデンスに基づく CKD 診療ガイドライン 2023，4，東京医学社，2023 より〕

の2点である。

CKDの重症度は，原因（cause：C），腎機能（GFR：G），蛋白尿（アルブミン尿：A）によるCGA分類で評価される（表4.2.3）。腎臓の機能の程度と，糖尿病や高血圧といった腎臓病の原因となっている病気や蛋白尿の状態とを合わせて評価することで，より正確な診断が可能となった。

## 2. 糖尿病と尿蛋白

糖尿病性腎症は，慢性の高血糖状態が持続することにより引き起こされる細小血管障害の1つである。臨床的には蛋白尿（初期には尿アルブミン），腎機能障害，高血圧，浮腫などを呈し，最終的には腎不全に至る。病期は，主要な臨床徴候の有無によって第1～第5期に分類される。慢性透析患者の透析導入原疾患の40.7％（2020年）が糖尿病性腎症であり，糖尿病性腎症の進行と透析導入を阻止するには早期の発見と治療が重要である。とくに，尿アルブミンのみが認められる早期腎症期を的確に診断し，厳格な血糖コントロールなどの適切な治療を施せば，進行を阻止することができる（図4.2.2）。上述のCKDの重症度と糖尿病性腎症の病期分類との関係は，表4.2.4のとおりである。

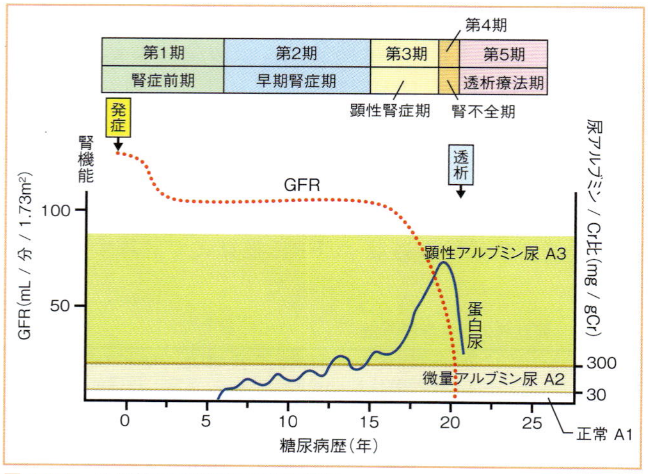

図 4.2.2　2 型糖尿病性腎症の臨床経過

〔槇野博史：糖尿病性腎症―発症・進展機序と治療，192，診断と治療社，1999 より改変〕

表 4.2.4　糖尿病性腎症の病期分類 2023 と CKD の重症度分類との関係

| アルブミン尿区分 | | | A1 正常アルブミン尿 | A2 微量アルブミン尿 | A3 顕性アルブミン尿 |
|---|---|---|---|---|---|
| 尿中アルブミン・クレアチニン比 (mg/g) | | | 30 未満 | 30 ～ 299 | 300 以上 |
| 尿蛋白・クレアチニン比 (g/g) | | | | | 0.50 以上 |
| GFR 区分 (mL/分/1.73m²) | G1 | ≧ 90 | 正常アルブミン尿期 (第 1 期) | 微量アルブミン尿期 (第 2 期) | 顕性アルブミン尿期 (第 3 期) |
| | G2 | 60 ～ 89 | | | |
| | G3a | 45 ～ 59 | | | |
| | G3b | 30 ～ 44 | | | |
| | G4 | 15 ～ 29 | GFR 高度低下・末期腎不全期 (第 4 期) | | |
| | G5 | ＜ 15 | | | |
| | 透析療法中あるいは腎移植後 | | 腎代替療法期 (第 5 期) | | |

〔糖尿病性腎症合同委員会・糖尿病性腎症病期分類改訂ワーキンググループ：「糖尿病性腎症病期分類 2023 の策定」，日本腎臓学会誌，2023；65（7）：852 より〕

## 4. 2. 3 検査法

### 1. 尿蛋白定性検査

#### (1) 試験紙法

**1) 原 理**

スルホフタレイン系のpH指示薬〔テトラブロモフェノール青（TBPB）など〕の蛋白誤差反応により，溶液中に蛋白が存在すると，蛋白分子中の遊離アミノ基がpH指示薬（酸化型）とイオン結合して発色することを利用している（図4.2.3）。尿蛋白試験紙には10～30mg/dLの測定感度のものがあり，どのメーカーのものでも（1+）は30mg/dLのアルブミンを検出できる。蛋白誤差反応はアルブミンに対する反応性が最も強く，グロブリン，ムコ蛋白，糖蛋白，BJ蛋白に対する反応性はアルブミンの約1/5である。

**2) 方 法**

尿に試験紙の試薬部分を素早く浸して直ちに取り出し，明るい照明下〔1,000ルクス前後（LEDではデスクライト昼光色を使用）〕で色調の変化を色調表と比較する。あるいは機器測定（半自動・全自動）で行う。

**3) 判 定**

陰性であれば色調不変，陽性であれば蛋白濃度に応じ，淡黄緑～青色を呈する。色調表と対比すれば半定量を行うことができる。

**4) 注意点**

①pH8.0以上の強アルカリ性尿や高度の緩衝作用を有する尿は，偽陽性を示すことがある。防腐剤，洗剤，消毒剤が残存している場合にも偽陽性を示すことがある。また，造影剤や高分子物質（デキストランなど）の混在によっても偽陽性を呈することがある。

②pH3.0以下の強酸性尿は偽陰性を示すことがある。

③高比重尿では正の誤差が生じることがある。診断用・治療用の色素（メチレン青やピリジウムなど）や甜菜（てんさい）の色素などが尿中に存在すると，呈色が妨害されることがある。

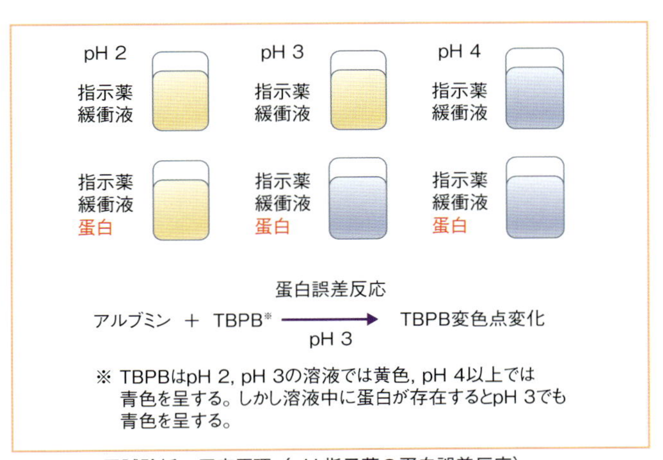


図4.2.3 尿試験紙の反応原理（pH指示薬の蛋白誤差反応）
〔河合 忠（監修），伊藤喜久，他（編）：最新尿検査 その知識と病態の考え方 第3版，48，メディカル・ジャーナル社，2021より〕

#### (2) 蛋白/クレアチニン比測定法

**1) 原 理**

随時尿は被検者の状態（多飲・脱水）により濃縮・希釈される。希釈された尿では尿蛋白を過小（陰性）に，逆に濃縮された尿では過大（陽性）に評価する可能性があり，正確に尿中の蛋白量を把握するには限界がある。よって，24時間蓄尿にて1日あたりの総蛋白量を求めるのが最適であるが，蓄尿を行うには被検者の理解と協力が必要であり，外来患者での実施は困難である。入院においても尿を取り扱う器具を介した耐性菌の伝播の危険性から蓄尿禁止としている施設もある。そこで，尿の濃縮度を補正する手段として，随時尿中のCr値を用いた蛋白/クレアチニン比（P/C比）が24時間蛋白量の推定値として代用されている。この補正は，尿Crは尿細管での再吸収が少なく，生理的変動因子の影響を受けにくく，その個人における尿中への1日排出量が一定であること（おおよそ1g/日）を利用するものであり，単位はg/gCrで示される。

**2) 方 法**

①尿試験紙による尿Cr値測定法：強アルカリ性条件下で検体中のCrが3,5-ジニトロ安息香酸と結合し，呈色複合物を形成することを用いたベネディクト・ベウア（Benedict-Behre）法やCrと銅との複合体のペルオキシダーゼ（POD）様作用を利用した方法がある。定量測定に用いられている酵素法とは含有薬剤などの干渉の違いによる乖離が見られることがある。

②P/C比の算出：例を示す（表4.2.5）。diluteは尿が希薄過ぎて正確なP/C比の算出ができないことを意味し，再採尿と再検査が必要である。「CKD診療ガイド2018」[1]では蛋白尿の評価を正常（<0.15g/gCr），軽度（0.15～0.49g/gCr），高度（≧0.50g/gCr）に分類しているが，P/C比試験紙法（一部のメーカー）では正常（normal），軽度（1+），高度（2+）と設定している。

---

**用語** テトラブロモフェノール青（tetrabromophenol blue；TBPB），蛋白/クレアチニン比（protein/creatinine ratio；P/C比），ベネディクト・ベウア（Benedict-Behre）法，ペルオキシダーゼ（peroxidase；POD）

表 4.2.5　尿試験紙による P/C 比の算出例

| | 区分 | Cr 試験紙（mg/dL） | | | | |
|---|---|---|---|---|---|---|
| | | 10 | 50 | 100 | 200 | 300 |
| 蛋白試験紙 | − | dilute | | | | |
| | + | | | | | |
| | 1＋ | | | | | |
| | 2＋ | | | | | |
| | 3＋，4＋ | | | | | |

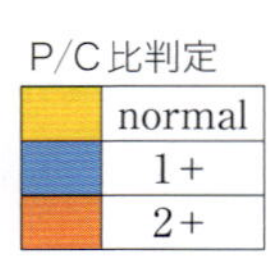


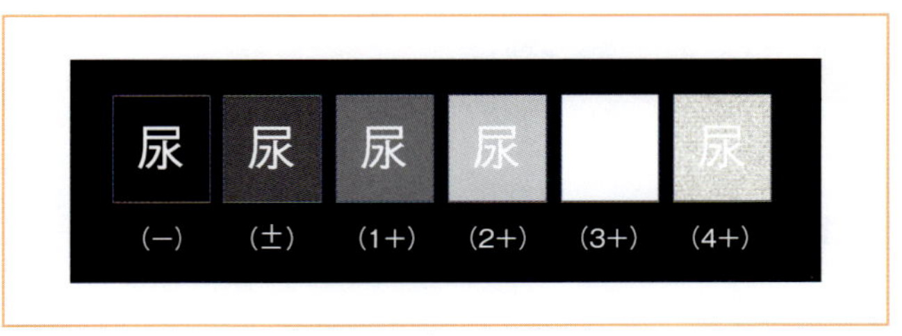


図 4.2.4　スルホサリチル酸法の判定

### (3) スルホサリチル酸法

**1）原　理**

等電点よりも酸性側において陽性に電荷されている蛋白に陰イオンを有するスルホサリチル酸を加えると，不溶性の塩が形成され白濁沈殿する。白濁の程度は含まれる蛋白濃度に比例するので，その程度により半定量的に尿中蛋白量を求める。

本法は鋭敏で，約5mg/dLの蛋白濃度で陽性となるため，痕跡程度（±）では病的か否かの判定はできない。

**2）試薬の調製**

①3～5%酢酸水溶液
②20%スルホサリチル酸水溶液

**3）方　法**

①被検尿を2本の試験管に3mLずつ入れ，1本は対照用（コントロール尿）とする。
②3～5%酢酸水溶液を両方に2～3滴ずつ滴下し，混和する。
③20%スルホサリチル酸水溶液を一方の試験管のみに1～2滴加え，よく混和する。白濁が生じたら，白濁が出つくすまで試薬を追加する。

**4）判　定**

黒色の背景でコントロール尿と比べ，白濁の程度を判定する（図4.2.4）。

（−）　7～8滴加えても混濁が認められない
（±）　混濁がわずかに認められる（蛋白量20mg/dL未満）
（1+）　黒色背景がなくても混濁がわずかに認められる（蛋白量20～50mg/dL）
（2+）　混濁が明瞭であるが，細片状沈殿は認められない（蛋白量100mg/dL程度）
（3+）　強度の混濁があり，細片状沈殿が認められる（蛋白量200mg/dL程度）
（4+）　強度の混濁があり，塊状沈殿が認められる（蛋白量500mg/dL以上）

**5）注意点**

①本法は蛋白以外に，尿中のムチン，酢酸体，アルブモーゼ（プロテオーゼ），尿酸などによっても陽性を呈する。ムチンと酢酸体は酢酸を加えたのみで白濁するので，対照試験管に酢酸を滴下して比較する。アルブモーゼや尿酸による混濁は，加熱すれば消失する。とくに尿酸による混濁はしばしば認められるので，本法が陽性の場合には一応加熱してみるとよい。
②X線造影剤，トルブタマイド，あるいはペニシリン投与後の尿でも混濁を呈する（偽陽性）ことがある。

## 2. 尿蛋白定量検査

近年は，精度や特異性などの面から日常検査では比色法が主流である。

### (1) ピロガロールレッド・モリブデン錯体比色法（図4.2.5）

**1）原　理**

ピロガロールレッド（PR）は，モリブデン酸（Mo）と結合して470nmが最大吸収波長である赤色の錯体を形成する。しかし，酸性条件下で蛋白と結合すると，604nmが最大吸収波長の青紫色に変化する。この原理を利用して600nmで吸光度を求め，検量線より蛋白濃度を求める方法である。本法は自動分析器にも多く用いられている。

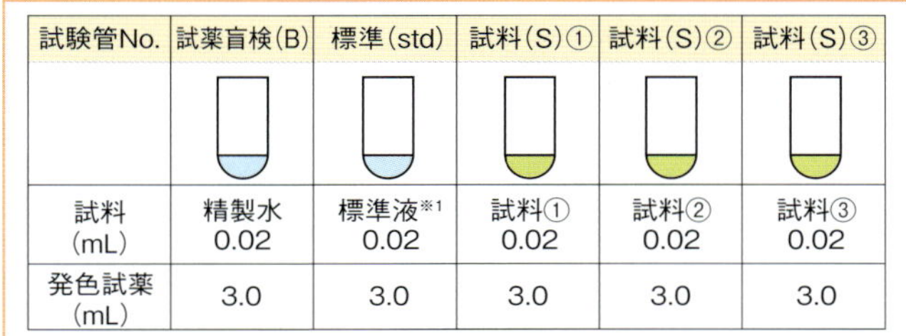

| 試験管No. | 試薬盲検(B) | 標準(std) | 試料(S)① | 試料(S)② | 試料(S)③ |
|---|---|---|---|---|---|
| 試料(mL) | 精製水 0.02 | 標準液※1 0.02 | 試料① 0.02 | 試料② 0.02 | 試料③ 0.02 |
| 発色試薬(mL) | 3.0 | 3.0 | 3.0 | 3.0 | 3.0 |

各試験管をよく混和し，室温で20分間放置。放置後1時間以内に波長600nm※2における吸光度を測定

$$総蛋白濃度(mg/dL) = \frac{Es-Eb}{Estd-Eb} \times 100^{※1}$$

Eb：　試薬盲検の吸光度
Estd：標準液の吸光度
Es：　試薬の吸光度

必要に応じて尿の希釈倍数を乗ずる

※1 100mg/dL ヒト血清アルブミン
※2 2波長測光法の場合，主波長 600nm，副波長 660nm

図4.2.5　ピロガロールレッド・モリブデン錯体比色法の手順
〔山下美香（イラスト）：「第3章 尿の化学的検査」，一般検査技術教本，21，日本臨床衛生検査技師会（編），2012より〕

**2）特徴と注意点**

蛋白の種類による差が比較的小さい。また，生成色素のセルへの吸着が少なく，自動分析機器への応用が可能である。反応性の差は，アルブミン100%に対してγ-グロブリンが80%程度である。

### (2) クマシーブリリアントブルーG-250法

クマシーブリリアントブルーG-250(CBBG-250）は，酸性条件下では460～465nmが最大吸収波長であるが，蛋白と結合して錯体を形成すると590nmに移行する。この原理を利用して590nmで吸光度を求め，検量線より蛋白濃度を求める方法である。

### (3) 高速液体クロマトグラフィー-紫外部法（HPLC-UV）

日本臨床衛生検査技師会勧告の実用基準法である。ゲルろ過クロマトグラフィーを用いて分子量10,000以上の高分子成分と低分子成分をカラムで分離し，ペプチド結合由来の紫外部吸収で検出する方法である。日常検査で用いることは少ない[2)]。

## 3. 尿アルブミン測定

糖尿病においては，試験紙法による尿蛋白定性検査が陰性の病期であっても，すでに組織学的変化が進行している。こういった初期の病変（早期腎症）を診断する指標の1つとして，尿中の低濃度のアルブミン（尿アルブミン）を測定することが重要とされ，糖尿病性腎症の診断基準の1つとなっている。多くは化学的定量法によるが，スクリーニングとして半定量法である試験紙法などを用いた測定が実施される場合もある。

**1）原　理**

試験紙法は尿蛋白と同様に，蛋白誤差反応を用いている。低濃度域の尿蛋白と尿クレアチニンの値より，アルブミン/クレアチニン比（A/C比）半定量が算出される。

## 4. 尿中BJ蛋白測定

BJ蛋白は形質細胞で生成され，特異な熱凝固性を示し，40℃で混濁，56℃で凝固，100℃で溶解する。BJ蛋白は，単クローン性の免疫グロブリンL鎖の二量体が血中や尿中に出現したものである。骨髄腫やマクログロブリン血症の患者の約60%の尿中に出現する。一方，血清中に単クローン性免疫グロブリン（M蛋白）は認められず，尿中でBJ蛋白のみが陽性所見を示すBJ型骨髄腫も存在する。このほか，アミロイドーシス，良性M蛋白血症，骨肉腫，リンパ性白血病などにおいても尿BJ蛋白が陽性を示すことがある。

### (1) 定性測定法：加温法

古典的な加温法による定性検査は感度も特異度も低く，実用的ではない。

### (2) 定性測定法：熱凝固試験

1）スルホサリチル酸法を行い，その結果が陰性であればBJ蛋白陰性としてよい（試験紙法のBJ蛋白に対する感度は低いので，検出できないことが多い）。陽性の場合は，以下の試験を実施する（図4.2.6）。
2）ろ過あるいは遠心後の透明尿4mLに2mol/L酢酸緩衝液1mLを加え，混和してpH4.9±0.1とし，56℃の温浴中

**用語**　ピロガロールレッド（pyrogallol red；PR），モリブデン酸（molybdic acid；Mo），クマシーブリリアントブルー（Coomassie brilliant blue；CBB），高速液体クロマトグラフィー－紫外部法（high-performance liquid chromatography-ultraviolet；HPLC-UV），尿アルブミン（urine albumin），アルブミン/クレアチニン比（albumin/creatinine ratio；A/C比），単クローン性（monoclonal）

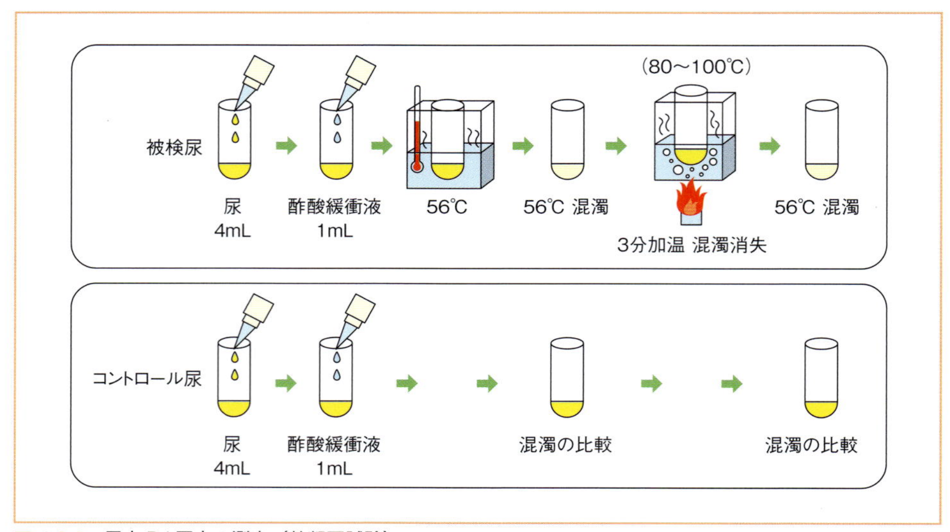


図 4.2.6　尿中 BJ 蛋白の測定（熱凝固試験）
〔山下美香（イラスト）：「第 3 章 尿の化学的検査」，一般検査技術教本，22，日本臨床衛生検査技師会（編），2012 より〕

で15分間加温する。混濁あるいは沈殿が認められたら，煮沸温浴中で3分間加熱し，混濁あるいは沈殿量の変化を観察する。それらの減少や消失が認められれば，BJ蛋白陽性である。混濁の増強や沈殿量の増加が認められる場合は，ほかの蛋白の共存によるものである。そのような場合には，試験管を煮沸温浴中から取り出し，速やかにろ過する。ろ液が最初は透明で，冷えるに従い混濁が生じ，室温まで下がったときに再び透明となればBJ蛋白陽性と考えられる。

3) 測定上の注意点：BJ蛋白以外の蛋白が陽性と紛らわしい反応を呈したり，尿のpHや尿の保存状態により検査結果が陰性となったりすることがある。疑わしい場合のみならず陽性と考えられる場合でも，尿を濃縮してセルロースアセテート膜電気泳動を行い，BJ蛋白の比較的先鋭なバンド（Mピーク）を証明する必要がある。また，最終的な同定（$\kappa$型，$\lambda$型）は，尿（および血清）の免疫電気泳動法で行うべきである。

［山下美香］

## 参考文献

1）日本腎臓学会（編）：CKD 診療ガイド 2018，東京医学社，2018.
2）大澤　進：「尿中蛋白一定量法と標準化」，臨床病理，1998；107 臨時増刊号：36-42.

# 4.3 | 尿潜血反応

- 尿潜血反応の基礎知識を学習する。尿潜血反応と血尿，ヘモグロビン尿，ミオグロビン尿の関係を理解する。
- 尿潜血反応の臨床的意義を考える。血尿の定義と種類（肉眼的血尿と顕微鏡的血尿）を理解する。
- 試験紙法の反応原理と偽反応について理解する。

## 4. 3. 1　基礎知識

尿潜血反応は，赤血球内に含まれる「ヘモグロビン」を，化学的な原理を利用して尿中から検出する検査である。この検査が陽性であれば尿中に一定数以上の赤血球が存在すること（血尿）を示唆することができる。しかし，化学的な反応原理を利用するため，血尿のみならずヘモグロビン尿やミオグロビン尿（後述）も陽性となる。

## 4. 3. 2　臨床的意義

### 1. 血　尿

赤血球の混入した尿を血尿といい，腎・泌尿器系疾患の診断・治療における重要な症候である。血尿のスクリーニングは通常，尿色調の観察と尿潜血反応および尿沈渣の鏡検によって行われる。

血尿は「全身性の出血傾向，腎・尿路・泌尿器系の腫瘍，結石，炎症，留置カテーテルなどの異物など多くの成因による尿中への赤血球の異常な排泄」[1] と定義され，臨床的には内科的血尿である「糸球体性血尿」と，泌尿器科的血尿である「非糸球体性血尿」に大別される。糸球体性血尿は糸球体腎炎，ループス腎炎，IgA腎症など，非糸球体性血尿は尿道炎，膀胱炎，尿路の結石，膀胱・尿路の腫瘍などで認められる。両者の鑑別は，尿沈渣検査における赤血球形態および赤血球円柱・顆粒円柱の有無（5.2節「尿沈渣の分類法」p.81を参照），尿蛋白の程度などからある程度推定可能である。

臨床検査においては以下の定義[2] にしたがい血尿の判定を行う。

「血尿の基準は，尿沈渣中赤血球数5個/HPF以上，無遠心尿での尿中赤血球数20個/μL以上とされ，潜血反応が1+（0.06mg/dL）以上で尿中赤血球数を算定するための確認試験（尿中の赤血球の確認：尿沈渣検査または無遠心尿での計数）を実施する。」

そのうえで「肉眼的血尿」と「顕微鏡的血尿」とに分けられる[3]。また臨床的には排尿痛・残尿感・頻尿などの症状のある「症候性」と症状のない「無症候性」という分類を加えて，無症候性肉眼的血尿，無症候性顕微鏡的血尿といった分類を用いる。検診で指摘される本人が全く気付かない無症候性顕微鏡的血尿は「チャンス血尿」ともよばれ，腎疾患の早期発見に有用とされている。

#### (1) 肉眼的血尿（図4.3.1①）

尿1L中に1mL以上（約0.1％以上）の血液が混入したものであり，尿の色調が鮮紅色を呈し（混入血液量が多いと暗赤褐色傾向となる），肉眼で確認して明らかに血尿とわかるものをいう。遠心すると上清は本来の尿の色調（淡黄色が多い）となり，尿沈渣は赤色を呈するため赤血球の存在が示唆される。

---

用語　強拡大視野（high power field；HPF）

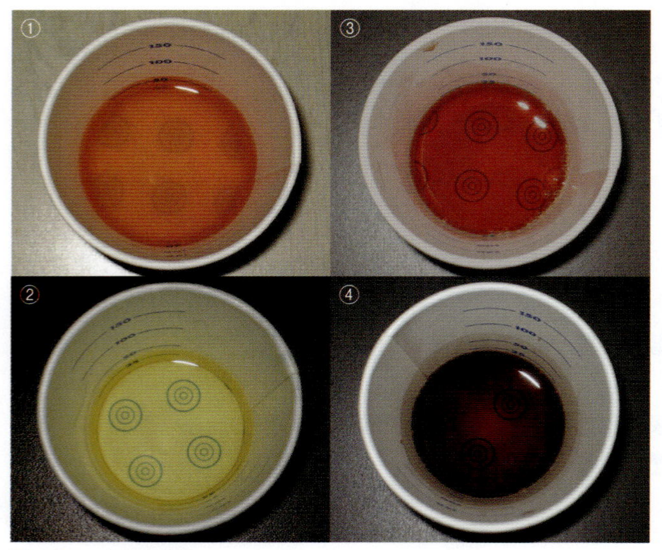

図 4.3.1 血尿の外観
①肉眼的血尿（0.1％の割合の血液添加にて作製） ②顕微鏡的血尿（潜血3＋，赤血球100個以上/HPF） ③ヘモグロビン尿（発作性夜間血色素尿症による） ④ミオグロビン尿（横紋筋融解症による）

**(2) 顕微鏡的血尿**（図4.3.1②）

肉眼的には血尿とは認められないが，尿沈渣で5個/HPF以上の赤血球が認められるものをいい，尿沈渣の鏡検によって確認される。

## 2. ヘモグロビン尿

ヘモグロビン尿とは腎前性に血中でヘモグロビンが増加した結果として，尿中にヘモグロビンが排泄される病態のことをいい，血管内での赤血球の大量崩壊（強い溶血）により出現する。血管内溶血により赤血球から放出されたヘモグロビンは，ハプトグロビンと結合して網内系で処理されるが，その量がハプトグロビンの結合能を超え，腎尿細管の再吸収・異化能も超えた場合には尿中にヘモグロビン尿として現れる。急激に血中ヘモグロビン濃度が上昇した場合（100mg/dL以上）や，軽度であっても持続的に溶血が起こった場合に見られる。

尿の色調は血尿と同様に赤褐色を呈し（図4.3.1③），遠心上清が赤褐色で潜血反応陽性，尿沈渣に赤血球が認められなければヘモグロビン尿と推測されるが，ミオグロビン尿や放置による溶血尿との鑑別が必要である。尿中ヘモグロビンの一部は，尿細管上皮細胞に取り込まれてヘモジデリンとなり，その後，脱落して尿中に黄褐色の顆粒すなわちヘモジデリン顆粒（5.2節「尿沈渣の分類法」p.109を参照）として出現する。この顆粒は鉄染色（ベルリン青染色）で青色に染色される。

臨床的には自己免疫性溶血性貧血，不適合輸血，発作性夜間血色素尿症，O157などの感染による溶血性尿毒症症候群といった，血管内で溶血が起こる疾患で認められる。とくに発作性夜間血色素尿症などの慢性溶血性疾患では，尿沈渣にヘモジデリン顆粒が出現し，血液検査では貧血や網赤血球数の増加，血清中の乳酸脱水素酵素（LD）値の上昇，ハプトグロビン値の低下などの異常を認める。しかし，急性に発症する溶血性疾患では，尿沈渣中にヘモジデリン顆粒を認めないこともある。とくに小児において，尿沈渣中にろう様円柱や顆粒円柱の増加が見られ，下痢や血便を伴う場合には，溶血性尿毒症症候群の可能性が示唆される。

## 3. ミオグロビン尿

ミオグロビン尿とは筋肉中のミオグロビンが尿中に認められる病態をいう。ミオグロビンは骨格筋や心筋に存在するヘム蛋白であり，これにより筋肉は特有の暗赤色調を示す。血中から酸素を取り込むことで，筋肉内での酸素の運搬と貯蔵に関与し，また，筋肉の収縮を円滑に進める作用をもつ。筋肉になんらかの傷害や壊死が生じると血中に放出される。ミオグロビンは分子量17,500の低分子蛋白であり，運搬蛋白をもたないため速やかに尿中へ排泄される。尿ミオグロビン濃度が250mg/dLを超えると尿は赤色を呈し，時間経過に伴い暗赤褐色となる（図4.3.1④）。250mg/dLを大きく上回る場合を除き，肉眼的にミオグロビン尿の推測は困難である。ヘモグロビン尿と同様に尿潜血反応は陽性を示し，遠心上清は赤色を呈する。尿潜血反応はヘモグロビンとほぼ同等の感度で反応する。

臨床的には震災や交通事故などによる挫滅症候群，心筋梗塞などの心筋壊死，投与薬剤の副作用による横紋筋融解症，多発性筋炎などにより，筋肉が急激に破壊されたときに認められる。尿の色調および潜血反応と尿沈渣赤血球数の乖離から推測できるが，尿と同時に採取した血清(血漿)の色調や，ブロンドハイム（Blondheim）塩析法，血清LD，血清中のクレアチンキナーゼ（CK）などの測定値も考慮して全体的に推測することで鑑別可能である。

**(1) ヘモグロビン尿とミオグロビン尿の鑑別**

1)可視部吸収曲線による吸収帯の確認：

ヘモグロビンは576，541nmに吸収帯，ミオグロビンは582，543nmに吸収帯がある。

2)Blondheim塩析法（図4.3.2）：

①試験管に患者尿を5mL程度取り，硫酸アンモニウム2.8gを加え，よく混和してからろ過する。

**用語** 発作性夜間血色素尿症（paroxysmal nocturnal hemoglobinuria；PNH），乳酸脱水素酵素（lactate dehydrogenase；LD），ブロンドハイム（Blondheim）塩析法，クレアチンキナーゼ（creatine kinase；CK）

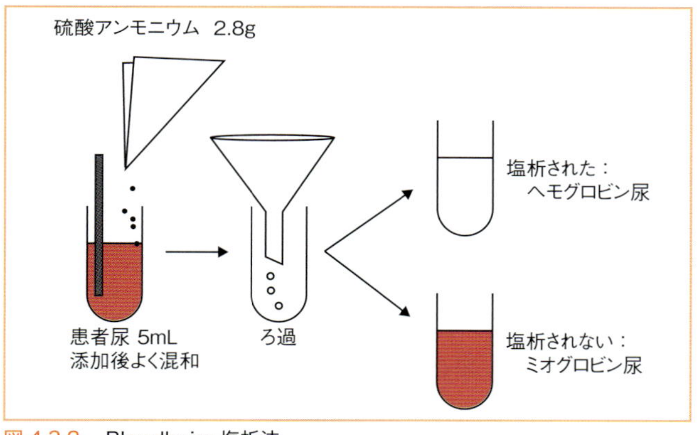


図 4.3.2 Blondheim 塩析法
〔山下美香（イラスト）：「第 3 章 尿の化学的検査」，一般検査技術教本，25，日本臨床衛生検査技師会（編），2012 より改変〕

表 4.3.1 ヘモグロビン尿とミオグロビン尿の性状

| | ヘモグロビン尿 | ミオグロビン尿 |
|---|---|---|
| 肉眼的所見 | 赤色透明 | 赤色透明 |
| 鏡検での赤血球 | 陰性 | 陰性 |
| 尿潜血反応 | 陽性 | 陽性 |
| 血清（血漿）の色調 | 赤色 | 黄色 |

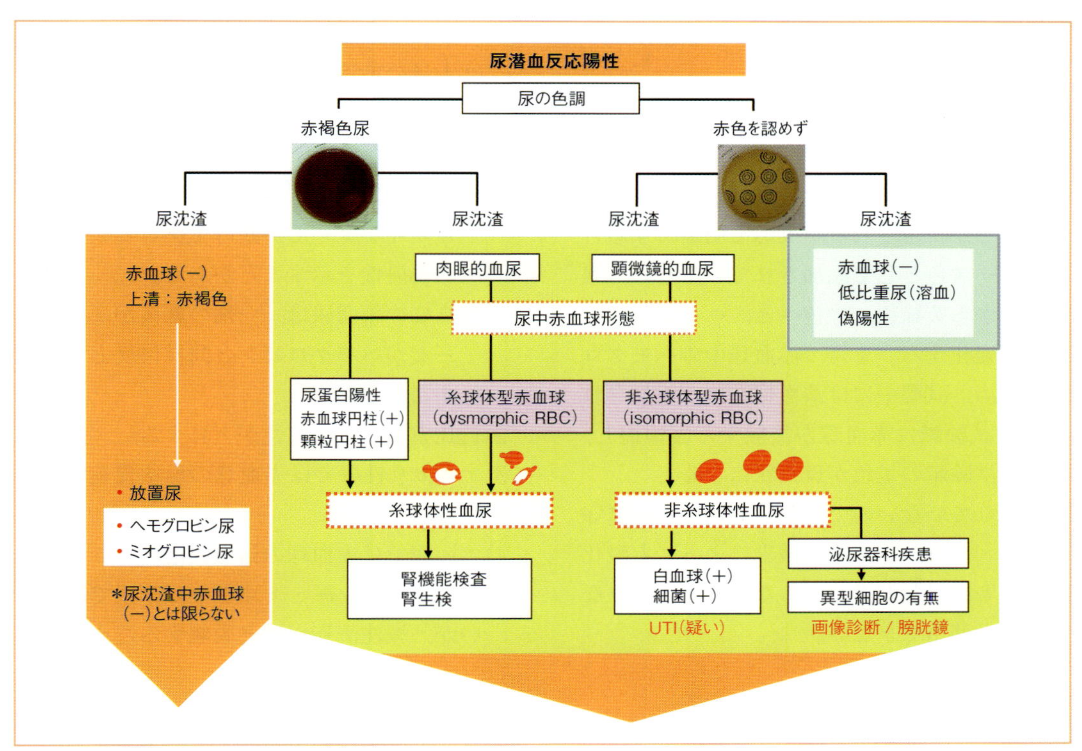


図 4.3.3 尿潜血反応陽性時の病態推定プロトコル
〔鈴木敏惠：「第 3 章 尿の化学的検査」，一般検査技術教本，27，日本臨床衛生検査技師会（編），2012 より改変〕

②判定：ヘモグロビンは塩析されるが，ミオグロビンは塩析されない。

・ろ液が無色〜コントロール尿よりも淡い赤色，赤褐色（塩析された）：ヘモグロビン尿

・ろ液が赤〜赤褐色（塩析されない）：ミオグロビン尿

3) 尿と同時に採取した血清（または血漿）を肉眼的に観察する。ミオグロビン尿であれば血清に赤色調はなく，ヘモグロビン尿であれば明らかな赤色調を帯びるという特徴があるため，比較的容易に鑑別できる（表 4.3.1）。

4) 尿中のミオグロビンを臨床免疫検査法により測定し，定量的に判定する方法もある。

## ● 4. 尿潜血反応陽性時の病態推定プロトコル

尿潜血反応が陽性となる血尿，ヘモグロビン尿，ミオグロビン尿は上述のように緊急対応の必要な疾患や重体な疾患を多く含んでいるため各々について理解し検査を進めることが重要である。図 4.3.3 に示す病態推定プロトコルを十分に理解する必要がある。

# 4.3.3　試験紙法

## 1. 反応原理（図 4.3.4）

ヘモグロビンのペルオキシダーゼ（POD）様作用*1を利用している。試験紙には過酸化物と還元型色原体が含まれ，ヘモグロビンのPOD様作用により過酸化物が分解されて活性酸素が遊離する。無色の還元型色原体はこの活性酸素により酸化され，酸化型色原体となり発色する。

1)検出感度
- ・溶血していない赤血球数：5～20個/μL
- ・ヘモグロビン濃度：0.015～0.060mg/dL

2)定性値
- ・1＋の濃度は，どのメーカーの試験紙を使用してもヘモグロビン濃度0.06mg/dLに相当する。

色原体は，還元型で無色，酸化型で青色を呈するテトラメチルベンジジンなどが使用される。反応を明瞭にする目的で黄色の色素がベース色として添加されているため，呈色反応は黄色（－）から黄緑色，緑色へと，ヘモグロビン濃度により段階的に変化する。また，赤血球中のヘモグロビンと反応させるため，試薬中には溶血促進剤が添加されている。そのため，試験紙に赤血球が接触すると溶血し，その部分が反応して試験紙の呈色が斑点状になる。

反応停止剤は含まれていないので，判定時間は正確に守らなくてはならない。また，空気中の酸素によっても酸化され，時間経過とともに呈色が濃くなるため，そのような状態になった試験紙は使用できない。

**参考情報**

**＊1 ヘモグロビンのPOD様作用**

ヘモグロビンはPODをもっていないが，PODと同様の作用を有している。そのため，ヘモグロビンのPOD様作用，または偽POD活性といった名称でよばれる。

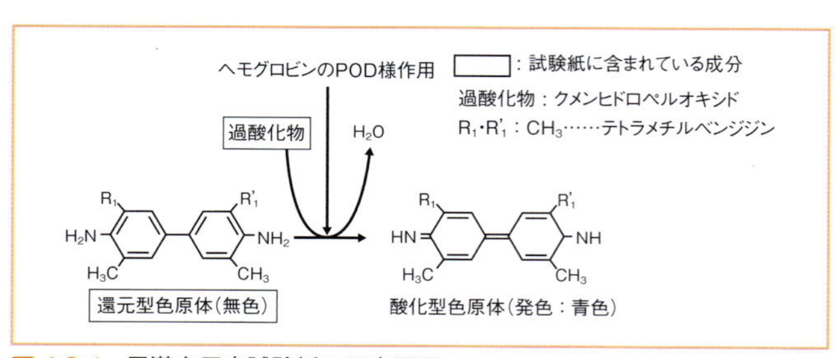


図 4.3.4　尿潜血反応試験紙の反応原理
〔鈴木敏惠：「第 3 章 尿の化学的検査」，一般検査技術教本，26，日本臨床衛生検査技師会（編），2012 より〕

## 2. 偽陽性・偽陰性反応

尿潜血反応の結果と尿沈渣赤血球数の結果が乖離した場合には，以下の原因を考慮する（表4.3.2）。

### (1) 偽陽性を示す場合

1)ヘモグロビンと同様に反応する成分が存在する。
- ①酸化物（過酸化水素，次亜塩素酸，さらし粉，ヨード化合物など）が混在していると，ヘモグロビンと同様に反応するため偽陽性を示すことがある。
- ②大量の精液の混入した場合，精子に含まれるジアミンオキシダーゼがヘモグロビンと同様に反応するため偽陽性を示すことがある。
- ③高度の白血球尿は，顆粒球に含まれる顆粒（ミエロペルオキシダーゼ）がヘモグロビンと同様に反応するため偽陽性を示すことがある。
- ④高度の細菌尿は，一部の細菌が産生するペルオキシダーゼがヘモグロビンと同様に反応するため偽陽性を示すことがある。

2)低比重尿では反応性が上昇する。

3)アルカリ性尿では赤血球の崩壊促進により反応性が上昇する。

4)古い尿では赤血球の溶血促進により反応性が上昇する。

5)ヘモグロビン尿・ミオグロビン尿では偽陽性反応ではないが，尿沈渣赤血球と乖離するため注意する。

### (2) 偽陰性を示す場合

1)アスコルビン酸の存在：アスコルビン酸は試験紙中に含まれる還元型色原体より還元力が強いため，色原体よりも優先的に酸化される。よって，還元型色原体を酸化するた

表 4.3.2　尿潜血反応と尿沈渣赤血球との乖離の原因

| | | 尿潜血反応 | |
|---|---|---|---|
| | | 陰性 | 陽性 |
| 尿沈渣赤血球 | 陰性 | 異常なし | ヘモグロビン尿/ミオグロビン尿<br>高度細菌尿/高度白血球尿，<br>精液の大量混入，<br>古い尿/アルカリ性尿/低比重尿，<br>強力な酸化物の混入，<br>尿沈渣鏡検時の見落とし |
| | 陽性 | 強力な還元性物質の混入（アスコルビン酸など），<br>高比重尿/高蛋白尿，<br>試験紙の劣化，誤判定，<br>薬剤（カプトプリルなど）の影響，尿の撹拌不足，<br>尿沈渣鏡検時の誤認 | 血尿 |

**用語**　ペルオキシダーゼ（peroxidase；POD）

めの過酸化物が不足し，低値化もしくは偽陰性化する。

2) カプトプリル，ホルムアルデヒド，還元型グルタチオン，ホモゲンチジン酸，尿酸，亜硝酸塩などが存在すると，還元作用などにより反応が阻害される。

3) 高比重尿や高蛋白尿では反応性が低下する。

4) 尿の撹拌不足や完全に劣化した試験紙では反応性が低下する。

［油野友二］

## 参考文献

1) 五十嵐　隆，他(編)：「腎・泌尿器疾患診療マニュアル—小児から成人まで」，日本医師会雑誌，2007；136：42-45.

2) 東原英二，他：血尿診断ガイドライン，2006.

3) 日本腎臓学会，他(編)：血尿診断ガイドライン 2023，ライフサイエンス出版，2023.

# 4.4 | 尿糖検査

- 臨床一般検査での尿糖検査は尿中のブドウ糖の検査を示す。
- 尿糖検査の臨床的意義を考える。高血糖と近位尿細管でのブドウ糖再吸収障害，糖尿病治療薬と尿糖の関係を理解する。
- 試験紙法の反応原理と偽反応について理解する。

## 4.4.1 基礎知識

炭水化物は糖質と食物繊維からなる。さらに糖質のうち砂糖やブドウ糖などの単糖類・二糖類の総称が糖類である。言い換えれば糖類とは，「糖質」から「多糖類・糖アルコールなど」を除いたものの総称ともいえる。尿には種々の病態によりブドウ糖，五炭糖，果糖，スクロース，麦芽糖，ガラクトース，乳糖などの糖類の出現があるが，臨床一般分野で用いる「尿糖」はブドウ糖を示している。

尿糖とは血液中の糖（血糖）が尿中に排泄されたもので，血糖は腎臓で血液からろ過される過程で水分とともにほとんど体内に再吸収されるが，血糖が異常に増加して限界（腎臓の閾値）を超えると，尿糖として検出される。糖尿病がその代表的な疾患であり，病型や診断について十分に理解する必要がある。

糖尿病および関連する糖代謝異常は，1型糖尿病，2型糖尿病，その他の特定の機序や疾患によるものおよび妊娠糖尿病に分類される。また，糖尿病の臨床診断は図4.4.1のフローチャートにより行われるが，臨床検査においてはその中の糖尿病型の判定についての理解が重要である。初回検査で血糖値が①空腹時≧126mg/dL，②OGTT 2時間値≧200mg/dL，③随時≧200mg/dL，④HbA1c（NGSP）≧6.5%いずれかを認めた場合は，「糖尿病型」と判定する。

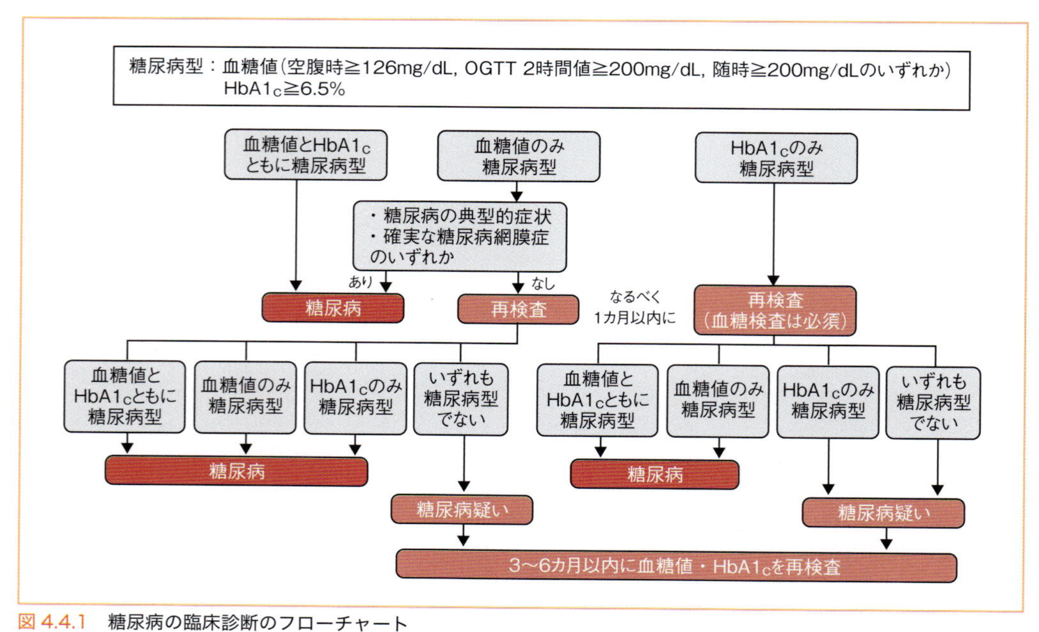


図4.4.1　糖尿病の臨床診断のフローチャート
〔日本糖尿病学会：「糖尿病の分類と診断基準に関する委員会報告（国際標準化対応版）」，糖尿病，2012；55（7）：494より改変〕

用語　経口ブドウ糖負荷試験（oral glucose tolerance test；OGTT），National Glycohemoglobin Standardization Program；NGSP

## 4. 4. 2 臨床的意義

尿糖が陽性となる病態は，①高血糖状態，②近位尿細管でのブドウ糖再吸収障害について理解する必要がある。

### 1. 高血糖状態

尿糖は排尿から次の排尿までの間に起こった高血糖を反映し，一般的に血糖値が160～180mg/dLを超えると尿糖が陽性となる。このため，尿という非侵襲的な方法による高血糖のスクリーニング検査としての意義がある。また，軽度の糖尿病患者のコントロールにおいては空腹時血糖値が正常あるいは境界領域内であっても食後の血糖値のみが200mg/dL以上に上昇することがある（図4.4.2）。この状態が「食後高血糖」で，この状態を放置しておくと，やがて空腹時血糖値も高くなり，糖尿病が進展する可能性がある。このため，糖尿病療養指導においては食事直前に一度排尿し，食後の尿糖を自ら測ることで，食後高血糖状態があったかどうかを自分で判断することも勧められている。尿糖試験紙法はOTC検査試薬であり個人で入手可能である。

日常検査において尿糖陽性はよく遭遇する所見であるが，強陽性である場合は尿ケトン体（4.5節「尿ケトン体検査」p.48を参照）のチェックが必要である。尿ケトン体も陽性であれば糖尿病ケトアシドーシス（DKA）や劇症1型糖尿病の発症初期などの重体な病態も想定され緊急報告の必要性が考えられる。

糖尿病以外の疾患でも尿糖を伴う高血糖になることがある。各種ホルモン異常，肝臓病，膵疾患，中枢神経系障害など疾病の原因や症状は多岐にわたるが，ブドウ糖の利用障害によるものであり，精密検査が必要とされる。

### 2. 近位尿細管でのブドウ糖再吸収障害

高血糖を伴わずに尿糖が陽性となる「腎性糖尿」とよばれる病態がある。これは，血糖排泄閾値が低く，ネフロンにおける糖担体の欠損によって近位尿細管でのブドウ糖再吸収の機能不全が起こるためで，その原因として①ブドウ糖単独の再吸収障害（遺伝的），②ブドウ糖にアミノ酸や尿酸などの再吸収障害を伴う症候群（Fanconi症候群）がある。Fanconi症候群には先天的なもの（Wilson病，Dent病）と後天的なもの（多発性骨髄腫，重金属・薬物による尿細管障害）がある。

**参考情報**

**SGLT2阻害薬による臨床的意義の変化**

糖尿病治療薬であるナトリウム/グルコース共輸送体2（SGLT2）阻害薬は，腎臓の近位尿細管での糖の再吸収を阻害し，糖を尿から排出することで血糖値を下げる薬剤である。この薬剤の投与中は血糖値が基準範囲でも尿中にブドウ糖が多量に検出される。また，SGLT2阻害薬はCKDの症例に対して腎保護効果が示され腎臓病の治療薬としても用いられている。この結果，本剤投与中は尿糖の本来の臨床的意義はなくなるのみならず，高ブドウ糖尿による他検査項目への影響，多尿による希釈尿などの問題について留意が必要である。

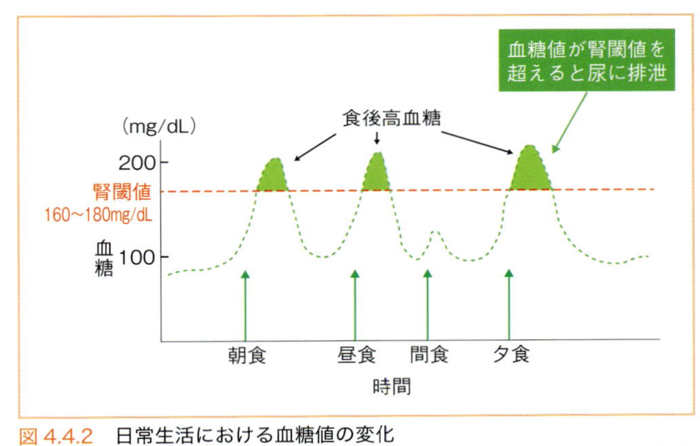


図 4.4.2 日常生活における血糖値の変化
〔油野友二：「臨床検査」，糖尿病の理学療法，71，清野 裕，他（監修），大平雅美，他（編），メジカルビュー社，2015より改変〕

## 4. 4. 3 尿糖検査法

**(1) 試験紙法**

ブドウ糖酸化酵素（グルコースオキシダーゼ，GOD）を用いてブドウ糖を特異的に測定する方法である。

尿中のブドウ糖は，GODによりグルコン酸と過酸化水素（$H_2O_2$）に分解される。$H_2O_2$は，PODにより生成される［O］により還元型で無色の色原体である還元型クロモーゲンが酸化され発色する。発色の程度により尿グルコースを半定量化する（図4.4.3）。還元型クロモーゲンとしてはテトラメチルベンジジン，4-アミノアンチピリンなどが用いられている。

**用語** 薬を処方なしで入手できるセルフメディケーション（over the counter；OTC），糖尿病ケトアシドーシス（diabetic ketoacidosis：DKA），デント（Dent）病，sodium-glucose cotransporter（SGLT），グルコースオキシダーゼ（glucose oxidase；GOD）

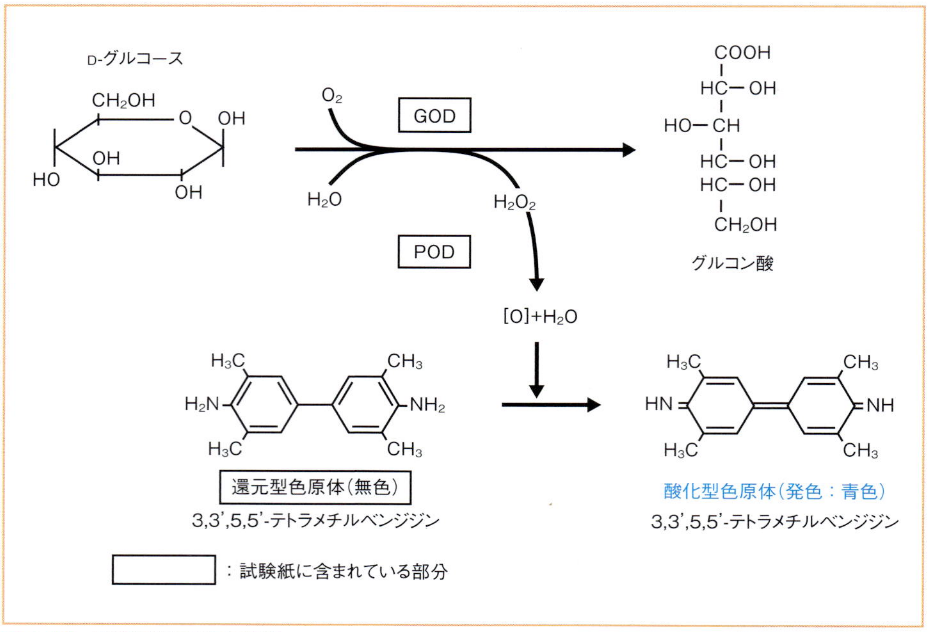

図 4.4.3　尿糖試験紙の反応原理
〔森山隆則：「第 3 章 尿の化学的検査」，一般検査技術教本，31，日本臨床衛生検査技師会（編），2012 より改変〕

1）偽陽性

過酸化物〔過酸化水素，次亜塩素酸，次亜塩素酸カルシウム（さらし粉）など〕を含有する洗浄剤や酸性化洗剤の混入に影響される。

2）偽陰性

①アスコルビン酸：高濃度のアスコルビン酸が存在すると低値や偽陰性を呈する。市販の飲料水や食物にはアスコルビン酸が多く含まれるものがあり，尿中へ排泄されているので注意が必要である。

②その他：L-ドーパ（L-DOPA），ホモゲンチジン酸，ゲンチジン酸などの還元性物質

3）測定試料の取扱い

消毒剤や洗剤などの影響を受ける恐れがあるため，洗浄した容器や器具の使用は避け，専用の使い捨て採尿カップで採取する。尿中に細菌が存在すると尿中のブドウ糖を代謝（陰性化）してしまうので，試料は放置せず速やかに測定する。

### (2) 還元法

ブドウ糖は水溶液中で環状構造を呈しているが，アルカリ性溶液では鎖状構造となり，分子内に生じたアルデヒド基が還元作用を示すようになる。この溶液中に重金属塩を加えると還元されて金属が沈殿し固有の色を現す原理を用いた方法が還元法である。

1）ベネディクト（Benedict）定性法

アルカリ溶液中で硫化銅は青色の水酸化銅となり，そこに糖が存在すると還元されて黄色の水酸化銅または赤色の亜酸化銅になる原理を利用した方法である。ブドウ糖以外の糖の検出も可能である。

2）ニーランデル（Nylander）法

アルカリ性試薬で還元作用を有するようになったブドウ糖に，金属の酸化物である次硝酸蒼鉛を作用させ，還元されて金属蒼鉛の黒色褐色沈殿を生じる原理を利用した方法である。ホルマリン，クロロホルムは還元作用があるため偽陽性となる。したがって，これらを防腐剤として用いた尿で検査を行うことはできない。

### (3) 定量法

1）ヘキソキナーゼ・グルコース-6-リン酸脱水素酵素法（HK・G-6-PDH法）

αおよびβ-D-グルコース + ATP
—HK→ D-グルコース-6-リン酸 + ADP

D-グルコース-6-リン酸 + $NADP^+$
—G6PDH→ ホスホグルコン酸 + NADPH + $H^+$
（340nm における吸光度の上昇で検出）

用語　ベネディクト（Benedict）定性法，ニーランデル（Nylander）法，ヘキソキナーゼ・グルコース-6-リン酸脱水素酵素（hexokinase・glucose-6-phosphate dehydrogenase；HK・G-6-PDH），ニコチンアミドアデニンジヌクレオチドリン酸（nicotinamide adenine dinucleotide phosphate；NADPH）

生成したNADPHの増加を測定する。本法はブドウ糖に特異性が高く，日本臨床化学会（JSCC）の勧告法に位置付けられている。

**2）グルコースオキシダーゼ法（GOD法）**

α-D-グルコース
↓ ムタロターゼ
β-D-グルコース＋$O_2$＋$H_2O$
—GOD→ グルコン酸＋過酸化水素（$H_2O_2$）

発生した$H_2O_2$を酵素電極またはPOD共役法で測定する。GODはβ-D-グルコースに対する特異度が高い。

［油野友二］

用語　日本臨床化学会（Japan Society of Clinical Chemistry；JSCC）

# 4.5 尿ケトン体検査

- 尿ケトン体検査の臨床的意義を考える。
- 尿ケトン体検査の測定原理を理解する。
- ケトン体とはアセト酢酸，βヒドロキシ酪酸，アセトンの総称であるが，尿試験紙で検出できるのはおもにアセト酢酸であることに注意する。
- 糖尿病との関連を学習する。

## 4.5.1 基礎知識および臨床的意義

ケトン体とは，アセト酢酸，β（または3）-ヒドロキシ酪酸およびアセトンの総称である。生体においては，糖質不足に対応する代謝性エネルギーとしての役割が主である。

生体において糖質からのエネルギー供給が不足すると，脂肪からエネルギー産生を行う必要が生じて脂肪分解が亢進し，血中遊離脂肪酸が増加する。遊離脂肪酸は肝ミトコンドリア内でβ酸化され，アセチルコエンザイムA（アセチルCoA）となる。このアセチルCoAからアセト酢酸が生成され，さらにβ-ヒドロキシ酪酸，アセトンへと代謝される（図4.5.1）。

脂肪酸は血中運搬のための特別な蛋白を要するが，ケトン体は水溶性であるため不要である。アセト酢酸やβ-ヒドロキシ酪酸は糖質の代わりに骨格筋，心筋，腎などで代謝されエネルギー源となる。健常人の血中での割合は，アセト酢酸が約20%，β-ヒドロキシ酪酸が約78%，アセトンが約2%である。血中ケトン体濃度が腎尿細管での再吸収閾値（70mg/dL）を超えると尿中に排出され，ケトン体尿となる。

糖質の摂取不足の場合（飢餓など）や，組織においてグルコースの酸化が低下する場合（糖尿病など）には肝でのケトン体生成が増加し，ケトン体がエネルギー源として利用される。このとき尿にケトン体が認められるようであれば，ケトン体が血中に増加して体内に貯留しており，アシドーシスの原因となる。これをケトアシドーシスとよぶ。

尿にケトン体が認められるのは，以下のような場合である。

1) 糖尿病：糖の利用障害と，ケトン体生成を抑制するインスリンのはたらきの減弱（インスリン抵抗性）により，ケトン体の生成が増加する。とくに重症糖尿病ではケトン体の増加とグルコースの増加が利尿作用を活発化させるため，電解質などの化学的成分のバランスが崩れてケトアシドーシスや糖尿病性昏睡をきたすことがある。
2) 妊娠：初期には悪阻による糖質の摂取不足の結果として，尿ケトン体が認められる場合がある。後期には糖質の利用が亢進し，インスリン抵抗性も増大する結果として尿ケトン体が認められる場合がある。

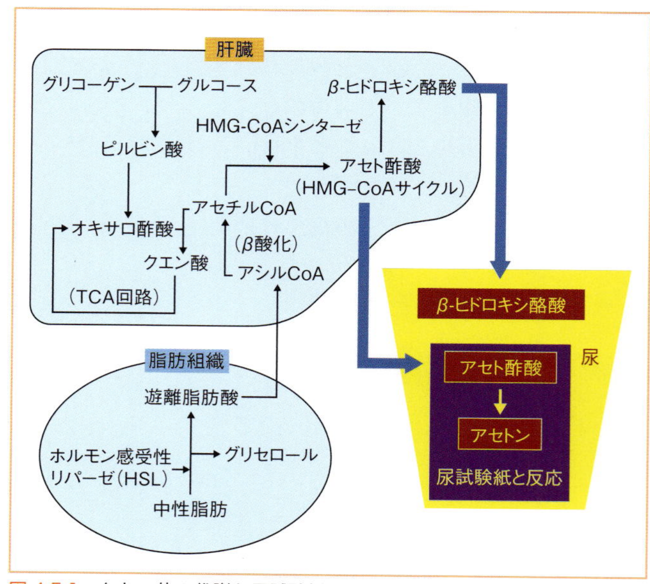


図4.5.1　ケトン体の代謝と尿試験紙法の反応

**用語**　コエンザイムA（coenzyme A；CoA），ヒドロキシメチルグルタリルCoAシンターゼ（hydroxymethylglutaryl-CoA synthase（HMG-CoA）synthase），ホルモン感受性リパーゼ（hormone-sensitive lipase；HSL），トリカルボン酸回路（tricarboxylic acid cycle；TCA回路）

3)飢餓，摂食障害，下痢：いずれも糖質の絶対的不足をもたらす。小児の自家中毒，成人女性のダイエット目的での長期にわたる下剤服用例などがある。

4)甲状腺機能亢進症：基礎代謝の亢進により，より多くのエネルギーが必要となる。

5)その他：精神的・肉体的ストレス（熱傷など），高熱の持続などがある。

## 4.5.2 測定方法

尿中ケトン体のうちアセト酢酸とアセトンは揮発性であり，アセト酢酸は容易に分解してアセトンとなる。試験紙法やロテラ法などはアセト酢酸に最も鋭敏で，アセトンに対する感度はその1/10～1/20であり，β-ヒドロキシ酪酸とは反応しない（図4.5.1）。よって，少なくとも排尿後2～3時間以内の新鮮尿で測定するのが原則である。

### (1) 尿試験紙法

**1)原　理**

ニトロプルシドナトリウム，グリシン，アルカリ性緩衝液をしみ込ませた試験紙を用いる。ケトン体はニトロプルシドナトリウムの錯塩内ニトロソ体と反応してイソニトロソ体となり，紫色に発色する（図4.5.2）。

**2)感　度**

尿ケトン体試験紙にはアセト酢酸5～10mg/dLの測定感度のものがある。

**3)特異性**

アセト酢酸と反応する。アセトンとはわずかに反応するものもある。β-ヒドロキシ酪酸とは反応しない。

**4)注意点**

本法は手技が容易で迅速に行えるが，β-ヒドロキシ酪酸とは反応しないため，β-ヒドロキシ酪酸が優位となる一部の糖尿病ケトアシドーシスなどでは，陰性もしくは弱陽性となる場合がある。早期指標としては，血中ケトン体測定の方がより有用であることを理解しておく必要がある。

①本法に偽陽性反応を示す薬剤がある。ほかの尿検査所見（尿糖や尿比重など）からの病態の推定が難しい場合には，投薬情報に留意する必要がある。

②ブシラミン（抗リウマチ薬），スルフヒドリル（SH）基を有する薬剤（グルタチオン），カプトプリル，L-ドーパの代謝物が大量に存在する場合には，偽陽性を呈することがある。

③高濃度のフェニルケトン体，フタレイン化合物，フェニルピルビン酸，ピルビン酸，オキサロ酢酸，α-ケトグルタル酸，フェノールスルホンフタレイン（PSP）が存在する場合には，色調表と異なる異常発色を呈することがある。

**5)偽陽性の確認法**

薬剤などによる偽陽性反応は，尿を沸騰水浴中で15分間煮沸してアセト酢酸をアセトンと二酸化炭素に分解させ，アセトンを揮発させてから再度試験紙で検査することにより確認できる。

$$CH_3COR + Na_2[Fe(CN)_5NO] \xrightarrow{\text{アルカリ条件}} Na_3[Fe(CN)_6CHNCHCOR] + H_2O$$

ケトン体　ニトロソ体　イソニトロソ体

$CH_3COR$（R：$-CH_3$ アセトン；$-CH_2COOH$ アセト酢酸）

| | アセト酢酸濃度（mg/dL） | | | | |
|---|---|---|---|---|---|
| | 5 | 15 | 40 | 80 | 160 |
| 判定 | ± | 1+ | 2+ | 3+ | 4+ |
| 色調 | | | | | |

図 4.5.2　尿試験紙法の反応原理と判定基準
〔(下表) 宮沢　博：「第３章 尿の化学的検査」，一般検査技術教本，36，日本臨床衛生検査技師会（編），2012より〕

用語　スルフヒドリル（sulfhydryl；SH）基，フェノールスルホンフタレイン（phenolsulfonphthalein；PSP）

## 検査室ノート　尿ケトン体検査

尿ケトン体検査で，現在あまり使用されていないが文献などで方法名が登場することがあるため概要を記載する。なお，両方とも試験紙法とほぼ測定原理が同じため，偽陽性などの確認法には使用できない。

### (1) ランゲ（Lange）法

ニトロプルシドナトリウム，酢酸，強アンモニア水を用いる。新鮮尿にニトロプルシドナトリウムと酢酸を加え混和し，強アンモニア水に重層させる。アセトンまたはアセト酢酸が存在すれば，境界に紫紅色の輪環を生じる。

大量の無晶性尿酸塩があるときには黄色～褐色の輪環を生じる。低濃度アンモニア水を用いると呈色が悪くなる。

### (2) ロテラ（Rothera）法の吉川変法

ニトロプルシドナトリウム，硫酸アンモニウム，無水炭酸ナトリウムを混和したものを白色磁製板上で尿数滴と混和する。10mg/dL以上のケトン体が存在していれば1分くらいで紫色を呈する。本反応は，試薬に水分が入ったときに熱を発してアンモニアを出すことが必要である。

［山下美香］

**用語**　ランゲ（Lange）法，ロテラ（Rothera）法

**参考文献**

1） 金井正光（監修）：臨床検査法提要 改訂第35版，134-136，金原出版，2020.

# 4.6 | 尿ビリルビン，ウロビリノゲン検査

- 尿中に排泄されたビリルビンとウロビリノゲンの検査は，黄疸の鑑別に重要である。
- ビリルビンは光により分解され，また速やかに酸化されるため，新鮮尿で検査することが重要である。
- ウロビリノゲンの尿中排泄量には日内変動があり，夜間～午前中は低く，午後２～４時ごろが最高値となる。

## 4.6.1 基礎知識

### 1. ビリルビン代謝とウロビリノゲン

ビリルビンは，おもに赤血球の破壊によって生じるヘモグロビンに由来する。ヘモグロビンはハプトグロビンと結合して脾臓などの網内系組織に運ばれ，ヘムとグロビンに分解される。ヘムはさらに鉄を失って非抱合型ビリルビン（間接）となる。非抱合型ビリルビン（間接）は脂溶性であるため，アルブミンと結合して肝臓へ運ばれ，グルクロン酸抱合を受け，水溶性の抱合型ビリルビン（直接）として胆汁へ排泄される。

排泄された抱合型ビリルビン（直接）は腸へ移動し，腸内細菌により還元されてウロビリノゲンとなる。ウロビリノゲンの大部分はステルコビリノゲン，ステルコビリンとなり糞便に混じって体外に排泄されるが，一部は腸管から吸収され門脈を経て肝臓へ戻り，再びビリルビンとなって胆汁中へ排泄される。これを腸肝循環という[1]（図4.6.1）。

**参考情報**

大腸に残っているほとんどすべてのウロビリノゲンは，ウロビリノゲンの両端のピロール環が還元されてステルコビリノゲンに変化し，ステルコビリノゲンが酸化されて分子中央のメチレン基が二重結合化して共役し，ヒトの大便の茶色のもとであるステルコビリンになる[2]。そしてステルコビリンは，大便として排泄される[3]。

### 2. 尿検査における注意点

ビリルビンは光により容易に分解され，また速やかに酸化されるため，新鮮尿で検査することが重要である。また，健常人のウロビリノゲンの尿中排泄量には日内変動があり，夜間～午前中は低く，午後2～4時ごろが最高値となる。

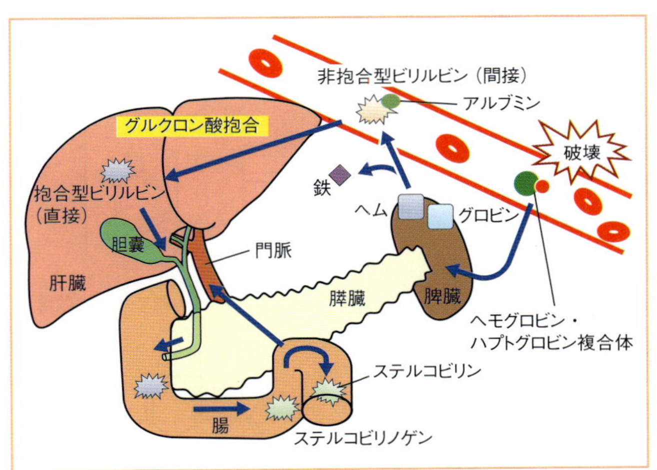


図 4.6.1 腸肝循環

## 4.6.2　臨床的意義

尿中のビリルビンは，肝臓でグルクロン酸抱合を受けた抱合型ビリルビン（直接）であり，腎の排泄閾値（約2.0 mg/dL）を超えた場合に排泄される。ウロビリノゲンと同時に測定することで，閉塞性黄疸，肝細胞性黄疸，溶血性黄疸の鑑別が可能となる[2,4]（表4.6.1）。

表 4.6.1　黄疸の鑑別

| | 血液 | | 尿 | | 便 | |
|---|---|---|---|---|---|---|
| | ビリルビン | ウロビリノゲン | ビリルビン | ウロビリノゲン | ビリルビン | ウロビリノゲン |
| 閉塞性黄疸 | 2＋ 直接 | − | 2＋ 直接 | − | − | − |
| 肝細胞性黄疸 | 2＋ 直接 間接 | 2＋ | 2＋ 直接 | 2＋ | − | 1＋ |
| 溶血性黄疸 | 2＋ 間接 | 2＋ | − | 2＋ | − | 2＋ |

〔金森きよ子:「第３章 尿の化学的検査」，一般検査技術教本，45，日本臨床衛生検査技師会（編），2012 より改変〕

## 4.6.3　尿ビリルビンの検査法

日常検査では，おもにジアゾ反応と酸化法が用いられている。

### 1. ジアゾ反応

#### (1) 試験紙法

ビリルビンが存在すると，酸性下で試験紙に含まれるジアゾニウム塩と反応してアゾ色素を生成し，赤色を呈する（図4.6.2）。検出感度は0.4～1.0mg/dLである。エトドラク製剤，エパルレスタットなどの薬剤投与により偽陽性となることがある。また，大量のアスコルビン酸や亜硝酸塩を含む尿では偽陰性となることがある。偽陽性および偽陰性となるおもな要因を表4.6.2に示す[3,5]。

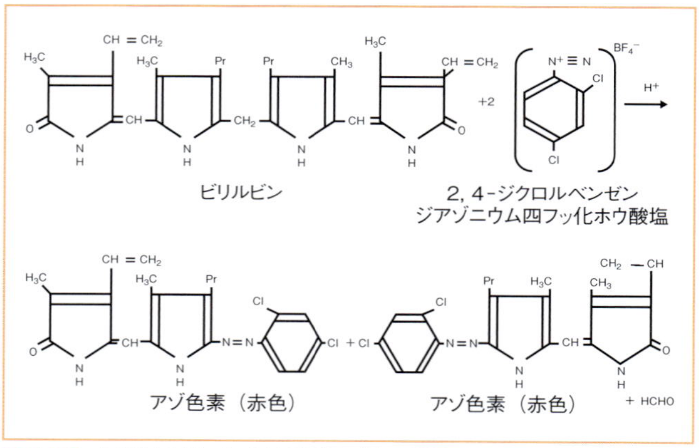

ビリルビン　2, 4-ジクロルベンゼン ジアゾニウム四フッ化ホウ酸塩　アゾ色素（赤色）　アゾ色素（赤色）

図 4.6.2　尿ビリルビンにおけるジアゾ法の原理
Pr：プロピオン基

表 4.6.2　尿ビリルビン試験紙法の結果に影響を及ぼすおもな要因

| 偽陽性となる要因 | 偽陰性となる要因 |
|---|---|
| エトドラク製剤<br>エパルレスタット<br>カルバゾクロムスルホン酸ナトリウム<br>塩酸クロルプロマジン<br>パラアミノサリチル酸カルシウム<br>スルホンアミド | アスコルビン酸<br>亜硝酸塩<br>光によるビリルビンの化学分解<br>ビリルビンが酸化しビリベルジンに変化 |

#### (2) 錠剤法（イクトテスト）

酸性下でビリルビンがジアゾニウム塩と反応し，青色もしくは紫色を呈する（図4.6.3）。ジアゾカップリング反応を利用している。検出感度は0.05～0.1mg/dLであり，試験紙法よりも優れている。

### 2. 酸化法

#### (1) ハリソン（Harrison）法

ビリルビンを塩化バリウムに吸着させ，不溶性のバリウム塩とする。これをろ紙上に集め，フーシェ（Fouchet）試薬によって酸化させる。ビリルビンが存在する場合はビ

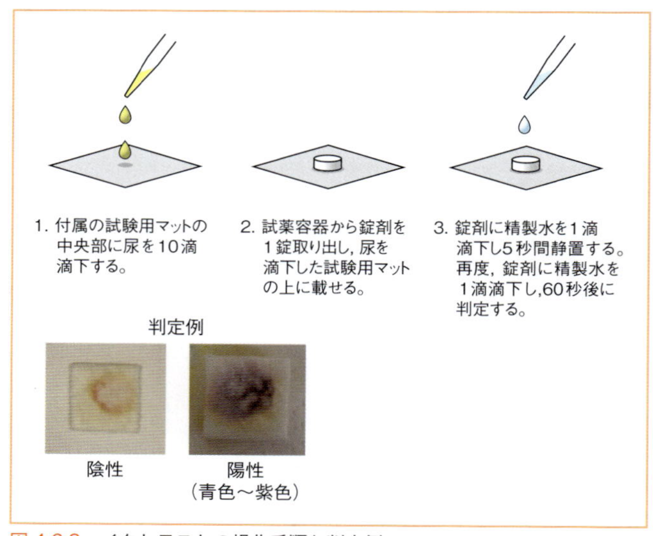


図 4.6.3　イクトテストの操作手順と判定例

用語　ハリソン（Harrison）法，フーシェ（Fouchet）試薬

リベルジンとなり，青色～緑色を呈する[6]（図4.6.4）。検出感度は0.05mg/dLである。

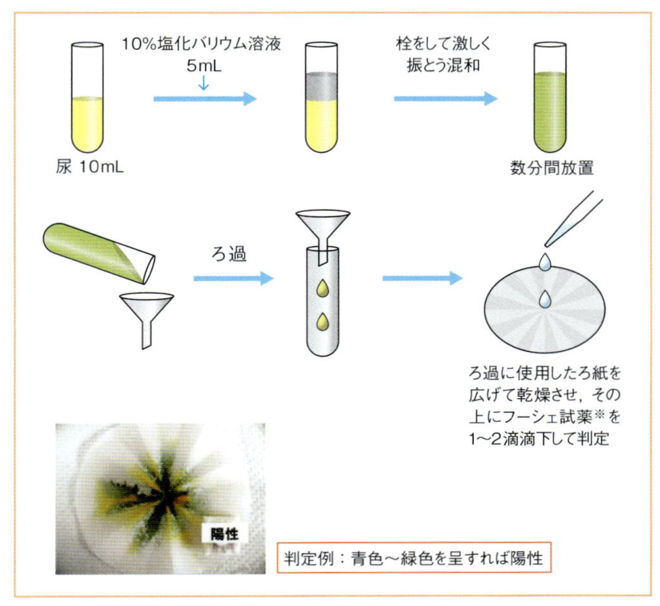


図 4.6.4　ハリソン法の操作手順と判定例
※ トリクロロ酢酸 25g と塩化第二鉄 0.9g を水 100mL に溶かしたもの。

## 4. 6. 4　尿ウロビリノゲンの検査法

日常検査では，おもにジアゾ反応とアルデヒド反応が用いられている。

### 1. ジアゾ反応

#### (1) 試験紙法

試験紙には安定化されたジアゾニウム化合物と強酸性化合物が含まれており，ウロビリノゲンと反応してアゾ色素を生成する。検出感度は0.4mg/dLである。アルデヒド反応では偽陽性となるスルファミン剤などの薬剤投与にもほとんど影響されない。ただし，フェナゾピリジン含有尿は酸性で赤変するので注意が必要である。

注1）試験紙法では陰性判定はしていない。

注2）健常人では（N）または（±）として表示される。

### 2. アルデヒド反応

#### (1) 試験紙法

試験紙には強酸で緩衝化された*p*-ジメチルアミノベンズアルデヒドが含まれており，ウロビリノゲンと反応して縮合体を生成する。検出感度は0.1 Ehrlich単位/dLである。この反応は，さまざまな物質により非特異的反応や反応阻害といった影響を受ける。代表的なものとして，内因性物質であるポルホビリノゲン（ポルフィリンの前駆物質）などにより赤色を呈し，スルファミン剤では桃黄色を呈する。また，亜硝酸塩やホルマリンの存在下では偽陰性となることがあるため，注意が必要である。

#### (2) ワーレス・ダイアモンド（Wallace-Diamond）法

強酸で緩衝化された*p*-ジメチルアミノベンズアルデヒドとウロビリノゲンが反応して紅色を呈する。健常人では，Ehrlich試薬の滴下から3分後に微紅色（正常：±）を呈し，紅色の強度により（1＋），（2＋），（3＋）と判定する。5分以上経過しても微紅色を認めないものは（－）とし，胆道閉塞を疑う。また，判定後にクロロホルムを加えて振とうしてから静置しておくと，ウロビリノゲンは有機溶媒層に移行するため，クロロホルム層が紅色を呈する。クロロホルム層が紅色にならない場合は，偽陽性が考えられる（図4.6.5）。

用語　エールリッヒ（Ehrlich）単位，ワーレス・ダイアモンド（Wallace-Diamond）法

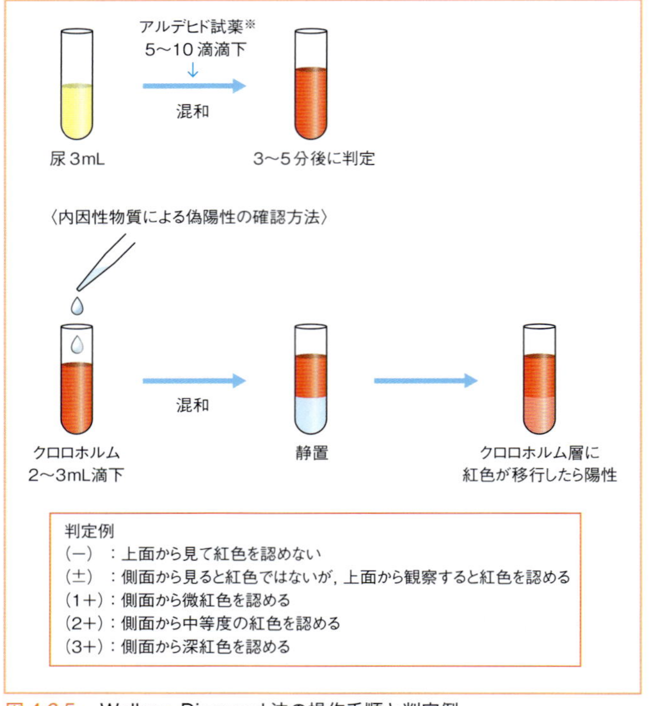


図 4.6.5 Wallace-Diamond 法の操作手順と判定例
※ *p*- ジメチルアミノベンズアルデヒド 2g を乳鉢に入れ，12mol/L 塩酸 50mL を少しずつ加えながら磨砕し，精製水を追加して全量 100mL とする。

## Q ビリルビン測定用試験紙とエトドラクが反応してしまうのはなぜか？

**A** エトドラクの代謝産物であるフェノール誘導体が，試験紙に含まれているジアゾニウム塩と反応してピンク〜赤褐色を呈する。これは，ジアゾニウム塩がフェノール類や芳香族アミンなどの電子供与基をもつ芳香環と反応して，アゾ化合物を生じるためである。

▶参考情報

**電子供与基**：ベンゼン環に電子を供与することにより，ベンゼン環の電子系を活性化させる基のこと。代表的な基として -OH，-N $(CH_3)_2$ などがある。

## Q Ehrlich単位とは何か？

**A** 1日の中でウロビリノゲンの尿への排泄量が最も多い，午後2〜4時の間に排泄された単位尿量（100mL）中のウロビリノゲン量をいう。2時間尿基準範囲は0.03〜0.97 Ehrlich単位/dLで，1.0 Ehrlich単位/dLは異常となる。

［山下美香］

### 参考文献

1） 金井正光(監修)：臨床検査法提要 改訂第35版，137-139，金原出版，2020.
2） 鈴木優治，菊池愛美：「尿ビリルビン測定のためのジアゾカップリング反応のpH依存性」，生物試料分析，2014；37：137-142.
3） 太田健一，他：「血清と尿ビリルビンの解離に関する検討」，米子医学雑誌，2003；54：104-111.
4） 日本臨床衛生検査技師会(編)：一般検査技術教本，2012.
5） 脇田 満：「尿が出ない患者さんにお茶を勧めてはダメ！」，Medical Technology，2014；42：1362-1365.
6） 大野明美，他：「尿試験紙ビリルビン検査の偽陽性確認試験の検討」，医学検査，2015；64：534-540.

# 4.7 | 尿白血球検査

- 尿中白血球の測定は，尿路感染症のスクリーニング検査として広く用いられている。
- 尿白血球試験紙法では白血球（おもに好中球）のエステラーゼが基質と反応し，さらにジアゾカップリング反応が起こって呈色する。
- 尿の性状や共存物質の影響により，偽陽性および偽陰性反応を生じる可能性がある。
- 偽陽性および偽陰性反応により，尿沈渣中の白血球数との間に乖離を認める場合がある。

## 4.7.1 基礎知識

尿白血球試験紙法では，好中球が有するエステラーゼと試薬中の基質が反応して呈色する。白血球の中でも好中球はエステラーゼを多く有しており，試薬中の基質は好中球エステラーゼに強い活性を示すものが使用されているため，好中球と強く反応する。単球はエステラーゼを有するが弱く反応する基質と反応しない基質が存在する。好酸球とリンパ球には反応しない。

この反応には偽陽性や偽陰性，および呈色異常をもたらすさまざまな要因があり，尿沈渣中の白血球数との乖離の原因となる。とくに偽陰性の場合には尿路感染症を見落とす可能性があるため，細菌の検出を目的とした亜硝酸塩検査を併用することが望まれる[1)]。

## 4.7.2 臨床的意義

尿中に出現する白血球は約95％が好中球であり*1，膀胱炎，腎盂腎炎，尿道炎，前立腺炎などの尿路感染症では多数の好中球を認める。また，慢性尿路感染症や前立腺疾患では好中球とともに単球も認める。白血球を尿沈渣中に5個/HPF以上，または無遠心尿中に10個/μL以上認めた場合は，陽性である。

**参考情報**

＊1 好中球以外にも，間質性腎炎やアレルギー性膀胱炎などで好酸球，腎結核や腎移植後の拒絶反応などでリンパ球を認める。

## 4.7.3 検査法

### 1. 尿白血球試験紙法

#### (1) 測定原理

尿白血球試験紙には，エステラーゼと反応する基質とジアゾニウム塩が含まれる。基質としては3-(*N*-トルエンスルホニル-L-アラニロキシ) インドールまたは3-(*N*-トルエンスルホニル-L-アラニロキシ)-5-フェニルピロールが用いられ，ジアゾニウム塩としては2-メトキシ-4-(*N*-モルホリノ) ベンゼンジアゾニウム塩や1-ジアゾ-2-ナフトール-4-スルホン酸などが用いられる。

好中球の有するエステラーゼが基質を加水分解し，インドキシルが生成される。生成されたインドキシルはジアゾニウム塩とジアゾカップリング反応を起こし，紫色のジアゾ色素を生成する（図4.7.1）。

基質に用いられるエステル化合物は親水性が低いため，他の尿試験紙項目より長い反応時間（60～120秒）を必要とする。

#### (2) 検出感度

試験紙のメーカーにより異なり，5～15個/HPF，または10〜25個/$\mu$Lである。

### (3) 偽陽性・偽陰性，呈色異常をもたらす要因

1) 偽陽性：抗生物質（イミペネム，メロペネム，クラブラン酸），ホルムアルデヒド
2) 偽陰性：高濃度のグルコース，高濃度の蛋白，抗生物質（セファレキシン，ゲンタマイシン），ホウ酸，高濃度のシュウ酸，尿中トリプシンインヒビター
3) 呈色異常：ビリルビンやニトロフラントイン（化学療法剤）により色調表と異なった呈色となる場合がある。

　また，血尿などの赤色尿では遠心上清で検査することが望ましい。

### (4) 尿沈渣中の白血球数との乖離

　表4.7.1に乖離の原因をあげる。

　尿沈渣では，尿の比重やpHの影響，白血球の生死など，さまざまな要因により白血球が多彩な形態像を示す（図4.7.2）。また，誤認しやすい小型の上皮細胞やトリコモナス原虫なども存在し得ることから，鏡検時には見落としや誤認に注意する必要がある。とくに白血球は尿のpHがアルカリ側のときに崩壊しやすく[2]，乖離の原因となる。

　また，高比重尿は試験紙にしみ込みにくく，低比重尿はしみ込みやすい傾向があることも，乖離の原因となる。とくに低比重尿では白血球の崩壊が進み，尿中にエステラーゼが放出されて試験紙と強く反応する一方，尿沈渣では白血球を認識しにくくなるため，乖離が起こりやすくなる。

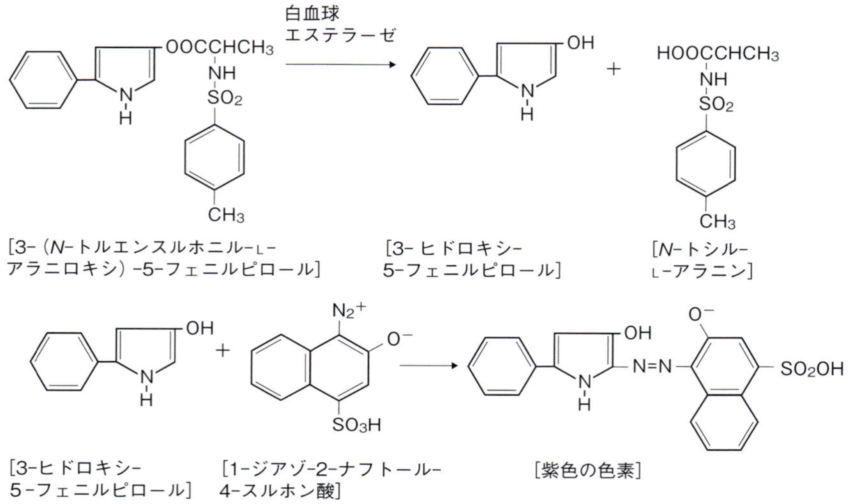

白血球エステラーゼ
[3-（N-トルエンスルホニル-L-アラニロキシ）-5-フェニルピロール]
[3-ヒドロキシ-5-フェニルピロール]
[N-トシル-L-アラニン]
[3-ヒドロキシ-5-フェニルピロール]
[1-ジアゾ-2-ナフトール-4-スルホン酸]
[紫色の色素]

図4.7.1　尿白血球試験紙法の反応原理（基質：3-（N-トルエンスルホニル-L-アラニロキシ）インドール例）
〔河合　忠（監修），伊藤喜久，他（編）：最新尿検査　その知識と病態の考え方 第3版　74，メディカル・ジャーナル社，2021より〕

表4.7.1　尿白血球試験紙法と尿沈渣中白血球数の乖離の原因

| | | 尿白血球試験紙法 | |
|---|---|---|---|
| | | （−） | （+） |
| 尿沈渣中白血球 | （−） | 白血球陰性 | 崩壊した白血球の存在<br>放置された尿<br>低比重尿<br>アルカリ尿<br>ホルムアルデヒド<br>呈色異常<br>鏡検時の見落とし |
| | （+） | 試験紙の劣化<br>高比重尿<br>高濃度のグルコース，蛋白，シュウ酸<br>抗生物質<br>好酸球，リンパ球<br>尿中トリプシンインヒビター<br>鏡検時の誤認（小型の上皮細胞，トリコモナス原虫など） | 白血球（好中球・単球）陽性 |

〔エームス尿検査試験紙偽陽性・偽陰性一覧表（Ver.5），バイエルメディカルより〕

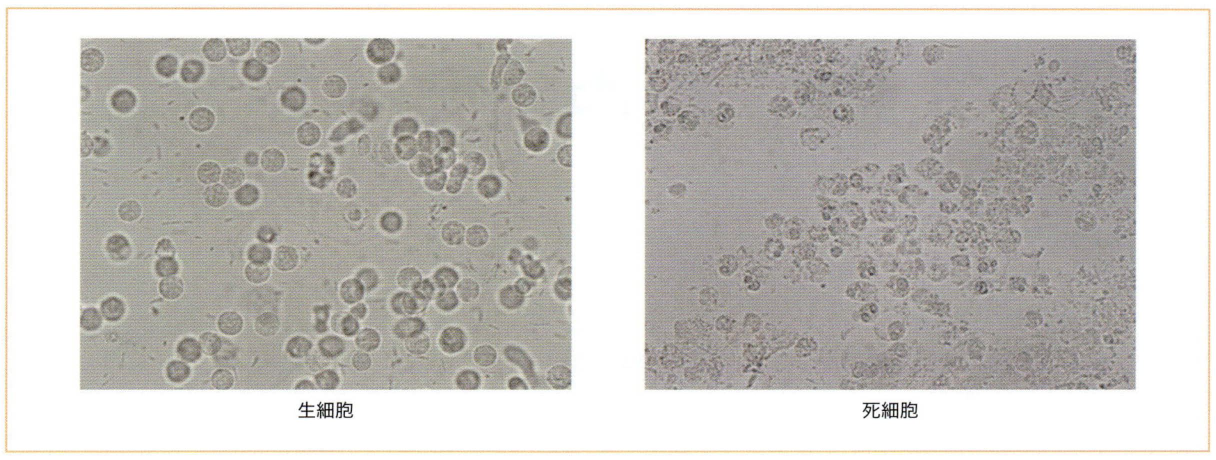


図 4.7.2　尿中白血球　×400

［山下美香］

## 参考文献


1）猪狩　淳，他：「細菌尿検出における簡易検査法の評価：白血球エステラーゼ試験と亜硝酸塩試験について」，感染症学雑誌，1987；61：676-680.
2）後藤明子，内田壱夫：「尿中白血球の崩壊機序に関する研究」，医学検査，1996；45：10-15.

# 4.8 尿中細菌検査

- 尿路感染症の診断に尿亜硝酸塩試験は有用である。
- 結果解釈には偽反応について十分理解し，特異度は高いが密度が低いことを知っておく。
- 尿中細菌抗原試験はとくに迅速性が高く臨床的意義が高い。

## 4.8.1 基礎知識および臨床的意義

尿路で発生した感染症は尿路感染症（UTI）とよび，尿道が短いため男性よりも女性の発症が多い。本来尿路は無菌的であり，細菌の増殖または白血球数の増加が見られた場合にUTIを疑う。真菌やウイルスなども感染を起こすが，ほとんどが細菌により引き起こされ，その場合の尿は「細菌尿」とよばれる。また，白血球が存在する尿は「膿尿」とよばれる。

UTIは，尿路内の感染部位に応じて，「上部UTI」と「下部UTI」に分類される。下部UTIは，膀胱の感染症（「膀胱炎」），上部UTIは，腎臓の感染症（「腎盂腎炎」）および尿道の感染症（「尿道炎」）や前立腺の感染症（「前立腺炎」）も含める。UTIの多くは急性または症候性であり放置すると再発を繰り返し，難治性になることもあるため，早期の受診と適切な治療が必要である。とくに術後や妊娠中の腎盂腎炎，小児の重症感染症などは，臨床上極めて重要である。

臨床症状は「残尿感」，「発熱」，「排尿痛」，「頻尿」などであるが，小児や高齢者，認知症などが背景にある場合には十分な臨床症状が確認できないこともあるため，尿検査は重要である。

本節では尿中細菌検査法として亜硝酸塩試験と尿中細菌抗原試験を解説する。

## 4.8.2 尿亜硝酸塩試験

### (1) 反応原理

尿中に含まれる硝酸塩が細菌により分解され，亜硝酸塩が生成される。亜硝酸塩はスルファニルアミドと反応してジアゾ化合物を生成し，*N*-1-ナフチルエチレンジアミン二塩酸塩と結合して桃赤色のアゾ色素となる〔グリース（Griess）反応〕。

亜硝酸塩＋スルファニルアミド→ジアゾ化合物
ジアゾ化合物＋*N*-1-ナフチルエチレンジアミン二塩酸塩
→アゾ色素

### (2) 偽反応

#### 1) 偽陰性

- 本法は，食事として摂取された硝酸塩が尿中で分解され生成された亜硝酸塩を測定するものである。したがって，硝酸塩を含む食物（ホウレン草，サニーレタス，サラダ菜，春菊，チーズなど）を摂取していない場合，偏食，食事ができず点滴治療中の場合などでは，偽陰性となる可能性がある。
- 尿中の細菌が硝酸を還元するには約4時間かかるため，尿が膀胱内に貯留されていた時間が短い場合には偽陰性となる。よって，外来検査での随時尿は検体としてあまり適さない。

用語　尿路感染症（urinary tract infection；UTI），グリース反応（Griess reaction）

・UTIの起炎菌に硝酸還元能がない場合（腸球菌，淋菌，真菌など）。
・アスコルビン酸の大量摂取，高比重尿の場合。

**2) 偽陽性**

・尿の放置による細菌の増殖や著しい着色尿（フェナゾピリジンなどの薬剤投与時など）の場合。

**(3) 留意事項**

偽反応などの理由から本法は，報告によって差はあるものの，検査感度は50〜60％と低いが，検査特異度は80〜90％と高く，いわゆる偽陽性の少ない検査法であるといえる。定性検査の白血球反応や尿沈渣検査と組み合わせることで，精度の高い検査となる。

## 4.8.3 尿中細菌抗原試験

**(1) 尿肺炎球菌抗原検査**

重症肺炎の原因として臨床上重要な肺炎球菌感染の診断において，迅速で特異性が高い検査である。尿中に濃縮・排泄される肺炎球菌の莢膜多糖体抗原をイムノクロマト法で検出する。検出感度は約$10^5$CFU/mLに相当する莢膜抗原が存在するときに陽性となり，成人では偽陽性はほとんど見られず，感度も特異性も高い。ただし，原因は不明であるが，小児で上咽頭に菌を保有している場合や，肺炎球菌ワクチン接種を受けた例では陽性になることがある。また，いったん陽性になると数週間持続的に菌が排泄されるので，肺炎の既往がある場合は注意を要する（図4.8.1）。

**(2) 尿レジオネラ抗原検査**

一般的にレジオネラ性肺炎は急激に進行し，致死率が高いため，早期に適切な診断を行い治療を開始することが臨床上重要である。喀痰などの検体中のレジオネラ菌はGram染色に難染性であるため，Giménez（ヒメネス）染色などの特殊染色を必要とする。また，血液寒天培地などでは発育せず，BCYE寒天培地などの特殊培地で3日間以上の培養を要するので，本検査のような感度の高い迅速検査は臨床上有用である。ただし，検出できるのは主としてレジオネラ・ニューモフィラ（*Legionella pneumophila*）血清型1リポ多糖類（LPS）を主成分とする可溶性特異抗原であり（図4.8.2），ほかの血清型は検出できない。さらに，いったん陽性になると1カ月ほど持続的に排泄される例もあるため，治療経過の指標とするのは難しい。

レジオネラ症と診断された場合は，感染症法にもとづき，主治医より四類感染症として保健所に届け出なければならない。

**(3) 尿中*H. pylori*検査（図4.8.3）**

ヘリコバクター・ピロリ（*Helicobacter pylori*）は，胃の強い酸の中でも生存できる菌である。胃潰瘍や十二指腸潰瘍の90％以上で*H. pylori*が陽性を示すとされ，近年では胃がんの発症にも大きく関係していることがわかってきた。

検査法は，内視鏡を使わない方法と使う方法に大別される。内視鏡を使わない検査法には，被検者の負担が小さいというメリットがある。

**①内視鏡を使わない方法**

検査薬服用前後の呼気中の$^{13}CO_2$を分析する尿素呼気試験法は，最も精度の高い診断法である。抗体測定法は，血液中や尿中などに存在する*H. pylori*抗体の有無を調べるものである。便中抗原測定法は，便中の*H. pylori*の抗原

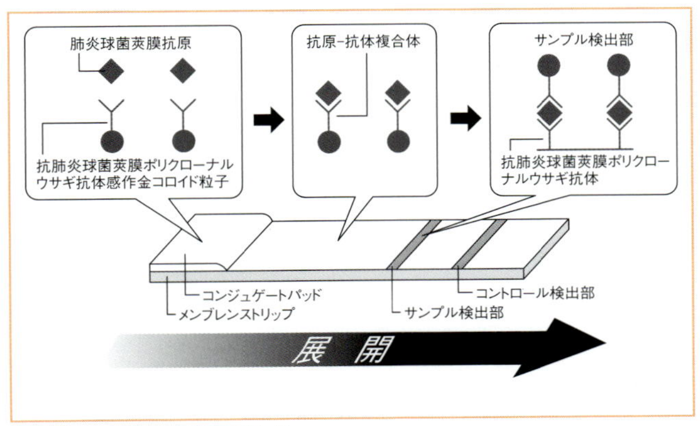


図4.8.1 尿肺炎球菌抗原検査
（「BinaxNOW® 肺炎球菌」添付文書より）

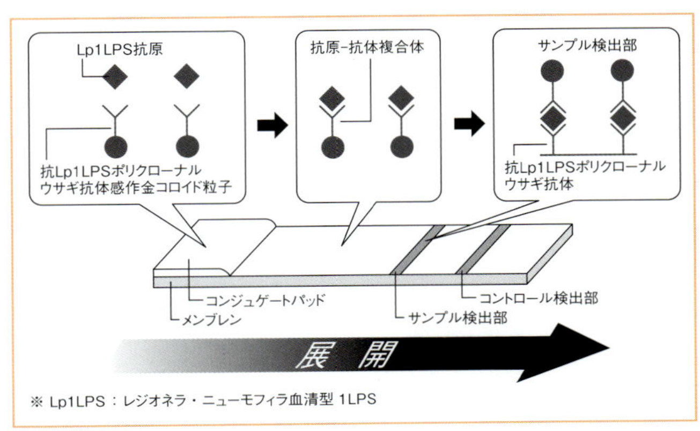


図4.8.2 尿レジオネラ抗原検査
（「BinaxNOW® レジオネラ」添付文書より）

**用語** 肺炎球菌（*Streptococcus pneumoniae*），コロニー形成単位（colony forming unit；CFU），グラム（Gram）染色，ヒメネス（Giménez）染色，BCYE寒天培地〔buffered charcoal-yeast extract（BCYE）agar medium〕，寒天培地（agar medium），リポ多糖類（lipopolysaccharide；LPS）

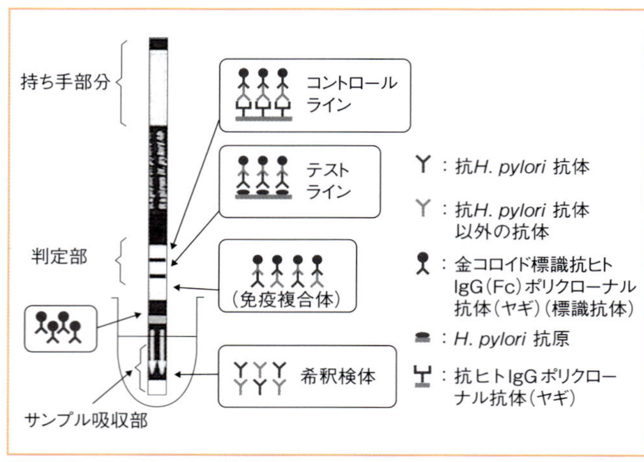


図 4.8.3　尿中 *H. pylori* 抗体検査
（「ラピラン®H. ピロリ抗体スティック」添付文書より）

の有無を調べるものである。

**②内視鏡を使う方法**

内視鏡検査時に胃粘膜を採取して検査する方法である。培養法は，採取した粘膜をすりつぶし，5~7日培養して判定する。迅速ウレアーゼ試験は，*H. pylori*がもつウレアーゼによる尿素分解能を利用して調べるものである。採取した粘膜を特殊な反応液に添加し，反応液の色の変化で*H. pylori*の有無を判定する。組織鏡検法は，胃の粘膜の組織標本に特殊な染色を行い，*H. pylori*を顕微鏡で探す組織診断法である。

**③尿中*H. pylori*抗体検査の原理**

*H. pylori*からの抽出蛋白を固相化し，尿中の抗*H. pylori*抗体を検出するイムノクロマト法である。

［油野友二］

参考文献

1） 櫻林郁之助，熊坂一成（監修），伊藤機一，他（編），：最新 臨床検査項目辞典，医歯薬出版，2008.
2） Davis BG，他（著），中　甫（訳）：疾患と臨床検査 一実践への戦略，医歯薬出版，1995.

# 4.9 | 先天性代謝異常症スクリーニング検査

- 先天性代謝異常症の多くは，代謝に必要な酵素の欠損により発症する。
- タンデム型質量分析計を用いれば，20 種類以上の拡大スクリーニング検査が可能である。
- 一部の先天性代謝異常症のスクリーニングには，従来法が用いられている。
- 新生児マス・スクリーニング検査は疾患の早期発見だけでなく，発症予防に寄与することが求められる。
- 小児期のアルカプトン尿症では，尿の色調変化を確認することが重要である。
- シスチン尿症やファブリー病のスクリーニングには，尿沈渣の検査が重要である。

## 4.9.1 基礎知識

### 1. アミノ酸代謝異常症

アミノ酸代謝に関与する酵素の異常により，毒性物質の蓄積や生体維持に必須なアミノ酸の欠乏が引き起こされる疾患である。臨床病型には，急性発症型，慢性進行型，および無症状無治療型がある[1)]。主要な症状を表 4.9.1 に示す。

診断の根拠となる特殊検査としては，①タンデムマス検査，②血中アミノ酸分析〔高速液体クロマトグラフィー（HPLC)〕，③尿中アミノ酸分析，④尿中有機酸分析，⑤頭部MRI検査，⑥酵素活性測定，⑦遺伝子解析がある。

### 2. 有機酸代謝異常症

アミノ酸や脂肪酸などの代謝経路に関与する酵素の異常により，代謝されない有機酸が蓄積してさまざまな症状が引き起こされる疾患である。臨床病型には，発症前型，急性発症型，慢性進行型，その他がある。主要な症状としては，呼吸障害，痙攣，嘔吐発作，精神運動発達遅滞，特異的な体臭・尿臭などが知られている[2)]。診断の根拠となる特殊検査としては，①頭部MRI検査，②血中アシルカルニチン分析，③尿中有機酸分析，④酵素活性測定，⑤遺伝子解析がある。

表 4.9.1　アミノ酸代謝異常症の主要症状

| 病　型 | 病　因 | 所　見 |
|---|---|---|
| フェニルケトン尿症 | フェニルアラニン水酸化酵素欠乏 | 精神発達遅滞，痙攣など |
| 高チロシン血症Ⅰ型 | フマリルアセト酢酸加水分解酵素欠乏 | 急性型：重度の肝不全，嘔吐，低血糖，尿細管障害など<br>慢性型：肝腫大，肝硬変，成長障害，くる病など |
| ホモシスチン尿症 | シスタチオニン合成酵素欠乏 | 近視，精神遅滞，てんかん，水晶体亜脱臼など |
| メープルシロップ尿症 | 分岐アミノ酸α-ケト酸脱炭酸酵素欠乏 | 特徴的な尿臭（メープルシロップ様），進行性の脳症，嗜眠，哺乳不良など |

### 3. 脂肪酸代謝異常症

脂肪酸をミトコンドリアへ輸送するカルニチン回路やβ酸化系の異常により，脂肪酸代謝が十分に行われなくなり種々の異常が引き起こされる疾患である。臨床病型には，発症前型，新生児期発症型，乳幼児期発症型，遅発型がある。主要な症状としては，意識障害，痙攣，骨格筋症状，心筋症状，呼吸器症状，肝腫大などが知られている。診断の根拠となる特殊検査としては，①血中アシルカルニチン分析，②尿中有機酸分析，③酵素活性測定，④*in vitro* プローブアッセイ（β酸化能評価），⑤イムノブロッティング，⑥遺伝子解析がある[3)]。

### 4. 糖質代謝異常症（ガラクトース血症）

種々のガラクトース代謝産物が蓄積することにより異常が生じる，常染色体性潜性（劣性）遺伝疾患である。代謝酵素の活性低下や欠損の違いにより，Ⅰ～Ⅲ型に分類される。ガラクトースの代謝とガラクトース血症の病型分類を

用語　高速液体クロマトグラフィー（high-performance liquid chromatography；HPLC），磁気共鳴画像法（magnetic resonance imaging；MRI）

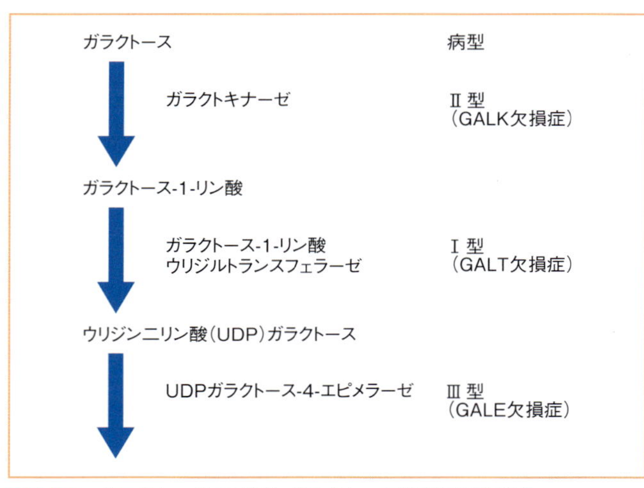


図4.9.1 ガラクトースの代謝とガラクトース血症の病型分類

図4.9.1に示す。

(1) 臨床症状[4)]

Ⅰ型：わが国における発生頻度は約1/90万である。新生児期の早期より消化器症状や体重増加不良を認める。さらに低血糖や尿細管障害などをきたし，敗血症や髄膜炎を併発する致死的疾患である。

Ⅱ型：わが国における発生頻度は約1/100万である。白内障を主症状とする。

Ⅲ型：わが国における発生頻度は約1/10万である。末梢型と全身型に分類される。全身型はⅠ型と同様の症状を示すが極めて稀で，わが国での症例報告はない。

(2) 診断の根拠となる特殊検査（後述）とその結果[4)]

Ⅰ型：Beutler法，Paigen法ともに異常となる。

Ⅱ型：Beutler法は正常，Paigen法で異常となる。ガラクトース-1-リン酸はほとんど検出されない。

Ⅲ型：Ⅱ型と同様にBeutler法は正常，Paigen法で異常となる。ガラクトース-1-リン酸値の上昇を認める。

### 5. 内分泌疾患

(1) 先天性甲状腺機能低下症（クレチン症）

クレチン症は，胎生期または周産期に生じた，甲状腺の形態または機能異常による甲状腺ホルモン分泌不全の総称である。主要な症状としては，遷延性黄疸，便秘，臍ヘルニア，体重増加不良などがある。診断の根拠となる検査としては，①血中の甲状腺刺激ホルモン（TSH），遊離サイロキシン（$FT_4$），サイログロブリン測定，②甲状腺超音波検査，③甲状腺シンチグラフィー，④遺伝子解析などがある[5)]。

(2) 先天性副腎過形成症

コルチゾールの分泌不全を起こす常染色体性潜性(劣性)遺伝疾患の総称である。最も高頻度なのは，ステロイド21-水酸化酵素をコードする遺伝子の変異や欠損により発症するもので，結果としてコルチゾール前駆体の蓄積が起こり，この前駆体は副腎アンドロゲン産生に向かう。主要な症状としては，外性器所見の異常，哺乳不良，脱水，色素沈着などが知られている[6)]。診断の根拠となる検査には，①17-ヒドロキシプロゲステロン（17-OHP）測定，②尿中ステロイド代謝産物（尿中ステロイドプロファイル）測定，③遺伝子診断などがある。

## 4.9.2 臨床的意義

わが国では，先天性代謝異常症の新生児マス・スクリーニングが1977年に導入され，今日の発展に至っている。先天性代謝異常症の多くは代謝酵素活性の低下または欠損により生じるため，種々の疾患が知られている（表4.9.2）。これらの多くは新生児マス・スクリーニング検査（先天性代謝異常等検査）で発見され，早期の治療介入が臨床症状の予防や発症後の臨床症状改善に役立っている。

表4.9.2 スクリーニング対象疾患

| | |
|---|---|
| アミノ酸代謝異常症 | フェニルケトン尿症，ホモシスチン尿症，メープルシロップ尿症，シトルリン血症Ⅰ型，アルギニノコハク酸尿症 |
| 有機酸代謝異常症 | メチルマロン酸血症，プロピオン酸血症，イソ吉草酸血症，メチルクロトニルグリシン尿症，ヒドロキシメチルグルタル酸血症，複合カルボキシラーゼ欠損症，グルタル酸血症Ⅰ型 |
| 脂肪酸代謝異常症 | 中鎖アシルCoA脱水素酵素欠損症，極長鎖アシルCoA脱水素酵素欠損症，三頭酵素/長鎖3-ヒドロキシアシルCoA脱水素酵素欠損症，カルニチンパルミトイルトランスフェラーゼ1欠損症 |
| 糖質代謝異常症 | ガラクトース血症 |
| 内分泌疾患 | 先天性甲状腺機能低下症（クレチン症），先天性副腎過形成症 |

用語 ガラクトキナーゼ（galactokinase；GALK），ガラクトース-1-リン酸ウリジルトランスフェラーゼ（galactose-1-phosphate uridylyltransferase；GALT），ウリジン二リン酸ガラクトース-4-エピメラーゼ（UDP-galactose-4-epimerase；GALE），ウリジン二リン酸（uridine diphosphate；UDP），ボイトラー（Beutler）法，ペイゲン（Paigen）法，甲状腺刺激ホルモン（thyroid-stimulating hormone；TSH），遊離サイロキシン（free thyroxine；$FT_4$），17-ヒドロキシプロゲステロン（17-hydroxyprogesterone；17-OHP）

# 4.9.3 スクリーニング検査法

## 1. 新生児マス・スクリーニング検査

新生児マス・スクリーニング検査は，疾患の早期発見のために実施するものではなく，疾患発症の予防に寄与することが求められ，下記に示す一定の要件を満たさなければならない[7]。すなわち，①発病する前に発見できる疾患，②放置すると重大な障害を引き起こす疾患，③治療法がある疾患，④新生児の負担とならない検査，⑤精度の高い検査，⑥安価な検査費用，⑦高い費用対効果，⑧発見時の適切な医療機関の存在，などである。

以上を満たすものとして従来実施されてきた検査法を，表4.9.3に示す。

### (1) ガスリー (Guthrie) 法

主としてフェニルケトン尿症の新生児マス・スクリーニング検査として用いられてきた方法である。フェニルアラニンの代謝拮抗薬を加えて作製した最小栄養平板培地に枯草菌芽胞を混合し，新生児から採取した血液のろ紙ディスクを載せて培養する。フェニルケトン尿症患者であれば血液に多量のフェニルアラニンが含まれているため，拮抗薬の拮抗作用がはたらかず大きな発育帯が観察される。

### (2) ボイトラー (Beutler) 法

ガラクトース-1-リン酸，UDPガラクトースなどが含まれた検査試薬と，新生児から採取した血液ろ紙ディスクを反応させる。血中にガラクトース代謝酵素が含まれていると，最終反応としてニコチンアミドアデニンジヌクレオチドリン酸（還元型）(NADPH) が生じ，紫外線ランプを用いて観察すると蛍光が認められる。ガラクトース代謝酵素の欠損があると蛍光は観察されない。

### (3) ペイゲン (Paigen) 法

大腸菌 (*Escherichia coli*) Q396は，ガラクトースを含まない培地で発育させるとファージC-21に感染し溶菌するが，ガラクトースを含む血液ろ紙ディスクと培養すると，ファージC-21に感染せずに正常に増殖する。これは，ガラクトース存在下で発育した *E. coli* Q396の細胞がファージC-21の感染に抵抗性の細胞壁を合成するためである。本法はこの性質を利用したものである。

表4.9.3 従来（2011年まで）の新生児マス・スクリーニング検査

| 対象疾患 | 検査法 |
|---|---|
| アミノ酸代謝異常症<br>・フェニルケトン尿症<br>・メープルシロップ尿症<br>・ホモシスチン尿症 | Guthrie法，HPLC，酵素法 |
| 糖質代謝異常症<br>・ガラクトース血症 | Beutler法，Paigen法，酵素法 |
| 内分泌疾患<br>・先天性甲状腺機能低下症<br>・先天性副腎過形成症 | ELISA |

## 2. タンデムマス・スクリーニング検査

2011年に出された厚生労働省母子保健課長通達により，上述のGuthrie法に代わってタンデムマスによるスクリーニング検査が導入されている。従来，わが国では6疾患を対象にスクリーニングが行われてきたが，タンデムマス導入により，従来のアミノ酸代謝異常症3疾患を含む20種類以上の疾患がスクリーニングできるようになった（表4.9.4）。これをタンデムマス・スクリーニングという。ただし，ガラクトース血症，副腎過形成症，甲状腺機能低下症はタンデムマスでは検査できないので，従来法が用いられている。

表4.9.4 タンデムマスによる拡大スクリーニング対象疾患と診断指標

| スクリーニング対象疾患 | | 診断指標 |
|---|---|---|
| アミノ酸代謝異常症（5疾患） | フェニルケトン尿症 | Phe |
| | メープルシロップ尿症 | Leu + Ile, Val |
| | ホモシスチン尿症 | Met |
| | シトルリン血症Ⅰ型 | Cit |
| | アルギノコハク酸血症 | Cit, Cit/Arg, ASA |
| 有機酸代謝異常症（8疾患） | プロピオン酸血症 | C3, C3/C2 |
| | メチルマロン酸血症 | C3, C3/C2 |
| | イソ吉草酸血症 | C5 |
| | グルタル酸血症Ⅰ型 | C5-DC |
| | 複合カルボキシラーゼ欠損症 | C5-OH |
| | 3-メチルクロトニルグリシン尿症 | C5-OH |
| | 3-ヒドロキシ-3-メチルグルタル酸血症 | C5-OH |
| | β-ケトチオラーゼ欠損症 | C5-OH, C5:1 |
| 脂肪酸代謝異常症（8疾患） | 中鎖アシルCoA脱水素酵素欠損症 | C8 |
| | 極長鎖アシルCoA脱水素酵素欠損症 | C14:1 |
| | カルニチンパルミトイルトランスフェラーゼⅠ欠損症 | C14:1/C2C0/(C16+C18) |
| | 三頭酵素欠損症 | C16-OH, C18:1-OH C16, C16:1, C18, C18:1 |
| | 全身性カルニチン欠乏症 | C0 |
| | グルタル酸血症Ⅱ型 | C8, C10, C12, C10/C2など |
| | カルニチンパルミトイルトランスフェラーゼⅡ欠損症 | (C16+C18:1)/C2, C16 |
| | カルニチンアシルカルニチントランスロカーゼ欠損症 | (C16+C18:1)/C2, C16 |

用語　ガスリー (Guthrie) 法，酵素結合免疫吸着測定法 (enzyme-linked immunosorbent assay ; ELISA)

**(1) タンデム型質量分析計**

タンデム型質量分析計〔タンデムマス（MS/MS）〕とは，質量分析計が直列に2台並んだ構造の分析機器である。新生児より採取した血液のろ紙ディスクから抽出した液体を本機にかけると，1台目のMSでは試料をイオン化させた後，特定の質量数のイオンのみを選択して衝突活性化室に導き，キセノンなどの不活性化ガスと衝突させる。その後，2台目のMSで二次的なイオンが検出される。

## 4. 9. 4　その他の代謝異常症と検査法

### 1. アルカプトン尿症

ホモゲンチジン酸1,2-ジオキシゲナーゼ遺伝子の変異により，チロシンからアセト酢酸とフマル酸に変化して排泄される過程が阻害されたホモゲンチジン酸（アルカプトン）が蓄積することで発症する疾患である。特徴的な所見として，患者尿を長時間放置すると空気によりホモゲンチジン酸が酸化され，褐色～黒色に変化する。この色調変化は，尿をアルカリ性にすると速くなる[8]。従来の検査法であった希塩化第二鉄溶液添加法や糖Benedict反応などは，類似反応が多いため現在では使われていない。確定診断には，ガスクロマトグラフィー質量分析（GC/MS）計による尿中ホモゲンチジン酸の定量や遺伝子診断が行われる。

**Q　アミノ酸代謝異常症のスクリーニング検査が，Guthrie法からMS/MSによる検査に変わったのはなぜか？**

**A**　1977年より，わが国ではGuthrie法によるスクリーニング検査が全国的に実施されてきた。Guthrie法は簡便で正確であるうえに，測定するアミノ酸の代謝拮抗薬の種類を変えることによりさまざまなアミノ酸の血中濃度測定に応用できる。しかし，わが国におけるアミノ酸代謝異常症の発生頻度は低いため，フェニルケトン尿症以外のアミノ酸代謝異常症に対する古典的スクリーニング検査の費用対効果の値はマイナスであった。

その後，MS/MSでは多くの代謝異常症を早期発見できるとともに，費用対効果が大きく向上するとの報告がなされ，検討期間を経たうえで変更された。

**▶参考情報**

MS/MSの導入により，古典法では4種類であった測定項目が20種類以上に拡大された。

**Q　MS/MSによる新生児マス・スクリーニング検査の問題点は？**

**A**　MS/MSで発見される稀な疾患の中には，早期発見の有用性が明確でないものも含まれる。また，軽症のメチルマロン酸血症などには見逃し例が生じ得るため，カットオフ値の設定に工夫が必要である。

**▶参考情報**

適切なカットオフ値の設定とともに，再検査が最小限となる精度の高い検査を提供するための精度管理も重要である。施設ごとの内部精度管理に加えて，わが国や米国には国が提供する外部精度管理基準がある[9]。

---

**用語**　タンデムマス（tandem massspectrometry；MS/MS），アルカプトン（alkapton），アルカプトン尿症（alkaptonuria），ホモゲンチジン酸（homogentisic acid），ガスクロマトグラフィー質量分析（gas chromatography-mas spectrometry；GC/MS）

## 2. シスチン尿症

腎臓の近位尿細管におけるシスチントランスポーターである*rBAT/BAT1*の機能異常により発症する疾患である。尿細管におけるシスチンの再吸収が低下するため，尿中シスチン濃度が上昇し，結晶化する。この結晶は難溶性であり，結石が形成される。シスチン排泄量がシスチン飽和溶解度である250mg/Lを超えると，結晶化をきたすといわれている[10]。本症は全尿路結石症の1～2%を占め，小児尿路結石症の6～8%を占める。確定診断は，結石分析，24時間アミノ酸蓄尿検査，ニトロプルシド反応，尿沈渣検査での六角形のシスチン結晶の検出による。

## 3. ファブリー（Fabry）病[11]

Fabry病は，ライソゾーム酵素であるαガラクトシダーゼA（GLA）の遺伝子変異により発症するX連鎖遺伝形式の先天性代謝異常症である。わが国における発症頻度は，新生児スクリーニングの検討において約3,600人に1人と報告されている。

Fabry病では，GLAの基質であるグロボトリアオシルセラミド（Gb3）が腎臓や心筋，血管内皮細胞，自律神経節などの組織への蓄積に伴い，種々の障害が発症する。古典型では，種々の症状により小児期に発見される例も見られるが，遅発型では無症状の場合もあり，心肥大や腎不全を契機に発見される例もあるため，発症から診断まで10～15年程度要すると報告されている。すなわち，治療法が確立している今日において病態が悪化する前に診断することが重要であるが，現状では一般的な臨床検査で特異性の高いFabry病のスクリーニング検査として注目されているのは，尿沈渣中のマルベリー細胞の発見のみである。Fabry病の確定診断は，遺伝学的検査（白血球GLA活性，GLA遺伝子解析）であり，保険収載されている。Fabry病の治療として，酵素補充療法と薬理学的シャペロン療法がある。

**Q 新生児マス・スクリーニング検査検体の採取方法と取扱い上の注意点は？**

**A** 原則として足蹠を穿刺して採血し，血液を直接ろ紙に付ける。このとき毛細管の使用は避ける。ろ紙の裏面まで浸透するように血液をしみ込ませ，何度も付けることは避ける。十分にしみ込ませたら，ろ紙を水平に保ち自然に乾燥させる。ドライヤーなどによる強制乾燥は避ける。

▶参考情報
採血は手背でもよい場合があるが，TSH値が低くなることがある。また，採取した血液をしみ込ませたろ紙に濃度勾配が生じないように，工夫する必要がある。

**Q 尿が褐色～黒色に変化した場合に考えられることは？**

**A** アルカプトン尿症に加えて，メラニン尿（とくに悪性黒色腫の肝転移例）や発作性夜間血色素尿症（検体が早朝尿の場合），種々の薬剤服用で尿が黒色調変化をきたすことがある。

▶参考情報
尿に黒色変化をもたらす薬剤としては，レボドパ製剤が知られている。

**Q シスチン尿症の確認法であるニトロプルシド反応の測定原理は？**

**A** シスチン尿症の診断に用いられるシアン-ニトロプルシド試験（ブランド試験法）は，ニトロプルシド反応がメルカプタンを検出できることを応用したものである。尿にシアン化ナトリウムを加えて静置すると，シスチンからシステインが，ホモシスチンからホモシステインが生成される。その尿にニトロプルシドを加えると，チオールと反応して赤紫色を呈する。

▶参考情報
シアン化ナトリウムは毒物に指定されており，取扱いに注意が必要であるため，この試験法は現在ではほとんど行われなくなった。

［星　雅人］

用語　シスチン尿症（cystinuria），ファブリー（Fabry）病，ガラクトシダーゼA（galactosidase A；GLA），ブランド試験法（Brand's test）

## 参考文献


1) 日本先天代謝異常学会(編)：新生児マススクリーニング対象疾患等診療ガイドライン 2019，11-56，診断と治療社，2019.
2) 日本先天代謝異常学会(編)：新生児マススクリーニング対象疾患等診療ガイドライン 2019，113-180，診断と治療社，2019.
3) 日本先天代謝異常学会(編)：新生児マススクリーニング対象疾患等診療ガイドライン 2019，191-274，診断と治療社，2019.
4) 日本先天代謝異常学会(編)：「10 ガラクトース -1- リン酸ウリジルトランスフェラーゼ(GALT)欠損症」，新生児マススクリーニング対象疾患等診療ガイドライン 2019，101-105，診断と治療社，2019.
5) 日本小児内分泌学会マススクリーニング委員会：「先天性甲状腺機能低下症マススクリーニングガイドライン」，日本マススクリーニング学会，2021．https://www.jsms.gr.jp/download/CH_Guideline_2021_revised_%2010-27.pdf
6) 日本小児内分泌学会，他：「21-水酸化酵素欠損症の診断・治療のガイドライン」，2021．https://www.jsms.gr.jp/download/CAH_Guideline_2021_revised_10-27.pdf
7) Wilson JMG, Jungner G："Principles and practice of screening for disease", Public Health Papers 34, WHO, 1968.
8) 毛利真理子，他：「次亜塩素酸ナトリウムを用いたアルカプトン尿の簡易検査法」，医学検査，2015；64：324-329.
9) 日本マス・スクリーニング学会精度保証システム委員会：タンデムマス・スクリーニングの検査施設基準及び検査実施基準，日本マス・スクリーニング学会誌，2013；23：1-11.
10) 坂本信一，他：「シスチン尿症の診断と治療」，泌尿器外科，2015；28：1625-1629.
11) 日本先天性代謝異常学会(編)：ファブリー病診療ガイドライン 2020，1-67，日本先天性代謝異常学会，2021.

# 4.10 | その他の検査

- 尿中インジカンは先天性代謝異常症（青いおむつ症候群，ハートナップ病），および腸内容物の停滞や異常分解により著明に増加するが，生理的要因（便秘，食事）によっても増加し得る。
- 尿中の脂肪成分出現については，原因および関連疾患の把握とともに外観の観察や沈渣の鏡検も重要である。
- 進行した悪性黒色腫では，尿中にメラノゲンが大量に排出される。
- 尿中ヒト絨毛性ゴナドトロピン（hCG）の測定は，妊娠の早期診断，異常妊娠，絨毛性疾患，および非絨毛性腫瘍の診断に有用である。
- 尿中薬物の検査は，救急医療においては治療方針の決定に直結する。
- バニリルマンデル酸（VMA）とは3-メトキシ-4-ヒドロキシマンデル酸のことであり，最終代謝産物として尿中へ排泄されている。

## 4. 10. 1 インジカン

### 1. 基礎知識

インジカン（図4.10.1）はトリプトファンの代謝産物であり，尿中に排泄される物質である。蛋白中のトリプトファンは，腸内において細菌により分解されインドールとなり，腸管から吸収される。吸収されたインドールは，肝臓において酸化されインドキシルとなり，さらに硫酸抱合を受けてインジカン（インドキシル硫酸カリウム）となって解毒され血中に入り，尿中に排泄される。

正常尿中に排泄されるインジカンは極めて微量であるが，青いおむつ症候群，ハートナップ（Hartnup）病，および腸内容物の停滞または異常分解などの場合には著明に増加する[1]。

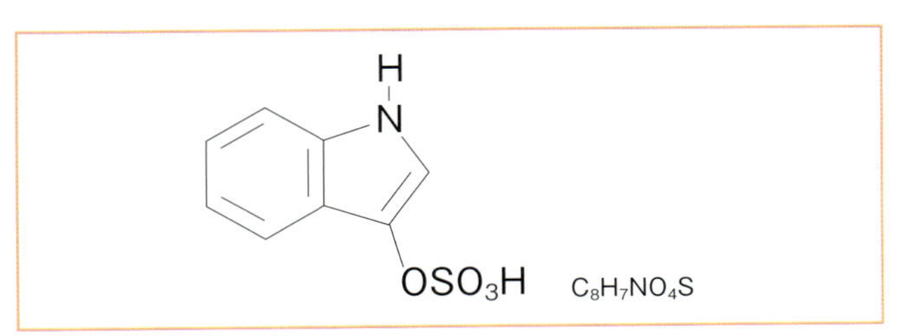


図4.10.1　インジカンの構造式

### 2. 検出方法

尿中インジカンの検出方法には，オーベルマイヤー（Obermayer）法とヤッフェ(Jaffé）法がある。いずれにおいても，尿中インジカンを濃塩酸で加水分解してインドキシルとし，さらにインドキシルを酸化縮合させ，インジゴ青を生成させてからクロロホルムで抽出を行い，クロロホルム層の青色の呈色を観察する。Obermayer法は酸化剤として塩化第二鉄を，Jaffé法はクロール石灰水を使用する。

### 3. 臨床的意義と評価

尿中インジカンの検査は，先天性代謝異常である青いおむつ症候群やHartnup病のスクリーニング検査として有用である。青いおむつ症候群はトリプトファン吸収不全症であり，必須アミノ酸の1つであるトリプトファンの小腸からの吸収がうまくいかないために種々の症状が現れる家族性の疾患である。出生直後から発症し特徴的にオムツが青く染められるのでこの名が付いている。Hartnup病は，トリプトファンとその他のアミノ酸の吸収および排泄の異常に起因する，稀な疾患である。症状は発疹，中枢神経系異常，低身長，頭痛，および卒倒または失神である。診断は，トリプトファンとその他のアミノ酸の尿中含有量高値

用語　青いおむつ症候群（blue diaper syndrome），ハートナップ（Hartnup）病，オーベルマイヤー（Obermayer）法，ヤッフェ（Jaffé）法

による。

また，腸閉塞（腸内容物の停滞）や腸結核および腹膜炎（腸内容物の異常分解）などの場合にも尿中インジカンは著明に増加するため，同じく有用である。しかし，正常の場合でも便秘や蛋白に富む食事摂取（多量の肉食など）により尿中インジカンが増加することがある。また，紫色尿バッグ症候群の原因物質としても知られている。長期排尿カテーテル留置患者では尿路感染症が起こりやすく，その細菌がインジカンを分解することで，紫色の色素であるインジゴやインジルビンが作られ，尿バッグを紫色に染める。

## 4. 10. 2　バニリルマンデル酸（VMA）

### 1. 基礎知識と臨床的意義

バニリルマンデル酸（VMA）はカテコールアミン（アドレナリン，ノルアドレナリン，ドーパミン）の最終代謝産物として尿中へ排泄される。

カテコールアミンは，精神的あるいは肉体的ストレスなどにより脳の交感神経が緊張すると，その刺激を受けてチロシンからドーパを合成し副腎髄質からドーパミンを分泌させるホルモンである。ドーパミンはさらにノルアドレナリン，アドレナリンへと合成され，血管の収縮・弛緩，血圧の維持，心臓の収縮などにはたらいてストレスに対処する。これらのカテコールアミンは肝臓で代謝されてホモバニリン酸（HVA）およびVMAとなり，尿中へ排泄される（図4.10.2）。

尿中VMA検査は，生体内のカテコールアミン合成量を知るうえで有用である。合成量の異常増加が起こる病態は，褐色細胞腫や神経芽腫（神経芽細胞腫）などのカテコールアミン産生腫瘍が考えられる。検査はその診断や治療効果判定，経過観察に必要とされる。

### 2. 検出方法

定性法と定量法がある。定量法には，HPLC法のほか，Pisanoの比色測定法，ガスクロマトグラフィー(GC）法，GC/MS法などが用いられている。定性法では，VMAはニトロアニリンと亜硝酸が酸性下で反応したジアゾニウム

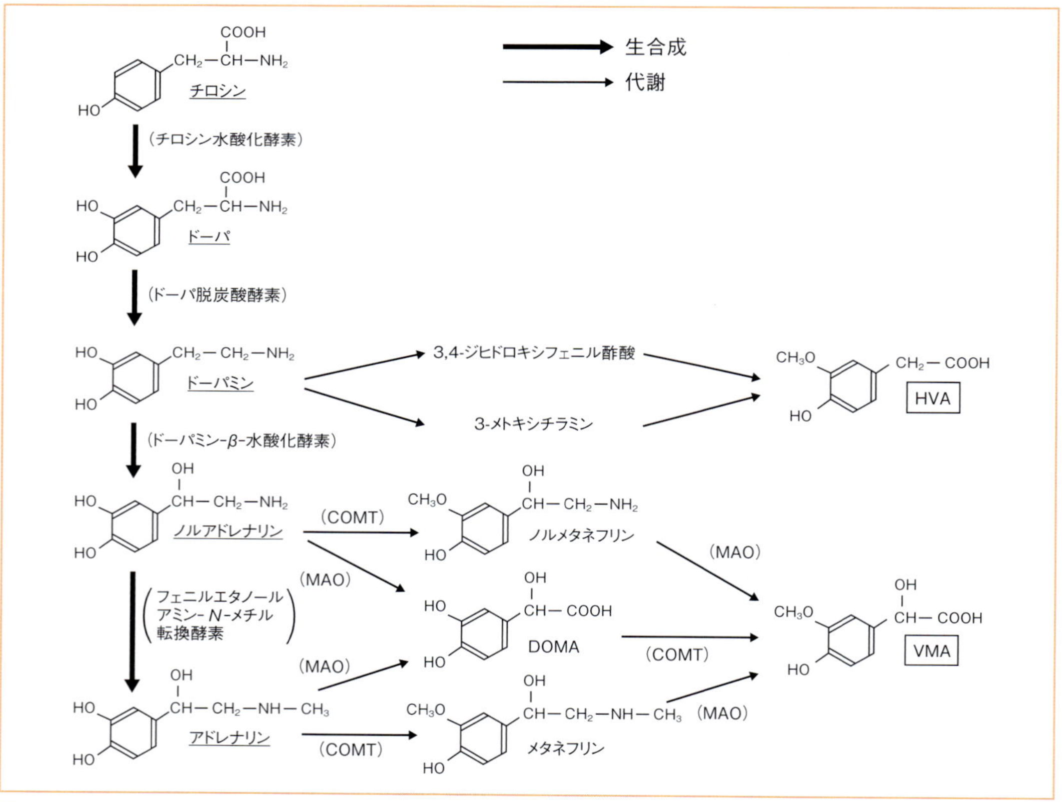

図 4.10.2　カテコールアミンの生合成および VMA 代謝

〔山内穣滋，他：「(2) バニリルマンデル酸」，検査と技術，1992；20：221 より改変〕

用語　バニリルマンデル酸（vanillylmandelic acid；VMA），ホモバニリン酸（homovanillic acid；HVA），カテコール-*O*-メチル転換酵素（catechol-*O*-methyltransferase；COMT），モノアミン酸化酵素（monoamine oxidase；MAO），3,4-ジヒドロキシマンデル酸（3,4-dihydroxymandelic acid；DOMA），ガスクロマトグラフィー（gas chromatography；GC）

塩とのカップリング反応よりアゾ色素を形成し，検出される（図4.10.3）。

### 3. 定性検査手順と判定

検出試薬は，次の①～③を用意しておく。検出は使用時に調製した④の呈色試薬を，尿と等量混合する。判定は赤紫色になれば陽性とする（図4.10.4）。

①0.1%*p*-ニトロアニリン2%塩酸溶液
②0.2%亜硝酸ナトリウム溶液
③10%炭酸カリウム溶液
④呈色試薬：使用時に①：②：③＝1：1：2の割合で，番号順に混合

基準範囲：定性法（－），定量（HPLC）法 1.3～5.1mg/日

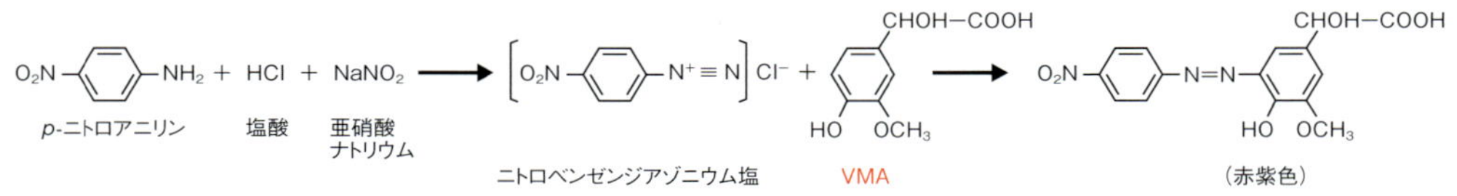

$O_2N$–⟨benzene⟩–$NH_2$ ＋ HCl ＋ $NaNO_2$ ⟶ [$O_2N$–⟨benzene⟩–$N^+\equiv N$] $Cl^-$ ＋ VMA (CHOH–COOH, HO, $OCH_3$) ⟶ $O_2N$–⟨benzene⟩–N=N–⟨ring⟩ (CHOH–COOH, HO, $OCH_3$)

*p*-ニトロアニリン　塩酸　亜硝酸ナトリウム　ニトロベンゼンジアゾニウム塩　VMA　（赤紫色）

図4.10.3　VMAの検出反応
〔徳原康哲：「21 バニリルマンデル酸」，最新臨床検査学講座 一般検査学，44，三村邦裕・宿谷賢一（編），医歯薬出版，2016より改変〕

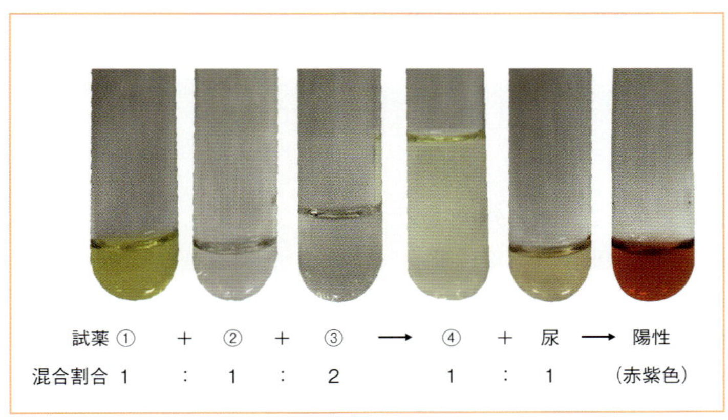


図4.10.4　検査手順と陽性判定例

## 4.10.3 メラノゲン

### 1. 基礎知識

進行した悪性黒色腫（メラノーマ）においては，メラノゲンが尿中に大量に排泄される。その尿を空気中に放置すると，尿中のメラノゲン（無色）の自然酸化が進みメラニン（黒色）が形成されるため，尿は表層から次第に黒色化する（メラニン尿）[2]。

### 2. 臨床的意義

メラニンの生合成機構が強く活性化される悪性黒色腫における尿中メラノゲンの検査は，疾患の診断，経過観察，さらに治療効果判定に有用である。

### 3. 検出方法

#### (1) 酸化反応

酸化剤（硝酸または塩化第二鉄）により，メラノゲンからメラニンへの酸化反応を促進させる。この反応はメラノゲンに特異的なものではなく，薬尿やアルカプトン尿（ホモゲンチジン酸尿）でも起こり得るため，注意を要する。

#### (2) トルメーレン（Thormählen）反応[3]

インドールメラノゲンのみに反応する。反応の結果としての呈色は時間の経過とともに退色していくため，反応後は直ちに判定する。

**用語**　メラノーマ（melanoma），メラノゲン（melanogen），メラニン尿（melanin urine），トルメーレン（Thormählen）反応

## 4. 10. 4　脂　肪

### 1. 基礎知識

脂肪成分を含む尿には，脂肪尿および乳び尿があり，その原因と関連疾患についての理解は重要である。

脂肪尿は脂肪滴を含む尿であり，遠心分離を行うと上層に脂肪が集まる。ネフローゼ症候群，糖尿病，長管骨骨折，子癇（しかん）などで観察される場合がある。

乳び尿は蛋白と結合した脂質（乳び）*1を含む尿であり，外観は牛乳様の白濁を呈し*2，遠心分離を行っても変化しない。フィラリア症やがんなどで乳び管（リンパ管や胸管）と尿路が交通すると，尿中に乳びが認められる。さらに血液が混入すると，乳び血尿となる。また，乳び尿中に多量の蛋白が含まれている場合には，放置すると寒天様凝塊が形成される。

### 2. 臨床的意義と評価

乳び尿のような白濁尿は病的混濁であるため，外観の観察，さらにその原因と関連疾患の把握は重要である。尿中の脂肪成分は肉眼で確認できることもあるが，顕微鏡で容易に確認できるため，尿沈渣を鏡検して成分の鑑別を行う必要がある。

### 3. 検出方法

1)エーテル・アルコール混合（1：2）液を尿に加えて振とうすると透明になる。
2)少量の水酸化ナトリウム溶液を尿に加えて混合し，さらにエーテルを加えて振とうすると透明になる。
3)Sudan Ⅲ染色液を尿沈渣に2～3滴加え，室温にて15～60分置いてから鏡検する。脂肪小球は赤色に染色される。

**参考情報**

＊1　乳び
小腸には乳び管とよばれるリンパ管があり，食物由来の脂肪成分を運んでいる。小腸を経由したリンパは，脂肪成分中にカイロミクロン（蛋白と脂質が結合したリポ蛋白で，直径1μm以下の小球）を多量に含むため白濁した液体となり，乳びとよばれる。その他の部位のリンパは，淡黄色で透明な液体である。

＊2　膿尿
乳び尿と同様に白濁した外観を呈する尿に膿尿がある。重症尿路感染症に由来する多数の白血球や細菌が含まれ，遠心分離を行うと白色沈殿が見られる。

## 4. 10. 5　妊娠反応

### 1. 性腺刺激ホルモンの基礎知識

性腺刺激ホルモン（ゴナドトロピン）には，下垂体前葉で産生される卵胞刺激ホルモン（FSH）と黄体形成ホルモン（LH），胎盤で産生されるヒト絨毛性ゴナドトロピン（hCG）がある。FSHおよびLHは，女性では卵巣における卵胞の発育と成熟，排卵の誘発，黄体*3化，エストロゲンの分泌を促進する。男性では精巣における精細管の成熟，精子形成，テストステロンの産生を促進する。hCGは妊娠黄体のプロゲステロン*4分泌を刺激するため，妊娠維持に必要不可欠なホルモンである[4)]。

FSH，LH，hCGはいずれも，α-サブユニットとβ-サブユニットから構成されるヘテロ二量体である[5)]。すべてのゴナドトロピン（FSH，LH，hCG）と甲状腺刺激ホルモン（TSH）においてα-サブユニットは共通であるが，β-サブユニットは各ホルモンに特異的である。

**参考情報**

＊3 黄体
卵胞から卵子が排卵された後に，卵胞を構成する内莢膜細胞と顆粒細胞が黄体細胞に分化してつくられる組織。妊娠の開始に必要なプロゲステロンが分泌される。

＊4 プロゲステロン
妊娠の成立維持に必須のステロイドホルモン。受精卵を着床させるため，卵管および子宮平滑筋の自律収縮活動を抑制する作用をもつ。

### 2. hCG

分子量約38,000の糖蛋白であり，絨毛組織より分泌される。受精卵が着床し発育するにつれて胎盤の絨毛組織から大量に分泌され，母体の血中や尿中で検出される。妊娠反応検査では尿中hCGの測定が主流となっており，妊娠の早期診断や異常妊娠の診断に用いられている。現在では，

**用語**　脂肪尿（lipuria），乳び尿（chyluria），乳び血尿（hematochyluria），ズダンⅢ（Sudan Ⅲ）染色，卵胞刺激ホルモン（follicle-stimulating hormone；FSH），黄体形成ホルモン（luteinizing hormone；LH），ヒト絨毛性ゴナドトロピン（human chorionic gonadotropin；hCG），甲状腺刺激ホルモン（thyroid-stimulating hormone；TSH）

尿中hCGを迅速かつ簡易に測定できる一般用検査薬（OTC検査薬）として店頭販売されており，購入すれば誰でも検査を行うことができる。

## 3. 尿中 hCG 検査の臨床的意義と評価

尿中hCGの測定は，妊娠の早期診断，異常妊娠，絨毛性疾患，および非絨毛性腫瘍の診断のために行われる。

正常妊娠では，排卵後10〜14日で尿中hCG値が上昇し始め，妊娠第4週0日では50IU/L程度となる。それ以降は急激に上昇して第9〜14週でピークに達し，第15週以降はやや下降して出産時まで比較的高値を維持する。現在市販されている妊娠反応検査キットの多くは，検出感度が25IU/Lに調整されているため，妊娠第4週で反応が陽性となる。

流産，子宮内胎児死亡，子宮外妊娠の場合は，正常妊娠と比較してhCGが低値となるため，異常妊娠の補助診断として用いられる。超音波断層法を併用して診断することが重要となる。

尿中hCGが高値を示すのは，正常妊娠，多胎妊娠，絨毛性疾患（胞状奇胎や絨毛がんなど）である。とくに100万IU/L以上の異常高値となれば，絨毛性疾患が強く疑われる。絨毛性疾患治療後の経過観察にも尿中hCG測定は有用であるが，血中hCG測定の方がより鋭敏である。また，非絨毛性腫瘍（卵巣がん，胃がん，肺がん，膵がん，および精巣腫瘍など）による異所性hCG産生や不妊治療のためのhCG投与などにより，非妊娠時でも尿中にhCGが検出される場合がある。

## 4. hCG の検査方法

妊娠反応検査としての尿中hCG測定には，抗原抗体反応を利用した免疫学的方法がおもに使用されており，そのほとんどがイムノクロマト法（ICA）と酵素免疫測定法（EIA）である。いずれにおいてもhCG β-サブユニットに対するモノクローナル抗体が用いられているため，α-サブユニットが共通であるFSH，LH，TSHとの交差反応は見られず，hCG特異的な高感度の測定が可能である[6]。

### (1) イムノクロマト法（ICA）

ICAを原理とした多くの妊娠反応検査キットが市販されており，その検出感度はほとんどが25IU/Lである。

まず，抗hCG抗体を感作させたコロイド粒子（赤色：金コロイド，青色：ブルーラテックス）が尿中のhCGと反応し，次に，判定部に固相化された抗hCGモノクローナル抗体に結合することで判定部が着色され（赤色または青色），尿中hCGの存在を目視により確認することができる。また，反応確認部には，抗体感作コロイドを捕捉する抗体（抗マウス免疫グロブリン抗体など）が固相化されているため，反応が終了するとその部分も着色される（図4.10.5）。市販されているキット（図4.10.6）の測定時間は，ほとんどが5分程度である。

### (2) 酵素免疫測定法（EIA）

抗原抗体反応と酵素反応を利用した測定法である。測定装置が必要であり，結果が出るまでに時間を要するが，高感度にhCGを定量できる。

まず，固相化された抗hCGモノクローナル抗体に尿中のhCGが反応し，次に，酵素標識抗hCGモノクローナル抗体と結合する。これに酵素発色基質を加えて発色させる（図4.10.7）。hCGの量に比例して発色が増強するため，尿中hCG量を測定できる。

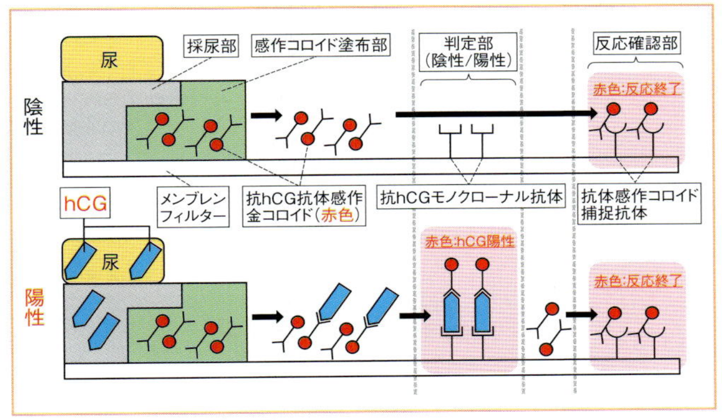

図 4.10.5　ICA の測定原理

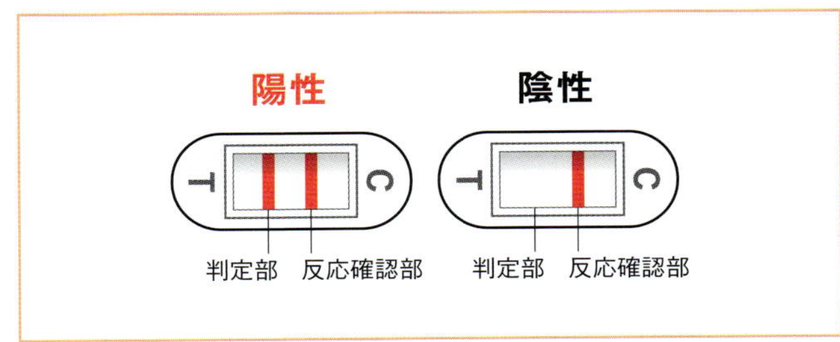

図 4.10.6　市販の一般用検査薬を用いた妊娠反応検査の結果例

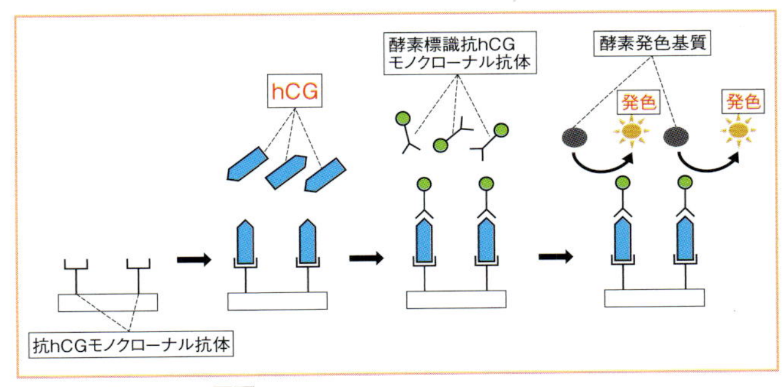

図 4.10.7　EIA の原理

用語　イムノクロマト法（immunochromatographic assay；ICA），酵素免疫測定法（enzyme immunoassay；EIA）

**Q 妊娠反応検査はどのような場合に偽陰性となるか?**

**A** 子宮外妊娠などの異常妊娠や妊娠のごく初期ではhCG濃度が低く，とくに希釈尿や多尿の場合にはhCGが希釈されて検出感度以下となることがある。また，胞状奇胎といった絨毛性疾患などによりhCGが異常高値となっている場合には，抗原過剰により偽陰性化することがある。

## 4. 10. 6 尿中薬物濃度

### 1. 基礎知識

救急医療の現場においては，迅速に中毒起因物質を特定することは適切な治療方針の決定に直結する。日本中毒学会は，①死亡例の多い中毒，②分析が治療に直結する中毒，③臨床医からの分析依頼が多い中毒，といった視点から，中毒起因物質15種類とそれらを判定するための定性または半定量分析方法を提示している（表4.10.1）。病院検査室では，分析方法の中で化学反応，物理学的検出などや抗原抗体反応による簡易法を用いた対応ができる。

### 2. 臨床的意義

この検査はあくまでスクリーニング用で，診断を確定できるものではないので，陽性となった場合は各薬物の確定検出を行う。薬物の特定と定量分析には，HPLC法などの機器分析法を用いる（表4.10.1）。

### 3. 検査法

乱用薬物のスクリーニング検査に関しては，尿を用いた簡便，迅速，特別な検査キットのシグニファイ™ ERのみが，体外診断用医薬品として認められているので利用できる（試験研究用試薬としてはStatus DS/AccuSignシリーズなどがある）。本キットの特徴は,「覚せい剤取締法」「麻薬及び向精神薬取締法」「大麻取締法」などで規制されている薬物のうち11種類を1枚のプレート上で同時に検出でき（表4.10.2），5分以内に測定が完了することである。

本キットの検出原理はイムノクロマト法である。検査手順は図4.10.8のとおりである。判定は，薬物検出ゾーンに出現する赤色のバンドの有（陽性）無（陰性）で8種類の薬物を特定する。

表 4.10.1 中毒起因物質の簡易分析（定性）法および検出（定量）法

| | 物質名 | 簡易分析（定性）法 | 試料（簡易用） | 機器分析（定量）法 | 試料（定量用） |
|---|---|---|---|---|---|
| 薬物 | メタンフェタミン（覚せい剤） | 免疫アッセイ（シグニファイ ™ ER），薄層クロマトグラフィー | 尿 | GC/MS，HPLC | 血液<br>尿 |
| | バルビタール系薬物（抗てんかん薬） | 免疫アッセイ（シグニファイ ™ ER），免疫化学自動分析装置 | 尿 | GC/MS，HPLC | 血液 |
| | ベンゾジアゼピン系化合物（抗不安作用） | 免疫アッセイ（シグニファイ ™ ER） | 尿 | GC/MS | 尿 |
| | ブロムワレリル尿素（催眠鎮静薬） | 呈色反応（ニトロベンジルピリジン法） | 尿<br>胃内容物 | HPLC | 血液 |
| | 三，四環系抗うつ薬 | 免疫アッセイ（シグニファイ ™ ER） | 尿 | GC/MS | 血液 |
| | アセトアミノフェン（解熱鎮痛剤） | 呈色反応（インドフェノール反応），迅速検査キット | 血清<br>尿 | UV 検出 HPLC | 血清 |
| | サリチル酸（解熱鎮痛剤） | 呈色反応（塩化第二鉄反応） | 尿 | UV 検出 HPLC | 血清 |
| | テオフィリン（気管支喘息治療薬） | 酵素イムノクロマトグラフィー（アキュメータ・テオフィリン™キット） | 全血<br>血清 | HPLC | 血液 |

用語 紫外線（ultraviolet rays；UV）

表 4.10.1 中毒起因物質の簡易分析（定性）法および検出（定量）法（続き）

| | 物質名 | 簡易分析（定性）法 | 試料（簡易用） | 機器分析（定量）法 | 試料（定量用） |
|---|---|---|---|---|---|
| 農薬 | 有機リン酸系農薬 | 有機リン系農薬検出キット，薄層クロマトグラフィー，コリンエステラーゼ活性値 | 尿 | GC/MS | 血液<br>尿 |
| | カーバメート系農薬 | コリンエステラーゼ活性値，薄層クロマトグラフィー | 血清 | GC/MS | 血液<br>尿 |
| | グルホシネート | ろ紙クロマトグラフィー | 血清<br>尿 | プレカラム蛍光誘導体化 HPLC | 血清 |
| | パラコート | 呈色反応（アルカリジチオナイト反応） | 尿 | HPLC | 血清 |
| その他 | ヒ素化合物 | 吸光光度法（モリブデン青法，ジエチルカルバミン酸銀法） | 尿 | 原子吸光光度法，蛍光X線分析法 | 尿 |
| | 青酸化合物 | 呈色反応（ベルリン青反応，ロダン反応，ピリジン・ピラゾン反応），迅速検査キット | 血清 | GC/MS | 血液 |
| | メタノール | 重クロム酸反応，北川式ガス検知管 | 尿 | GC/MS | 血液 |

表 4.10.2 シグニファイ ™ ER の検出薬物と最小検出感度

| 検出対象薬物 | 薬物参照物質 | 最小検出感度（ng/mL） |
|---|---|---|
| アンフェタミン類（AMP） | D-アンフェタミン | 1,000 |
| バルビツール酸類（BAR） | セコバルビタール | 300 |
| ベンゾジアゼピン類（BZO） | オキサゼパム | 300 |
| コカイン系麻薬（COC） | ベンゾイルエクゴニン | 300 |
| 大麻（THC） | 11-ノル-$\Delta^9$-テトラヒドロカンナビノール-9-カルボン酸 | 50 |
| メチレンジオキシメタンフェタミン類（MDMA） | 3,4-メチレンジオキシメタンフェタミン | 500 |
| モルヒネ系麻薬（OPI） | モルヒネ | 300 |
| オキシコドン類（OXY） | オキシコドン | 100 |
| フェンシクリジン類（PCP） | フェンシクリジン | 25 |
| プロポキシフェン類（PPX） | D-プロポキシフェン | 300 |
| 三環系抗うつ薬（TCA） | ノルトリプチリン | 1,000 |

〔資料提供：シスメックス株式会社〕

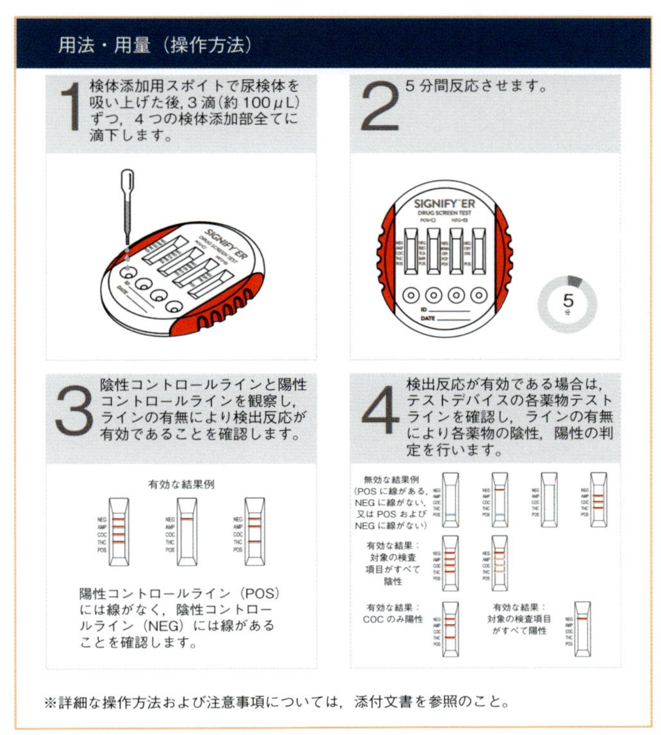


図 4.10.8 シグニファイ ™ ER の検出手順

〔資料提供：シスメックス株式会社〕

［油野友二］

**用語** アンフェタミン（amphetamine；AMP），バルビツール酸（barbituric acid；BAR），ベンゾジアゼピン（benzodiazepine；BZO），コカイン（cocaine；COC），テトラヒドロカンナビノール（tetrahydrocannabinol；THC），メチレンジオキシメタンフェタミン（methylenedioxymethamphetamine；MDMA），アヘン（opium；OPI），オキシコドン（oxycodone；OXY），フェンシクリジン（phencyclidine；PCP），プロポキシフェン（propoxyphene；PPX），三環系抗うつ薬（tricyclic antidepressant；TCA）

## 参考文献

1） 中村　広：「インジカン」，日本臨牀，2009；67：161-164.
2） Duchoň J，Pechan Z：“The biological and clinical significance of melanogenuria”，Ann NY Acad Sci，1963；100：1048-1068.
3） Thormählen J：“Mittheilung über einen noch nicht bekannten Körper in pathologischem Menschenharn”，Virchows Arch（Pathol Anat），1887；108：317-322.
4） 菅沼信彦，古橋　円：「ゴナドトロピンの構造と作用」，新女性医学体系第 12 巻 排卵と月経，83-97，岡村　均（編），中山書店，1998.
5） Swaminathan N，Bahl OP：“Dissociation and recombination of the subunits of human chorionic gonadotropin”，Biochem Biophys Res Commun，1970；40：422-427.
6） 近藤泰正，佐藤和雄：「妊娠反応と hCG β-サブユニット測定法」，検査と技術，1991；19：433-439.

# A. 尿検査

# 5章 尿沈渣検査

## 章目次



尿沈渣検査に関するさらに詳しい内容は，右の二次元バーコードからアクセスできる「医学検査Vol.66 No.J-STAGE-1 尿沈渣特集 2017」を参照されたい。多くの尿沈渣像を学習することができる。
https://www.jamt.or.jp/books/asset/pdf/jstage_sample.pdf

## SUMMARY

心臓から拍出された血液は体内を循環し，腎臓は糸球体でろ過し尿を生成する。尿には腎・泌尿生殖器で起きた病変に由来する各種の細胞や成分が排出され，それらを検出することは，疾患の早期診断，治療効果や薬剤の副作用の判定に役立つ。したがって，尿沈渣検査の役割は，スクリーニングとモニタリングとなる。さらに今後は，病態メカニズムの解明に関与する付加価値情報としての役割も望まれる。

本章では，尿中に排出された細胞や成分について，学生から卒後生涯教育にまで役立つように，現時点での臨床的意義とこれから望まれる付加価値情報について述べる。

# 5.1 尿沈渣検査の基礎

- 尿沈渣検査に用いる尿については採取時間，採取方法，性別，年齢，診療科を確認する。
- 尿沈渣標本の作製法，鏡検法および鏡検結果の記載方法を正確に習得して実施する。
- 外部精度管理および施設内精度管理を定期的に実施し，正確性の確認と精度および力量の維持に取り組む。

## 1. 基礎知識

尿沈渣検査は，重要な形態学的検査として位置付けられている。採取時間や採取方法の違いによる尿の種類を理解し，尿沈渣標本の作製法や染色法を適切に実施することで，非上皮細胞類（血球類など），上皮細胞類，異型細胞類，円柱類，微生物・寄生虫類，塩類・結晶類などの尿中成分を正確に分類し計測することが必要である。

## 2. 臨床的意義

腎臓の糸球体で血液がろ過されて生成された尿を観察することにより，①腎・泌尿生殖器系に病変があるかどうかのスクリーニング，②すでに確認されている腎・泌尿生殖器系の病変に対する治療効果や薬剤の副作用の判定についての情報収集，③医師を始めとする医療スタッフと患者への有用な情報の提供ができる。

## 3. 尿沈渣標本の作製手順と鏡検法

### (1) 顕微鏡の調整法（図5.1.1）

1) 顕微鏡は接眼レンズの視野数が20のもの（×400視野面積0.196mm$^2$）を使用する。
2) 電源を入れ，ランプの点灯を確認する。
3) 標本をステージにセットし，対物レンズ10×でピントを合わせる。
4) 接眼レンズを目の幅に合わせる。
5) 視度調整環のない接眼レンズ側で微動ハンドルを使用してピントを合わせ，もう一方の接眼レンズ側は微動ハンドルを使用せずに視度調整環のみでピントを合わせ，左右の視野が1つになるように調節する。
6) 視野絞り環を回して最小まで絞る。
7) コンデンサを上下動ハンドルで調整して視野絞り像にピントを合わせた後，左右の芯出しつまみを回して視野絞り像を中心に移動させる。
8) 視野絞り環を回し，視野絞りの縁が視野内に見えなくなるようにする。
9) 対物レンズに記載されている開口数の70～80%の値まで開口絞り環を回す。
10) コンデンサの位置を最上部より少し下げて，標本を観察する。

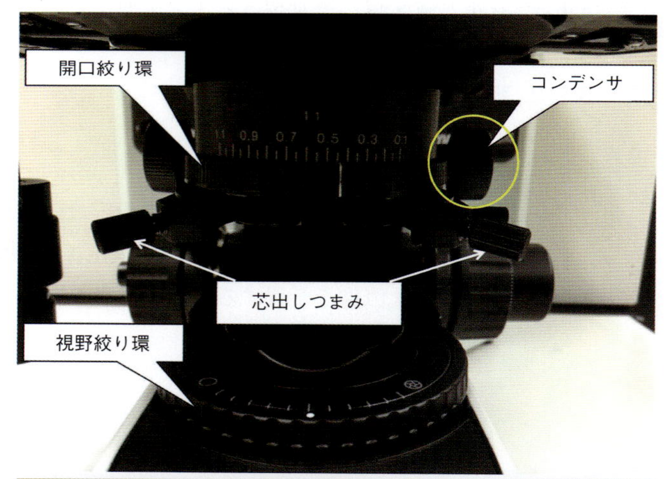

図5.1.1 顕微鏡の調整法

### (2) 尿沈渣標本の作製手順

1)尿の撹拌：外来受診時に採尿コップで提出された検体は，均一になるよう必ず十分に混和する。病棟患者の検体は，採尿から時間が経過していることも考えられるため，とくに注意して撹拌し混和することが望ましい。スピッツ型遠心管で提出された検体は，先端の尖った部分に尿中成分が残らないよう転倒混和を数回実施する。撹拌方法を以下に示す。
- ・混ぜ棒を使用して混和する。
- ・採尿コップを2つ用意し，尿を移し替えながら混和する。
- ・採尿コップに必要に応じて蓋をし，手回しで混和する。
- ・スピッツ型遠心管は，泡立てない程度に転倒混和する。

2)尿の分注[*1]：10mLおよび0.2mLに正確な目盛りの付いたスピッツ型遠心管に，10mLずつ分注する。尿量が少ない場合は，少量での検査を実施するか否かを担当医に確認する。検査実施時には，尿量を結果コメントに記載する。

**参考情報**

＊1 最近，検体数の多い施設では効率化および検査過誤の削減を目的に，全自動尿分注装置を用いている。分注する際の検体の取り違いや検体落下による未分注などのヒューマンエラーが削減されるため，活用価値は高いと考えられる。

3)遠心機：尿沈渣検査では，懸垂型（スイング型）を用いる。遠心条件は，遠心力500$g$で5分間である。回転数表示のみで遠心力のデジタル表示が不可能な遠心機の場合は，回転数が同じでも大きさ（半径）によって遠心力（×$g$）が異なるため，以下の式により算出する。

$$遠心力\ (\times g) = 11.18 \times (rpm/1{,}000)^2 \times R$$

rpm：1分間の回転数
R：半径〔中心から遠心管の管底までの距離（cm）〕

4)沈渣標本の作製：遠心後，沈渣が浮遊しないようにゆっくりとスピッツを取り出し，アスピレーターまたはピペットを用いるか，デカント法で，沈渣残液量が0.2mLになるように上清を除去する。沈渣量が0.2mLを超える場合は，ピペットまたはスポイトで0.2mLにすることを原則とする。沈渣量の差により鏡検結果に違いが認められ，血球類などでは強拡大視野（HPF）あたりのカウントが増減することがある。

沈渣はピペットまたはスポイトなどを用いて均一になるように十分混和し，スライドガラスに15$\mu$Lを積載する。沈渣が均一に分布して気泡が入らないように，真上から18×18mmのカバーガラスをかける。

### (3) 尿沈渣標本の鏡検法と結果の記載法

鏡検法は，始めに×100〔弱拡大視野（LPF）〕で，標本内の有形成分が均一に分布しているかどうかを観察する。同時に有形成分の種類も把握しながら，全視野（WF）を観察する。次に×400(HPF）で，血球類や上皮細胞類の概数を観察する。それから再びLPFで，円柱類の概数や異型細胞などの見落としがないかを注意深く観察する。HPFで20～30視野を観察することが望ましく，最低でも10視野を観察する。

記載法については，被検対象（患者集団，集団健診，診療科）などにより記載法および異常とする細胞数は異なるので，担当医と協議して決めておく必要がある。

1)血球類・上皮細胞類：HPFでの鏡検結果を，表5.1.1の基準により記載する。
2)円柱類：LPFでの鏡検結果を，表5.1.2の基準によりWFまたはLPF各視野の概数にもとづき，または定性表示で記載する。
3)微生物類：HPFでの鏡検結果を，表5.1.3の基準により定性表示で記載する。
4)寄生虫類：HPFでの鏡検結果を，表5.1.3の基準により定性表示で記載する。
5)結晶類・塩類：HPFでの鏡検結果を，表5.1.3の基準により定性表示で記載する。なお，異常結晶はWFに1個でもあれば記載する。

血球類・上皮細胞類の記載例を図5.1.2（上部）に示す。

液状の検体にカバーガラスをかけている尿沈渣標本では，視野によって数にばらつきが生じるため，上述のように20～30視野，最低でも10視野を観察する。したがって，

表5.1.1 血球類・上皮細胞類の記載法

| | |
|---|---|
| 1個未満/HPF | 20～29個/HPF |
| 1～4個/HPF | 30～49個/HPF |
| 5～9個/HPF | 50～99個/HPF※ |
| 10～19個/HPF | 100個以上/HPF※ |

※ これらは50個以上/HPFとすることができる。

表5.1.2 円柱類の記載法

| | | | |
|---|---|---|---|
| - | 0/WF | 0/100LPF | 0/100LPF |
| 1+ | 1～4個/WF | 1～4個/100LPF | 1個/WF<br>～1個未満/10LPF |
| | 5～9個/WF | 5～9個/100LPF | |
| 2+ | 10～19個/WF | 10～19個/100LPF | 1～2個/10LPF |
| | 20～29個/WF | 20～29個/100LPF | |
| 3+ | 30～49個/WF | 30～49個/100LPF | 3～9個/10LPF |
| | 50～99個/WF | 50～99個/100LPF | |
| 4+ | 100～999個/WF | 100～999個/100LPF | 1～9個/LPF |
| 5+ | 1,000個以上/WF | 1,000個以上/100LPF | 10個以上/LPF |

**用語** 強拡大視野〔high power field；HPF，×400（対物レンズ40×）〕，弱拡大視野〔low power field；LPF，×100（対物レンズ10×）〕，全視野（whole field；WF）

表 5.1.3　微生物類・寄生虫類・結晶類・塩類の記載法

| | 微生物類 | 寄生虫類 | 結晶類 | 塩類 |
|---|---|---|---|---|
| − | 0～数視野に散在 | 0 | 0 | 0 |
| 1+ | 各視野に見られる | 1個/WF～4個/HPF | 1～4個/HPF | 少量 |
| 2+ | 多数あるいは集塊状に散在 | 5～9個/HPF | 5～9個/HPF | 中等量 |
| 3+ | 無数 | 10個以上/HPF | 10個以上/HPF | 多量 |

| | | |
|---|---|---|
| ● | 赤血球 | 1～4個/HPF |
| ● | 白血球 | 1～4個/HPF |
| ● | 扁平上皮細胞 | 1～4個/HPF |

図 5.1.2　血球類・上皮細胞類の記載例

染色手技：鏡検時に，尿沈渣200μLにS染色液50μL（4：1）を混合する

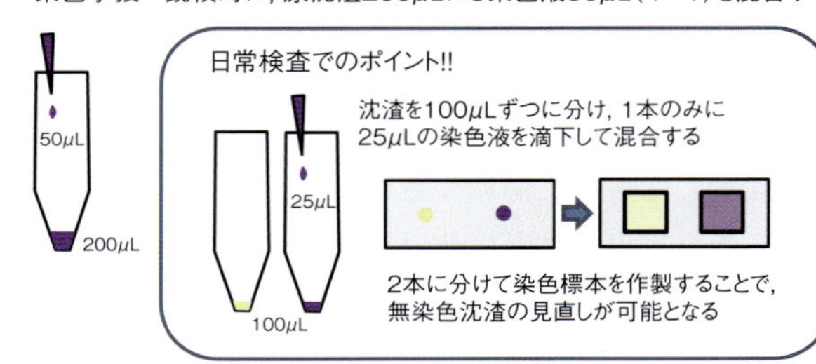


染色態度：×400

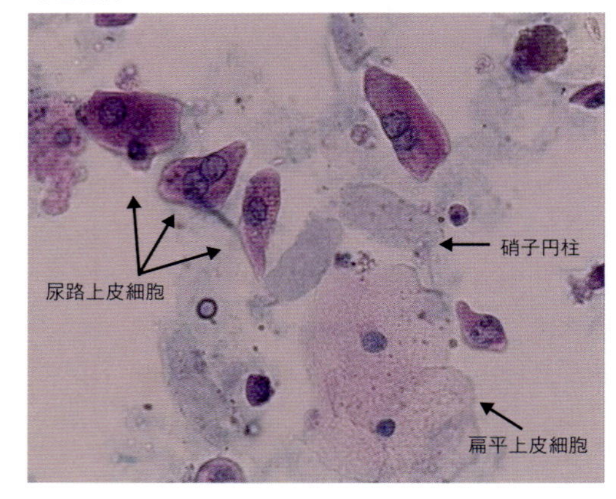


赤血球：無染または桃～赤紫色
白血球：核は青色調，細胞質は桃～赤紫色
上皮細胞：核は青色調，細胞質は桃～赤紫色
大食細胞：核は青色調，細胞質は青紫～濃赤紫色
円柱：硝子円柱は淡青～青色調，顆粒円柱・ろう様円柱は赤紫色

図 5.1.3　S染色の手技と染色態度

鏡検結果は図5.1.2（下部）のような各視野における個数の和から1視野あたりの個数を算出し，表5.1.1の基準に従いHPFの概数にもとづいて記載する。

## 4. 染色法

### (1) Sternheimer（S）染色（図5.1.3）

**1）方法：**

Ⅰ液：2%アルシアン青8GS水溶液

Ⅱ液：1.5%ピロニンB水溶液

Ⅰ液とⅡ液をろ過後2：1の割合で混合して使用する。混合液の染色性は，冷暗所保存で3カ月程度はほとんど変わらない。

**手技：**鏡検時に沈渣に1滴滴下し，泡立たないように緩やかに混和する。

**2）染色態度：**

・赤血球：無染または桃～赤紫色
・白血球：核は青色調，細胞質は桃～赤紫色
・上皮細胞：核は青色調，細胞質は桃～赤紫色（ただし，粘液を有する円柱上皮細胞や腺癌細胞などは，細胞質が青紫色または濃赤紫色に染め出される）
・大食細胞：核は青色調，細胞質は青紫～濃赤紫色
・円柱：硝子円柱は淡青～青色調，顆粒円柱・ろう様円柱は赤紫色

市販のS染色液では，同じ尿中有形成分であってもメーカーによって染色態度に違いが認められることがある。

### (2) Sternheimer-Malbin染色

**1）方法：**

Ⅰ液：クリスタル紫　3.0g
95%エタノール　20.0mL
シュウ酸アンモニウム　0.8g
精製水　80.0mL

Ⅱ液：サフラニンO　0.25g
95%エタノール　10.0mL
精製水　100.0mL

Ⅰ液とⅡ液をろ過後3：97の割合で混合し，再度ろ過して使用する。混合液は3カ月ごとに新調する。

**手技：**鏡検時に沈渣に1滴滴下し，混合する。

**用語**　ステルンハイマー（Sternheimer；S）染色，ステルンハイマー・マルビン（Sternheimer-Malbin）染色

2）**染色態度：**
・赤血球：無染または淡紫紅色
・白血球：①濃染細胞の核は濃紫色，細胞質は紫色，②淡染細胞の核と細胞質はともに無染～淡青色
・上皮細胞：核は紫～濃紫色，細胞質は桃～紫色
・円柱：硝子円柱は淡紅色，顆粒円柱は顆粒が淡紫～濃紫色で，細胞成分を含む円柱はそれぞれ固有の染色性を示す。

### (3) Sudan Ⅲ染色

1）**方法：**
Sudan Ⅲ 1.0～2.0gを70％エタノール100mLに振とう溶解し，密栓して56～60℃の孵卵器に12時間放置後，室温に戻し，ろ過して使用する。
**手技：**沈渣に2～3滴加えて室温（15～30℃）に15～60分放置後，鏡検する。
2）**染色態度：**
・脂肪球，脂肪円柱の脂肪成分，卵円形脂肪体の脂肪成分：黄赤色

### (4) Prescott-Brodie（PB）染色

1）**方法：**
Ⅰ液：2,7-ジアミノフルオレン　300.0mg
フロキシンB　130.0mg
95％エタノール　70.0mL
Ⅱ液：酢酸ナトリウム・$3H_2O$　11.0g
0.5％酢酸　20.0mL
Ⅲ液：3％過酸化水素水　1.0mL
Ⅰ～Ⅲ液を混和後，ろ過して使用する。
**手技：**鏡検時に沈渣に5～10滴加え，よく混合する。
2）**染色態度：**
・好中球，好酸球，単球などのペルオキシダーゼを有する細胞：青～黒青色
・リンパ球，ほかの細胞：赤色

### (5) ベルリン青染色

1）**方法：**
Ⅰ液：2％フェロシアン化カリウム水溶液
フェロシアン化カリウム　2.0g
精製水　100.0mL
Ⅱ液：1％塩酸水
濃塩酸　1.0mL
精製水　100.0mL
Ⅰ液Ⅱ液とも冷暗所に保存しておき，使用直前に等量混合し，淡黄色透明のものを使用する。
**手技：**沈渣0.2mLに染色液10mLを加え，混和して10～20分放置後に遠心し，上清を除去して沈渣成分を鏡検する。
2）**染色態度：**
・ヘモジデリン顆粒：青色調～青藍色

### (6) Hansel染色

1）**方法：**
ハンセル染色液：
メチレン青　0.6g
エオジンY　0.2g
メタノール　60.0mL
リン酸緩衝生理食塩水（PBS）加エタノール：PBSに10％になるようにエタノールを添加。
**手技：**沈渣0.2mLに染色液を2滴滴下して混和後，5分間放置する。PBS加エタノールを10mL加え，混和・遠心後，上清を除去して沈渣成分を鏡検する。
2）**染色態度：**
・好酸球：顆粒成分が赤色

### (7) Lugol染色

1）**方法：**
ルゴール液：ヨウ化カリウム2.0gを精製水約10mLに溶解後，ヨード1.0gを加えて溶解させ，さらに精製水を加えて300mLにする（試薬は新鮮であることが望ましい）。
**手技：**鏡検時に沈渣と本液を1：1の割合で混和する。
2）**染色態度：**
・上皮細胞：グリコーゲンを含有する細胞は，細胞質の一部または全体が茶褐色に染色される。

### (8) 免疫組織化学反応

1）**方法：**特異抗体をプローブとする抗原抗体反応により，細胞および生体内の物質の局在を光学（蛍光）顕微鏡や電子顕微鏡で観察する。
2）**染色態度：**
①酵素抗体法：
特定成分：3’3-ジアミノベンジジン（DAB）HCl発色→茶褐色
②蛍光抗体法：
特定成分：フルオレセインイソチオシアネート（FITC）

用語　濃染細胞（dark cell），淡染細胞（pale cell），ズダンⅢ（Sudan Ⅲ）染色，プレスコット・ブロディ（Prescott-Brodie；PB）染色，ベルリン青（Berlin blue）染色，ハンセル（Hansel）染色，リン酸緩衝生理食塩水（phosphate-buffered saline；PBS），ルゴール（Lugol）染色，免疫組織化学（immunohistochemistry）反応，3’3-ジアミノベンジジン（3’3-diaminobenzidine；DAB），フルオレセインイソチオシアネート（fluorescein isothiocyanate；FITC）

→緑色，テトラメチルローダミンイソチオシアネート（TRITC）→赤色

## 5. 尿沈渣検査の精度管理

1）内部精度管理：自施設によるフォトサーベイおよび標本サーベイによって，スタッフの目合わせを実施する。

2）外部精度管理：日本臨床衛生検査技師会臨床検査精度管理におけるフォトサーベイ，または各都道府県技師会で臨床検査精度管理のフォトサーベイ，所属施設の関連団体フォトサーベイなどにより，施設間の目合わせを実施する。

［川満紀子・横山　貴］

用語　テトラメチルローダミンイソチオシアネート（tetramethylrhodamine isothiocyanate；TRITC）

# 5.2 | 尿沈渣の分類法

- 尿沈渣成分の大きさ，色調，表面構造，辺縁構造，S染色による染色性などの特徴を把握する。
- 尿定性所見を考慮し，出現し得る尿沈渣成分を推測しながら鏡検するように心がける。
- 尿沈渣成分の出現と，各種腎・泌尿生殖器疾患および病態との関連性を理解する。

## 5.2.1 非上皮細胞類

### 1. 血球類

#### (1) 赤血球（表5.2.1，図5.2.1～5.2.9）

尿中に排出される赤血球（RBC）は，腎・泌尿生殖器における出血性病変を示唆する重要な有形成分であり，各種疾患の診断や治療の指標として用いられている。通常，大きさは6～8 μmで淡黄色の中央がくぼんだ円盤状を呈する。高浸透圧尿や低pH尿では萎縮し，低浸透圧尿や高pH尿では膨化や脱ヘモグロビン状，無色のゴースト状を呈する。出血部位の違いによっても形態は変化する。下部尿路出血（非糸球体性血尿）ではヘモグロビン色素に富む非糸球体型赤血球が排出され，円盤状，球状，膨化や萎縮状など，均一で単調な形態を呈し，大小不同が見られてもその程度は弱い。一方，上部尿路出血（糸球体性血尿）では糸球体型赤血球が排出され，大小不同または小球性があり，不均一で多彩な形態を呈する。また，赤血球円柱を始めとする種々の円柱や蛋白尿を伴う場合が多い。これらは糸球体疾患を把握するための重要な所見とされている[1,2]。

糸球体型赤血球の形成機序は以下のとおりである。糸球体腎炎などによって糸球体基底膜の破壊・断裂が起こり，糸球体を通り抜けた赤血球は尿とともに尿細管腔に排出され，ヘンレ係蹄の下降脚にて高浸透圧の変化に曝される。さらに，遠位尿細管の低浸透圧下で，赤血球には溶血および脱ヘモグロビンが生じ，最後に集合管で再び高浸透圧に曝されることによって，大小不同かつ多彩な形態の糸球体型赤血球が形成される[3~6]。したがって，糸球体型赤血球の形成には，尿細管腔内における浸透圧勾配が重要であると考えられる。裏を返せば，腎機能が低下した場合，中でも末期腎不全などにより尿細管機能が高度に低下した場合には赤血球の形態は変化せず，非糸球体型赤血球の形態，もしくは糸球体型赤血球と判定することが困難な形態を呈する可能性も考えられる。

赤血球の形態の報告方法は，非糸球体性の血尿と推定される場合を非糸球体型赤血球，糸球体性の血尿と推定される場合を糸球体型赤血球とコメントする。糸球体型赤血球の判定は，強拡大（40×，HPF）の1視野に赤血球が5個以上排出されている場合と定義されている[7]。このことにより，総赤血球数が5～9個/HPF以上で，糸球体型赤血球と判定できる赤血球が5～9個/HPF以上認められた場合から判定を開始する。判定は表5.2.1に示すように，「糸球体型赤血球・大部分」，「糸球体型赤血球・中等度混在」，「糸球体型赤血球・少数混在」の3段階に分類する。ただし，総赤血球数が5～9/HPFで，その半数が糸球体型赤血球と判定された場合は，「糸球体型赤血球・中等度混在」として報告する[8]。

S染色での染色性は一定しておらず，赤く染まるものか

表5.2.1　糸球体型赤血球の3段階分類基準表

| 糸球体型赤血球数＼総赤血球数 | 5～9 | 10～19 | 20～29 | 30～49 | 50～99 | 100以上 |
|---|---|---|---|---|---|---|
| 5～9 | 大部分 | 中等度 | 中等度 | 少数 | 少数 | 少数 |
| 10～19 | | 大部分 | 中等度 | 中等度 | 少数 | 少数 |
| 20～29 | | | 大部分 | 中等度 | 中等度 | 少数 |
| 30～49 | | | | 大部分 | 中等度 | 中等度 |
| 50～99 | | | | | 大部分 | 中等度 |
| 100以上 | | | | | | 大部分 |

数値はHPFあたりの個数。

用語　赤血球（red blood cell；RBC），水素イオン指数（potential of hydrogen；pH），ヘンレ係蹄（ヘンレループ）（Henle's loop）

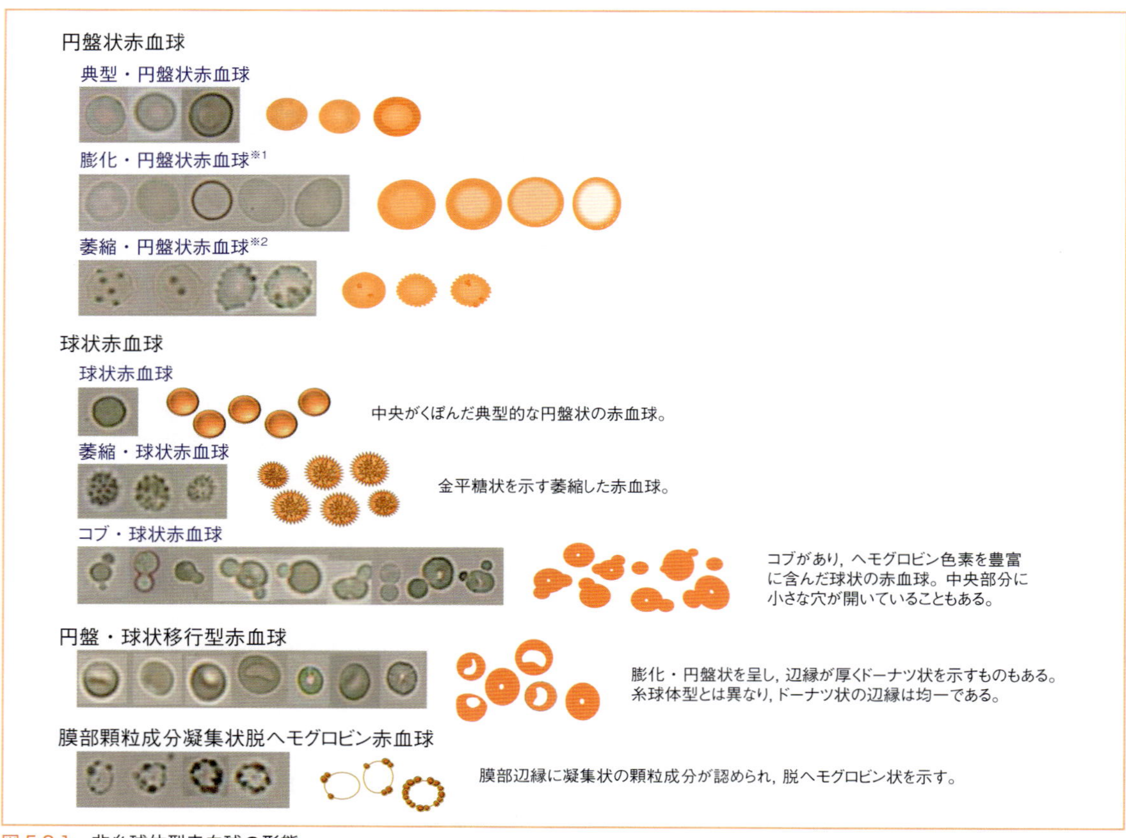


図 5.2.1　非糸球体型赤血球の形態

※1 膨化・円盤状赤血球の中には辺縁が厚くドーナツ状を示すものも認められる。しかし，糸球体型赤血球のドーナツ状不均一赤血球と異なり，ドーナツ状の辺縁は均一である。

※2 ここでいう萎縮とは，小型になった形状の意味ではない。したがって，低浸透圧下で円盤状に大きく広がった赤血球が，その後，高浸透圧下で萎縮することにより辺縁がギザギザした形状である。
従来，金平糖状といわれている辺縁がギザギザした赤血球の形態も萎縮とする。

〔山下美香（イラスト）：「第４章 尿沈渣検査」，一般検査技術教本，58，日本臨床衛生検査技師会（編），2012 および
日本臨床検査標準協議会（JCCLS）（監修）：「付記　尿中赤血球形態の判定基準（2010）」，尿沈渣検査法 2010，8，日本臨床衛生検査技師会，2011 より作成〕

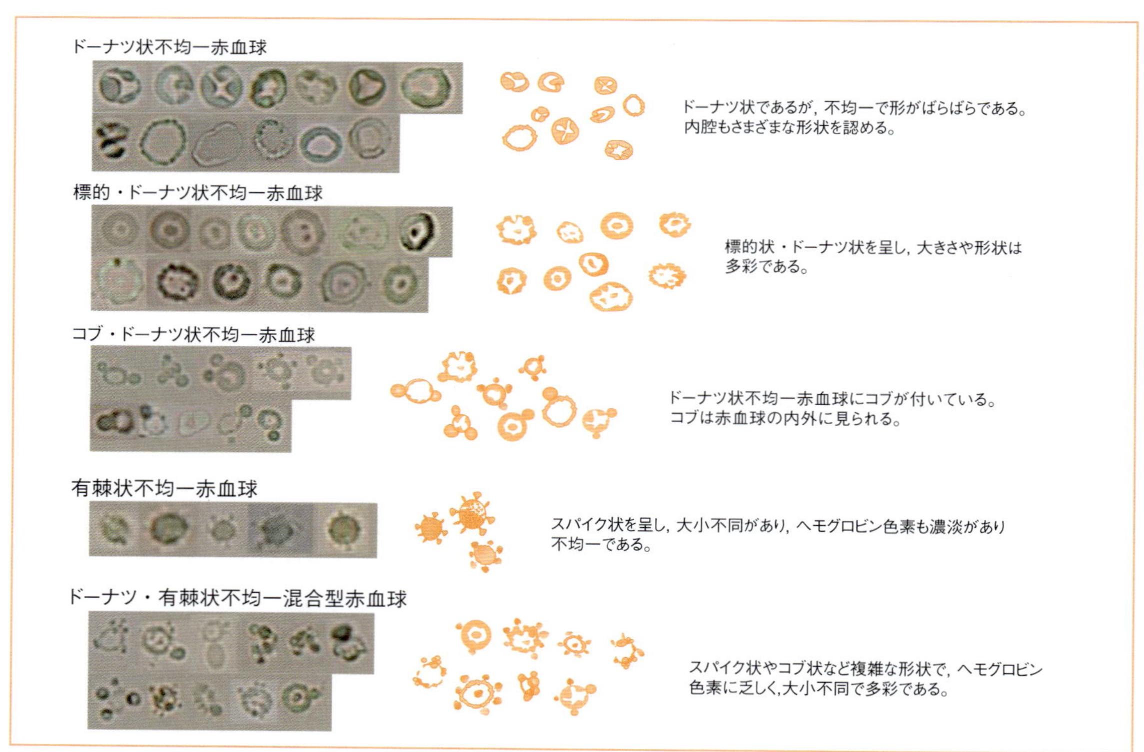


図 5.2.2　糸球体型赤血球の形態

〔山下美香（イラスト）：「第４章 尿沈渣検査」，一般検査技術教本，58，日本臨床衛生検査技師会（編），2012 および
日本臨床検査標準協議会（JCCLS）（監修）：「付記　尿中赤血球形態の判定基準（2010）」，尿沈渣検査法 2010，9，日本臨床衛生検査技師会，2011 より作成〕

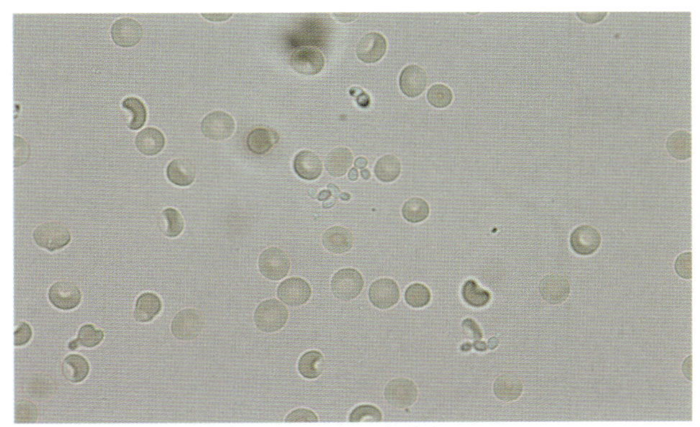

図 5.2.3　非糸球体型赤血球　×400　無染色
典型・円盤状赤血球と円盤・球状移行型赤血球である。

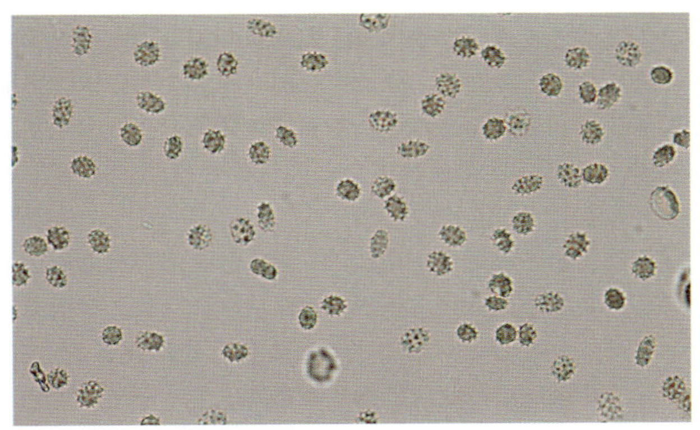

図 5.2.4　非糸球体型赤血球　×400　無染色
萎縮・球状赤血球である。

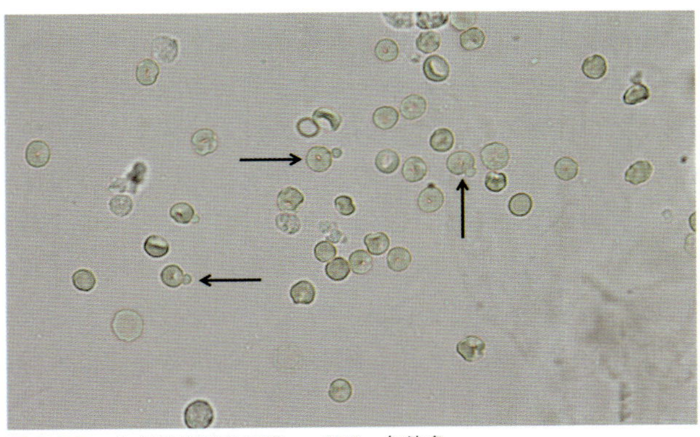

図 5.2.5　非糸球体型赤血球　×400　無染色
矢印はヘモグロビン色素を豊富に含むコブ・球状赤血球である。

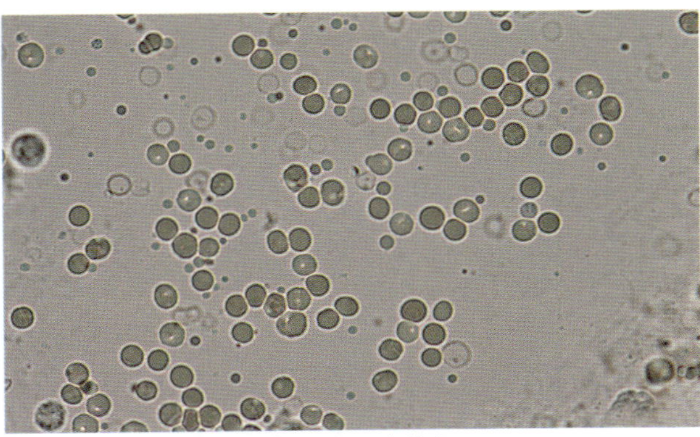

図 5.2.6　非糸球体型赤血球　×400　無染色
コブ・球状赤血球である。背景にある，コブ部分が分離した赤血球の断片は赤血球としてカウントしない。

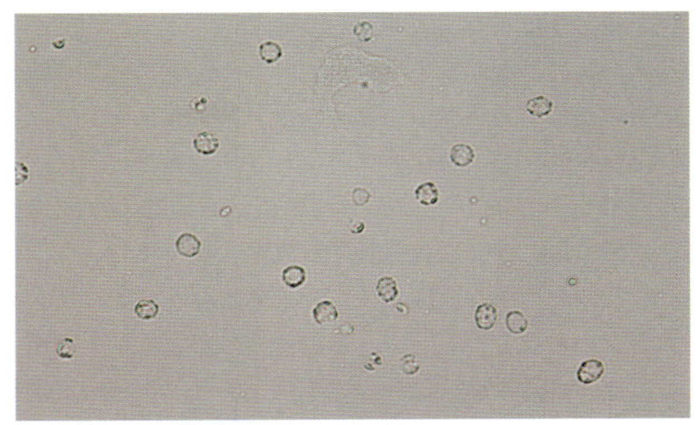

図 5.2.7　非糸球体型赤血球　×400　無染色
膜部顆粒成分凝集状脱ヘモグロビン赤血球である。糸球体型赤血球との鑑別が重要である。

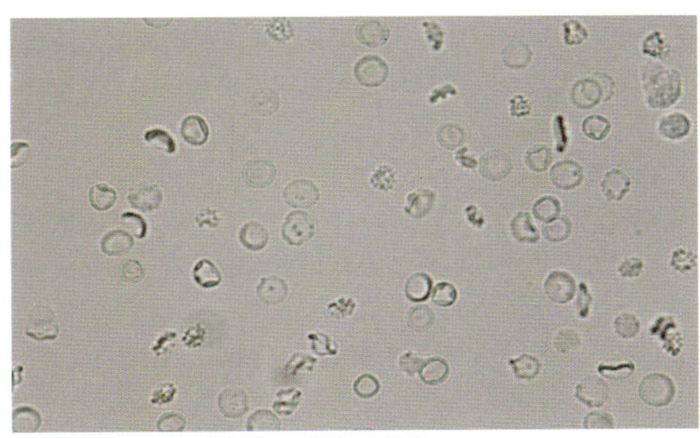

図 5.2.8　糸球体型赤血球　×400　無染色
ドーナツ状不均一赤血球である。空洞部分が凸凹しており不均一である。

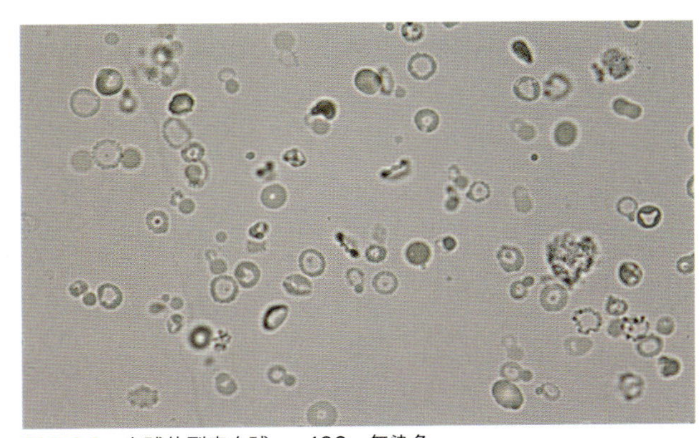

図 5.2.9　糸球体型赤血球　×400　無染色
ドーナツ状不均一赤血球，標的・ドーナツ状不均一赤血球，コブ・ドーナツ状不均一赤血球など，多彩な形態を呈している。

らほとんど染まらないものまである。

非糸球体性の血尿を呈する代表的な疾患として，小児では尿路感染症，高カルシウム尿症[9]，ナットクラッカー現象，出血性膀胱炎（ウイルス性ではアデノウイルス11型，21型が多い）があり，成人では尿路結石症および悪性腫瘍などがある。多発性嚢胞腎や前立腺生検後において，特徴的な形態を呈する膜部顆粒成分凝集状脱ヘモグロビン赤血球が認められる[10]。一方，糸球体性の血尿を呈する疾患としては，小児では遺伝性のアルポート（Alport）症候群，菲薄基底膜病や慢性糸球体腎炎であるIgA腎症，全身性血管炎に伴って発症した紫斑病性腎炎などがあり，成人では急性糸球体腎炎，IgA腎症，ループス腎炎などがある。IgA腎症では，糸球体障害や半月体形成が高度であるほど赤血球数が増加し，糸球体型赤血球の割合も増大する。

### (2) 白血球

尿中に排出される白血球（WBC）は，腎・泌尿生殖器系感染症などの炎症性病変の存在を示唆する重要な成分である。通常，大きさは10～15μmで球形を呈していることが多いが，細胞の生死（生細胞，死細胞）や尿の浸透圧，pHなどの性状によってさまざまな形態に変化する。一般的に浸透圧が高い場合は萎縮傾向，低い場合は膨化傾向となる。健常人では×400の1視野に4個以下である。尿中に排出される白血球の大部分（95%）は好中球であるが，疾患や病態によってはリンパ球，好酸球，単球が多く排出されることもある。これらの白血球の判別は臨床的意義が高いため，判別できるものについては結果として，もしくはコメントを付記して報告することが望ましい。

#### 1）好中球（図5.2.10～5.2.16）

白血球の中で最も活発な遊走能と貪食能を有する。生体内に細菌，真菌および原虫類などが侵入した際に遊走，貪食，殺菌して処理することで生体を防御する。さらに，種々のサイトカインを放出して免疫防御にもはたらいている。膀胱炎，腎盂腎炎，尿道炎，前立腺炎などの尿路感染症で尿中に多数排出される。ループス腎炎や抗好中球細胞質抗体（ANCA）関連腎炎などの炎症性疾患でも排出される。

尿中に排出された好中球は，生細胞と死細胞とで形状が異なる。生細胞は球状，棒状，短冊状，コブおよび小突起状，アメーバ状など，さまざまに変化した形態を呈する。さらに，生細胞では沈渣に希酢酸を滴下すると核が明瞭となり，小型の尿細管上皮細胞などとの鑑別が容易になる。

S染色により濃染細胞，淡染細胞，および輝細胞（グリッター細胞）に分類される。PB染色では，青～黒青色を呈する。濃染細胞は死細胞，淡染細胞とグリッター細胞は生細胞である可能性が高い。女性で濃染細胞が排出された場合には，腟部などの生殖器からの混入が考えられるため，コメントを付記して報告することが望ましい。グリッター細胞は腎盂腎炎で高率に認めるとされているが，疾患特異性は低い[8]。ただし，低比重尿で発熱およびC反応性蛋白（CRP）高値を示す場合には，腎盂腎炎が示唆される。発熱もCRP値の著明な上昇も認められない場合には，腎盂

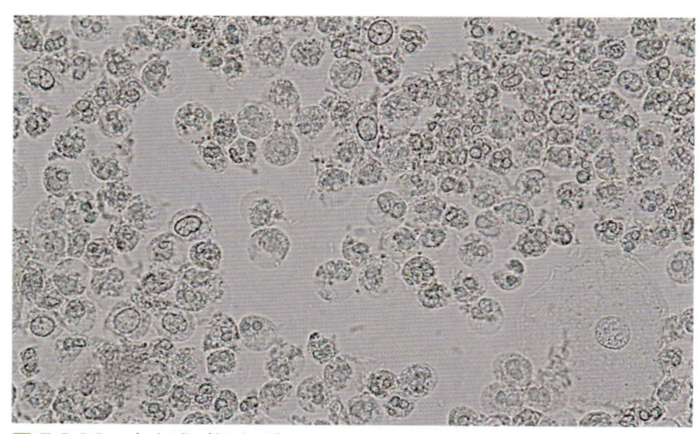

図5.2.10 白血球（好中球） ×400 無染色
死細胞の場合には，核が明瞭であることが多い。

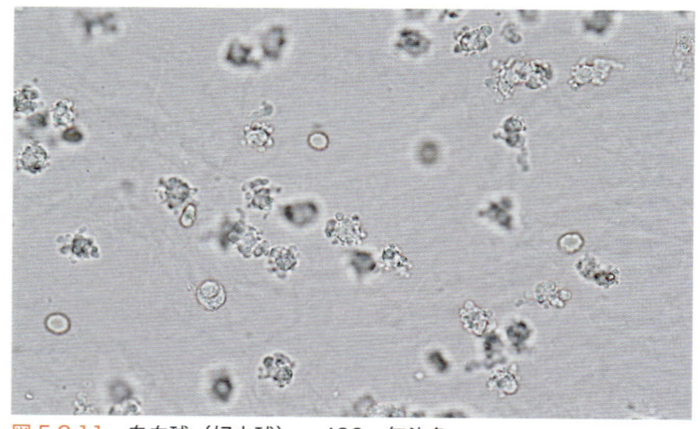

図5.2.11 白血球（好中球） ×400 無染色
小突起像は，浸透圧の影響による生細胞の形態変化の1つである。

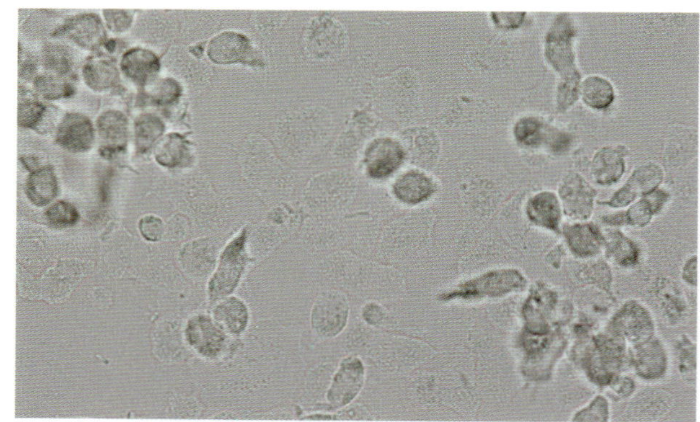

図5.2.12 白血球（好中球） ×400 無染色
カバーガラス面を這うようなアメーバ状の形態は，遊走性および低浸透圧の影響による生細胞の形態変化の1つである。

用語 アルポート（Alport）症候群，免疫グロブリン（immunoglobulin；Ig），ループス（lupus）腎炎，白血球（white blood cell；WBC），好中球（neutrophilic leukocyte），抗好中球細胞質抗体（anti-neutrophil cytoplasmic antibody；ANCA）関連腎炎，C反応性蛋白（C-reactive protein；CRP）

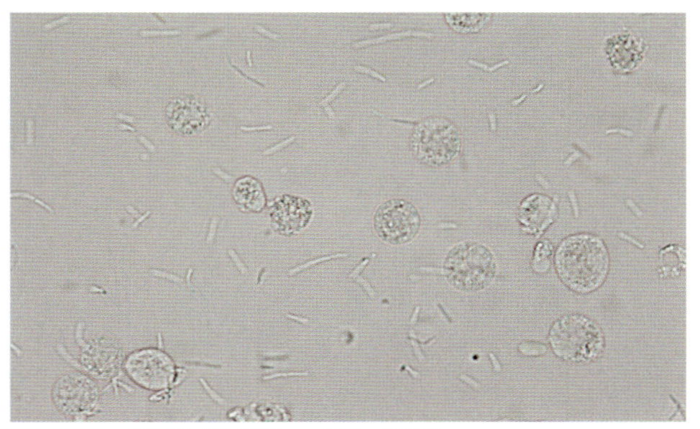
図 5.2.13　白血球（好中球）　×400　無染色
グリッター細胞は生細胞であることが多く，細胞質内顆粒が動いている。

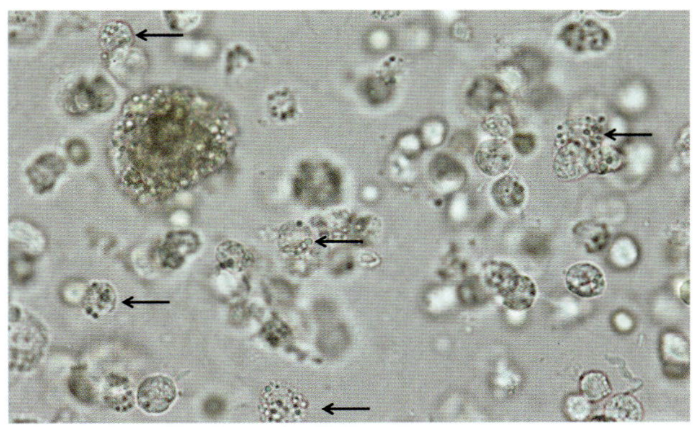
図 5.2.14　白血球（好中球）　×400　無染色
男性の尿に脂肪を含有している好中球が認められた（矢印）場合には，前立腺炎などの前立腺疾患が考えられる。

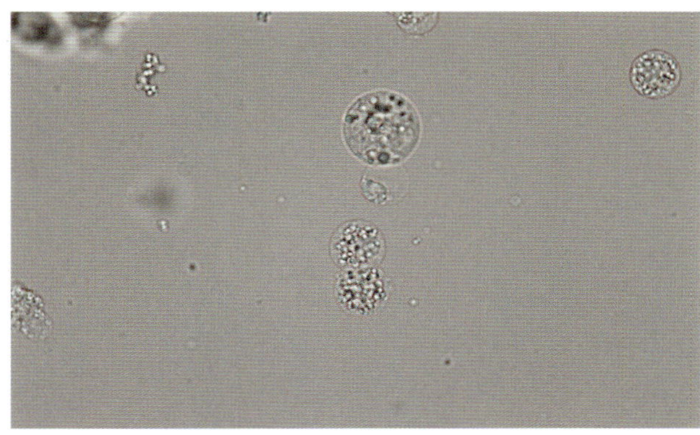
図 5.2.15　白血球（好中球）　×400　無染色
細菌を貪食している場合は好酸球に類似するため，判定に注意が必要である。

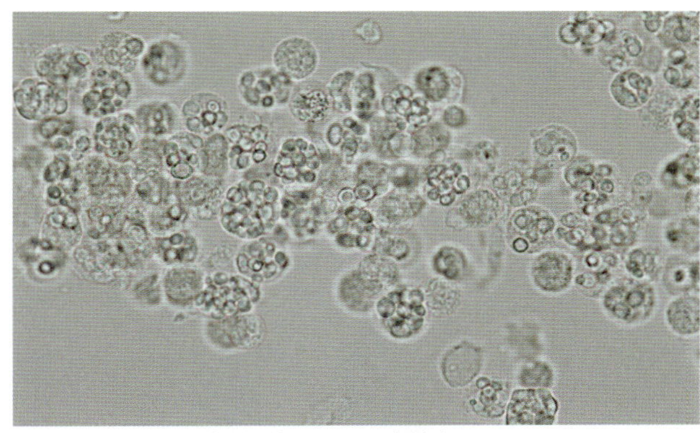
図 5.2.16　白血球（好中球）　×400　無染色
酵母様真菌を貪食している。

の拡張および上部尿路感染を示唆する上部尿路障害の有用なバイオマーカーになる可能性がある[11]。

また，日常業務において尿中白血球反応の程度と尿沈渣中の白血球数に乖離を認めることがある。とくに多いのは，尿中白血球反応が陰性で尿沈渣中の白血球数が10～19個以上/HPFとなる場合である。乖離の原因としては，高比重尿，高蛋白尿，トリプシンインヒビター含有尿であることによる尿中白血球反応の偽陰性があげられる。さらに，活動性のある生細胞優位である場合には，白血球が崩壊していないために尿中のエステラーゼ活性が低く，試験紙の反応試薬と十分に反応せず偽陰性を呈すると考えられる[12]。

**2）リンパ球**（図 5.2.17，5.2.18）

好中球より小さく顆粒成分が少ないリンパ球は，小型の裸核細胞のような外観である。尿路のリンパ管瘻による乳び尿，腎結核，腎移植後の細胞性拒絶反応，慢性疾患などで排出される。PB染色では陰性である。

**3）好酸球**（図 5.2.19～5.2.22）

好中球とほぼ同じ大きさで，細胞質に粗大な好酸性顆粒や丸みを帯びたメガネ状の2分葉核を有する。Hansel染色に陽性である。尿細管間質性腎炎，アレルギー性膀胱炎，尿路結石症，尿管ステント留置，多発性嚢胞腎，尿路変更術後，寄生虫症などで排出される[13]。

**4）単球**（図 5.2.23，5.2.24）

好中球より大きく，細胞質の辺縁構造は不明瞭でさまざまな形態変化を呈する。慢性尿路感染症，前立腺疾患，糸球体性疾患，抗がん剤治療中などで排出される。急性期の小児腎疾患の活動性を把握できることが報告されている[14]。

## 2. 大食細胞（図 5.2.25 ～ 5.2.28）

腎・泌尿生殖器系に生じた炎症や感染性疾患，組織崩壊亢進などの病的状態に伴って排出される。尿路系腫瘍（とくに尿路上皮癌）や多発性骨髄腫でも排出されることがある。大きさは20～100μmで，細胞質の辺縁構造は不明瞭なことが多く，円形状の不定形を呈する。細胞質の表面構造は淡く，綿菓子状または均質で細胞の透過性が高い。細胞質内には結晶，脂肪顆粒，精子などが貪食されていることがある。無染色での色調は灰白色である。S染色での染色性は良好で，核は青紫色，細胞質は赤紫色または青紫色を呈することが多い。しかし，ときに写真に示すように核および細胞質ともに淡い染色性を呈する場合もある。核は腎臓形やくびれ状などを呈する。集塊として排出された場

用語　リンパ球（lymphocyte），好酸球（eosinophilic leukocyte），単球（monocyte），大食細胞（macrophage）

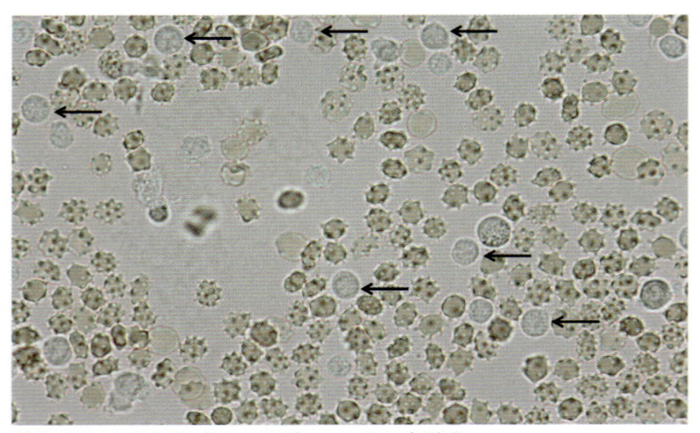

図 5.2.17　白血球（リンパ球）　×400　無染色
小型であるが赤血球よりはひと回り大きい円形の細胞である。N/C 比が高く，細胞質はほとんど確認できない（矢印）。

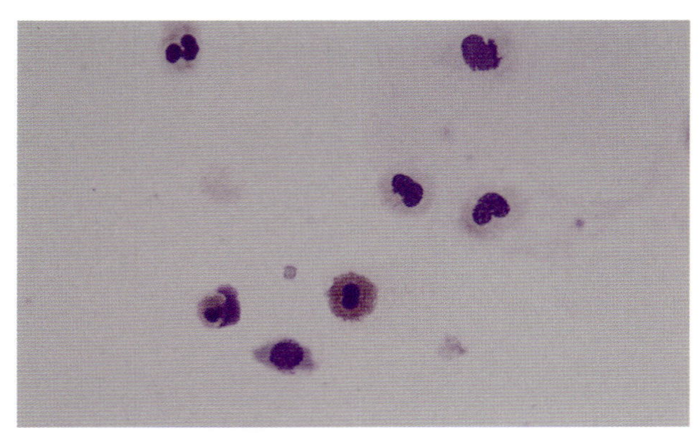

図 5.2.21　白血球（好酸球）　×400　Giemsa 染色
好酸性の顆粒が確認できる。

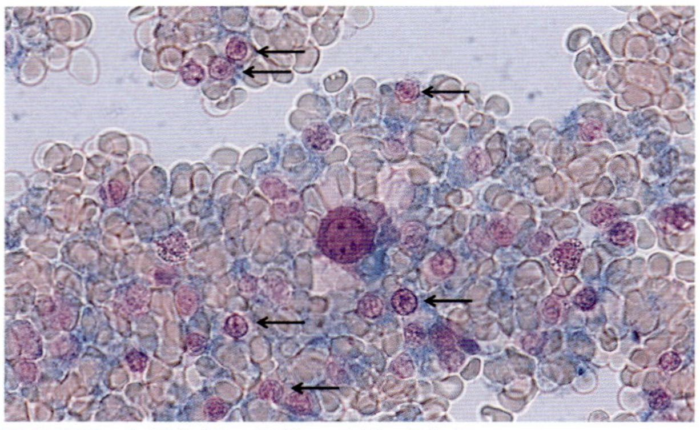

図 5.2.18　白血球（リンパ球）　×400　S 染色
紫色に染色され，単核であることがわかる。細胞質はほとんど観察されない（矢印）。

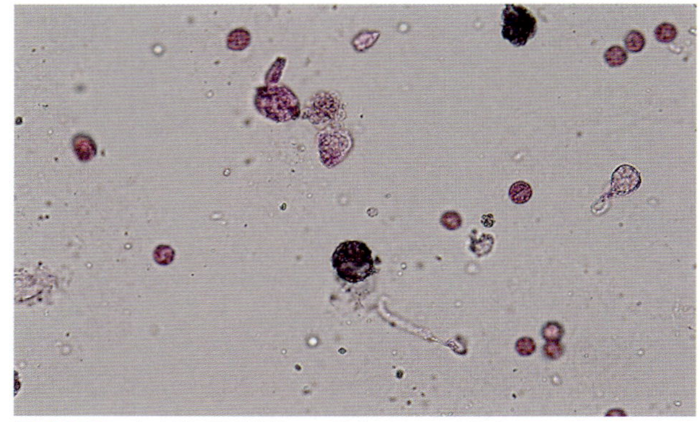

図 5.2.22　白血球（好酸球）　×400　Hansel 染色
細胞質内の粗大な顆粒が赤色調を呈する。

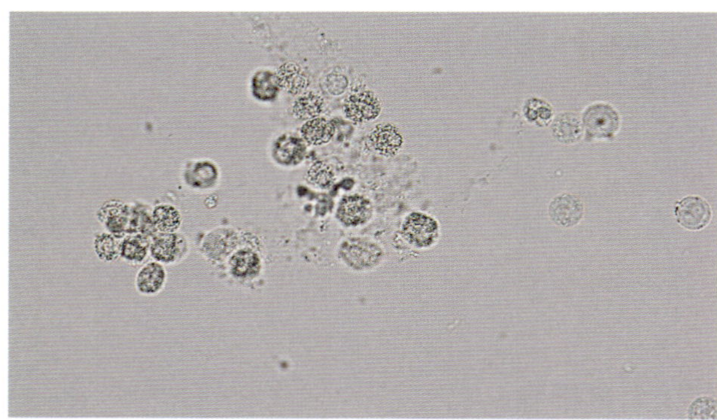

図 5.2.19　白血球（好酸球）　×400　無染色
細胞質内に特徴的な粗い顆粒が充満している。

図 5.2.23　白血球（単球）　×400　無染色
細胞質の辺縁構造が不明瞭であることが特徴である。

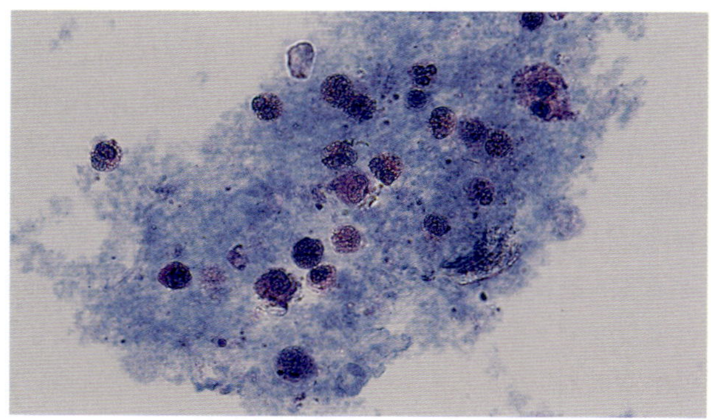

図 5.2.20　白血球（好酸球）　×400　S 染色
メガネ状の 2 分葉核と細胞質内のキラキラした顆粒が明瞭である。

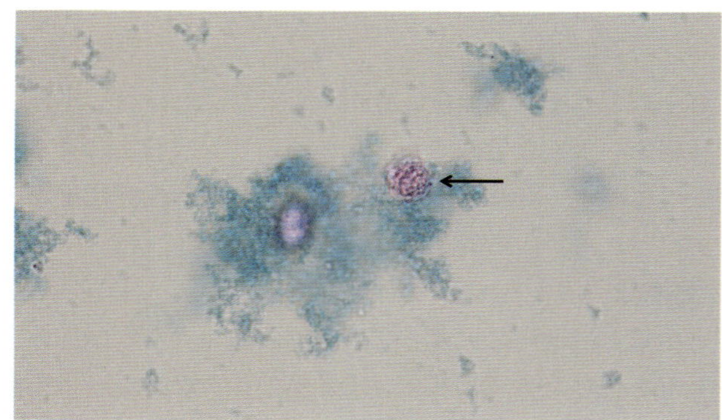

図 5.2.24　白血球（単球）（矢印）　×400　S 染色
細胞質が淡桃色に染色される。リンパ球より細胞質が広く，観察可能である。

**用語**　核 / 細胞質比（nuclear-cytoplasmic ratio；N/C 比），ギムザ（Giemsa）染色

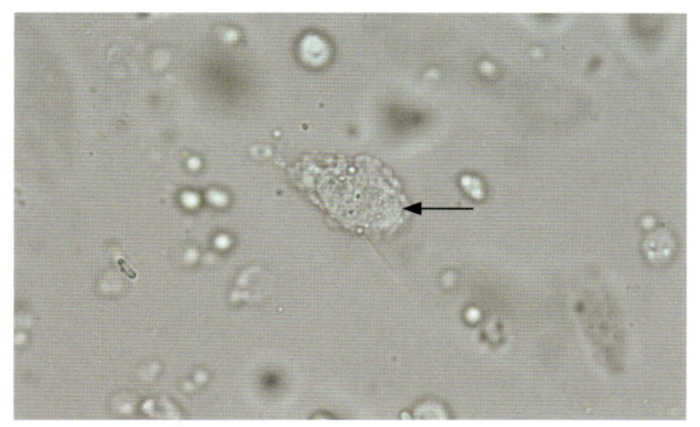

図 5.2.25　大食細胞　×400　無染色
細胞質の辺縁構造が不明瞭であること（矢印）が特徴である。

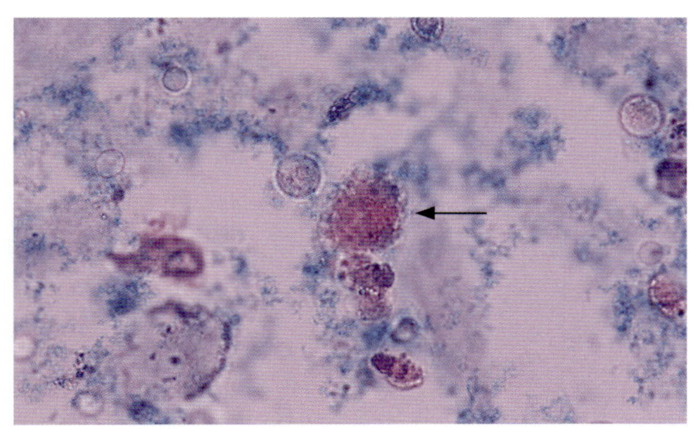

図 5.2.26　大食細胞　×400　S 染色
細胞質は赤紫色に染色され，辺縁構造が不明瞭であること（矢印）が特徴である。

合には，上皮性の結合は認められない。尿沈渣検査における大食細胞と単球の分類は，大きさが20$\mu$m以上を大食細胞，20$\mu$m未満を単球とする。

## 3. その他

### (1) 子宮内膜間質細胞（図5.2.29，5.2.30）

女性の場合，月経時や婦人科検診後などでは尿中に子宮内膜間質細胞が混入することがある。子宮内膜円柱上皮細胞との鑑別は困難であるため，いずれも円柱上皮細胞として報告する。

### (2) 中皮細胞（図5.2.31，5.2.32）

膀胱などの尿路と腹腔との間に交通が生じた場合に，尿中に排出される。細胞質の表面構造は均質で，辺縁構造には微絨毛が存在するため不明瞭なことが多い。細胞と細胞の境界は直線的で，ウインドウとよばれる間隙が認められることがある。

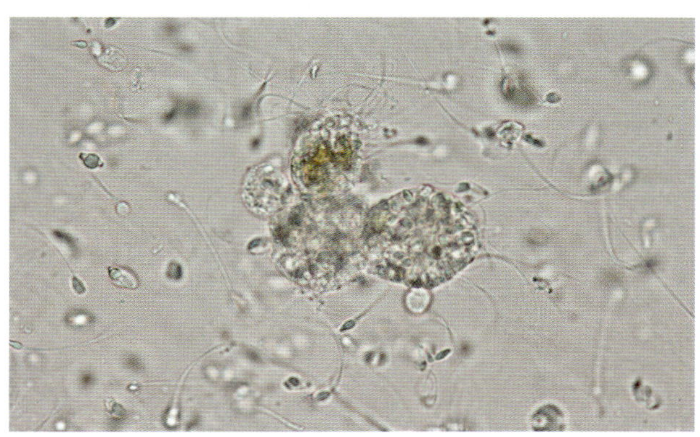

図 5.2.27　大食細胞　×400　無染色
精子を貪食している。

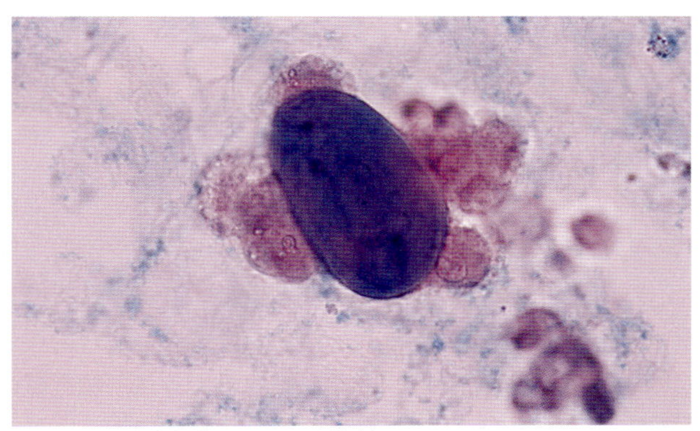

図 5.2.28　大食細胞　×400　S 染色
精液成分を取り囲み，貪食しているかのようである。

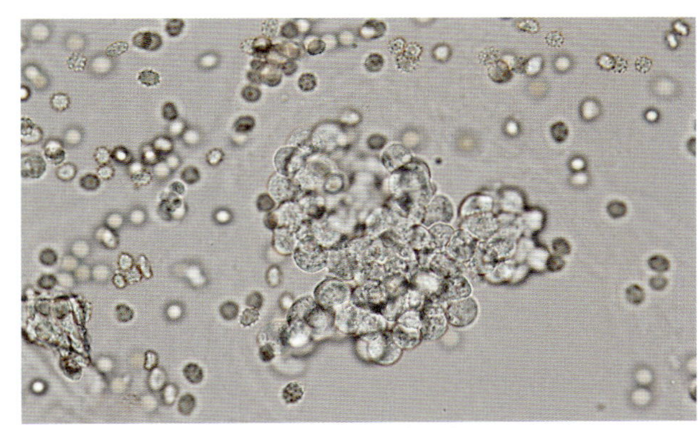

図 5.2.29　子宮内膜間質細胞　×400　無染色
小型の円形細胞であり，比較的平面的な集塊で排出される。

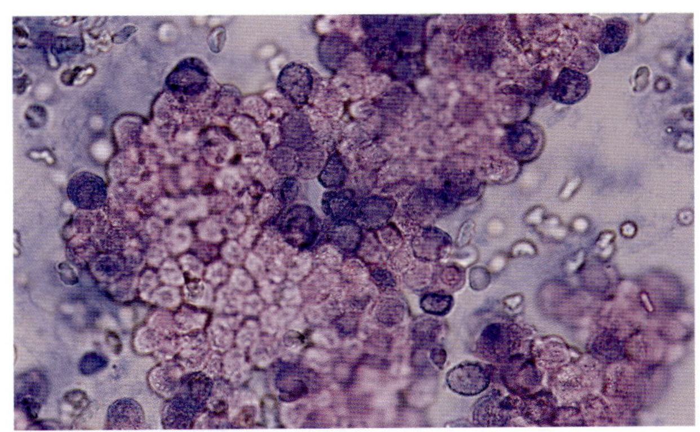

図 5.2.30　子宮内膜間質細胞　×400　S 染色
N/C 比が高く，細胞質はほとんど観察されない。クロマチンの増量は認められない。

用語　子宮内膜間質細胞（endometrial cell），中皮細胞（mesothelial cell）

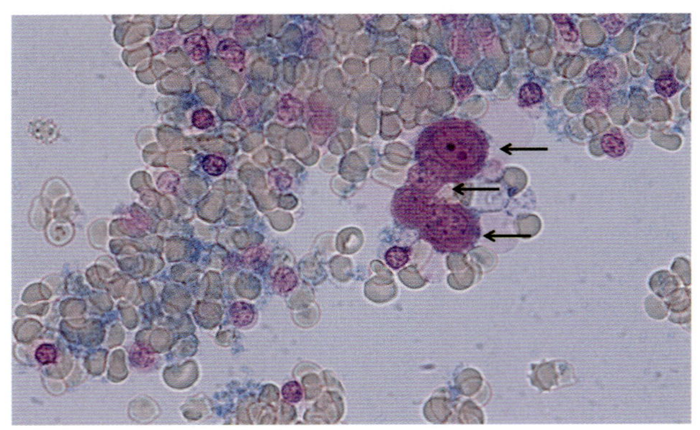

図 5.2.31 中皮細胞（矢印） ×400 S 染色
円形で，辺縁構造は不明瞭であることが多く，細胞質は厚みがあり均質である。核は中心～偏在性である。

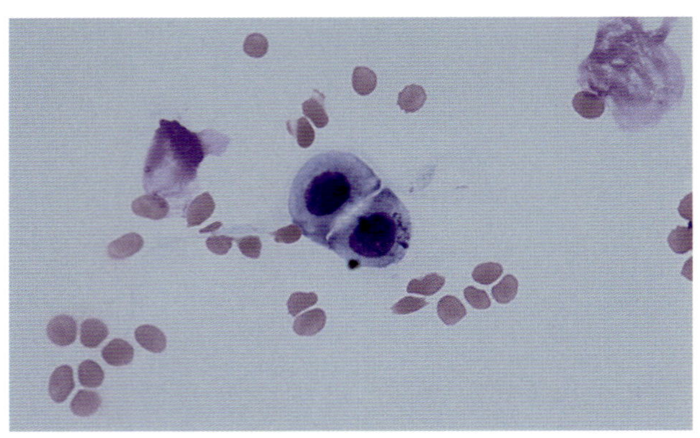

図 5.2.32 中皮細胞 ×400 MG 染色
細胞と細胞の境界は直線的で，ウインドウとよばれる間隙が認められる。

## 5. 2. 2 上皮細胞類

尿中に排出される上皮細胞には，腎・泌尿生殖器の上皮を覆う尿細管上皮細胞，尿路上皮細胞，円柱上皮細胞，扁平上皮細胞がある。これらを鑑別するためには，個々の細胞の形態学的特徴を把握し，一側面だけでなく総合的に判定することが大切である。とくに細胞の大きさ，細胞質の辺縁構造や表面構造，色調などの所見は重要である。無染色による観察にS染色を併用すれば，判定困難な細胞や異型性を示す細胞の鑑別もほぼ可能となる。

### 1. 尿細管上皮細胞

近位尿細管からヘンレ係蹄，遠位尿細管，集合管および腎乳頭までの内腔の上皮層を構成する細胞である。糸球体腎炎やネフローゼ症候群などの腎実質疾患，薬剤性腎障害（水銀や鉛などの重金属，アミノグリコシド系抗菌薬，免疫抑制剤，抗がん剤による），腎虚血または腎血漿流量減少を呈する病態（外傷，高度の火傷や脱水）などで尿中に排出される。健常人でも運動後や脱水時，薬剤の服用時に少数認められる。とくに夏季には，水分摂取不足により排出される[8, 10]。慢性糸球体腎炎などでは，尿細管間質病変の形成に伴って近位尿細管上皮細胞の尿中排出が増加する。蛋白尿を伴って鏡検×400（HPF）で1視野に1個以上排出されている場合には，推算糸球体ろ過量（eGFR）60 mL/分/1.73 $m^2$ 未満である可能性が示唆される[15]。数多く認められる場合には急性尿細管傷害（ATI）が疑われるため，注意深く観察して迅速に臨床へ報告することが重要である。細胞の形態は多彩で，白血球，扁平上皮細胞，尿路上皮細胞に類似することがあり，形態の特徴から基本型と特殊型に分けられる。

#### (1) 基本型

**1） 鋸歯（きょし）型**（図 5.2.33，5.2.34）

近位尿細管由来と考えられる。孤立散在性に排出される。辺縁構造はギザギザした鋸歯状（凹凸状），表面構造はゴ

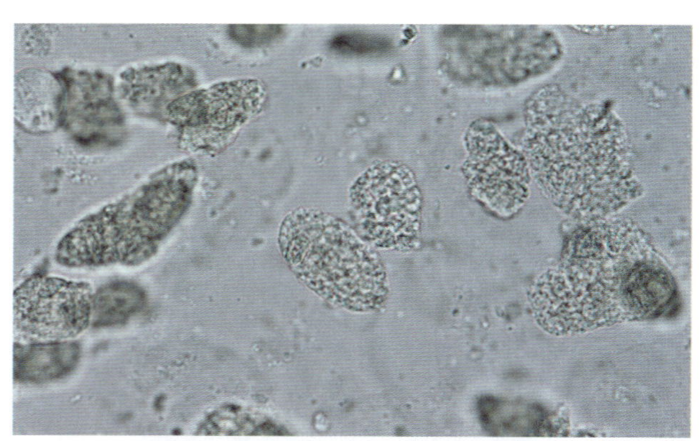

図 5.2.33 尿細管上皮細胞（鋸歯型） ×400 無染色
細胞質は黄色調を呈し，表面構造は不規則な粗顆粒状，辺縁構造は凸凹状である。

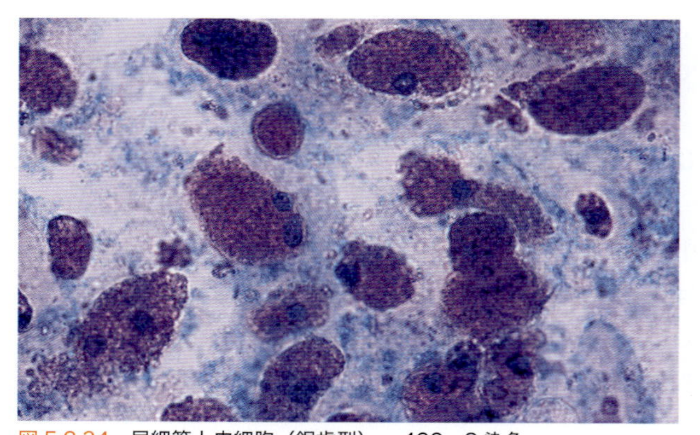

図 5.2.34 尿細管上皮細胞（鋸歯型） ×400 S 染色
染色性は良好で細胞質は赤紫色を呈し，核は濃縮状で青色調を呈する。核が認められないこともある。

用語 メイ・グリュンワルド・ギムザ（May-Grünwald Giemsa；MG）染色，尿細管上皮細胞（renal tubular epithelial cell），推算糸球体ろ過量（estimated glomerular filtration rate；eGFR），急性尿細管傷害（acute tubular injury；ATI）

ツゴツした不規則な粗顆粒状であり，細胞質は無染色では黄色調である。S染色での染色性は良好で，細胞質は特徴的な赤紫色を呈する。核は濃縮状で偏在性であるが，変性・崩壊により認められない場合もある。ほかの上皮細胞および成分との鑑別が困難な場合には，円柱内に含有されている尿細管上皮細胞を観察することが大切である。ATIなどでは，崩壊した細胞や小型の細胞が多く排出され，白血球と類似することがあるため注意が必要である。長期的に抗がん剤や抗菌薬を服用している患者では大型化し，腎移植後で免疫抑制剤を服用している患者では，中毒性の尿細管壊死によって細胞質に暗赤紫色の顆粒を含有していることがある。溶血性疾患や人工弁置換術後の患者では，ヘモジデリン顆粒を含有する細胞が認められる。

**2）棘突起・アメーバ偽足型**（図5.2.35，5.2.36）

近位尿細管由来と考えられる。孤立散在性に排出される。辺縁構造は棘状や樹枝状に分岐したアメーバ偽足状，表面構造は顆粒状であり，細胞質は無染色では黄色調である。S染色での染色性は良好で，細胞質は赤紫色を呈する。核は濃縮状で偏在性であるが，変性・崩壊により認められない場合もある。

**3）角柱・角錐台型**（図5.2.37〜5.2.40）

遠位尿細管由来と考えられる。孤立散在性に排出される。

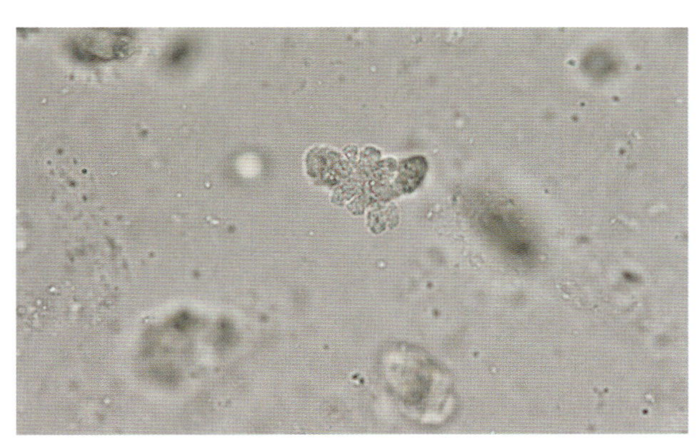

図5.2.35　尿細管上皮細胞（アメーバ偽足型）　×400　無染色
黄色調を呈し，細胞質の表面構造は不規則な顆粒状，辺縁構造はアメーバのような凹凸状である。

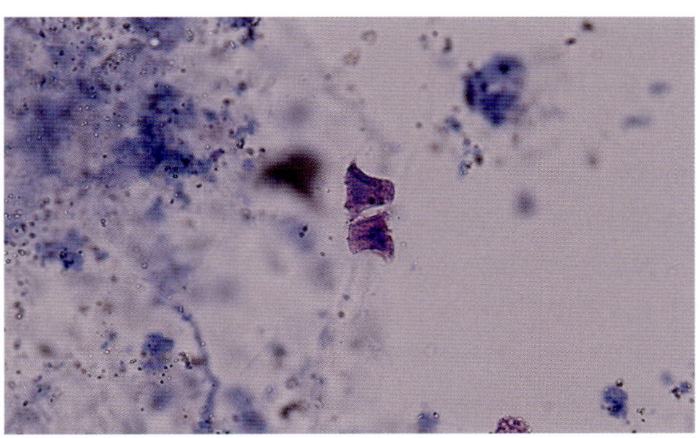

図5.2.38　尿細管上皮細胞（角柱・角錐台型）　×400　S染色
染色性は良好で細胞質は赤紫色を呈し，核は濃縮状で青色調を呈する。核は基底膜側に位置する。

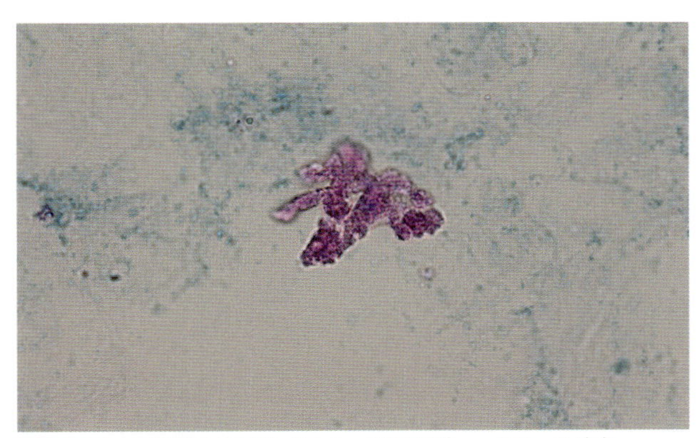

図5.2.36　尿細管上皮細胞（アメーバ偽足型）　×400　S染色
染色性は良好で細胞質は赤紫色を呈し，核は濃縮状で青色を呈する。核が認められないこともある。

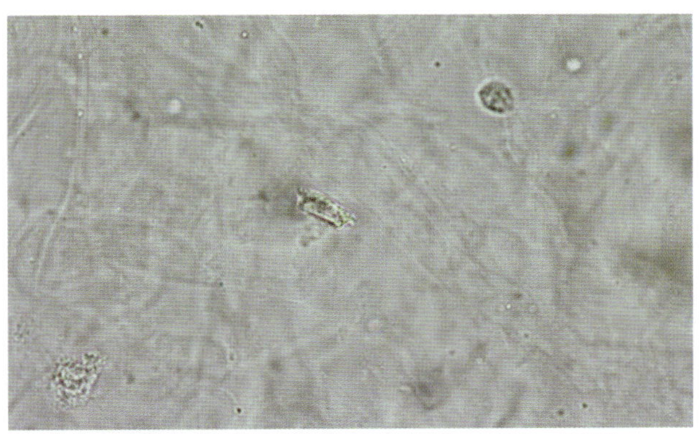

図5.2.39　尿細管上皮細胞（角柱・角錐台型）　×400　無染色
丈が短く，ヘンレ係蹄由来と考えられる。

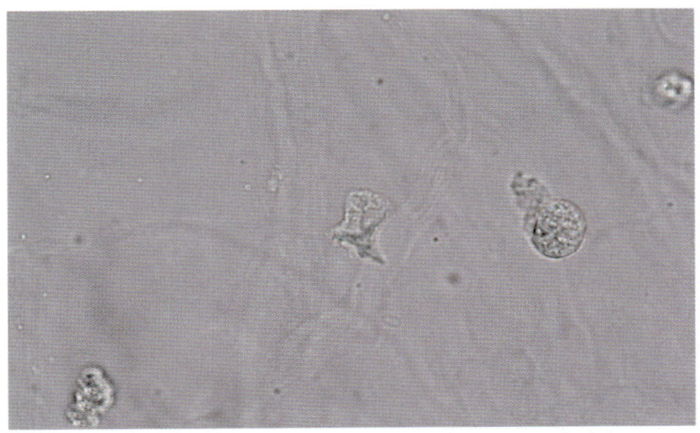

図5.2.37　尿細管上皮細胞（角柱・角錐台型）　×400　無染色
細胞質は灰白〜黄色調を呈し，表面構造は均質〜微細顆粒状，辺縁構造は角状である。尿細管内腔面側が短く，基底膜面側が長い。

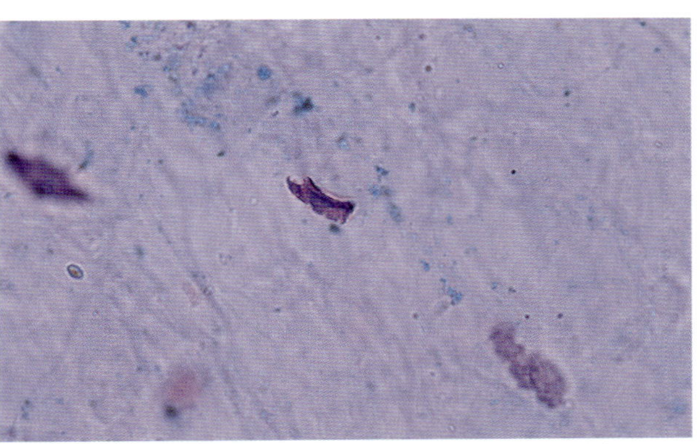

図5.2.40　尿細管上皮細胞（角柱・角錐台型）　×400　S染色
染色性は良好で，細胞質は赤紫色を呈する。

尿細管内腔面側が短く，基底膜面側が長く広がっている。立体感が強く，側面像は角柱型，正面像は角錐台型を示す。辺縁構造は角状で基底膜側ではやや不明瞭，表面構造は均質および微細顆粒状であり，細胞質は無染色では灰白～黄色調である。S染色での染色性は良好で，細胞質は赤紫色～淡桃色を呈する。核は濃縮状で，基底膜側に位置することが多く偏在性である。大部分は集合管，遠位尿細管由来と考えられる。ヘンレ係蹄由来の細胞は，遠位尿細管由来の細胞に比べて細胞の丈が短い。尿比重の上昇と尿蛋白の増加，腎血漿流量の減少によって排出される。小児特発性ネフローゼ症候群の活動期にも認められる[16]。

### (2) 特殊型

#### 1）円形・類円形型（図5.2.41，5.2.42）

再生性の近位・遠位尿細管由来と考えられる。平面的な放射状の配列を呈する小集塊で排出されることが多い。辺縁構造は明瞭な曲線状，表面構造は網目状で，細胞質は薄く，無染色では灰白色調，S染色では淡桃色を呈する。核はやや大型で，核小体が目立つものもある。しかし，N/C比の増大やクロマチンの増量は認められない。同系の形態として，「オタマジャクシ・ヘビ型」がある。これは，円柱に付着した尿細管上皮細胞が，尿流の再流によって円柱とともに尿中へ排出される際に引き伸ばされた可能性が考えられる。円形・類円形型は，急性尿細管壊死やネフローゼ症候群といった，重篤な腎障害によって剥離した尿細管上皮細胞を補うために再生した尿細管上皮細胞と考えられる[17, 18]。

#### 2）洋梨・紡錘型（図5.2.43，5.2.44）

近位・遠位尿細管由来と考えられる。孤立散在性および平面的な集塊や円柱に付着して排出されることが多い。辺縁構造は不明瞭で，ねじれやシワが認められる。表面構造は均質～細顆粒状，細胞質は薄く黄～灰白色で，リポフスチン顆粒を認めることがあり，S染色での染色性は良好で赤紫～淡桃色を呈する。核はやや大型で深層の尿路上皮細胞の核に類似するため，鑑別を必要とする場合がある。排出の意義は不明であるが，抗がん剤投与中に放射線療法を施行した患者の尿に排出されたことが報告されている[19]。

#### 3）顆粒円柱・空胞変性円柱型（図5.2.45～5.2.48）

近位尿細管由来と考えられる。孤立散在性に排出される。辺縁構造は微細なギザギザした鋸歯状（凹凸状），表面構造は均質～細顆粒状である。細胞質は無染色では黄～灰白色，S染色での染色性は良好で赤紫～淡桃色を呈する。空胞変性円柱型は大小の空胞を有する。1～2個の核を有し，やや大型で白血球大の核も認められる。しかし，N/C比

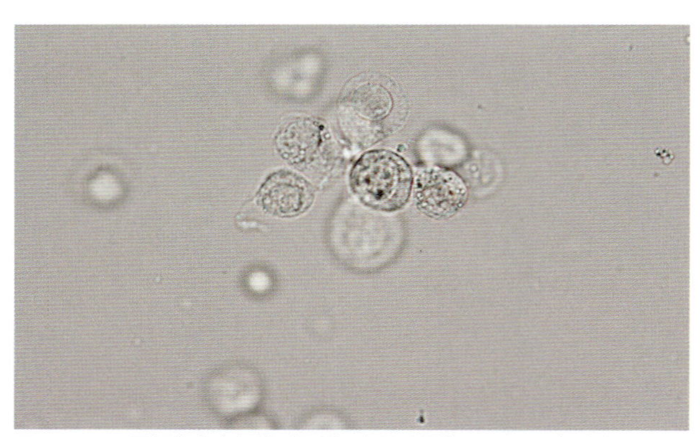

図5.2.41　尿細管上皮細胞（円形・類円形型）×400　無染色
細胞質は灰白色調で，表面構造は均質で薄く透明感があり，辺縁構造は曲線状である。中心から外に飛び出すような放射状の配列を呈する小集塊で排出されることが多い。

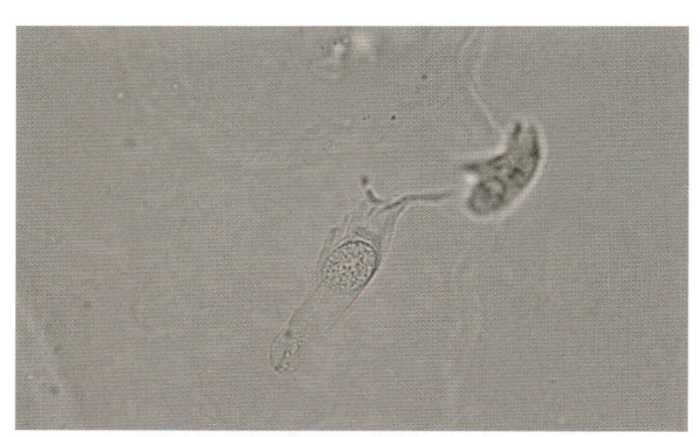

図5.2.43　尿細管上皮細胞（洋梨・紡錘型）×400　無染色
細胞質は灰白色で，表面構造は均質～細顆粒状，辺縁構造にはねじれやシワが認められる。核は尿路上皮細胞の核に類似するが，型押し状を呈する。

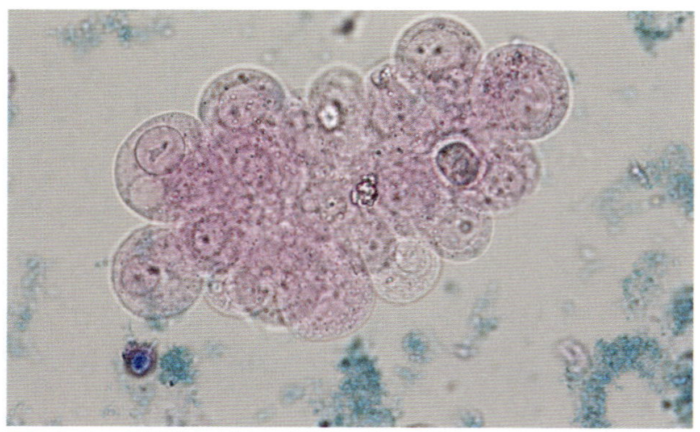

図5.2.42　尿細管上皮細胞（円形・類円形型）×400　S染色
染色性は不良もしくは淡桃色を呈する。N/C比の増大やクロマチンの増量は認められない。

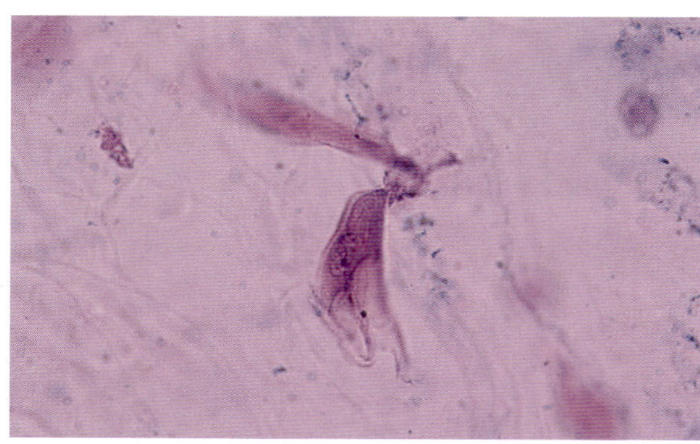

図5.2.44　尿細管上皮細胞（洋梨・紡錘型）×400　S染色
細胞質の染色性は良好で，赤紫～淡桃色を呈する。

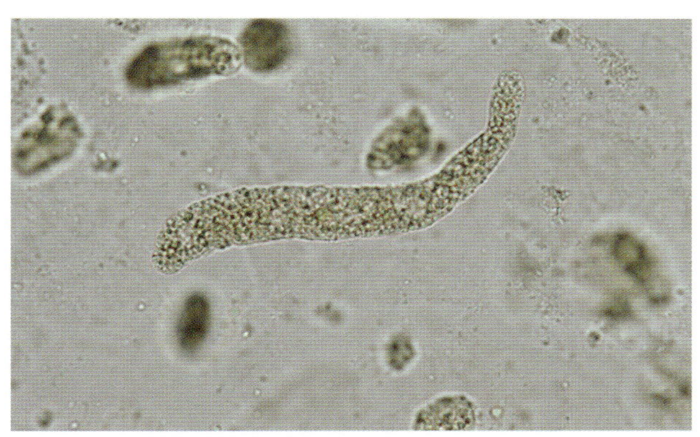

図 5.2.45　尿細管上皮細胞（顆粒円柱型）×400　無染色
細胞質は黄色調で，表面構造は細顆粒状，辺縁構造は凹凸状である。尿細管の拡張によって形成される。

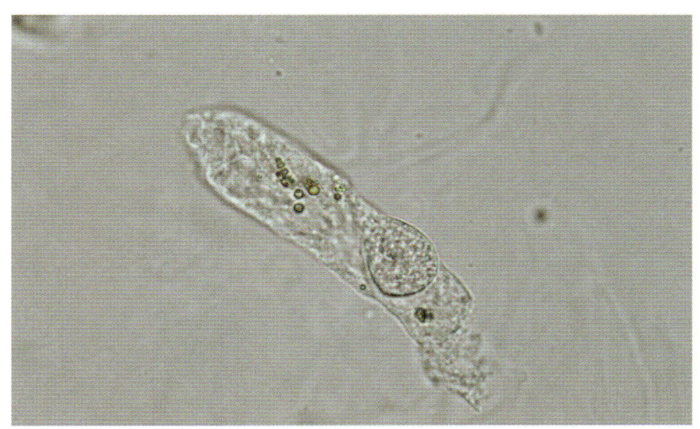

図 5.2.47　尿細管上皮細胞（空胞変性円柱型）×400　無染色
細胞質は灰白色で，表面構造は一部顆粒状であり，大小の空胞がある。核は大きく膨化している。

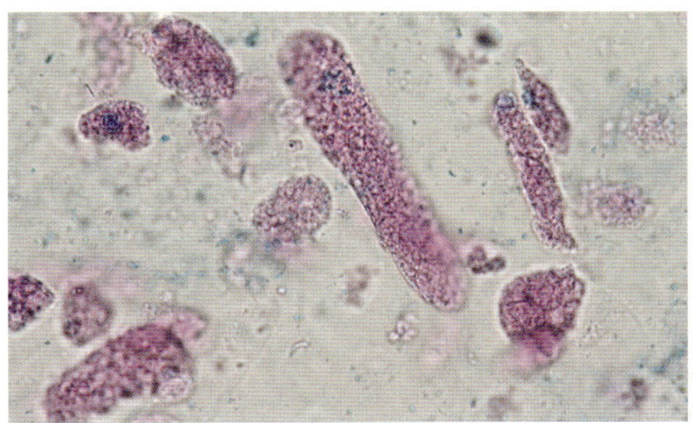

図 5.2.46　尿細管上皮細胞（顆粒円柱型）×400　S 染色
細胞質の染色性は良好で，赤紫～淡桃色を呈する。核は青色調を呈するが，確認できない場合もある。

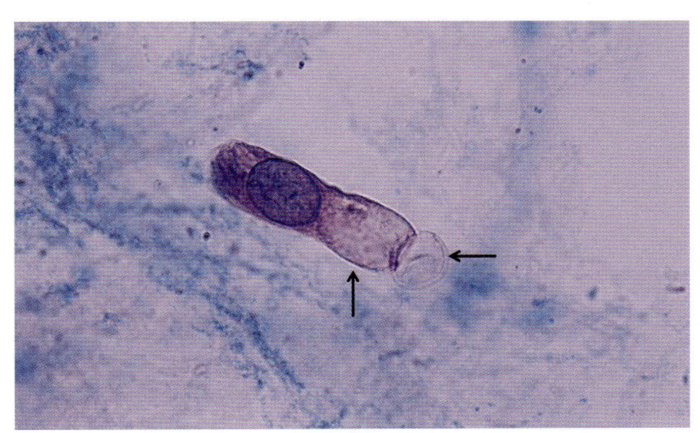

図 5.2.48　尿細管上皮細胞（空胞変性円柱型）×400　S 染色
細胞質の染色性は良好で淡桃色を呈する。核は青色調で膨化しており大きいが，クロマチンの増量は認められない。矢印は空胞を示す。

の増大やクロマチンの増量は認められない。顆粒円柱型は，高度の尿細管障害や長期的な薬剤の服用による尿細管の拡張によって形成される。空胞変性円柱型は，糖尿病性腎症や腎不全の状態では，ろう様円柱やフィブリン円柱とともに認められることが多い。

## 2. 尿路上皮細胞（図 5.2.49 ～ 5.2.54）

腎杯・腎盂，尿管，膀胱，尿道前立腺部の粘膜に由来する細胞である。尿路における感染症，結石症，腫瘍，カテーテルの挿入などによって排出される。組織学的には腎杯・腎盂を含め2～6層の多列上皮で，基底膜側から順に深層型，中層型，表層型に分類される。尿の性状（浸透圧，pH）や炎症による変性を伴うため，鑑別困難な場合も多い。

### (1) 深～中層型

大きさは15～60 μmで，細胞質の辺縁構造は角状で明瞭である。形は稜線状で多辺形を呈し，細胞質の表面構造は漆喰（しっくい）状，あるいは紙やすり状のザラザラした細顆粒状である。細胞質は黄色調を呈し，核は白血球大，単核～2核で中心～偏在性に位置する。細胞質のS染色での染色性は良好で，赤紫色に染め出される。

### (2) 表層型

大きさは60～150 μmで，細胞質の辺縁構造は角状で明瞭である。形は紡錘形，洋梨形，多辺形を呈し，細胞質の表面構造は漆喰状，あるいは紙やすり状のザラザラした細顆粒状である。細胞質は黄色調を呈し，核は白血球大，2～3核で中心～偏在性に位置する。細胞質のS染色での染色性は良好で，赤紫色に染め出される。ときに多核を示す。最外層には，細胞質が広く，傘を広げたような形態とときに多核を示す，洋傘（ようがさ）細胞といわれる細胞が認められる。

## 3. 円柱上皮細胞（図 5.2.55 ～ 5.2.60）

男性では尿道の隔膜部，海綿体部，尿道腺，尿道球腺，前立腺に由来し，女性では尿道の一部，大前庭腺，子宮の一部組織（おもに子宮体内膜細胞）に由来する細胞である。膀胱がんの治療としての膀胱全摘除術後に行われる尿路変更術（回腸導管術）後には，回腸や結腸に由来する細胞が認められる。感染症，前立腺マッサージ，尿路変更術，月経，婦人科系の内視鏡検査，カテーテル挿入などによって

用語　尿路上皮細胞（urothelial epithelial cell），洋傘細胞（umbrella cell），円柱上皮細胞（columnar epithelial cell）

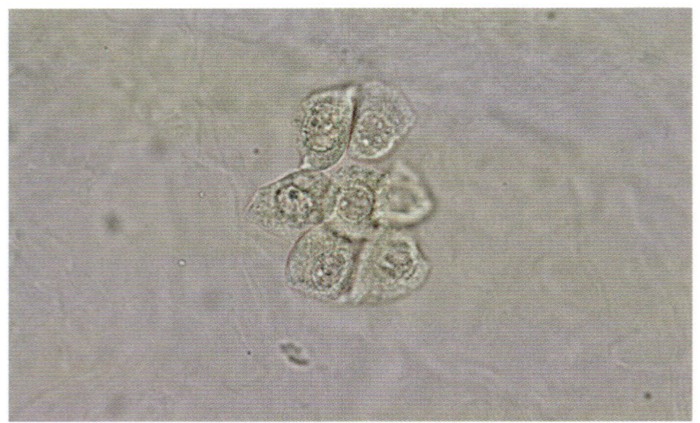

図 5.2.49　尿路上皮細胞（深〜中層型）×400　無染色
細胞質は黄色調で，表面構造はザラザラした紙やすり状，辺縁構造は角状で明瞭である。

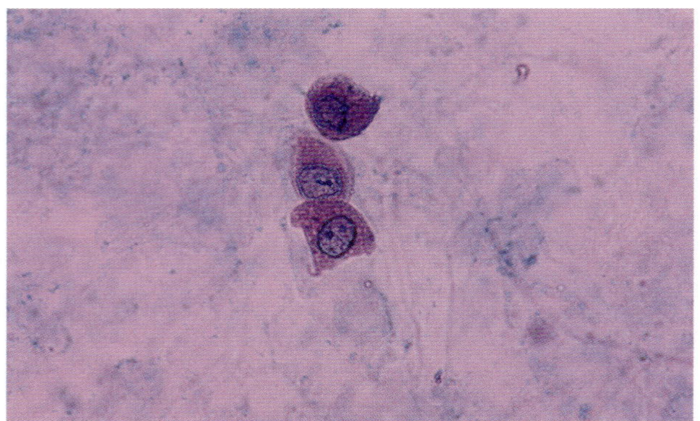

図 5.2.50　尿路上皮細胞（深〜中層型調）×400　S 染色
細胞質の染色性は良好で赤紫色を呈し，核は青色調を呈し大きさがそろっている。クロマチンの増量は認められない。

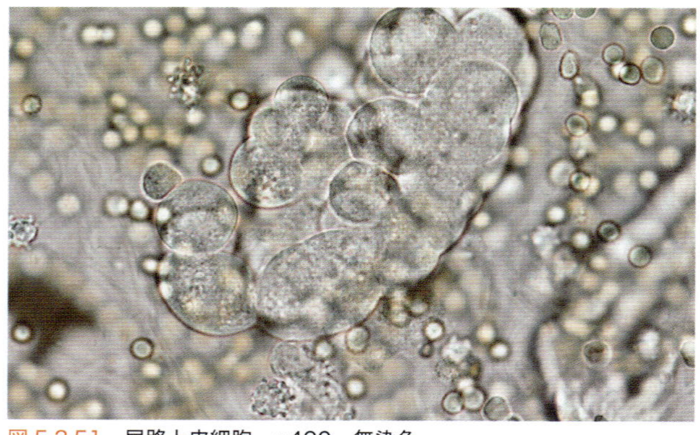

図 5.2.51　尿路上皮細胞　×400　無染色
細胞質は灰白色で，表面構造はほぼ均質，辺縁構造は曲線状で明瞭である。新鮮な細胞の場合は結合性が強い。

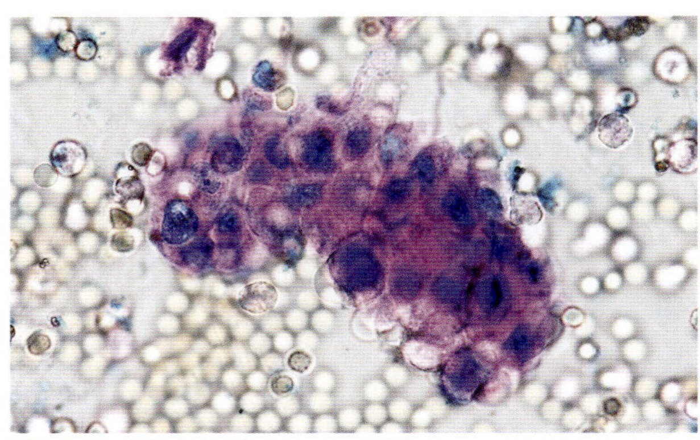

図 5.2.52　尿路上皮細胞　×400　S 染色
細胞質の染色性は良好で赤紫色を呈し，集塊を形成している。

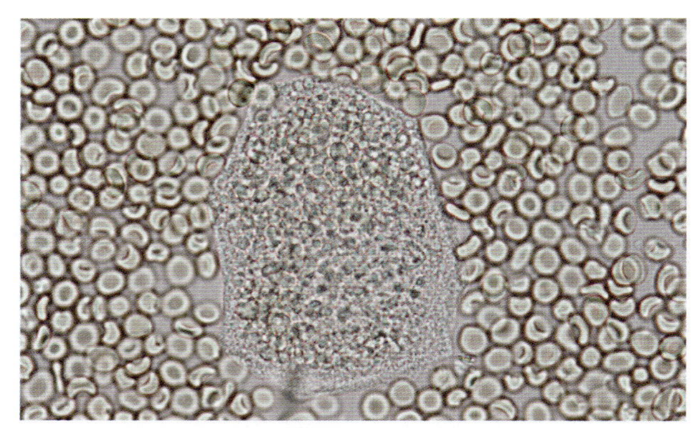

図 5.2.53　尿路上皮細胞（表層型）×400　無染色
細胞質は灰白色〜黄色調で，表面構造はザラザラした紙やすり状，辺縁構造は角状で明瞭である。尿路上皮細胞の核の周囲には，脂肪もしくは変性顆粒が分布することがある。

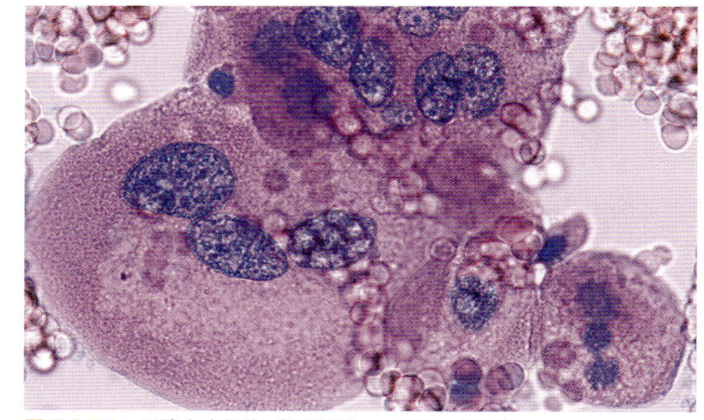

図 5.2.54　尿路上皮細胞（表層型）×400　S 染色
大小不同の多核を呈しているが平面的であり，クロマチンは均等に分布し増量も認められない。

排出される。救急外来受診患者であれば，カテーテルにより採尿されていることが多いため，尿道由来と考えられる。

大きさは15〜30 μmと小型で，一端が平坦であり，円柱形，長方形，涙滴状を呈する細胞が柵状配列で排出される。平坦側で結合して線毛を有していることがあり，おにぎり状の同じような形態を示す細胞が数十個程度，粘液にからまって認められることもある。無染色では灰白色，S染色での染色性は良好で赤紫色または青紫色，濃赤紫色に染め出される。

## 4. 扁平上皮細胞

細菌性腟症，腟トリコモナス感染や細菌感染などによる尿道炎，尿路結石症，カテーテル挿入などによる機械的損傷後，前立腺がんのエストロゲン治療中などの場合に多く排出される細胞である。また，女性の尿中には，尿路系に異常がなくても外陰部や腟部由来の扁平上皮細胞が赤血球や白血球，細菌などとともに混入しやすい。

組織像は，細胞が基底膜に対して水平かつ多層性に配列

用語　扁平上皮細胞（squamous epithelial cell）

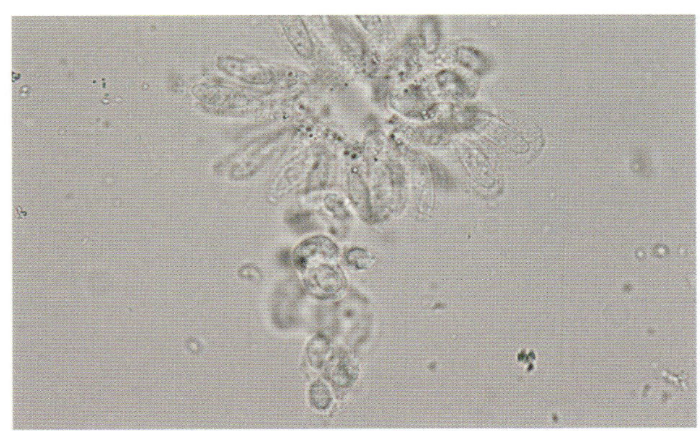

図 5.2.55　円柱上皮細胞　×400　無染色
細胞質は灰白色で，表面構造はほぼ均質である。一端が平坦な円柱状の細胞が柵状に配列している。

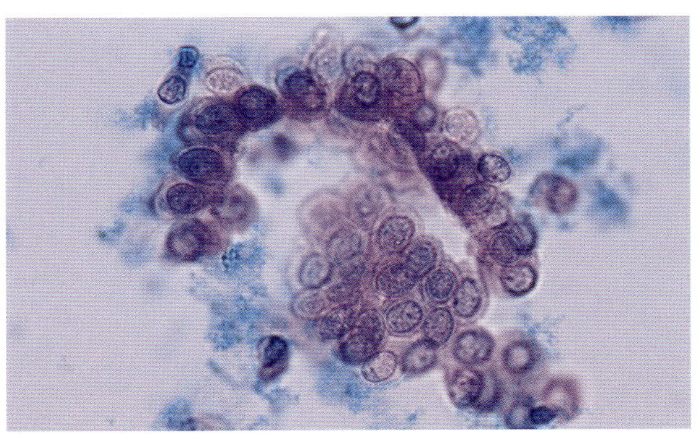

図 5.2.58　円柱上皮細胞　×400　S 染色
図 5.2.57 と同一の例。核は赤血球大で大きさと核間距離がそろっており，クロマチンの増量は認められない。

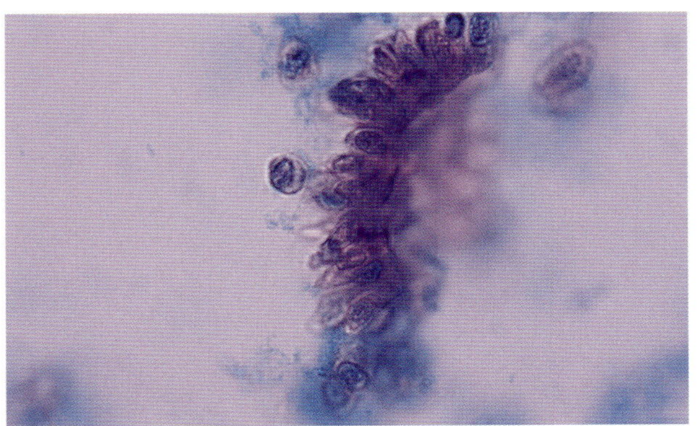

図 5.2.56　円柱上皮細胞　×400　S 染色
図 5.2.57 と同一の例。核は赤血球大で大きさと位置がそろっており，クロマチンの増量は認められない。

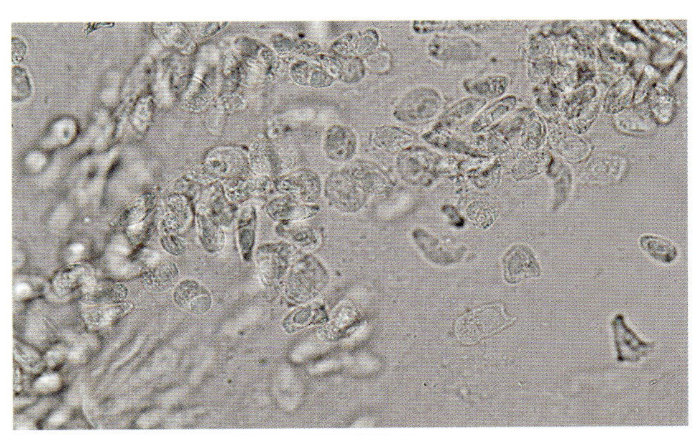

図 5.2.59　円柱上皮細胞　×400　無染色
細胞質は灰白色で，表面構造は微細顆粒状～均質である。短円柱状の細胞が，粘液にからまって数十個程度認められることがある。尿細管上皮細胞に類似しているため，注意が必要である。

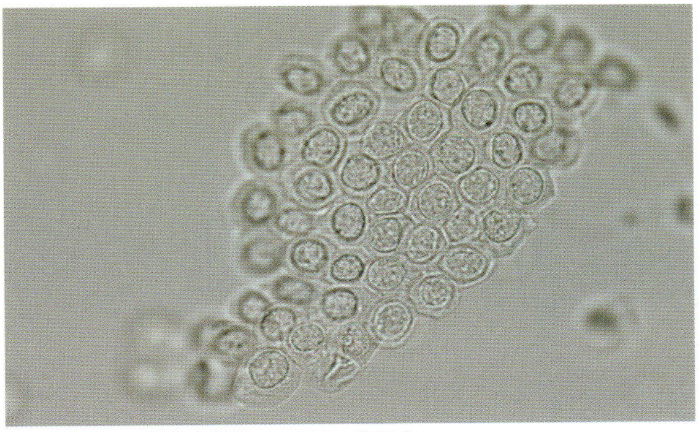

図 5.2.57　円柱上皮細胞　×400　無染色
細胞質は灰白色で，表面構造は微細顆粒状～均質である。蜂の巣状構造を呈し，核間距離のそろった平面的な集塊である。

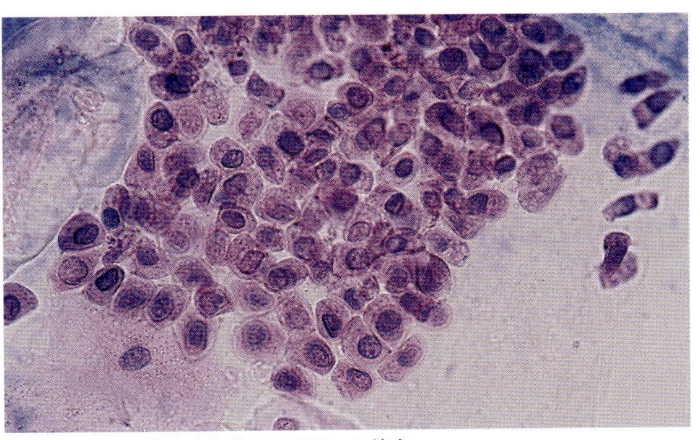

図 5.2.60　円柱上皮細胞　×400　S 染色
図 5.2.59 と同一の例。細胞質は淡紫色で，核は濃縮状やゴツゴツした形態を呈していないことから，尿細管上皮細胞や尿路上皮細胞との鑑別が可能である。

し，深～中層型細胞と表層型細胞で構成されている。女性では，性周期により細胞の形状が変化することがある。また，エストロゲン治療中や放射線治療中には奇妙な形状や大型化，多核化が認められる場合があり，悪性細胞との鑑別に注意が必要である。

#### (1) 深～中層型（図 5.2.61～5.2.63）

大きさは20～70 μmで，細胞質の辺縁構造は丸みを帯びており，大部分が円形か類円形を示す。細胞質は厚く，深層型になるほど球状を呈するようになる。細胞質の表面構造は均質であるが，細胞の一部が陥入したようなくぼみやひだが見られることがある。核は中心性に位置するが，確認することは困難である。無染色では光沢のある灰白色や緑色調を呈している。

S染色での染色性は不良であることが多く，淡桃色に染まる程度である。これは，この層の細胞がグリコーゲンを豊富に含有しているためと考えられ，これらの細胞はLugol染色を行うと，茶～茶褐色に染め出される。

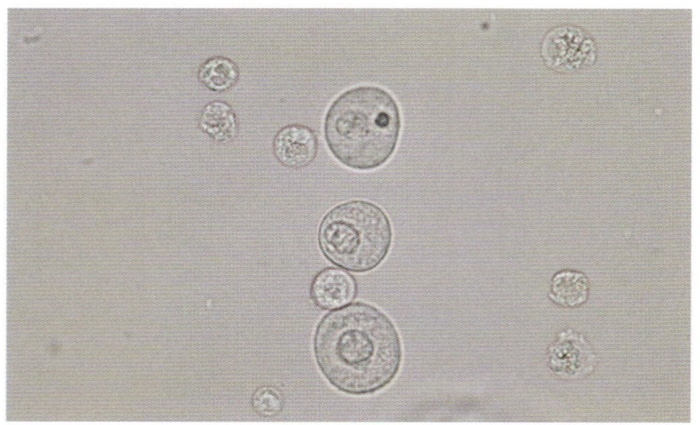
図 5.2.61　扁平上皮細胞（深〜中層型）　×400　無染色
細胞質は灰白色で，表面構造は厚く均質である。辺縁構造は曲線状で明瞭である。

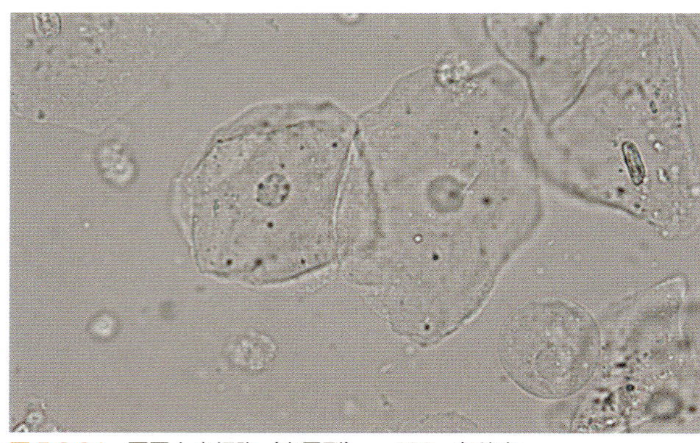
図 5.2.64　扁平上皮細胞（表層型）　×400　無染色
細胞質は灰白色で，表面構造は均質であり，少量の顆粒が認められ，シワ状を呈していることがある。辺縁構造は多稜形で，めくれていることがある。

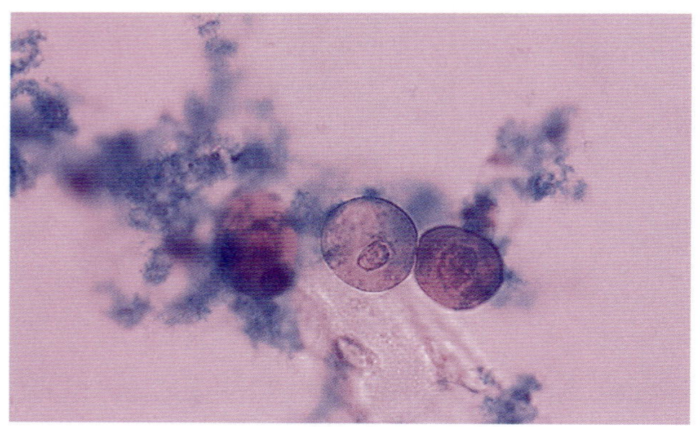
図 5.2.62　扁平上皮細胞（深〜中層型）　×400　S 染色
核は中心性である。

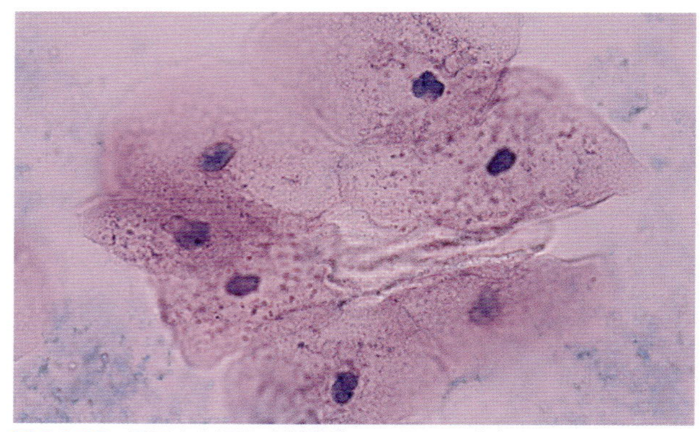
図 5.2.65　扁平上皮細胞（表層型）　×400　S 染色
細胞質は淡桃色で薄く，核は青色調で濃縮状である。

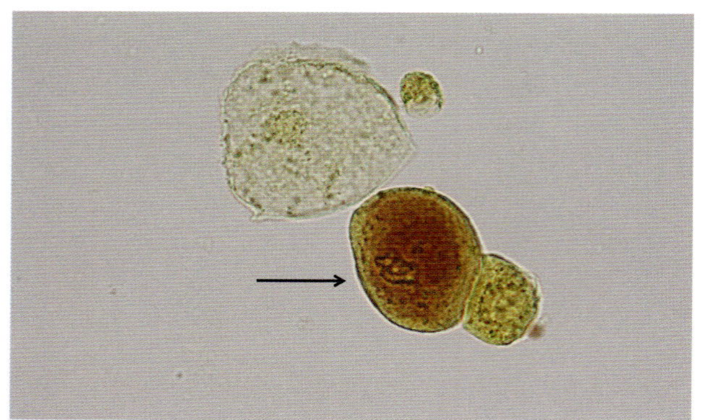
図 5.2.63　扁平上皮細胞（中層型）　×400　Lugol 染色
中層細胞はグリコーゲンを豊富に含有しているため，全体が茶褐色に染色される（矢印）。

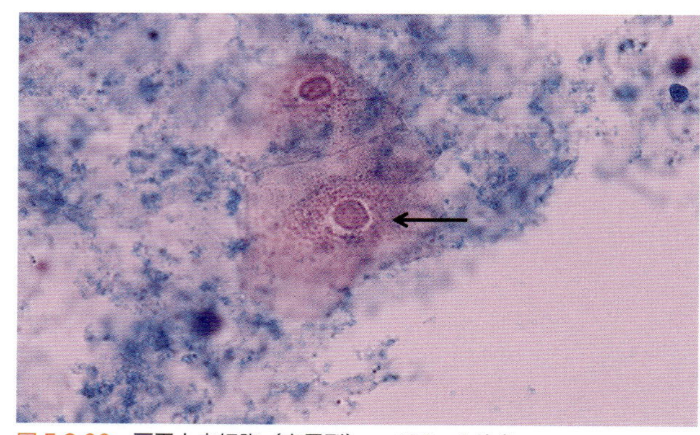
図 5.2.66　扁平上皮細胞（表層型）　×400　S 染色
さまざまな刺激により核が一時的に肥大し，その後元の大きさに戻ることによって生じる核周囲の間隙に，明暈（うん）（炎症性のハロー）が認められる（矢印）。

### (2) 表層型（図 5.2.64〜5.2.66）

大きさは60〜100 μmで，細胞質の表面構造は均質であるが，辺縁構造はねじれたり折れ曲がったり，シワ状を呈していたりすることが多い。核は白血球大から濃縮状の赤血球大を呈する。白血球大の核にはときに筋が認められ，コーヒー豆様を呈する。腟トリコモナスに感染している場合は，核の周囲が白く抜けた明暈（うん）（炎症性のハロー）が認められる場合がある。

S染色での染色性は良好で，淡桃〜赤紫色に染め出される。

用語　暈（かさ），ハロー（halo）

## 5. 2. 3 変性細胞類・ウイルス感染細胞類

### 1. 卵円形脂肪体 (図 5.2.67, 5.2.68)

腎障害に伴って出現する脂肪顆粒を含有する細胞で，尿細管上皮細胞由来と大食細胞由来があるが，いずれも卵円形脂肪体とする。本細胞はとくに重症ネフローゼ症候群患者の尿に高率に認められ，本症の診断基準の副所見の1つに含まれている。しかし，特発性（微小変化型）のネフローゼ症候群では，排出されないことが多い[20]。重篤な糖尿病性腎症，ファブリー(Fabry) 病，Alport症候群などの患者の尿にも出現する。

大きさは10～40μmで，円形，類円形，不定形を示し，脂肪顆粒の含有量が多い場合は細胞の辺縁に滴状にはみ出し，偽ロゼット様の形状を示すことがある。無染色では，小さい脂肪顆粒は黒色または褐色調の光沢を呈し，大きい脂肪顆粒は黄色調の光沢を呈する。脂肪顆粒はS染色では染まらず，無染色の場合と同様である。

卵円形脂肪体とそれ以外の脂肪顆粒を含有する細胞は，形態的特徴のみによる由来の判定は困難な場合が多い。しかし，卵円形脂肪体は糸球体型赤血球，尿細管上皮細胞，各種円柱類とともに排出され，前立腺由来の脂肪を含有する大食細胞は脂肪を含有する好中球や精液成分とともに排出されることから，両者を鑑別できる場合もある。

脂肪顆粒の証明には，Sudan Ⅲ染色や偏光顕微鏡下で観察する方法がある。Sudan Ⅲ染色での染色性は脂肪の種類により異なる。一般的にコレステロールエステル・脂肪酸は黄赤色，コレステロールは黄赤橙色，中性脂肪は赤色，リン脂質・糖脂質は淡赤色に染め出される。一方，偏光顕微鏡下で観察すると，コレステロールエステルおよびリン脂質はマルタ十字とよばれる特有の重屈折性偏光像を示す。しかし，中性脂肪や脂肪酸は重屈折性偏光像を示さないので注意が必要である。

### 2. 細胞質内封入体細胞 (図 5.2.69 ～ 5.2.72)

麻疹，風疹，流行性耳下腺炎，インフルエンザなどのリボ核酸（RNA）ウイルス感染と関連すると考えられてきた細胞質内封入体細胞は，膀胱炎，腎盂腎炎，尿路変更術後，腎薬物中毒などの患者の尿でしばしば認められることから，むしろ非特異的な炎症時に出現する変性細胞と考えられるようになった。また，異型細胞と同時に認められることも多く，異型細胞の83%と同時に出現していたとする報告もある[21]。異型細胞の検出感度向上のためにも，細胞質内封入体細胞の注意深い観察は有用である。

大きさは15～100μmで，円形，類円形，不定形，多辺形などさまざまな形を示す。細胞質の表面構造も均質，顆粒状などさまざまで，細胞質内には円形，類円形，ドーナツ形，馬蹄形など，多彩な形の封入体が認められる。無染色での封入体の色調は細胞質と同系色で濃く，やや光沢がある。S染色での封入体の染色性は，細胞質と同系色で濃く染め出されることが一般的である。異型細胞と同時に排出される場合には異型細胞の崩壊および変性像を呈するため，ウイルス感染時に排出される明瞭できれいな封入体とは違い，やや黒ずみくすんだ色調や細胞質と同様の染色性を呈する。

膀胱がんによる膀胱全摘除術後に結腸や回腸を用いた尿路変更術を行った後の患者の尿では，初期には腸上皮細胞

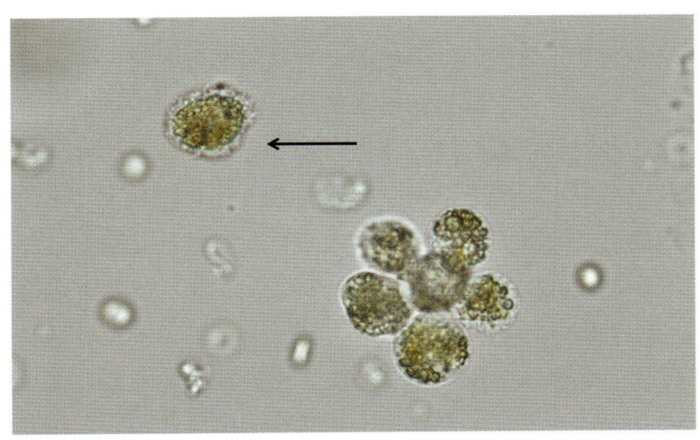

図 5.2.67 卵円形脂肪体 ×400 無染色
上皮結合を呈する5個の円形・類円形細胞の集塊は，尿細管上皮細胞（円形・類円形型）由来と考えられる。矢印の細胞は辺縁構造が不明瞭であり，大食細胞由来と考えられる。

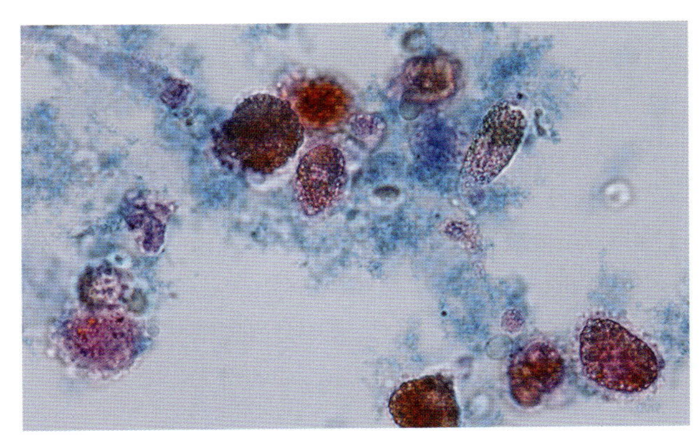

図 5.2.68 卵円形脂肪体 ×400 S染色
孤立散在性に排出されている細胞のほとんどは，辺縁構造が不明瞭であることから大食細胞由来と考えられる。

**用語** 卵円形脂肪体（oval fat body），ファブリー（Fabry）病，マルタ十字（Maltese cross），細胞質内封入体細胞（intracytoplasmic inclusion-bearing cell），リボ核酸（ribonucleic acid；RNA）

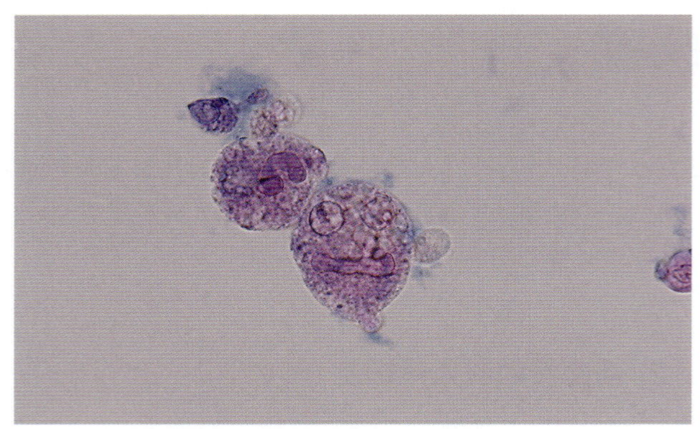

図 5.2.69　細胞質内封入体細胞　×400　S 染色
細胞質内に長く不定形で境界明瞭な封入体が認められる。ウイルス感染や非特異的な変性などが考えられる。

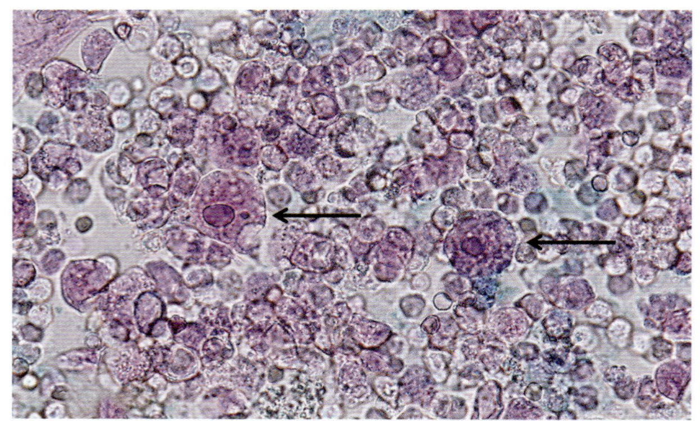

図 5.2.70　細胞質内封入体細胞（矢印）　×400　S 染色
細胞質内に境界明瞭な赤紫色の封入体が認められる。膀胱炎による尿路上皮細胞の変性像である。

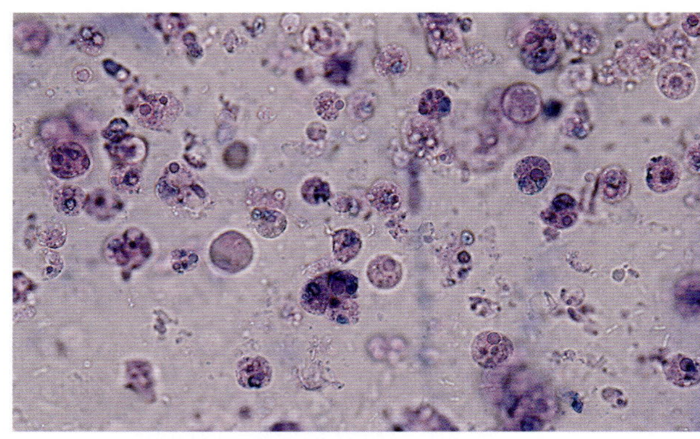

図 5.2.71　細胞質内封入体細胞　×400　S 染色
細胞質内に赤紫色の封入体と破砕状・濃縮状を呈する青色調の核が認められる。膀胱がんによる膀胱全摘除術後の尿路変更術後例であるため，尿に排出された腸上皮細胞由来と考えられる。

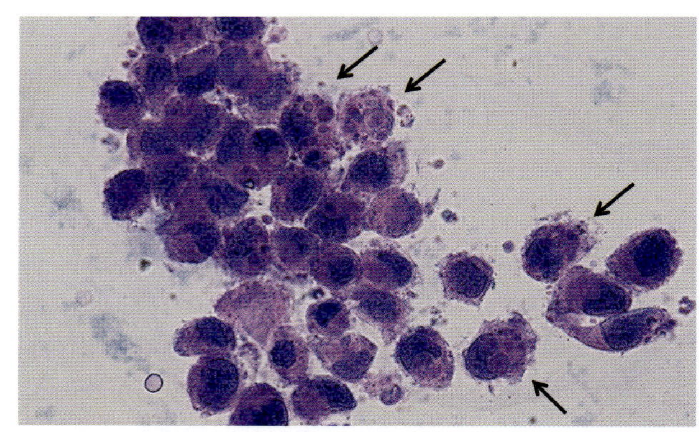

図 5.2.72　細胞質内封入体細胞　×400　S 染色
尿路上皮がん細胞の細胞質内に封入体が認められ（矢印），異型細胞の崩壊像と考えられる。

と腸由来の細菌が認められる。しかし，術後しばらく経過すると腸上皮細胞と細菌は減少し，きれいな背景で所見に乏しい沈渣となる。

尿沈渣鏡検時の注意点は，まず尿路感染症の有無である。問題がない場合には少数の腸上皮細胞と好酸球が認められ，尿路感染症では好中球と細菌が増加する。好中球の増加を確認するためには，腸上皮細胞との鑑別をしっかりと行わなければならない。鑑別が困難な場合には，5%酢酸を滴下して観察すると好中球の核が明瞭になり，鑑別が容易になる。次は尿路結石症の予防である。尿路感染症（尿素分解菌の増殖）と関連する，リン酸アンモニウムマグネシウム結晶の大きさや数を確認することが大切である。このようにモニタリングすることで，尿路結石症を予防できる可能性がある。最後に異型細胞を確認する。稀ではあるが，代用膀胱から腺癌が発生したり，残存尿路から尿路上皮癌が発生（再発）したりすると，尿中に異型細胞が見られる場合があるので，注意深く観察することが大切である[22]。

## 3. 核内封入体細胞

ヘルペスウイルス，サイトメガロウイルスなどのデオキシリボ核酸（DNA）ウイルス感染患者の尿から検出される細胞である。細胞質内封入体細胞と同様に崩壊や変性が著しく，形態的特徴のみから由来を明確にすることは困難な場合が多い。

大きさは15～100 $\mu$m であるが，稀に200 $\mu$m 以上のものも認められ，円形や類円形を示すものが多い。核に特有な変化があり，核内には不規則な形の無構造の封入体が形成され，クロマチンは核縁に凝集して認められる。また，多核化した巨細胞もしばしば見られ，その核はすりガラス様で核同士が圧排像を示すこともある。

無染色での封入体の色調は細胞質と同系色で濃く，やや光沢がある。S染色での封入体の染色性は，核と同系色で濃く染め出される。

多核のものはヘルペスウイルス感染細胞と考えられ，単核のものはサイトメガロウイルス感染細胞と考えられている。確定には免疫染色などによる証明が必要である。

用語　核内封入体細胞（intranuclear inclusion-bearing cell），デオキシリボ核酸（deoxyribonucleic acid；DNA）

## 4. その他のウイルス感染細胞 (図 5.2.73 ～ 5.2.76)

ヒトポリオーマウイルス感染細胞，ヒトパピローマウイルス感染細胞などがある。

ヒトポリオーマウイルス感染細胞は，N/C比が増大し，核内構造がすりガラス状を呈している。形態的特徴や出現様式の違いにより，尿路上皮細胞由来と尿細管上皮細胞由来があると考えられる。特殊染色でウイルスが同定されない場合は，ヒトポリオーマウイルス感染を疑う細胞として報告する。

ヒトに感染を起こすポリオーマウイルスはいくつかあるが，尿路に感染するのはBKウイルスとJCウイルスの2種がある。BKウイルスは15歳までに75～90%以上が不顕性感染し，腎・尿路系上皮細胞に潜伏している[23]。腎・骨髄移植患者では，免疫抑制療法によって腎・尿路系上皮細胞に潜伏していたBKウイルスが再活性化され，出血性・非出血性膀胱炎，尿管狭窄，腎炎などを惹起し，移植腎機能低下の原因として近年注目されている[24]。BKウイルス腎症の増加は，カルシニューリン阻害薬と代謝拮抗薬の組合せによる強力な免疫抑制療法が原因であると考えられている[25]。発症機序に関してはいまだ不明な点も少なくないが，BKウイルス腎症は間質尿細管障害を進行させ，腎機能喪失に至ることもある。BKウイルス腎症の早期発見は重要であり，その手段の1つとして尿沈渣検査は臨床的に有用である。

ヒトパピローマウイルス感染細胞では，扁平上皮細胞の核周囲もしくは細胞質の辺縁に沿って空洞が形成される。これをコイロサイトといい，ヒトパピローマウイルス感染細胞の最も特徴的な所見である。色調，大きさ，形状，および細胞質の表面構造は正常扁平上皮細胞と同様である。核の腫大やS染色での核の濃染や2核もときに認められ，N/C比は小さくクロマチンは融解状を示すことが多い。免疫染色でウイルスが同定されない場合は，ヒトパピローマウイルス感染を疑う細胞として報告する。

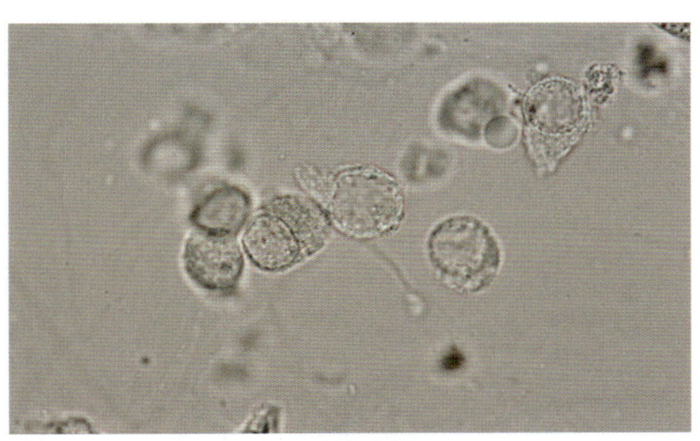

図 5.2.73　ヒトポリオーマウイルス感染を疑う細胞　×400　無染色
細胞質の表面構造は感染した細胞に由来する。N/C 比が増大している細胞の核は膨化して丸く，核内構造はすりガラス状である。

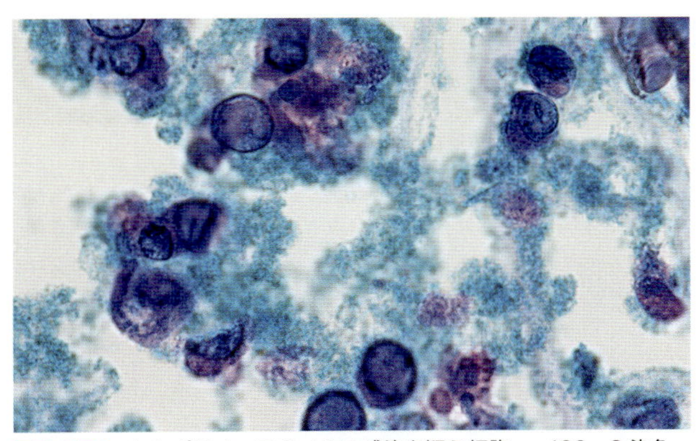

図 5.2.74　ヒトポリオーマウイルス感染を疑う細胞　×400　S 染色
N/C 比が増大している細胞の核は膨化して丸く，核内構造はすりガラス状である。クロマチンの増量は認められない。

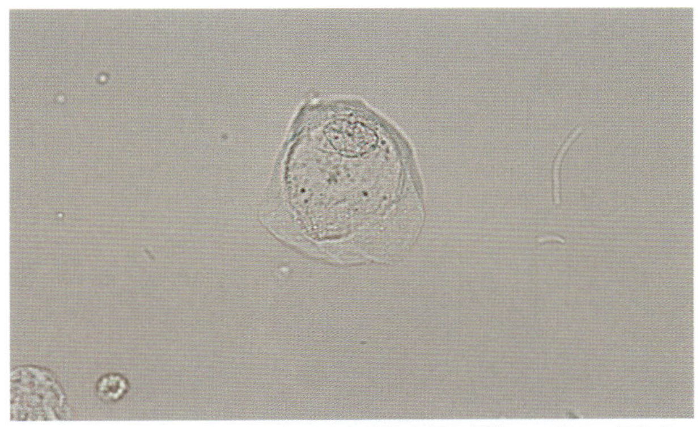

図 5.2.75　ヒトパピローマウイルス感染を疑う細胞　×400　無染色
細胞質辺縁に沿った空洞（コイロサイト）が認められる。

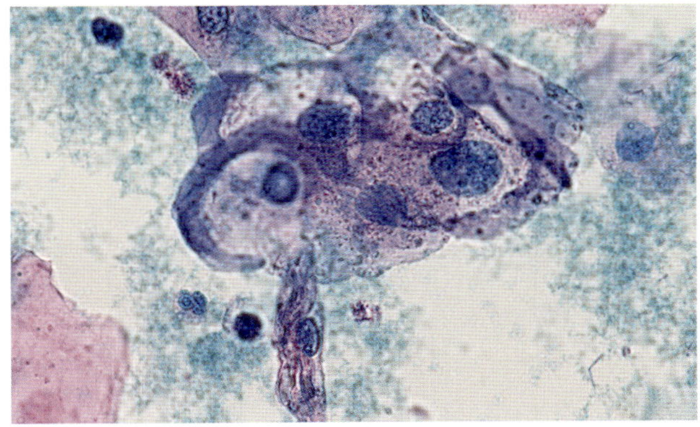

図 5.2.76　ヒトパピローマウイルス感染を疑う細胞　×400　S 染色
細胞質辺縁に沿った空洞（コイロサイト）が認められる。核はやや腫大し，クロマチンの増量が認められ，異形成を示している。

**用語**　ポリオーマウイルス（polyoma virus），BK/JC（いずれもウイルスが最初に分離された患者の頭文字）ウイルス

## 5. 2. 4　異型細胞類（図 5.2.77 ～ 5.2.86）

尿沈渣検査において異型細胞として取り扱うのは，基本的に悪性細胞または悪性を疑う細胞である。悪性細胞の形態学的特徴は組織型により異なるが，一般的には核に多くの特徴が見られ，正常細胞と比較して核腫大，クロマチン増量，核形不整，核小体肥大などの異型性が認められる。したがって，尿沈渣検査で悪性細胞を検出するためには，尿中に出現する腎・尿路系の正常細胞の形態的特徴について十分に理解しておくことが基本である。

異型性は弱くても悪性の可能性を否定できない細胞も，異型細胞として報告する。これは尿沈渣検査における悪性細胞の見落としを減らし，感度を向上させるために大切なことである。

異型細胞として報告する場合は，ただ単に「異型細胞（＋）」，「異型細胞疑い」などとするのではなく，必ずコメ

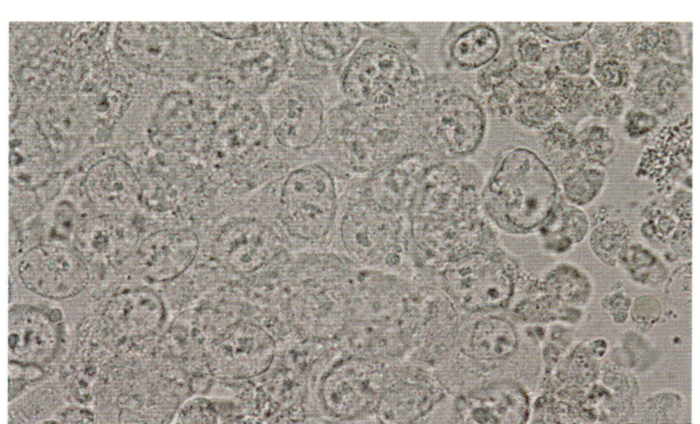

図 5.2.77　異型細胞（尿路上皮癌細胞）　×400　無染色
細胞質は灰白色～黄色で，表面構造はザラザラした紙やすり状であり，辺縁構造は角状～類円形で明瞭である。尿路上皮細胞由来と考えられ，N/C 比の増大，核形の不整，核小体の数の増加が認められる。

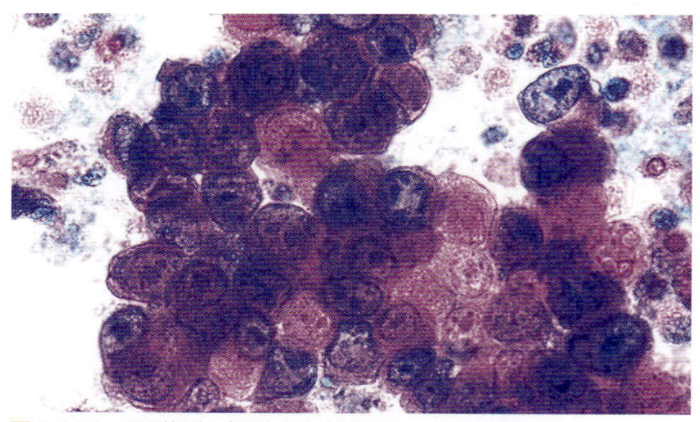

図 5.2.78　異型細胞（尿路上皮癌細胞）　×400　S 染色
図 5.2.77 と同一の症例。N/C 比の増大，核の突出，核形の立体的不整，核縁の不均一な肥厚が認められる。

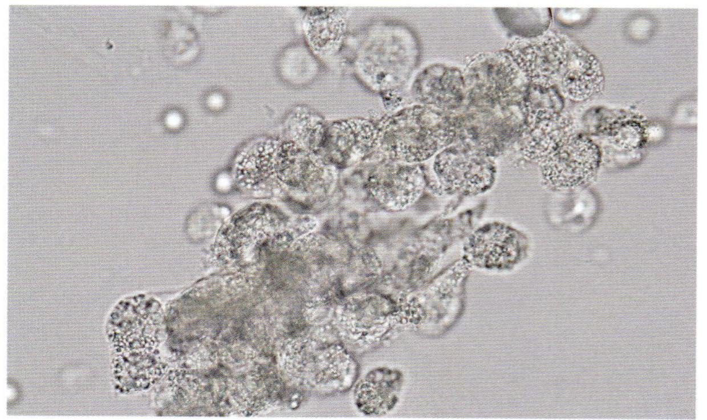

図 5.2.79　異型細胞（腺癌細胞）　×400　無染色
集塊を構成する細胞は大量の脂肪顆粒を含有しており，細胞質の表面構造は均質で透明感があることから，腺系の細胞と考えられる。さらに N/C 比の増大と核小体の肥大も呈しており，悪性が示唆される。前立腺がんの膀胱浸潤と診断された。

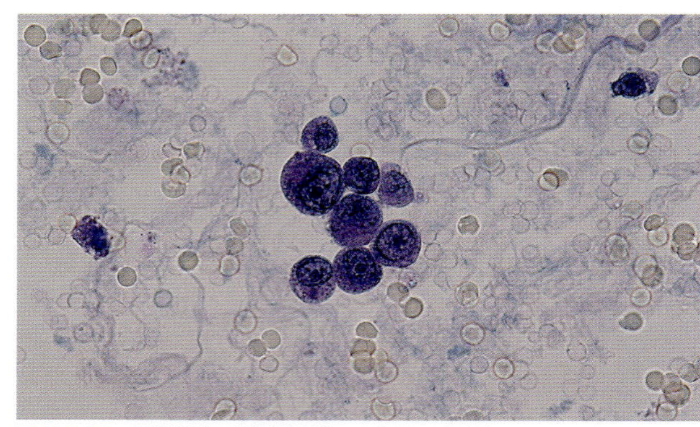

図 5.2.80　異型細胞（腺癌細胞）　×400　S 染色
N/C 比の増大，核形の不整，核小体の著明な肥大，クロマチンの微増より，悪性が示唆される。前立腺がんと診断された。

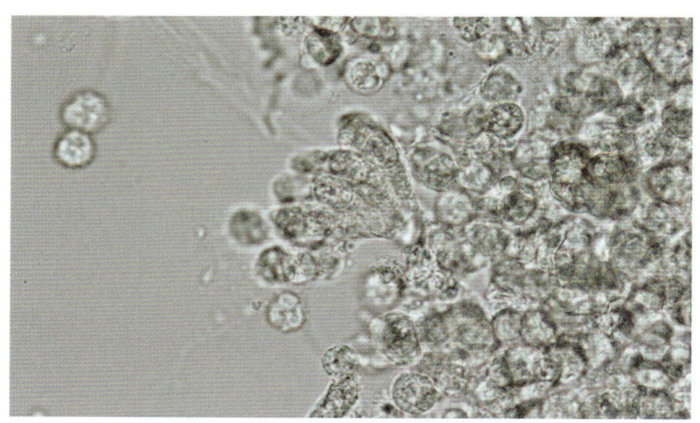

図 5.2.81　異型細胞（腺癌細胞）　×400　無染色
高円柱状の細胞が柵状配列で排出され，核は腫大して細胞質から突出していることから，悪性が示唆される。直腸がんの膀胱浸潤と診断された。

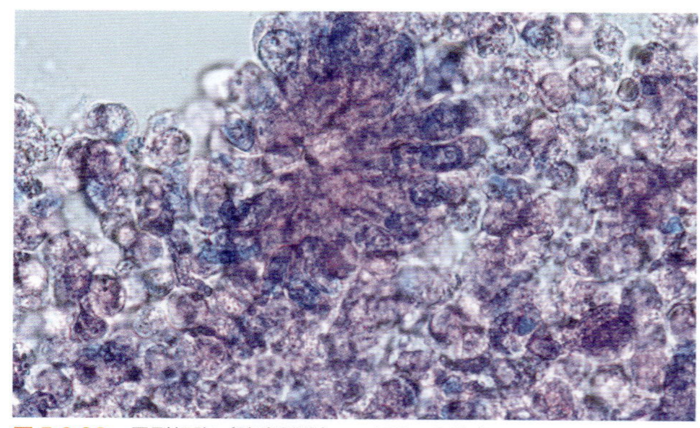

図 5.2.82　異型細胞（腺癌細胞）　×400　S 染色
高円柱状の細胞が放射状配列の集塊で排出され，核は腫大して細胞質から突出し，クロマチンの増量も認められることから，悪性が示唆される。直腸がんの膀胱浸潤と診断された。

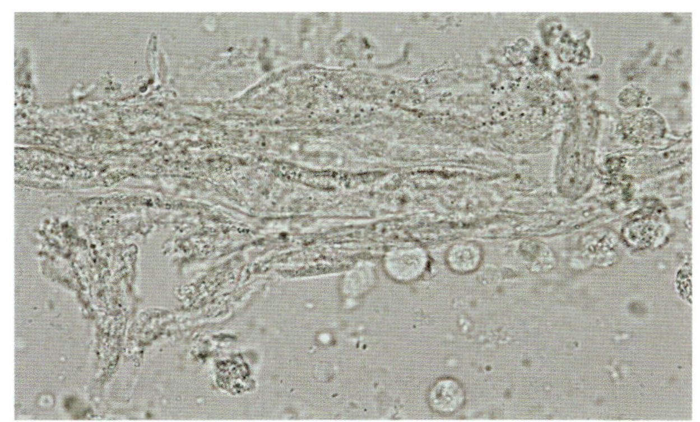

図 5.2.83 異型細胞（扁平上皮癌細胞） ×400 無染色
細胞質は灰白色で，表面構造は均質である。線維状の細胞が平面的な集塊で排出されており，扁平上皮系の悪性細胞であることが示唆される。子宮頸がんと診断された。

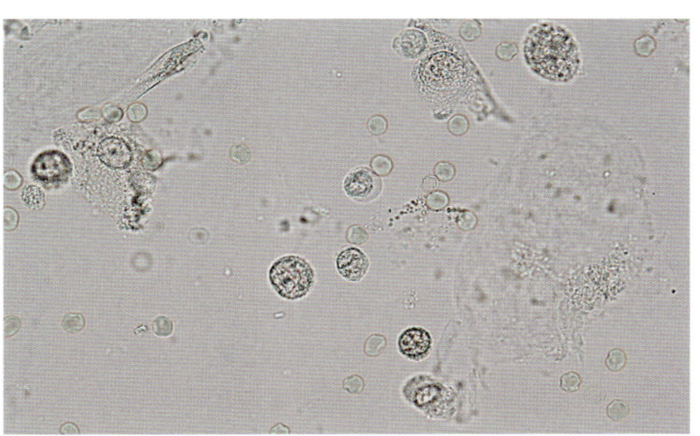

図 5.2.85 異型細胞（悪性リンパ腫細胞） ×400 無染色
結合性はなく，孤立散在性に排出されていることから，非上皮系細胞と考えられる。N/C 比の増大と核形の不整より悪性が示唆される。

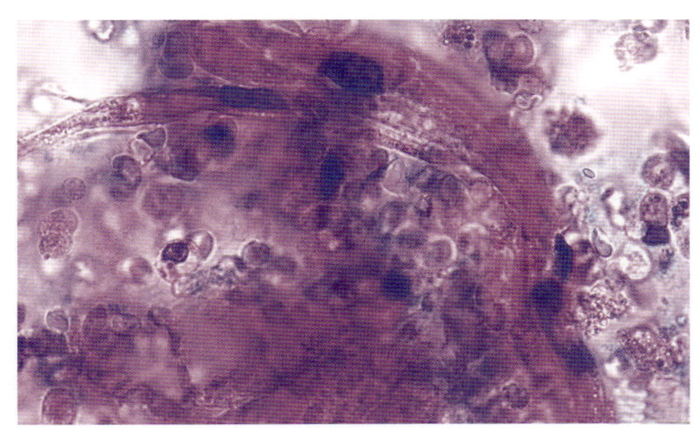

図 5.2.84 異型細胞（扁平上皮癌細胞） ×400 S 染色
細胞質は赤紫色で光沢がある。核はクロマチンの増量が認められる。子宮頸がんと診断された。

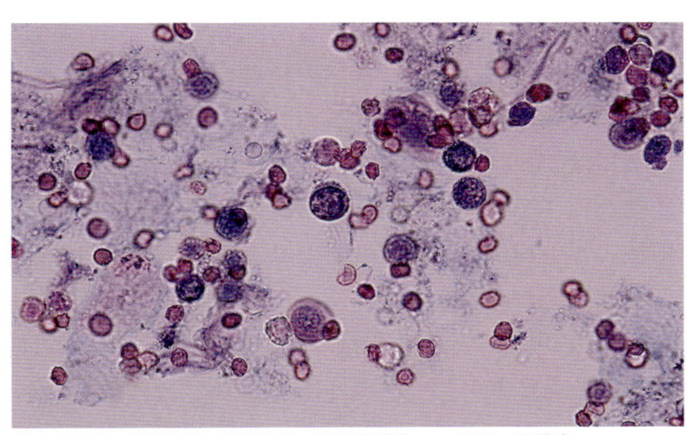

図 5.2.86 異型細胞（悪性リンパ腫細胞） ×400 S 染色
図 5.2.85 と同一の症例。N/C 比が極めて高く裸核状を呈し，核形の不整やクロマチンの増量なども示していることから，悪性が示唆される。悪性リンパ腫の尿路浸潤と診断された。

ントを付記する。どの組織型でどのような病態が考えられるか，などを可能な限りわかりやすく付記することが大切である。「異型細胞（尿路上皮癌疑い）」，「異型細胞（腺癌疑い，大腸がんの浸潤を疑う）」，「異型細胞（扁平上皮癌疑い，子宮がんの混入を示唆）」など，可能な限り具体的に付記するようにする。組織型が不明な場合でも「異型細胞（良悪性判定困難，尿路上皮細胞由来）」,「異型細胞（良悪性判定困難，扁平上皮細胞由来）」，「異型細胞（良悪性判定困難，組織型不明）」など，どの組織型の異型細胞が出現していたかを可能な限り付記することが望ましい。

良性とわかる異型性を示す細胞は異型細胞とせず，本来の組織型（尿路上皮細胞，扁平上皮細胞など）に分類して報告し，必要に応じてコメントを付記する。組織型が不明で判定困難であれば分類不能細胞に分類し，やはり必要に応じてコメントを付記する。

異型性がなく組織型が不明で判定困難な細胞は，分類不能細胞とする。

## 5. 2. 5 円柱類

円柱は尿細管腔を鋳型として形成される有形成分で，おもに円柱状を呈する。原尿流圧の低下，尿浸透圧の上昇，アルブミン濃度の上昇，pHの低下によって，遠位より下部の尿細管で分泌されるTamm-Horsfallムコ蛋白（THムコ蛋白）とアルブミンがゲル化して形成される。組織中の円柱は，尿細管腔全体に詰まった状態で認められ，原尿流圧の上昇や正常化によって尿中に排出される。尿中では平行する2辺を有し，辺縁が明瞭である。基質成分のみからなるものを硝子円柱といい，これに血液細胞や尿細管上皮細胞などが封入され，さらに崩壊や変性が加わって各種の円柱が形成される。

### (1) 円柱の判別基準[8)]

1)硝子円柱の基質内に赤血球，白血球，尿細管上皮細胞,

用語　タム・ホースフォールムコ蛋白（Tamm-Horsfall mucoprotein；TH ムコ蛋白）

あるいは脂肪顆粒が3個以上入っているものは，それぞれ赤血球円柱，白血球円柱，上皮円柱，脂肪円柱とする。3個未満のもの，たとえば硝子円柱内に赤血球が2個含まれるものは硝子円柱とする。白血球，尿細管上皮細胞，脂肪顆粒の場合も同様である。

2) 円柱の基質内に顆粒成分が1/3以上入っているものは顆粒円柱とし，1/3未満のものは硝子円柱とする。

3) 複数成分が同一基質内にそれぞれ3個以上混在するものは，それぞれの円柱として報告する。
 - 顆粒円柱内に複数の細胞成分や脂肪顆粒などの成分がそれぞれ3個以上含まれているものは，顆粒円柱およびそれぞれの円柱として報告する。
 - ろう様円柱内に細胞成分が3個以上含まれているものは，ろう様円柱および細胞円柱として報告する。
 - 顆粒円柱からろう様円柱への移行型および混合型の場合には，顆粒円柱およびろう様円柱として報告する。

4) 先端が細くなっている円柱様物質は，硝子円柱とする。

5) 円柱の幅が約60μm以上のものは，円柱の種類および幅広円柱であることを報告する。円柱の幅は，同一沈渣中に存在するほかの成分（赤血球，白血球など）と比較して推定するとよい。

### (2) 硝子円柱（図5.2.87，5.2.88）

各種円柱の基質となるものである。典型的な形態は長辺が平行で両端が丸みを帯びた円柱状であるが，屈曲，蛇行，切れ込みの見られるものもありさまざまである。さらに均質，無構造なものからシワや筋の入ったものまで見られる。S染色では淡青～青色を呈し，また，粘液糸との鑑別が必要な場合がある。硝子円柱の判定にはばらつきがあるのが現状であり，統一された判定基準の作成が望まれる[26]。

硝子円柱は健常人においても認められ，臨床的意義に乏しい成分とされてきたが，微量アルブミン尿，eGFR，尿細管上皮細胞との関連性から，病態のより詳細な把握のための情報となる可能性がある。硝子円柱が弱拡大（10×，LPF）で1個以上排出されている場合は，尿細管の虚血状態および循環血液量減少を反映した腎不全マーカーとして有用な指標になる可能性がある[27, 28]。

### (3) 上皮円柱（図5.2.89，5.2.90）

基質内に尿細管上皮細胞が3個以上含まれている円柱である。また，円柱に尿細管上皮細胞が付着している場合も，上皮円柱とする。腎・尿細管障害で観察されることが多い。S染色では，円柱内の尿細管上皮細胞の細胞質は赤～赤紫

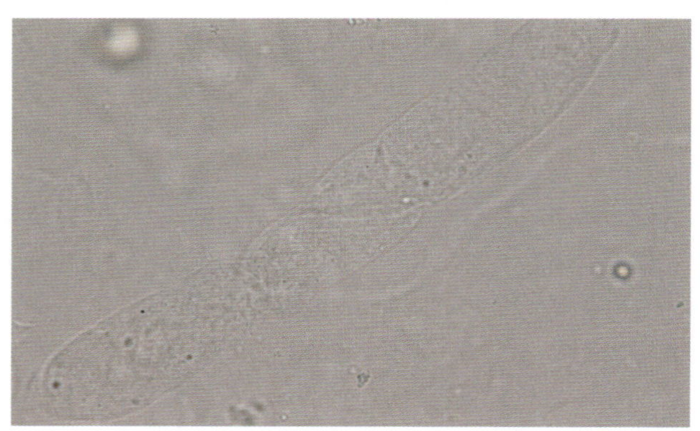

図5.2.87　硝子円柱　×400　無染色
基質の構造は薄く均質である。

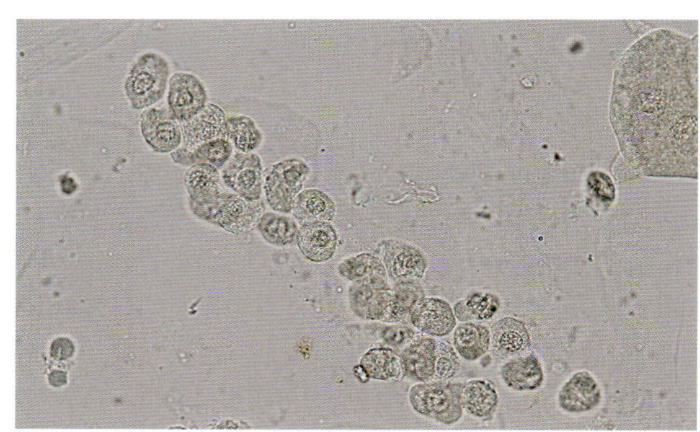

図5.2.89　上皮円柱　×400　無染色
鋸歯型の尿細管上皮細胞が円柱内に含有されている。

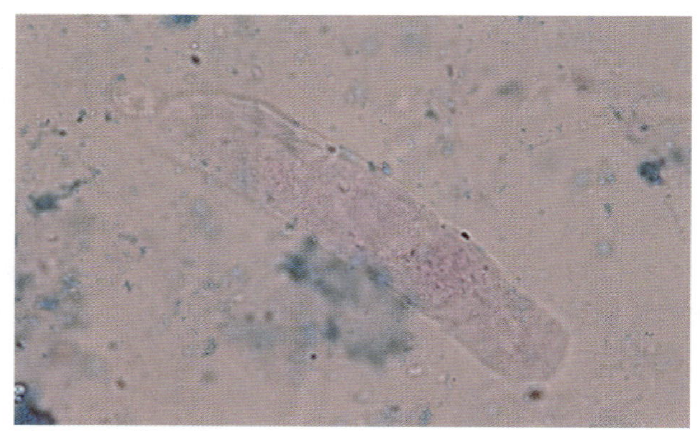

図5.2.88　硝子円柱　×400　S染色
基質は蛋白濃度や濃縮力の違いによって，染色の濃淡が異なる。

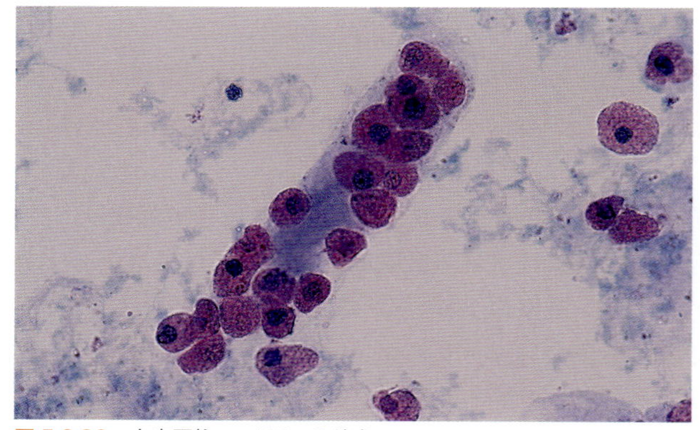

図5.2.90　上皮円柱　×400　S染色
鋸歯型の尿細管上皮細胞が円柱内に含有され，核は青色調に，細胞質は赤紫色に染め出されている。

用語　幅広円柱（broad cast），硝子円柱（hyaline cast），上皮円柱（epithelial cast）

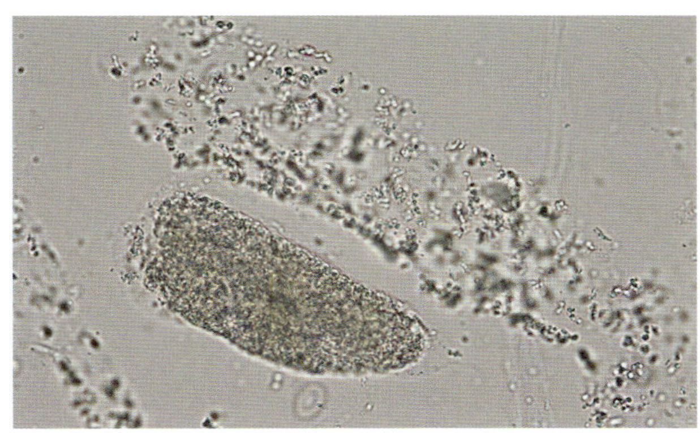

図 5.2.91　顆粒円柱　×400　無染色
全体が顆粒で満たされた下の円柱は，顆粒円柱とする。上の円柱は，顆粒成分を一方に集めると全体の 1/3 に満たないため，硝子円柱とする。

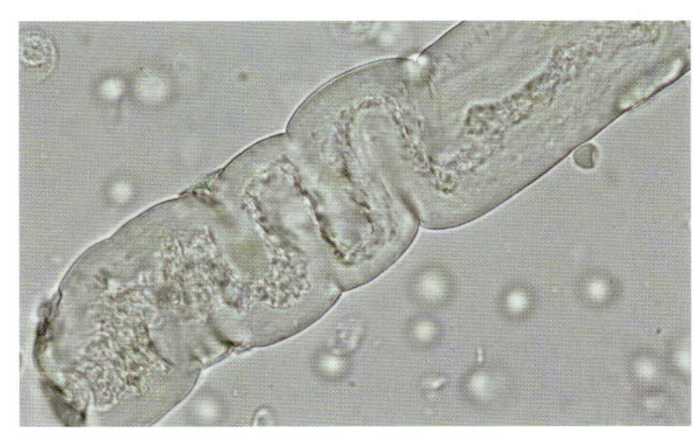

図 5.2.93　ろう様円柱・幅広円柱　×400　無染色
屈曲，蛇行の形状を呈し，均質無構造で光沢がある。円柱の幅は，円柱横の赤血球と比較し 60μm を超えていることがわかる。

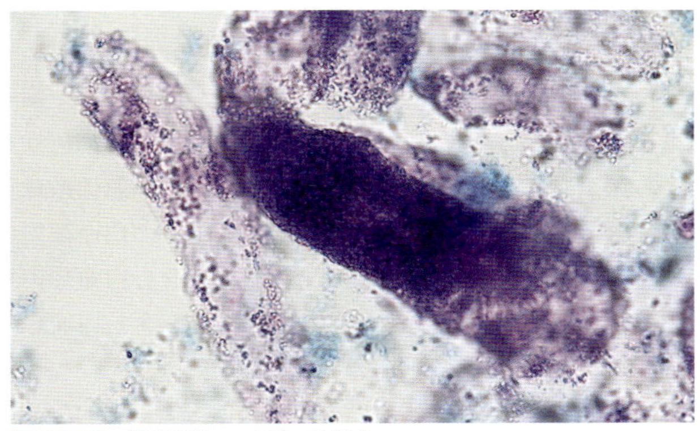

図 5.2.92　顆粒円柱　×400　S 染色
青紫色に染色された顆粒成分で構成されている。

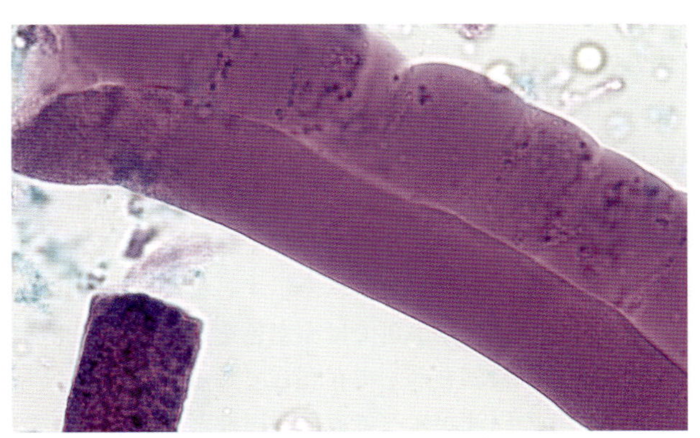

図 5.2.94　ろう様円柱・幅広円柱　×400　S 染色
赤紫色に染色され，濃縮を示唆する切れ込みが認められる。

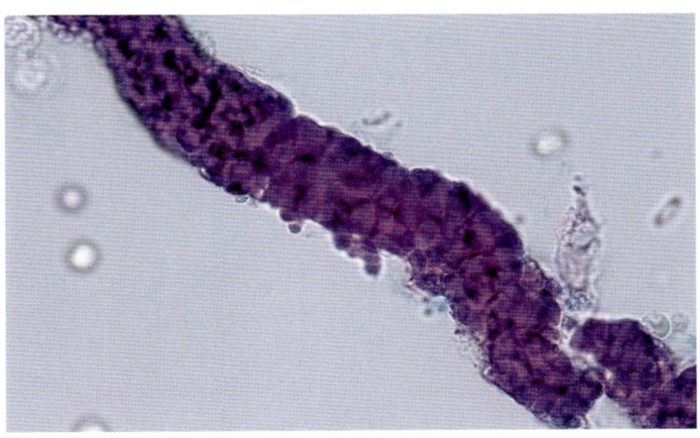

図 5.2.95　ろう様円柱　×400　S 染色
赤紫～青紫色に染色され，イクラ状を呈している。大量の蛋白によって短期間に形成されたものと考えられる。

色，核は青色調に染め出されることが多いが，無核のものも見られる。

### (4) 顆粒円柱 (図 5.2.91，5.2.92)

基質内に顆粒成分が1/3以上含まれている円柱である。顆粒成分の多くは尿細管上皮細胞が変性したものであるが，赤血球や白血球などが変性したものも認められる。また，血漿蛋白由来と考えられる顆粒成分が認められることもある。粗い顆粒から微細な顆粒まであるが，すべて顆粒円柱とする。

顆粒円柱内に細胞成分も3個以上含まれている場合や，細胞円柱から顆粒円柱への移行型である場合には，細胞円柱および顆粒円柱として報告する。顆粒円柱は，多くの腎疾患において腎機能低下と強く関連し，腎実質の障害を意味する。S染色では淡赤紫～濃赤紫色，または濃青紫色を呈する。

### (5) ろう様円柱 (図 5.2.93～5.2.95)

円柱全体または一部が「ろう」のように均質無構造に見えることから，このようによばれている。尿細管腔の長期閉塞により円柱内の細胞成分や顆粒成分の変性が進行したもの，あるいは血漿蛋白質が凝集し均質に出現したものと考えられている。形状には切れ込みが見られることが多く，そのほか蛇行，屈曲しているものや毛玉状，イクラ状のものなど，さまざまである。多くは厚みや光沢があり，高屈折性である。

ろう様円柱内に細胞成分が3個以上含まれている場合や，顆粒円柱からろう様円柱への移行型あるいは混合型である場合には，ろう様円柱および細胞円柱またはろう様円柱および顆粒円柱として報告する。ろう様円柱は，主として腎不全状態をもたらす重篤な腎疾患に見られる。S染色では淡赤紫～濃赤紫色，または濃青紫色を呈する。

---

用語　顆粒円柱 (granular cast)，ろう様円柱 (waxy cast)

### (6) 脂肪円柱（図5.2.96）

基質内に3個以上の脂肪顆粒または1個以上の卵円形脂肪体が含まれている円柱である。脂肪顆粒の量は，3個から円柱全体に隙間なく封入されているものまでさまざまである。また，卵円形脂肪体の多くは脂肪顆粒を3個以上含有しているため，卵円形脂肪体が1個でも含まれていれば脂肪円柱に分類する。

脂肪円柱はネフローゼ症候群で高率に認められる。脂肪顆粒はS染色では染色されず，Sudan Ⅲ（Ⅳ）染色では橙赤～赤色に染め出される。また，偏光顕微鏡でマルタ十字などの偏光像を認めることによっても確認できる。

### (7) 赤血球円柱（図5.2.97）

基質内に3個以上の赤血球が含まれている円柱である。赤血球の量は，3個から円柱全体に隙間なく封入されているものまでさまざまである。円柱内の赤血球は，通常見られるヘモグロビンを含有した円盤状や球状を示すこともあるが，多くは脱ヘモグロビン状を示す。また，顆粒化，ろう様化した赤血球は無染色では赤褐色を呈し，変性や崩壊の強い赤血球が輪郭を残して存在していることが多い。しかし，赤褐色の円柱がすべて赤血球円柱とは限らないので注意しなければならない。

赤血球円柱はネフロンにおける出血を意味し，臨床的にはIgA腎症，紫斑病性腎炎，急性糸球体腎炎，膜性増殖性糸球体腎炎，ループス腎炎，ANCA関連腎炎などの腎性出血を伴う患者の尿に認められる。

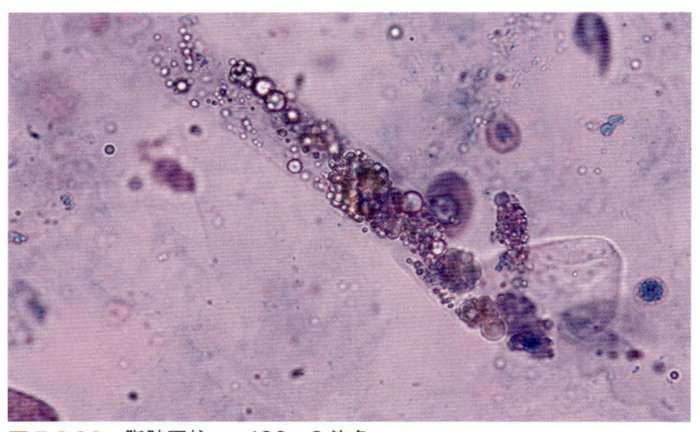

図5.2.96　脂肪円柱　×400　S染色
基質内に，卵円形脂肪体や大小の脂肪顆粒が含まれている。

### (8) 白血球円柱（図5.2.98）

基質内に3個以上の白血球が含まれている円柱である。ネフロンにおける感染症や炎症性疾患が生じると出現する。無染色では上皮円柱との鑑別，白血球が崩壊しているときには顆粒円柱との鑑別を要することがある。円柱内の白血球の多くは好中球であるが，病態によってはリンパ球や単球などが主体となっている場合もある。

S染色では核が染め出されるため鑑別しやすいが，細胞質は染色性が不良であることが多いため，良好な染色性を呈する尿細管上皮細胞との鑑別に有用である。急性糸球体腎炎や腎盂腎炎などの活動期には好中球主体の白血球円柱が出現し，慢性疾患ではリンパ球や単球を含む白血球円柱が出現する。また，間質性腎炎では好酸球を含む白血球円柱を認めることがある。

### (9) 空胞変性円柱（図5.2.99）

大小の空胞が認められる円柱である。円柱全体が空胞で満たされているものから，顆粒円柱やろう様円柱の一部が空胞化しているものまでさまざまである。重症の糖尿病性腎症で多く見られ，高度の蛋白尿や腎機能低下を伴う例が多い。S染色では赤紫色に染色されるが，青紫色に染まるものもある。空胞化した尿細管上皮細胞や後述のフィブリン円柱の溶解に由来すると考えられている。

### (10) 塩類・結晶円柱（図5.2.100，5.2.101）

無晶性塩類（リン酸塩，尿酸塩）やシュウ酸カルシウム

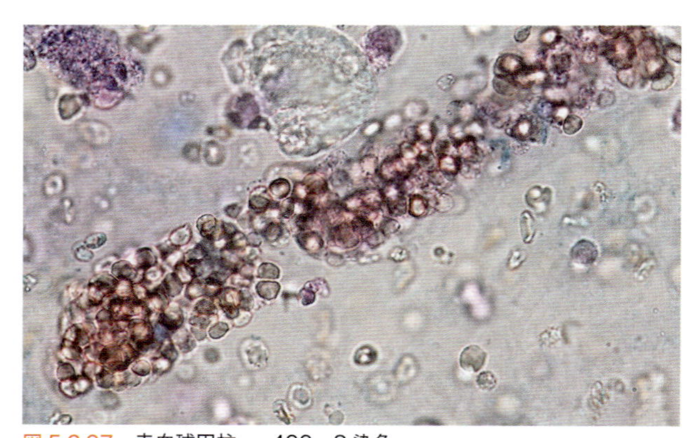

図5.2.97　赤血球円柱　×400　S染色
円柱内に，非溶血の赤血球が多数含まれている。

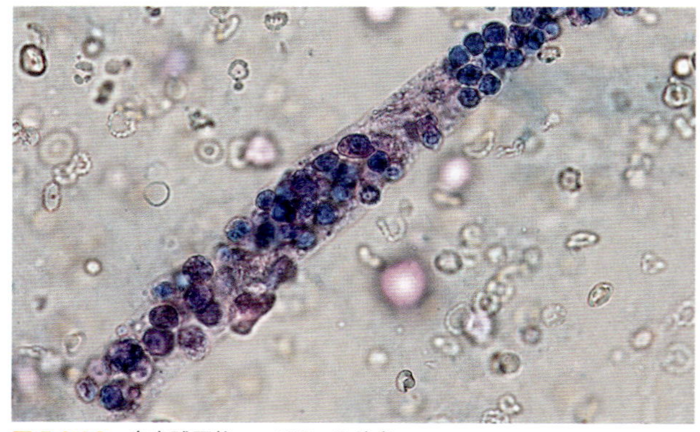

図5.2.98　白血球円柱　×400　S染色
円柱内に含まれている白血球は，分葉核の好中球と単核のリンパ球である。

**用語**　脂肪円柱（fatty cast），赤血球円柱（red blood cell cast；RBC cast），白血球円柱（white blood cell cast；WBC cast），空胞変性円柱（vacuolar-denatured cast），塩類・結晶円柱（salt/crystal cast）

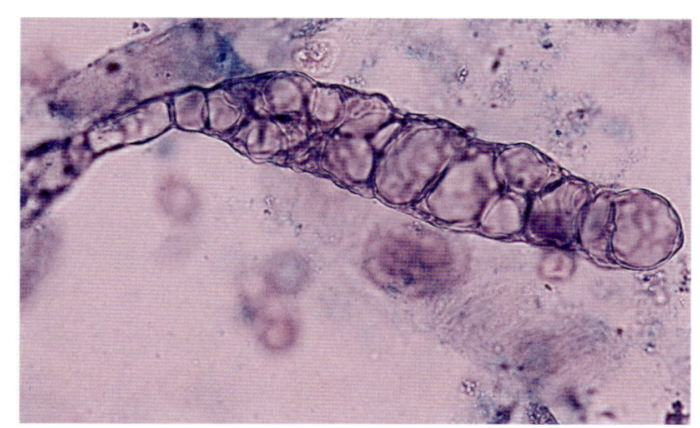

図 5.2.99　空胞変性円柱　×400　S 染色
青紫色に染色されている。ろう様基質であることが多い。

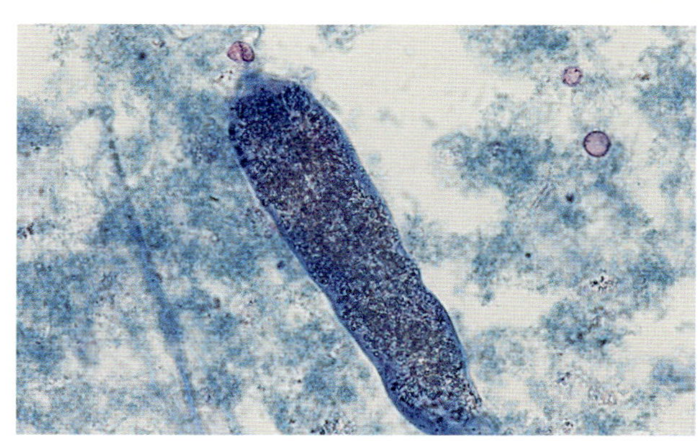

図 5.2.101　塩類・結晶円柱　×400　S 染色
円柱内に含まれている塩類は染色されないため，顆粒円柱との鑑別が可能となる。

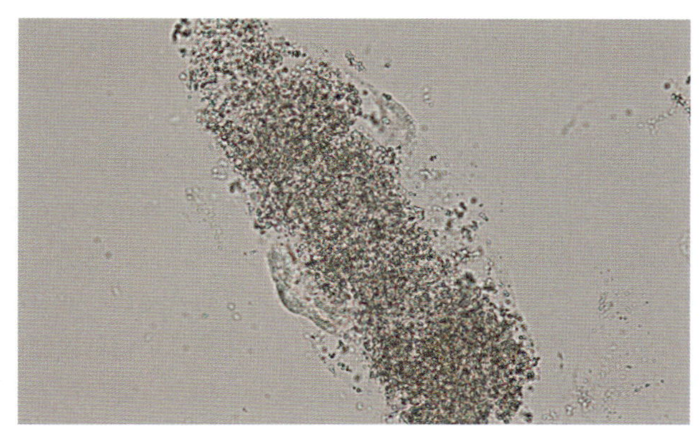

図 5.2.100　塩類・結晶円柱　×400　無染色
リン酸塩が 1/3 以上含まれているため，塩類・結晶円柱に分類する。顆粒円柱に類似するため，鑑別には注意を要する。

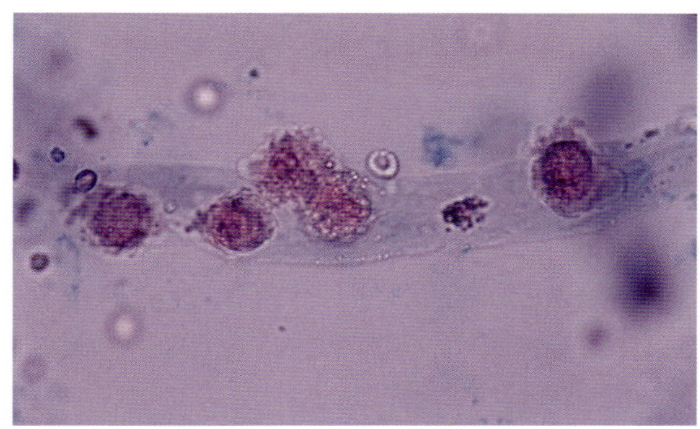

図 5.2.102　大食細胞円柱　×400　S 染色
円柱内外の大食細胞の細胞質が赤紫色に染色されている。細胞質の辺縁構造は不明瞭である。

結晶，薬物結晶などが含まれる円柱である。尿細管腔内での結晶化，閉塞が考えられ，尿細管間質の病態を示唆する有用な成分である。ときに幅の広い円柱となって尿細管腔を拡張させ，円柱の内外に尿細管上皮細胞を伴うことがある。

### (11) 大食細胞円柱（図 5.2.102）

基質に3個以上の大食細胞が付着または含まれている円柱である。大食細胞はしばしば脂肪顆粒を含有して観察され，円柱内で大食細胞が3個以上の脂肪顆粒を含有している場合は卵円形脂肪体とみなし，脂肪円柱に分類する。大食細胞円柱は活動性のネフローゼ症候群，高度の尿細管障害，腎不全，骨髄腫腎などで認められる。

### (12) ヘモジデリン円柱

無染色では暗褐色の顆粒円柱のように見え，ベルリン青染色では青藍色に染め出される。発作性夜間血色素尿症，血管内赤血球破砕症候群，そのほか溶血性疾患で認められる。ヘモジデリン顆粒やヘモジデリンを含有する尿細管上皮細胞を同時に認めることが多い。

### (13) ミオグロビン円柱

ヘモジデリン円柱と同様に，赤褐色に着色したろう様あるいは顆粒円柱のように見えるため，証明するには免疫化学的な手法が必要である。横紋筋融解症や圧挫（クラッシュ）症候群などに見られるミオグロビン尿症で認められる。

### (14) ベンス・ジョーンズ蛋白円柱

ベンス・ジョーンズ蛋白陽性の骨髄腫患者の尿に認められ，毛玉状，イクラ状のろう様円柱の形態で出現することが多い。証明するには，L鎖に対する抗体を用いた蛍光抗体染色法などを行う。

### (15) フィブリン円柱（図 5.2.103）

線維質成分が詰まった円柱である。一般的に線維質成分はS染色に不染性を示す。線維質構造は無染色でも十分確認できるが，融合し均質化した線維質成分も存在するため，S染色で不染性を確認することが重要である。ただし，S染色で淡桃色や青色に染まるものも認められるため，判定には十分注意する。フィブリン円柱の基質には，線維質成分以外にTHムコ蛋白やほかの蛋白成分が同時に封入され

**用語**　大食細胞円柱（macrophage cast），ヘモジデリン円柱（hemosiderin cast），発作性夜間血色素尿症（paroxysmal nocturnal hemoglobinuria；PNH），ミオグロビン円柱（myoglobin cast），ベンス・ジョーンズ蛋白円柱（Bence Jones protein cast），フィブリン円柱（fibrin cast）

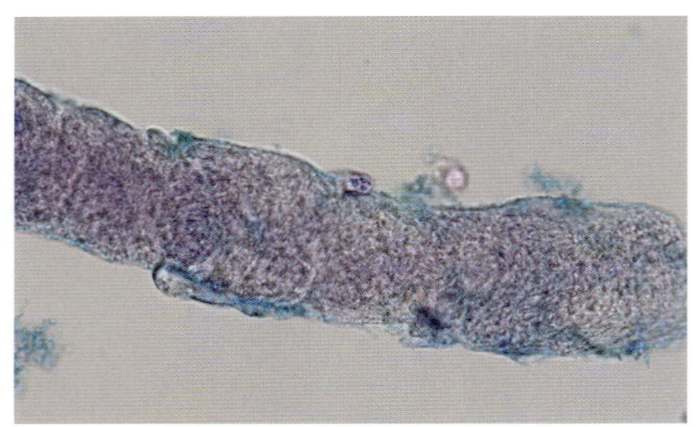

図 5.2.103　フィブリン円柱　×400　S 染色
線維質成分の S 染色での染色性は，不良であることが多い。

ている。このため，S染色に対してまったくの不染ではなく，ほとんど染まらない，あるいは染色不良な円柱といえる。判定困難な場合は，Azan染色や抗フィブリン抗体を用いた免疫組織化学反応により確認する。線維質成分はAzan染色で赤染する。

フィブリン円柱は，高度な蛋白尿を伴う糖尿病性腎症などで見られることが多い。さらに，非糖尿病であっても高度な糸球体および尿細管の障害，とくに糸球体係蹄壁の断裂や破壊に伴う高度な炎症，血尿や蛋白尿に伴う腎局所の凝固亢進状態と腎機能の低下を反映しており，各種腎疾患の病態を把握するうえで有用な所見になり得る[29]。

## 5. 2. 6　微生物類・寄生虫類

### 1. 微生物類

#### (1)　細菌（図5.2.104～5.2.107）

桿菌と球菌に分けられ，40×（HPF）鏡検では桿菌は比較的確認しやすいが，球菌の鑑別・確認は一般的に困難な場合が多い。

尿中細菌の判定は，腎盂腎炎や膀胱炎などの尿路感染症の診断には必須である。しかし，尿道には常在菌が存在するため，直接膀胱を穿刺して採尿する以外には，厳密に中間尿採取を行っても常在菌の混入は避けられない。さらに，採尿方法が不適切であると，尿道口周辺あるいは外陰部に多数存在する常在菌が混入する。女性の場合，膣に由来す

図 5.2.104　細菌　×400　無染色
多数の短桿菌である。顆粒成分のように不規則ではなく，規則的な形態を呈する。

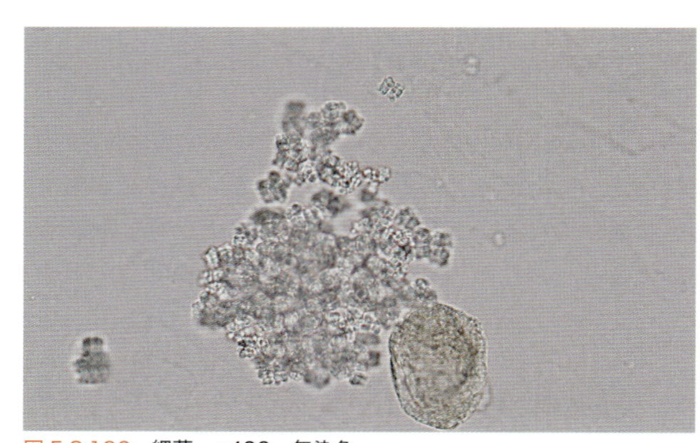

図 5.2.106　細菌　×400　無染色
ブドウの房状，または四連の球形菌体が認められる。ブドウ球菌またはミクロコッカス（*Micrococcus*）と考えられる。

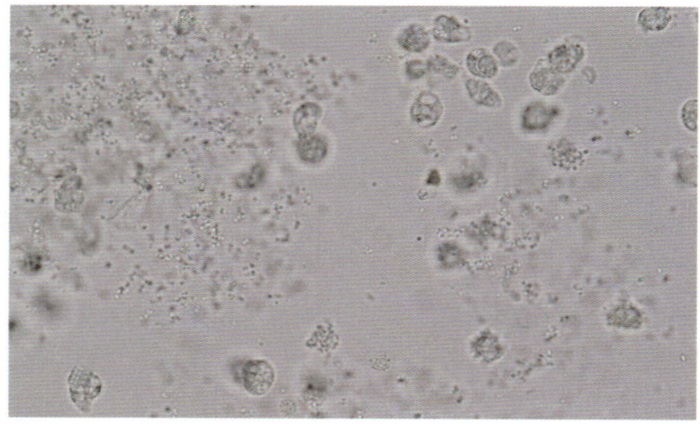

図 5.2.105　細菌　×400　無染色
多数の球菌が認められる。尿中細菌はグラム陰性桿菌が多いが，ブドウ球菌（*Staphylococcus*）や腸球菌（*Enterococcus*）などの球菌が見られる場合もある。

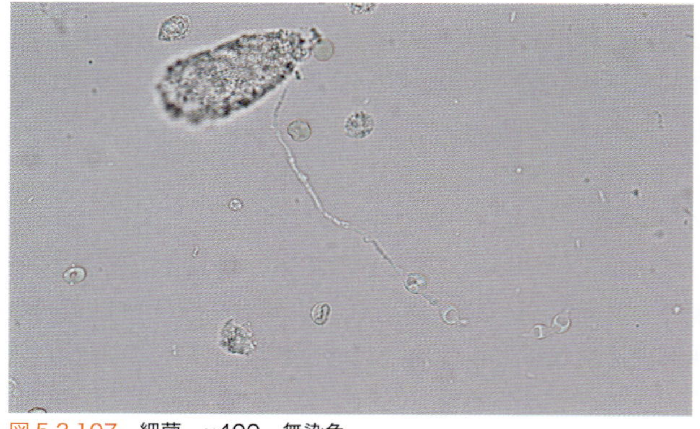

図 5.2.107　細菌　×400　無染色
菌体がフィラメント状に細長く伸び，一部がコブ状にふくらんでいる。この形状を一般的にスフェロプラスト型という。

用語　アザン染色（Azan）染色，細菌（bacteria）

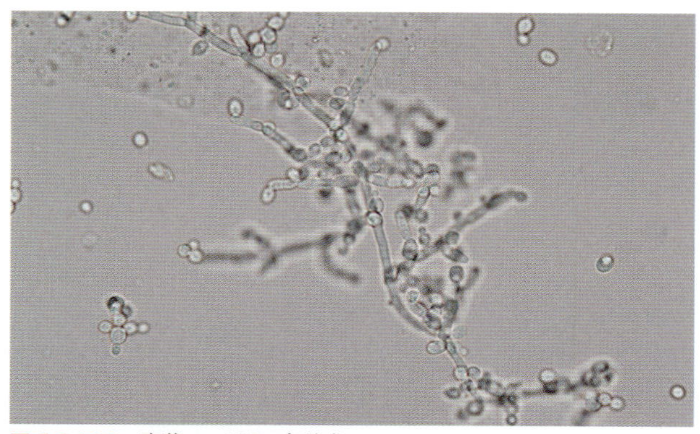

図 5.2.108　真菌　×400　無染色
菌糸を長く伸ばした状態である。

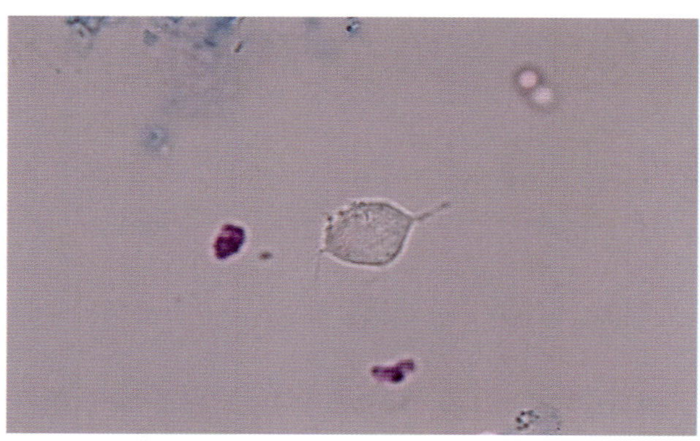

図 5.2.110　腟トリコモナス
表面構造は均質で厚みがあり，鞭毛が観察される。白血球との鑑別が困難な場合もある。

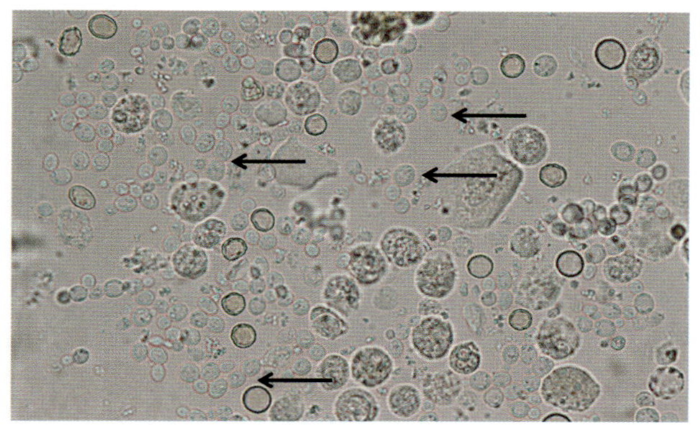

図 5.2.109　真菌　×400　無染色
真菌は灰白色の楕円形を呈しており，赤血球と類似するため注意が必要である。矢印と同様の形態を示すものはすべて真菌である。

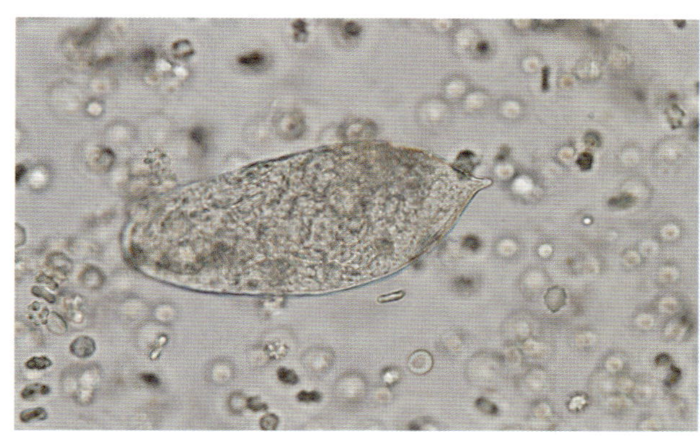

図 5.2.111　ビルハルツ住血吸虫卵　×400　無染色
尾端に大きな棘を有する。

る乳酸桿菌が多数混入することもある。また，抗菌薬（細胞壁合成阻害剤）投与例では，菌体が細長く変形した細菌を認める場合がある。

### (2) 真菌（図 5.2.108，5.2.109）

灰白～淡緑色で，酵母様を呈するため判別は比較的容易であるが，赤血球と類似する場合があり注意が必要である。また，白血球が崩壊して分葉核が裸核状になったものを真菌と混同することもある。

真菌は，抗菌薬投与中や投与後の腸細菌叢の変動に伴って出現することが多い。女性では腟内の常在菌として存在するため，尿中に真菌を認めても，単なる常在菌混入から尿路感染症まで種々の可能性がある。

## 2. 寄生虫

### (1) 原虫類（図 5.2.110）

尿沈渣に見られる原虫の多くは，腟トリコモナス（*Trichomonas vaginalis*）である。女性に多いが男性にも見られ，その場合は扁平上皮細胞を伴うことが多い。洋梨型で長径10～15 $\mu$m，短径6～12 $\mu$mで5本の鞭毛を有し，特徴的な波動膜をもつ。活発に活動していれば容易に確認できるが，活動を停止している場合は白血球に類似するため鑑別を要する。光沢のある淡灰白色を呈し鞭毛を有していること，白血球に比べやや厚く大小不同を呈することなどで鑑別する。そのほか，自然界に存在するプランクトンなどが混入する場合もある。

### (2) その他（図 5.2.111）

ビルハルツ住血吸虫（*Schistosoma haematobium*）卵が稀に尿中に出現する。ビルハルツ住血吸虫は膀胱および肛門付近の静脈叢の血管内に寄生し，主として膀胱壁で産卵を行うため，虫卵が尿中に混入する。虫卵は一端が鈍円形の紡錘型であり，卵殻は黄褐色で蓋がない。長径110～170 $\mu$m，短径40～70 $\mu$mで尾端に棘を有する。ビルハルツ住血吸虫はアフリカ全域，中近東，インドなどに分布する。虫卵は組織とともに膀胱内に脱落するため，主症状は血尿と排尿痛である。

また，免疫力が低下している患者の尿には，糞線虫が見られる場合がある。そのほか，蟯虫卵も尿に混入して出現することがある。

---

用語　真菌（fungus）

## 5. 2. 7　塩類・結晶類 (図5.2.112)

尿中に出現する塩類・結晶類の多くは，摂取した飲食物や体内の塩類代謝に由来し，腎臓でろ過された成分が尿路系や排尿後の採尿容器内で，種々の物理化学的作用（含有濃度，pH，温度，共存物質など）により溶解度が低下して析出したものである。

尿沈渣中に析出するものとしては，無晶性リン酸塩（リン酸塩）などがある。膀胱内での塩類析出の臨床的意義は低いが，尿細管腔内での塩類の過剰析出は塩類・結晶円柱として確認され，腎石灰化成分の沈着と考えられることから臨床的意義が高い。

結晶類には，健常人にも見られる通常結晶，病的状態を反映している異常結晶，投与された薬物に由来する薬物結晶がある。

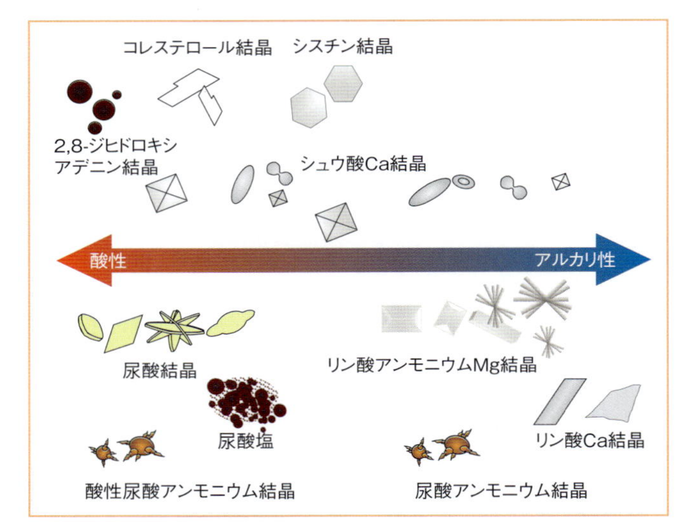


図5.2.112　pHと結晶成分との関係
〔山下美香（イラスト）:「第4章 尿沈渣検査」，一般検査技術教本，79，日本臨床衛生検査技師会（編），2012より〕

### (1) 尿酸塩

淡黄色の顆粒状の形態を示す。多く析出している場合は，肉眼的にはレンガ色または桃色を呈する。放置尿にしばしば生じる。

### (2) リン酸塩

無色～灰白色の細顆粒状の形態を示す。

### (3) シュウ酸カルシウム結晶 (図5.2.113)

無色で屈折性があり，正八面体，ダンベル状，ビスケット状，楕円状などの形状を示す結晶で，酸性尿に認められることが多いが，アルカリ性尿でも認められることがある。酢酸に不溶で，塩酸で徐々に溶解する。シュウ酸を豊富に含有している食物（柑橘類，トマト，ホウレン草，アスパラガスなど）の多量摂取後に出現することがある。尿路結石の80%を占めるシュウ酸カルシウム結石の発生原因は不明であるが，食生活，代謝，ホルモンと深い関わりがあると考えられている。

頻回再発型ステロイド依存性ネフローゼ症候群では，シュウ酸カルシウム結晶が頻回に排出される[30]。ステロイド治療における副作用で骨粗鬆症が問題となることがあり，近年では骨粗鬆症と尿路結石との関連も指摘されている[31]。

### (4) 尿酸結晶 (図5.2.114)

無色～黄褐色で，菱形，束柱状など種々の形状を示す結晶である。シスチン結晶やコレステロール結晶に類似する場合があるため，注意が必要である。酸性尿に認められ，加温，あるいは水酸化カリウムやアンモニア水で溶解する。

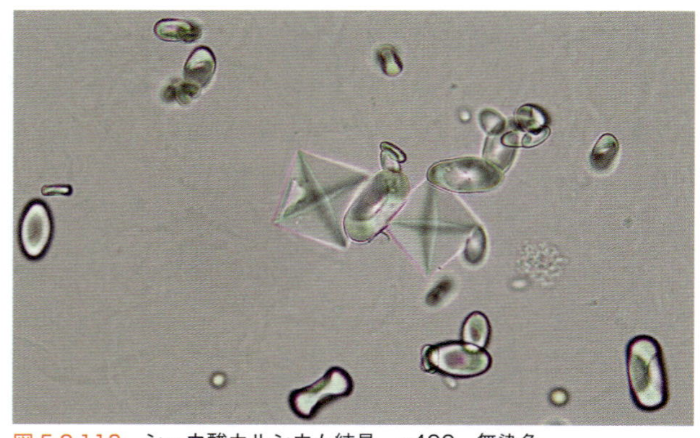

図5.2.113　シュウ酸カルシウム結晶　×400　無染色
中央は正八面体の結晶で，周りには楕円形の結晶を認める。楕円形の結晶は，赤血球と類似するが，固く光沢があることから鑑別できる。

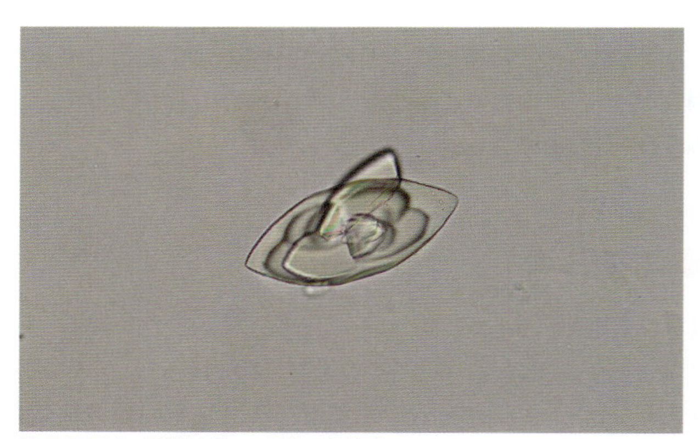

図5.2.114　尿酸結晶　×400　無染色
淡黄色で厚みがあり，菱形の結晶が重なっている。

用語　尿酸塩（urate），リン酸塩（phosphate），シュウ酸カルシウム結晶（calcium oxalate crystal），尿酸結晶（uric acid crystal）

### (5) リン酸カルシウム結晶（図5.2.115）

無色～灰白色で，薄い不定形の板状，束柱状などの形状を示す結晶である。アルカリ性尿，中性尿，弱酸性尿に認められ，塩酸や酢酸で溶解する。

### (6) リン酸アンモニウムマグネシウム結晶（図5.2.116）

無色で屈折性があり，西洋棺蓋状，封筒状，プリズム形などの形状を示す結晶である。アルカリ性尿，中性尿に認められ，塩酸や酢酸で溶解する。尿中のウレアーゼ産生菌により尿素からアンモニアが産生され，尿がアルカリ化することで形成される。そのため，背景に細菌を多数認めることが多い。

### (7) 尿酸アンモニウム結晶（図5.2.117）

棘を有する褐色の球状結晶である。アルカリ性尿，弱酸性尿に認められ，塩酸，酢酸，水酸化カリウムで溶解する。おもにアルカリ性尿で認められるとされてきたが，新鮮尿の多くでは，むしろ弱酸性尿で認められることが多いとの報告がある[32]。

小児におけるウイルス性胃腸炎，ダイエット目的での緩下剤の乱用や糖尿病ケトアシドーシスでは，嘔吐下痢症状や腸疾患による高度脱水，組織障害や尿量の減少により尿酸アンモニウム結石が形成され，腎後性急性腎不全を発症すると報告されている[33~36]。このような場合には，酸性下での尿中尿酸およびアンモニア濃度の上昇によって，酸性尿酸アンモニウム結晶が形成される。小児ネフローゼ症候群においても循環血漿量が減少している場合には同様に尿中に酸性尿酸アンモニウム結晶が排出されることが報告され[37]，結石形成による腎後性急性腎不全発症への警鐘として臨床的意義が高い成分とされている。

### (8) 炭酸カルシウム結晶

無色で無晶性顆粒状または小球状，ビスケット状の結晶である。アルカリ性尿，中性尿に認められ，塩酸や酢酸で気泡を生じて溶解する。

### (9) ビリルビン結晶（図5.2.118）

黄褐色の針状結晶で，白血球や上皮細胞に付着して認められる場合がある。ビリルビン陽性尿中に認められるが，陰性尿中に認められることもある。クロロホルムやアセト

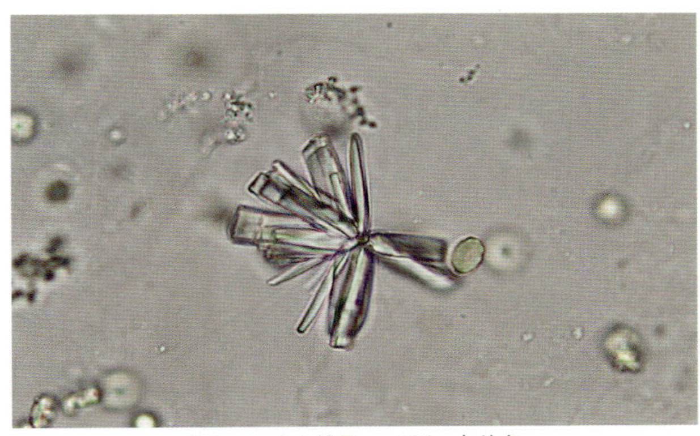

図5.2.115　リン酸カルシウム結晶　×400　無染色
灰白色で束柱状の結晶で菊花状となって認められる。

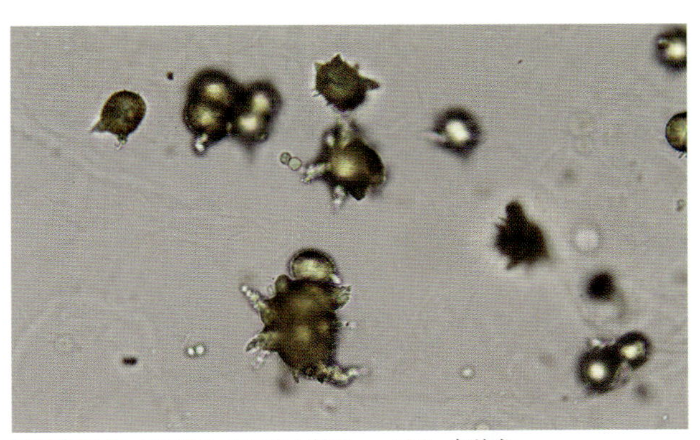

図5.2.117　尿酸アンモニウム結晶　×400　無染色
褐色～淡黄色で棘を有する球状の結晶である。酸性，アルカリ性で形態に違いは見られない。

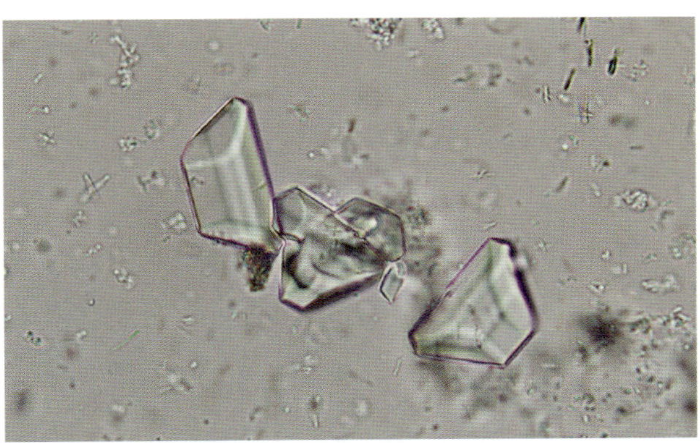

図5.2.116　リン酸アンモニウムマグネシウム結晶　×400　無染色
無色で棒状，封筒状の厚みのある結晶である。背景に多数の細菌を認める。

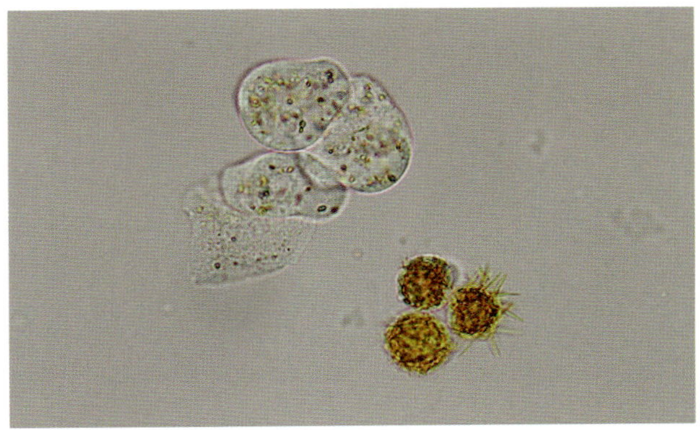

図5.2.118　ビリルビン結晶　×400　無染色
黄褐色の針状の結晶である。上皮細胞に付着している。背景の上皮細胞は，表面構造に凹凸があると黄染している。

**用語**　リン酸カルシウム結晶（calcium phosphate crystal），リン酸アンモニウムマグネシウム結晶（ammonium magnesium phosphate crystal），尿酸アンモニウム結晶（ammonium biurate crystal），炭酸カルシウム結晶（calcium carbonate crystal），ビリルビン結晶（bilirubin crystal）

ンで溶解する。肝炎や胆道閉塞などの肝・胆道系疾患で出現する。

(10) コレステロール結晶（図5.2.119）

無色で歪んだ長方形の板状を呈し，ネフローゼ症候群や乳び尿，多発性嚢胞腎などで認められる。クロロホルムやエーテルで溶解する。

(11) シスチン結晶（図5.2.120）

無色で六角形の板状の結晶である。先天性シスチン尿症やファンコニー(Fanconi) 症候群で排出され，尿路結石の原因となる。酸性下では溶解度が低下するため，酸性尿で認められることが多い。塩酸，水酸化カリウム，アンモニア水で溶解する。

(12) 2,8-ジヒドロキシアデニン結晶（図5.2.121）

淡黄～褐色で放射状の円形・球状結晶である。酸性尿に認められ，先天性アデニンホスホリボシルトランスフェラーゼ欠損症（先天性APRT欠損症）に伴う尿路結石症で出現する。尿酸塩と類似するが，加温やEDTA塩加生理食塩水では溶解しない。赤外線分光分析法などで同定できる。

(13) チロシン結晶

無色で針状または管状の放射状に伸びた結晶で，重症肝実質障害の酸性尿に認められるといわれている。塩酸や水酸化カリウムで溶解する。

(14) ロイシン結晶

淡黄色で同心状または放射状の円形結晶で，重症肝実質障害で稀に出現するといわれている。塩酸や水酸化カリウムで溶解する。

(15) 薬物結晶（図5.2.122，5.2.123）

投与された薬物が体内で代謝され，その構造が変化し，もとの薬物とは異なった結晶の形状で析出する。脱水や過剰投与時に尿中の薬物濃度が上昇し，尿細管から集合管内で結晶化することにより閉塞性障害を起こすことがある。結晶円柱が見られた場合にはとくに注意が必要である。また小児では成人に比べ，感染による発熱や嘔吐による脱水

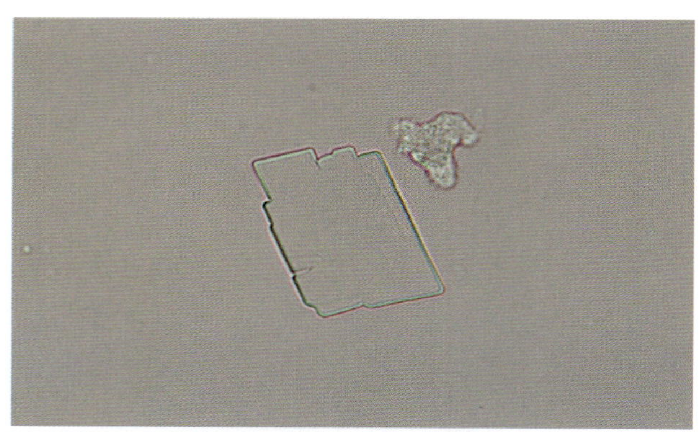

図5.2.119　コレステロール結晶　×400　無染色
無色で薄い長方形の板状の結晶である。一部歪み欠けていることがある。

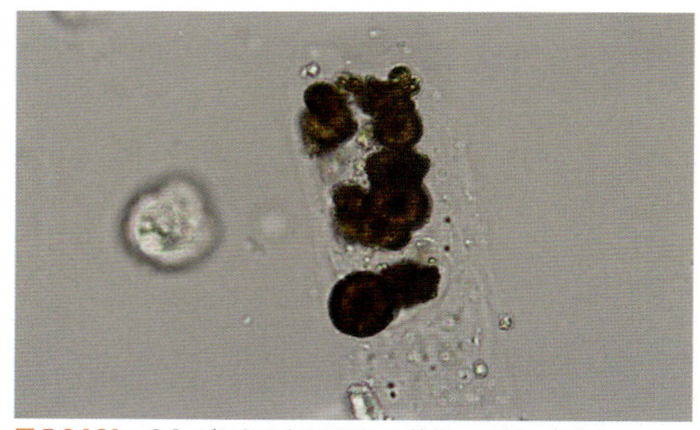

図5.2.121　2,8-ジヒドロキシアデニン結晶　×400　無染色
褐色で球状結晶である。大小不同があり車軸状を呈する。

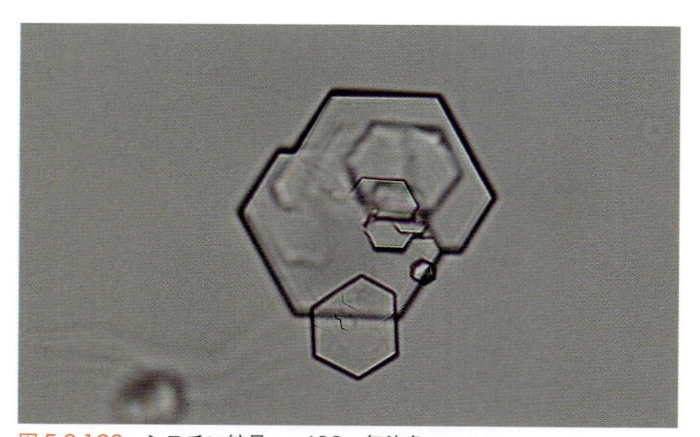

図5.2.120　シスチン結晶　×400　無染色
無色で六角形の板状の結晶である。複数の結晶が重なり合っている。

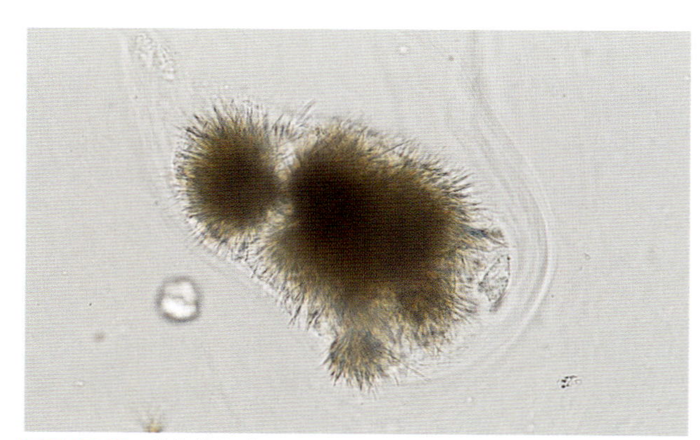

図5.2.122　薬物結晶（トスフロキサシン）×400　無染色
褐色で細い針状の結晶がウニ様に球状となっている。

用語　コレステロール結晶（cholesterol crystal），シスチン結晶（cystine crystal），ファンコニー（Fanconi）症候群，2,8-ジヒドロキシアデニン結晶（2,8-dihydroxyadenine crystal），アデニンホスホリボシルトランスフェラーゼ（adenine phosphoribosyltransferase；APRT），先天性アデニンホスホリボシルトランスフェラーゼ欠損症（congenital adenine phosphoribosyltransferase deficiency；先天性APRT欠損症），エチレンジアミン四酢酸（ethylenediaminetetraacetic acid；EDTA），チロシン結晶（tyrosin crystal），ロイシン結晶（leucine crystal）

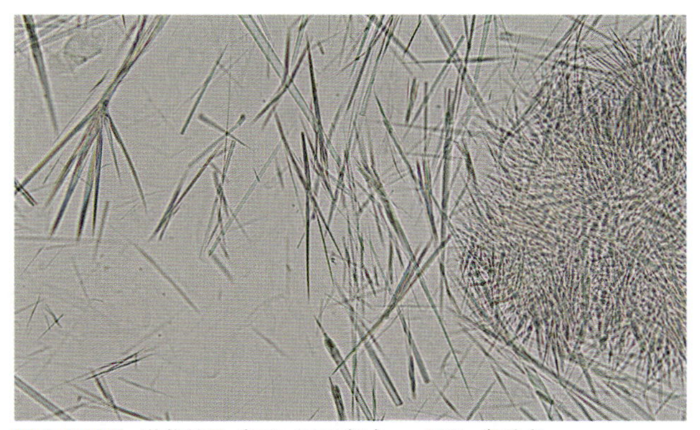
図 5.2.123 薬物結晶（アシクロビル） ×400 無染色
灰白色で細長い針状となった結晶である。

を起こしやすいため，尿の濃縮により結晶が析出しやすいと考えられる[37]。投与される薬物は多岐にわたり，鑑別が難しいこともある。不明な結晶は，尿沈渣を孵卵器などで乾燥させ粉末化し，赤外線分光法で同定することも可能である[38]。サルファ剤やニューキノロン系抗菌薬のトスフロキサシン[39]，抗ウイルス薬のアシクロビル[40, 41]などで薬物結晶による閉塞性腎障害が報告されている。

## 5. 2. 8 その他

### (1) ヘモジデリン顆粒

大きさはさまざまで不規則な顆粒であり，無染色では黄褐～暗褐色で，S染色では暗赤紫色を呈する。ヘモジデリン顆粒の同定は，ときに顆粒状を呈する他の成分と類似するため鑑別が困難な場合がある。したがって，確実に証明するためにはベルリン青染色が用いられる[42]。ヘモジデリン顆粒は青藍色に染色され，類似成分との鑑別が可能となる。ヘモジデリンは，血管内溶血が起きることで生成される。

血管内で溶血が生じると，循環血漿中にヘモグロビンが放出される。ヘモグロビンはハプトグロビンと結合し，蛋白複合体となって運搬される。この複合体は分子量が大きいため腎糸球体を通過できず，血中を循環して肝臓，脾臓，骨髄の網内系細胞で処理される。しかし，血管内溶血が持続するとこの蛋白複合体が飽和状態となり，ハプトグロビンと結合しきれなかったヘモグロビンは遊離ヘモグロビンとなって血漿中を循環し，腎糸球体を容易に通過して尿中に排出される。排出されたヘモグロビンの一部は，尿管腔側のメガリン-キュブリン受容体を介して近位尿細管上皮細胞に取り込まれ[43]，フェリチンが変性し脂質，多糖類，蛋白，銅やカルシウムなどと結合してヘモジデリンとなる[44]。ヘモジデリンを含有する尿細管上皮細胞が剥離して尿中に排出され崩壊すると，ヘモジデリン顆粒，ヘモジデリン顆粒を貪食した大食細胞，ヘモジデリン円柱として認められる。

ヘモジデリン顆粒と疾患との関係は，外科的要因と非外科的要因に分類される。前者には，心室中隔欠損症の不完全閉鎖や人工心臓弁置換術後などがある。後者には，発作性夜間血色素尿症，行軍血色素尿症，サラセミア，遺伝性球状赤血球症，鎌状赤血球症，自己免疫性溶血性貧血，無治療の悪性貧血，不適合輸血および大量輸血後などがある。

### (2) マルベリー小体・マルベリー細胞

マルベリー小体は渦巻き状の構造の脂肪球で，マルベリー細胞はマルベリー小体が詰まった，桑実に類似する細胞である。いずれもFabry病で認められる。Fabry病は，ライソゾームにあるαガラクトシダーゼの活性が欠損または低下し，全身の細胞に糖脂質が蓄積し，さまざまな症状を引き起こすX連鎖性の遺伝性疾患である。古典型では，小児期より四肢の疼痛，低汗症，被角血管腫が見られ，成人では，心肥大，腎障害，脳梗塞などを引き起こす。症状が多岐にわたりとくに女性では診断が難しい例も多く，尿沈渣でのマルベリー小体・細胞が非常に有用である[45]。最近の知見では，ポドサイト（糸球体上皮細胞）由来のマルベリー細胞の排出頻度が高い[46]。

### (3) 混入物

尿沈渣中には尿路に由来する細胞成分だけではなく，診断・治療に使用した造影剤・潤滑油などや，男性の尿であれば精液成分（精子，性腺分泌物，類デンプン小体，レシチン顆粒など）を認めることがある。精液成分の混入に臨床的意義はないが，混入により尿蛋白が偽陽性となる場合があるため注意が必要である。

女性や乳児では，採尿の際にしばしば糞便が混入する。一般に男性では糞便の混入は見られないが，直腸がんが膀胱に浸潤した膀胱腸瘻では，膀胱と腸管が交通して糞尿を呈することがある。したがって，男性では糞便成分の混入が見られた場合は，異型細胞の検出も念頭に置いて注意深

用語　ヘモジデリン顆粒（hemosiderin granule），マルベリー小体（mulberry body），マルベリー細胞（mulberry cell），混入物（impure ingredient）

い観察が必要である。その他に憩室炎やクローン病，子宮がんの放射線療法後に瘻孔ができることがある。また膀胱がんなどにより膀胱全摘出術後に回腸導管増設し尿路変更を行った場合，ストーマに使用している皮膚保護剤が混入することもある。皮膚保護剤の中には，食物由来の成分のものもあり糞便成分との鑑別も必要である[47]。その他に，空中に浮遊する花粉，鱗片，ダニの死骸など，思いがけないものが混入することがあり，採尿コップは使用時まで清潔に保つ必要がある。

## 5. 2. 9　新たな成分

### (1) ポドサイト（糸球体上皮細胞）（図5.2.124，5.2.125）

細胞の大きさは10～40μmとさまざまであり，細胞質の表面構造が非常に滑らかできめ細かくその多くはリポフスチン顆粒が見られることが特徴である。無染色では灰白～淡黄色調，S染色では染色性不良もしくは淡桃色調に染まる。核は2核を示すことが多い。ポドサイトは糸球体基底膜の一番外側に位置する細胞であり，血清蛋白が尿中に漏れ出ることを防ぐ役割を果たしている。尿中でのポドサイトの検出は，糸球体障害を反映し臨床的意義が高く，糸球体疾患の鑑別や治療効果，腎予後の評価にも有用であると考えられる[48]。

### (2) 尿細管上皮細胞（丸細胞型）（図5.2.126，5.2.127）

小型の円形細胞であり，新しいタイプの尿細管上皮細胞である。白血球より大きく，細胞質は厚みがあり表面構造は均質状，顆粒状，小空胞状などがあり，封入体を含入する形状もある。無染色では灰白色，S染色では染色性不良もしくは淡桃色調に染まる。核は無染色では確認できない場合があるが，円形，楕円形を呈する。分化能を有した尿細管上皮細胞であり，健常人でも出現するが，高度に腎機能が低下した状態で出現数が増加する[49,50]。

### (3) アデノウイルス感染細胞（図5.2.128，5.2.129）

S染色では核の辺縁が不明瞭であり，核内が泥状に平面

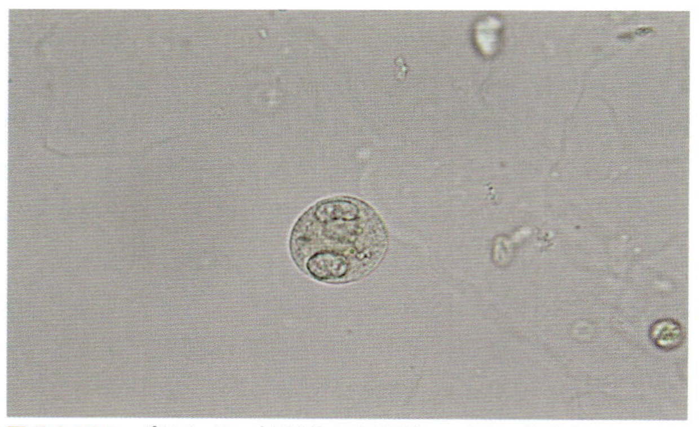

図5.2.124　ポドサイト（糸球体上皮細胞）×400　無染色
細胞質の表面構造が，滑らかできめ細かい。細胞は球状であり，多核のこともある。

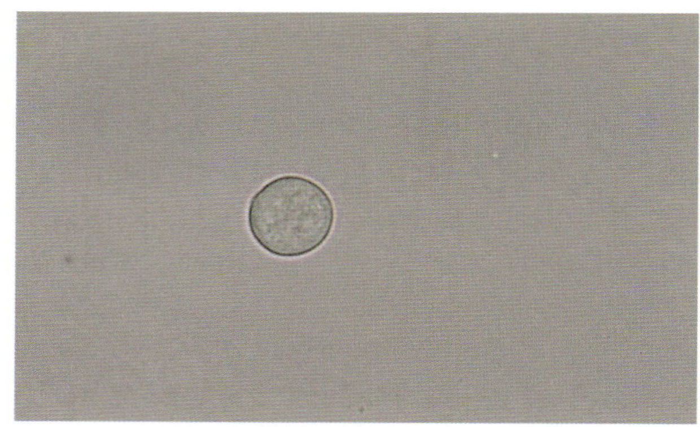

図5.2.126　尿細管上皮細胞（丸細胞型）×400　無染色
小型の円形細胞であり，色調は灰白色，細胞質は厚みがあり均質状である。核ははっきりと確認できないことが多い。

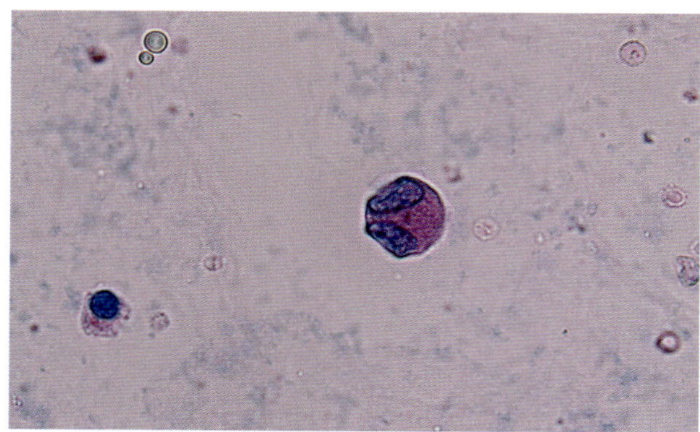

図5.2.125　ポドサイト（糸球体上皮細胞）×400　S染色
細胞質の表面構造が，滑らかできめ細かいのが特徴である。細胞は球状であり，微動ハンドルを動かすと核がはっきりと確認できる。

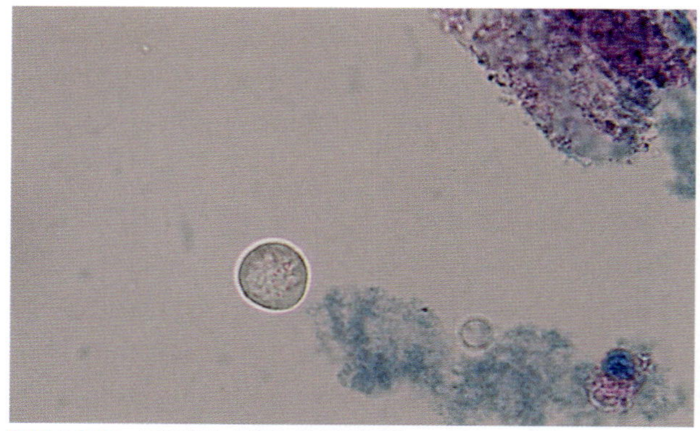

図5.2.127　尿細管上皮細胞（丸細胞型）×400　S染色
小型の円形細胞であり，染色性は不良で染まらないことが多く，生きている細胞と考えられる。長時間経過すると淡桃色に染まる。

用語　糸球体上皮細胞（podocyte），丸細胞（novel round cell），アデノウイルス（adenovirus）

的に染色される変性細胞である。N/C比が増大しており，細胞質内はスポンジ状に抜けた顆粒状を示し，ときに光沢のある顆粒を含むこともある。無染色では，核の辺縁が不明瞭であることから鑑別は難しい。尿路上皮癌細胞と類似し，鑑別を要する。鑑別に迷う場合は，咽頭用や結膜用の迅速抗原キットを用いて確認することも有用である。アデノウイルスは，腎・骨髄移植後の免疫抑制療法中の患者に出血性膀胱炎を引き起こし，ときに全身性に播種し致死的な経過をとる場合もある。ウイルス感染細胞は，血尿などの症状が現れる前から尿中に出現する[51]。

### (4) ヘマトイジン結晶（図5.2.130）

黄褐色で針状，菱形状，箒状など多彩な形態を示す結晶である。閉塞腔内での陳旧性の出血を示唆する。尿検体のみではなく髄液や体腔液においても認められることはよく知られている。成分は，ヘモグロビンの分解産物であり，ビリルビン結晶と同様の成分である。しかし，出現要因が異なるため，ヘマトイジン結晶とビリルビン結晶は鑑別することが重要である。鑑別のポイントは，ビリルビン結晶の場合は背景の細胞の黄染があり，尿中，血液中のビリルビン値が高値となる[52]。

### (5) キサンチン結晶（図5.2.131）

褐色の板状，顆粒集塊状の結晶である。酸性尿，またアルカリ性尿でも認められる。キサンチンはプリン体の代謝産物であり，尿酸の前駆物質となる。悪性腫瘍の化学療法や放射線療法による治療時に起こる腫瘍崩壊症候群では，腫瘍細胞の急速な死滅により細胞内の尿酸が放出され，急性腎不全を併発する。そのためキサンチンオキシダーゼ阻害薬を服用することによって尿酸の増加を防ぐが，前駆物質のキサンチンが増加し結石を形成することがある。水酸化カリウムで溶解し，酢酸，塩酸，EDTA加生理食塩水，加温では溶解しない[53, 54]。

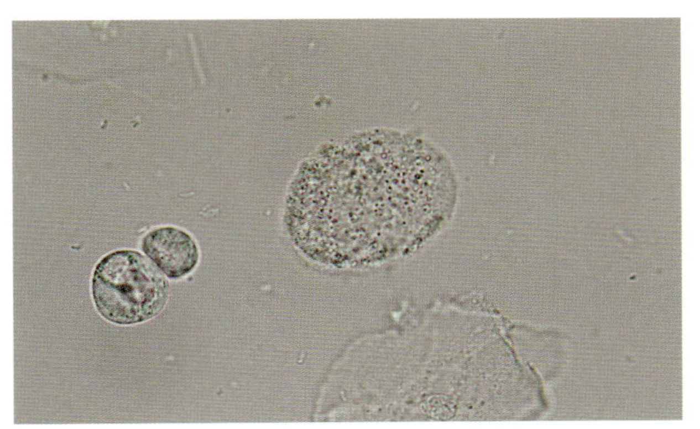

図5.2.128　アデノウイルス感染細胞　×400　無染色
核の辺縁が不明瞭であるため，はっきりとわからない。細胞質はスポンジ状に抜け，光沢のある顆粒を認める。

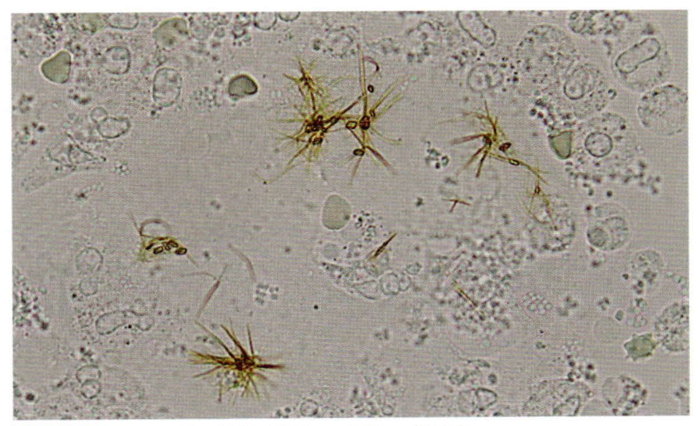

図5.2.130　ヘマトイジン結晶　×400　無染色
黄褐色で針状，菱形状の結晶が結合している。

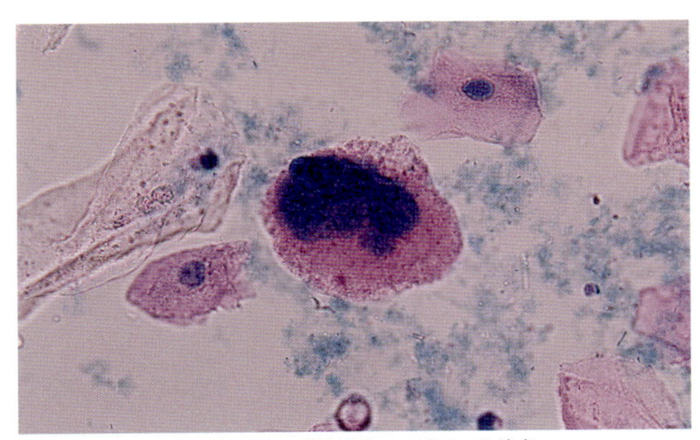

図5.2.129　アデノウイルス感染細胞　×400　S染色
核の辺縁が不明瞭であり，濃染している。細胞質はスポンジ状に抜けている。

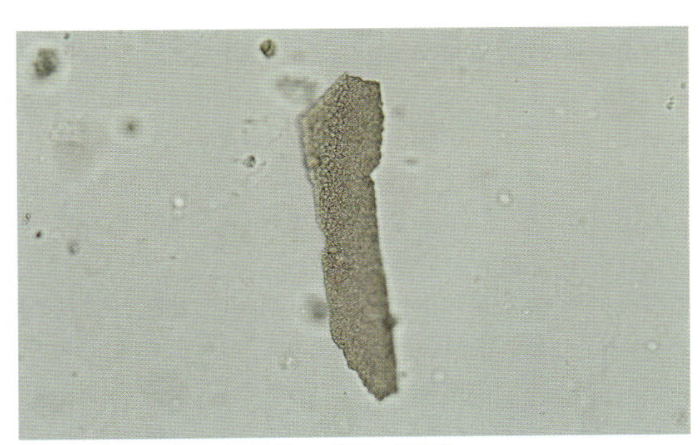

図5.2.131　キサンチン結晶　×400　無染色
褐色の板状結晶である。

［川満紀子・横山　貴］

用語　ヘマトイジン結晶（hematoidin crystal），キサンチン結晶（xanthine crystal）

## 参考文献


1) Birch DF, Fairley KF：“Haematuria：glomerular or non-glomerular？”，Lancet, 1979；2：845-846.
2) Crop MJ, *et al.*：“Diagnostic value of urinary dysmorphic erythrocytes in clinical practice”，Nephron Clin Pract, 2010；115：c203-212.
3) 岩本尚子，他：「尿中変形赤血球の出現と尿 pH および尿比重との関係」，医学検査，2011；60：1025-1030.
4) 三浦秀人，他：「尿中変形赤血球出現のメカニズム」，医学検査，1992；41：733-739.
5) 三浦秀人：「尿中変形赤血球形態とその出現機序」，医学検査，1998；47：188-192.
6) 青木幸次：「尿中変形赤血球の知見」，医学と薬学，2006；55：249-256.
7) 血尿診断ガイドライン編集委員会，他(編)：血尿診断ガイドライン 2013，ライフサイエンス出版，2013.
8) 伊藤機一(監修)：尿沈渣検査法 2010，日本臨床衛生検査技師会，2011.
9) 望月 弘，他：「小児における無症候性血尿症と高カルシウム尿症の関連」，医学のあゆみ，1985；133：387-388.
10) 横山 貴，他：「多発性囊胞腎患者における尿検査の必要性」，Nephrology Frontier，2011；10：163-166.
11) 横山 貴，他：「輝細胞(グリッター細胞)の排出意義と腎盂腎炎との関係」，Nephrology Frontier，2014；13：354-357.
12) 横山 貴，他：「尿路感染症における尿中白血球の意義」，Nephrology Frontier，2006；5：286-289.
13) 横山 貴：「尿中好酸球の排出から推定されること」，Nephrology Frontier，2014；13：268-271.
14) 前川講平，他：「小児腎疾患における CD68 染色の臨床的有用性」，日本腎臓学会誌，2014；56：532-537.
15) 横山 貴，他：「CKD および CVD 抑制のために有用な指標としての尿沈渣成分」，医学検査，2011；60：694-703.
16) 横山 貴，他：「角柱・角錐台型尿細管上皮細胞の出現意義」，Nephrology Frontier，2011；10：47-52.
17) 横山 貴，他：「急性尿細管壊死(ATN)の回復時の診断に尿細胞診モニタリングが有効であった献腎移植の1例」，腎移植・血管外科，2003；15：43-47.
18) 横山 貴，他：「尿沈渣検査における再生性尿細管上皮細胞の検出」，Nephrology Frontier，2008；7：53-55.
19) 塚原祐介，他：「放射線療法で見られた洋梨・紡錘型尿細管上皮細胞」，医学検査，2017；66：709-714.
20) 横山 貴，他：「小児ネフローゼ症候群と尿検査－特に微小変化型ネフローゼ症候群について」，Nephrology Frontier，2011；10：70-72.
21) 横山 貴：「膀胱がんにおける尿検査の現状」，都臨技会誌，2010；38：481-487.
22) 横山 貴：「尿検査 誌上相談室－編集部に寄せられた悩み・質問にお答えいたします－相談⑭」，Medical Technology，2016；44：151-152.
23) Bruyn DG, Limaye AP：“BK virus-associated nephropathy in kidney transplant recipients”，Rev Med Virol, 2004；14：193-205.
24) Reploeg MD, *et al.*：“BK virus：a clinical review”，Clin Infect Dis, 2001；33：191-202.
25) Barri YM, *et al.*：“Polyoma viral infection in renal transplantation：the role of immunosuppressive therapy”，Clin Transplant, 2001；15：240-246.
26) 星 雅人，他：「フォトアンケートから得られた典型的な硝子円柱判定基準の確立」，医学検査，2014；63：275-282.
27) 横山 貴，他：「慢性腎臓病における硝子円柱の臨床的意義」，Nephrology Frontier，2012；11：71-73.

28) 服部良輔，他：「硝子円柱出現頻度と BNP 値の相関についての検討」，医学検査，2015；61：7-13.
29) 横山　貴，他：「腎炎とフィブリン円柱」，Nephrology Frontier，2012；11：358-361.
30) 加納健一，他：「プレドニゾロン投与量によってアレンドロネートの効果に差を認めたステロイド性骨粗鬆症を合併したステロイド依存性ネフローゼ症候群の 1 男子例」，小児科臨床，2006；59：1599-1604.
31) 永井康晴，他：「特集　尿路結石のすべて　再発予防　フォローアップ・検査」，腎と透析，2020；88：236-240.
32) 田中　佳，他：「尿沈渣検査における尿酸アンモニウム結晶の出現背景」，医学検査，2015；64：179-185.
33) 藤枝幹也，芦田　明：「ウイルス性胃腸炎の合併症－尿管結石閉塞による腎後性急性腎不全」，日本小児科学会雑誌，2011；115：546-551.
34) 武藤　充，他：「ウイルス性流行性胃腸炎に起因する尿路結石により急性腎後性腎不全をきたした 4 症例」，日本小児泌尿器科学会雑誌，2011；20：63-66.
35) 白戸玲臣，他：「低カロリー食及び神経性食思不振症に伴った尿酸アンモニウム結石の 2 例」，西日本泌尿器科，2006；68：591-595.
36) 油野友二，他：「糖尿病ケトアシドーシス症例に認められた酸性尿酸アンモニウム尿症」，糖尿病，2011；54：411-416.
37) 岩本尚子，他：「小児ネフローゼ症候群における尿中酸性尿酸アンモニウム結晶の臨床的意義」，医学検査，2014；63：700-705.
38) 久末崇司，他：「テラプレビル服用時に尿中に特徴的な結晶成分を認めた症例」，医学検査，2018；67：605-610.
39) 永田勝弘，他：「小児尿沈渣にみられるトスフロキサシン結晶及び同結晶円柱の特徴」，医学検査，2019；68：751-757.
40) 松尾梨沙，他：「アシクロビル，バラシクロビルによる急性腎障害を来した帯状疱疹の 1 例」，旭川厚生病院誌，2012；22：75-78.
41) Alicia R. Andrews, *et al.*：“Diagnostic challenges with acyclovir crystalluria – a case study”, Electronic Journal of the IFCC, 2020；31：157-163.
42) 水口國男（編）：最新　染色法のすべて，医歯薬出版，2011.
43) Tracz MJ，*et al.*："Physiology and pathophysiology of heme: implications for kidney disease"，J Am Soc Nephrol，2007；18：414-420.
44) 熊坂一成：「ヘモジデリン」，臨床検査項目辞典，19，桜林郁之助，熊坂一成（監修），医歯薬出版，2003.
45) 日本先天代謝異常学会（編）：ファブリー病診療ガイドライン 2020，診断と治療社，2021.
46) Yokoyama T，*et al.*："The origin of urinary mulberry cells in fabry disease”, kidney international，2021；99：1246.
47) 富永美香，他：「皮膚保護剤の混入による尿沈渣への影響」，日本医学検査学会抄録集 70 回，2021：358.
48) 横山千恵：「ポドサイトを知る－尿沈渣検査」，臨床病理，2020；68：681-687.
49) Shukuya K，*et al.*：“Novel round cells in urine sediment and their clinical implications”, Clin Chim Acta，2016；457：142-149.
50) 高揚ゆき：「健常者尿で検出された尿細管上皮細胞（丸細胞）の性状および形態学的特徴に関する検討」，医学検査，2022；71：73-80.
51) 川満紀子，他：「尿沈渣中の細胞形態と迅速診断キットの併用からアデノウイルス性出血性膀胱炎の診断に至った症例」，医学検査，2021；70：150-154.
52) 弓狩加恵，他：「髄液，尿，関節液および肝膿瘍穿刺液中にヘマトイジン結晶がみられた各症例」，医学検査，2011；60：757-761.
53) 大沼健一郎，他：「血液腫瘍に対する化学療法中の患者尿中にキサンチン結晶を認めた一症例」，医学検査，2019；68：763-768.
54) 吉澤友章，他：「血液腫瘍患者の尿中に顆粒状物質の集塊を認め，その後キサンチン結晶が出現した 1 症例」，医学検査，2022；71：731-736.

# A. 尿検査

# 6章 尿の自動分析装置

## 章目次



SUMMARY

尿定性自動分析装置は試験紙を用いて測定するため，偽反応の影響を受けることがある。それらを回避するには，異常発色や関連項目とのクロスチェックで乖離した項目をほかの測定法で確認する必要がある。

尿中有形成分自動分析装置は迅速に結果が得られるが，すべての有形成分を自動で分析することはできない。よって各種データチェック法を活用し，選別した検体を臨床検査技師が鏡検する必要がある。

両検査ともに正確かつ精密なデータを報告するには，日常の機器メンテナンスや内部精度管理はもとより，各種の外部精度管理にも参加して検査値の信頼性を高める努力が必要である。

# 6.1 ｜ 尿の自動分析装置

- 尿の自動分析装置には，定性検査機器と有形成分を測定する機器がある。
- 自動分析装置は多数の検体を迅速かつ高い精度で測定でき，省力化も可能なため，多くの施設で使用されている。
- 定性検査で偽反応が疑われた場合には，確認試験を行う。
- 有形成分自動分析装置では分析できない成分もある。必要に応じて鏡検法で確認する。
- 機器のメンテナンスと精度管理は必須である。
- コントロールサーベイに参加し，正確性の向上に取り組む。

## 6.1.1 基礎知識

試験紙法による尿定性検査は，肉眼判定と機器判定に分けられるが，高い精度で測定でき省力化も可能な機器判定が多くの施設で実施されている[1,2]。とくに多数の検体を取り扱う大学病院や検査センターなど，中規模から大規模の施設では全自動の分析装置が使用されている。一方，小規模の施設では，検査者が試験紙を尿に浸し，判定のみを機器が行う半自動の分析装置を使用している場合もある。

いずれも試験紙による反応であるため，偽反応を完全に回避することはできない。必要なデータチェック法を後述する。

従来から実施されている鏡検法による尿沈渣検査は，遠心操作や標本作製などの前処理が必要であり，また，労力を要するものであった。尿中有形成分自動分析装置は，原尿を直接測定するため迅速性が高まり，鏡検が必要な検体（有形成分が多い，異常成分を認めるなど）を選別することで省力化も可能となった。装置の特徴や鏡検法との併用方法についても以下に述べる。

## 6.1.2 尿定性自動分析装置

### (1) 測定原理

分光反射測光法，反射分光光度法，2波長反射率測定法などがあり，いずれも複数の波長の光の反射率を読み取って，試験紙の呈色を測定する方法である。測光部にカラー相補性金属酸化膜半導体（CMOS）センサーを用いた測定原理を図6.1.1に示す。

### (2) 特　徴

検査機器メーカーが販売している専用の試験紙を複数セットし，診療や検診などの目的に応じてランダムに測定できる機能を有している装置もある。検査項目は最大14項目で，尿蛋白/尿クレアチニン比（尿P/C比）や尿アルブミン/尿クレアチニン比（尿A/C比）の測定も可能であり，

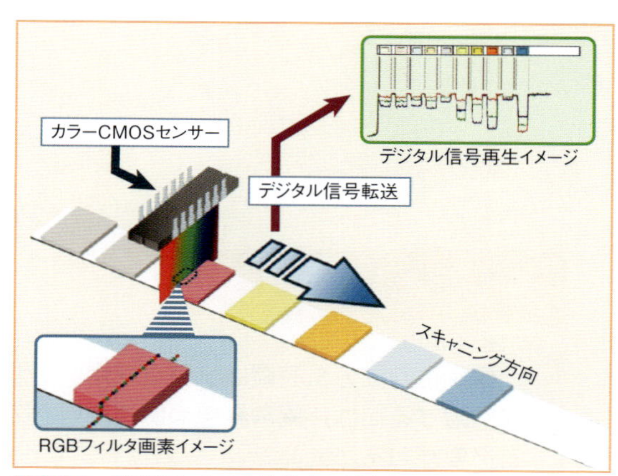


図6.1.1　試験紙による定性検査の測定原理
カラーCMOSセンサーを用い，試験紙の呈色を画像情報（赤色：R，緑色：G，青色：B）から解析する。
〔栄研化学株式会社パンフレット，US特別編集号第2版，2008より改変〕

**用語**　相補性金属酸化膜半導体（complementary metal oxide semiconductor；CMOS），尿蛋白/尿クレアチニン比（urine protein-creatinine ratio；尿P/C比），尿アルブミン/尿クレアチニン比（urine albumin-creatinine ratio；尿A/C比）

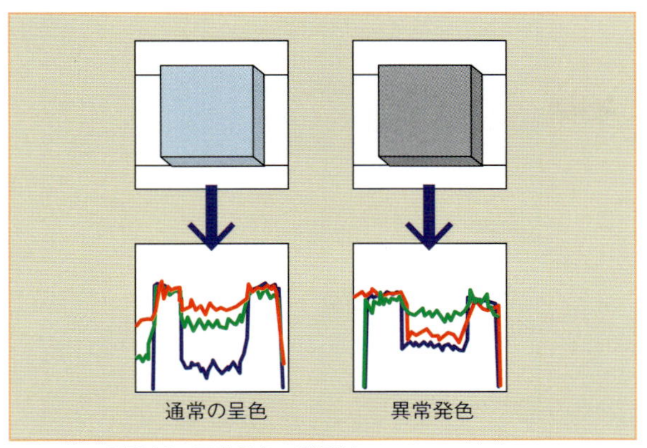


図 6.1.2 試験紙の異常発色の識別法
尿の強度な着色，薬剤による異常発色および吸湿や高温による試験紙の変色は，画像情報〔R，G，B（図 6.1.1 参照)〕から解析されて結果にフラグが表示される。
〔栄研化学株式会社パンフレット，US 特別編集号第 2 版，2008 より改変〕

表 6.1.1 尿定性検査と他検査とのクロスチェック項目例

| 尿定性検査 | クロスチェック項目 | |
|---|---|---|
| | 定量検査 | 尿中有形成分 |
| グルコース | 尿糖定量 | |
| ビリルビン | 血清直接ビリルビン定量 | ビリルビン結晶 |
| 潜血 | | 赤血球 |
| 蛋白 | 尿蛋白定量 | 各種円柱 |
| 亜硝酸塩 | | 細菌 |
| 白血球 | | 白血球 |
| pH | | 各種結晶 |

各検査のグレードなども設定すると，より詳細なチェックが可能となる。

尿の希釈や濃縮を補正できる。処理能力はいずれも約250件/時である。必要検体量は2.0 mL，使用検体量は1.0 mL以下と少量である。

試験紙法による定性検査は，尿の色調や混在する薬剤などにより偽反応を呈する。そのため各装置には，色調補正機能や異常発色を検知する機能などが搭載されている。異常発色の識別法を図6.1.2に示す。

### (3) データチェック法と再検査

異常発色を示した項目と，定量値（尿蛋白，尿糖，血清直接ビリルビン）や尿中有形成分（赤血球，白血球，細菌，各種結晶など）とのクロスチェックを行い，乖離している項目を目視法やほかの検査法で確認することにより，正確な結果が得られる。クロスチェックの例を表6.1.1に示す。

## 6. 1. 3 尿中有形成分自動分析装置

### (1) 測定原理

サイトメトリー法と画像処理法に分けられる。

サイトメトリー法は，赤色や青色の半導体レーザーを有形成分に照射し，そこから得られる散乱光や蛍光の情報から成分の大きさ，表面/内部構造，核酸の含有量などを解析して分類する。サイトメトリー法の原理を図6.1.3に示す。

画像処理法は，フローセルまたはスライド上の成分をカラー電荷結合素子（CCD）カメラで撮像し，パターン認識または画像解析プログラムにより分類する。

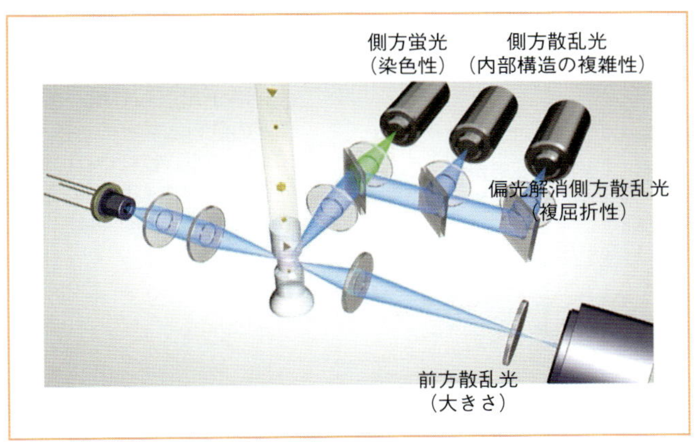


図 6.1.3 サイトメトリー法による尿中有形成分の測定原理
青色半導体レーザーを用い，散乱光や蛍光の情報から解析する。
〔資料提供：シスメックス株式会社〕

### (2) 特　徴

原尿を直接測定するため遠心操作や標本作製が不要であり，迅速に結果が得られる。また，国際的な定量表示（個数/μL）が可能である。

すべての有形成分を分類することはできないが，鏡検が必要な検体を選別できるため，マンパワーを有効活用できる利点がある。

画像処理法で得られた成分画像は，臨床検査技師の教育などに用いることも可能である。

### (3) データチェックと再検査

装置が自動で分類できない成分を含む検体は，鏡検法にて確認する。また，定性検査や尿化学検査などとのクロスチェック（表6.1.1），成分の項目間チェック（表6.1.2），前回値チェックなども行って必要な検体を確認すれば，成分の見落としや誤分類を防ぐことができる。さらに，鏡検時のデータチェック画面に患者情報（年齢，性別，診療科，疾患，投与薬剤，手術の有無と内容など）を表示しておくと，検査するうえで参考になる。

用語　水素イオン指数（potential of hydrogen；pH），電荷結合素子（charge coupled device；CCD）

表 6.1.2　尿中有形成分の項目間チェック例

| 成分① | 成分② |
|---|---|
| 卵円形脂肪体 | 尿細管上皮細胞<br>脂肪円柱※ |
| 上皮円柱 | 尿細管上皮細胞 |
| 赤血球円柱 | 赤血球 |
| 白血球円柱 | 白血球 |
| ろう様円柱 | 幅広円柱※ |
| 精子 | 性腺分泌物※ |

・成分①が認められた場合には，成分②も出現している可能性が高い。
・成分②の※が認められた場合には，成分①も出現している可能性が高い。

## Q 自動分析装置で測定できないのはどのような尿か？

**A** 強度の血尿や着色尿では，尿定性検査に使用する試験紙自体が着色されるため異常発色となる。装置には色調補正用のブランクパッドにより，着色の影響を補正する機能や異常発色を検出して結果にフラグを表示する機能などが付いている。しかし，すべての着色を補正できるわけではない。フラグが表示された場合には，まず目視法による測定を試み，必要であれば尿化学検査や有形成分の結果を参考に判断する。ただし，遠心して上清が淡黄色になる血尿であれば，それを用いて検査することで影響は抑えられる。

尿路変更術後に提出される尿は，回腸の粘膜上皮細胞，細胞から分泌される粘液および腸内細菌が多数混在し，粘性が高い。そのため自動分析装置で検体をサンプリングするのは困難である。このような検体も，定性検査は目視法，尿中有形成分は鏡検法にて検査する必要がある。

## 検査室ノート　尿定性検査における偽反応について

おもな尿定性検査の偽反応を表 6.1.3（表 2.3.4 の再掲）に示す。各項目における偽反応への対処は，表 6.1.1 および文献3を参照されたい。

表 6.1.3　おもな定性検査の偽反応

| 尿定性検査 | 偽陽性 | 偽陰性 |
|---|---|---|
| グルコース | 酸化剤の混入 | アスコルビン酸の存在<br>高比重尿 |
| ビリルビン | 薬剤（エトドラク）など | アスコルビン酸の存在 |
| ケトン体 | 薬剤（SH 基を有する）など | 採尿後，時間が経過した尿 |
| 潜血 | 酸化剤の混入<br>ミオグロビン尿 | アスコルビン酸の存在<br>高比重尿，亜硝酸塩 |
| 蛋白 | pH8.0 以上のアルカリ性尿 | pH3.0 以下の酸性尿（酸性蓄尿）<br>グロブリンやベンス・ジョーンズ蛋白は反応が弱い |
| 亜硝酸塩 | 薬剤（フェナゾピリジンによる着色尿）など | アスコルビン酸の存在<br>硝酸塩を還元しない細菌の感染<br>膀胱内に 4 時間以上貯留していない尿 |
| 白血球 | ホルムアルデヒドの混入 | 高蛋白尿，高糖尿，高比重尿 |

〔久野　豊：「尿検査」，ひとりでも困らない！検査当直イエローページ（臨床検査 増刊号 vol.59），1122，医学書院，2015 および福田嘉明：「ここまでやろう・考えよう尿検査 1）定性試験」，Medical Technology，2012；40：359 をもとに作成〕

▶参考情報

尿路変更術とは，膀胱がんや二分脊椎などで膀胱を全摘または部分切除した場合に，尿管からの尿を溜めるために自身の回腸などを膀胱の代わりとして使用するための手術である。

▶参考情報

上記の二分脊椎とは，妊娠初期においてデオキシリボ核酸（DNA）の合成に関与する葉酸が不足することにより，先天的に脊髄が脊椎の外に出て癒着や損傷を起こす疾患である。おもに仙椎や腰椎に発生し，発生部位から下の運動機能や知覚が麻痺する。内臓の機能にも影響し，膀胱・直腸などの排泄障害も起こすことがある。

▶参考情報

試験紙法による尿定性検査では，偽陰性を起こす薬剤としてアスコルビン酸が知られている[4)]。

アスコルビン酸は，空気中の酸素などの作用により，プロトン（$H^+$）を2個放出してデヒドロアスコルビン酸に変わる。還元性を有するため酸化防止剤として用いられ，市販の飲料水などにも多く含まれている。われわれの調査では，外来患者尿の約25%でアスコルビン酸が検出された。

用語　デオキシリボ核酸（deoxyribonucleic acid；DNA），ベンス・ジョーンズ（Bence Jones）蛋白，スルフヒドリル（sulfhydryl；SH）基

## 6. 1. 4 精度管理

正確な検査結果を高い精度で報告するためには，精度管理を実施する必要がある。内部精度管理と外部精度管理があり，内部精度管理は自施設内でコントロール尿を用いて行う。一方，外部精度管理は各種コントロールサーベイに参加して他施設の測定値と比較し，正確性の向上を目指す。

### (1) 内部精度管理法

定性検査では，自家調製あるいは市販のコントロール尿を使用して装置や試験紙の状態を管理する。通常，コントロールは正常域濃度と異常域濃度の2種類を準備する。市販のコントロール尿には，あらかじめ設定された期待値が表示されており，その範囲内で測定値の精度が保証される。

有形成分測定装置についても，市販のコントロール尿を使用した精度管理が可能である。ただし，生体成分ではなく赤血球，白血球，細菌などに相当する疑似粒子を含む，正常域・異常域それぞれの濃度のコントロールとなっている。それらを測定して表示範囲内に入っていることを確認する。また，一部の検体を鏡検法で確認することで装置の状態を管理できる。

### (2) コントロールサーベイ

施設外部による精度管理法であり，自施設の検査の正確性が確認できる。また，その結果を解析して改善することにより，検査値の信頼性をさらに高めることができる。

米国病理学会（CAP）国際臨床検査成績評価プログラム（CAPにより毎年実施されている国際的な精度管理プログラム）に加え，日本医師会，日本臨床衛生検査技師会，各都道府県の医師会や技師会および検査機器メーカーが独自に実施しているサーベイがある。第三者による評価であるため，客観的な精度の保証が得られる。尿中の有形成分は，顕微鏡写真によるフォトサーベイとなっている。

### (3) 保守点検と記録管理

装置を良好な状態で使用するには，保守点検が必要である。装置の安全性や基本性能を確保するための始業時・終業時点検や，故障や事故を未然に防ぐための定期的な保守点検を実施し，適切に管理しなければならない。とくに尿検体は，高濃度の塩類や多数の細菌を含むことがあり，また，粘性の高い検体も存在する。このような検体では，サンプリングや試験紙への点着時に，試験紙の搬送部などが尿の飛沫や粘着により汚染される可能性があるため，十分に洗浄する必要がある。また，点検記録や修理報告書を保管し，装置の状態を常に管理・評価することが重要である。

**検査室ノート　医療機器のクラス分類について**

医療機器は，「医薬品，医療機器等の品質，有効性及び安全性の確保等に関する法律」により，一般医療機器（クラスⅠ），管理医療機器（クラスⅡ），高度管理医療機器（クラスⅢ，Ⅳ），特定保守管理医療機器に分類される。尿自動分析装置などの患者に直接触れない体外診断用医療機器は，一般医療機器（クラスⅠ）に分類される。

**▶参考情報**

一般医療機器の定義：「高度管理医療機器及び管理医療機器以外の医療機器であって，副作用又は機能の障害が生じた場合も，人の生命及び健康に与える影響がきわめて軽いもの[5]」。

［油野友二］

**用語**　米国病理学会（College of American Pathologists；CAP）

**参考文献**

1） 2015（平成27）年度 第49回臨床検査精度管理調査結果報告書，日本医師会，2016.
2） 2015（平成27）年度 日臨技臨床検査精度管理調査報告書，日本臨床衛生検査技師会，2016.
3） 久野　豊：「尿検査」，ひとりでも困らない！検査当直イエローページ，1121-1126，医学書院，2015.
4） 篠原　弘，他：「尿試験紙ウロペーパーⅢ‘栄研’ブドウ糖および潜血試験部分の性能評価」，医学検査，2006；55：752-759.
5） 一般医療機器，日本大百科全書（ニッポニカ），Japanknowledge，https://kotobank.jp/word/%E4%B8%80%E8%88%AC%E5%8C%BB%E7%99%82%E6%A9%9F%E5%99%A8-670317，参照 2023-7-28.

B. 便検査

# 7章 便検査

章目次



SUMMARY

本章では，便検査として日常実施されている項目について，背景となる解剖・生理学的な基礎，病態としてどのような場合にどのような所見として現れるかを理解しながら検査の方法の臨床的意義についてまとめた。そのうえで各検査項目の原理，検査法，留意事項を列記した。

とくに大腸がんの一次検診では，便潜血検査だけが科学的に有効であると証明された方法である。無症状のうちに検診を受診した人では，早期の大腸がんが発見される可能性が高く，その段階で治療すれば，ほぼ治癒が可能とされている。臨床検査に従事する者はこの点をよく理解し，より正確で迅速な検査を目指してほしい。

# 7.1 糞便の生成と一般的性状

- 糞便は最終代謝産物であり，その性状から消化管の病態により特徴的な変化を呈することから臨床的有用性がある。
- 食物摂取後の食物残渣の消化管での経時的変化を考える。
- 正常および疾病時の糞便の性状と色調を学ぶ。

糞便は食物が消化され，水分，消化液，食物残渣・分解産物，腸内細菌，脱落した腸粘膜細胞などの成分で食後24〜72時間で生成される（図7.1.1）。臭気は腸管で蛋白が分解されて生じるインドールやスカトロールに由来し，色調は健常人では黄褐色でウロビリンとステルコビリンによる。肉眼的性状は病態の推定に有用なものも多い。しかし，排便後の色調変化が速いため，新鮮な状態での検査が望ましい。一方で，感染リスクも大きいので対象とされる病態の基本的理解が重要である（表7.1.1，図7.1.2）。

半固形状
9〜20時間
固形状
12〜24時間
流動状
食後6〜18時間
排便
24〜72時間

図7.1.1　食物摂取後の食物残渣の経時的変化

表7.1.1　性状と色調

| | | | |
|---|---|---|---|
| 形状 | 正常 | 軽度の硬さ〜有形軟便 | |
| | 異常 | ウサギ糞状 | 極度の便秘 |
| | | 鉛筆状便 | 直腸の障害（腫瘍や潰瘍など） |
| | | 米のとぎ汁様水様便 | コレラ菌感染による激しい下痢 |
| | | 白色下痢便 | ロタウイルス感染 |
| | | 粘血便 | 潰瘍性大腸炎，カンピロバクター腸炎 |
| | | イチゴゼリー状粘血便 | 赤痢アメーバ感染 |
| | | 膿粘血便 | 赤痢菌感染 |
| | | 白色便 | 膵機能低下，膵がん |
| 色調 | 正常 | 黄褐色 | ウロビリン・ステルコビリンに由来する色調 |
| | | 黄白色 | 人工栄養児 |
| | 異常 | 黄色〜黄緑色 | 激しい下痢 |
| | | 鮮紅色 | 下部消化管出血，肛門部出血 |
| | | 緑色 | 緑黄色野菜摂取，ビリルビンがビリベルジンに変化 |
| | | 黒色（タール便） | 上部消化管出血（ヘモグロビンが消化酵素の影響を受け黒色のタール様となる），鉄剤投与時 |
| | | 灰白色 | 閉塞性黄疸（胆汁が消化管に排泄されない），バリウム投与時 |

図7.1.2　便の各種形状と色調
〔久野　豊：「第6章 糞便検査」，一般検査技術教本，100，日本臨床衛生検査技師会（編），2012より / 順天堂大学医学部附属順天堂医院 臨床検査部 三澤成毅技師の協力で撮影〕

［油野友二］

# 7.2 | 糞便検査法① 便潜血検査

- 便潜血検査は便中に存在する血液の有無を検出する検査である。
- 消化管からの出血をきたす疾患・病態を疑うときに検査される。
- 検査法には免疫学的方法と化学的方法があるが，現在は免疫学的方法が主流である。
- 免疫学的便潜血検査は大腸がんのスクリーニング検査として一般的に実施されている。

## 7. 2. 1 基礎知識および臨床的意義

便潜血検査は便中に存在する血液，とくに赤血球中のヘモグロビンを測定して出血の有無を検出する検査である。本検査は測定原理により差異はあるが食道・胃・十二指腸・小腸（空腸と回腸）・大腸（結腸・直腸）を含む消化管での出血を推定することができる。そのおもな病態を表7.2.1に示すが，ほかに投与中の抗凝固剤や非ステロイド性消炎鎮痛剤の副作用による消化管出血，大腸内視鏡によるポリペクトミーによる場合もある。

大腸がんの症状としては，肛門出血，便柱狭小，便秘，便秘と下痢の交代などがあるが，これらはいずれも進行がんの症状であり，早期の大腸がんには症状は認められない。また，大腸がんの60〜70％はS状結腸から直腸に発生している（図7.2.1）。このため，少量の出血でも異常を検出することのできる便潜血検査（免疫法）は，死亡率減少効果を示す十分な証拠があることから大腸がんの一次検診の方法として推奨されている。しかし，便潜血検査が陽性を示した例の精密検査の結果では，約3%が大腸がんであり，ポリープからの出血が約30%，その他の大半は痔などが原因とされている。あくまでも消化管での出血を推定することができる検査であり，精密検査に結び付けるものであることを理解すべきである。

**参考情報**

**＊ 大腸がん検診における便潜血検査の位置付け**

日本で1年間に新たに大腸がんと診断された罹患数は，2019年では男性は約9万人，女性は約7万人で，臓器別比較では大腸がんは男女ともに2番目に多いがんである。年齢別では40歳から加齢とともに増加し，臓器別がん死亡者数でも上位を占めている。しかし，大腸がんは早期の段階で治療を行えば高確率で治癒が望める疾患である。

表 7.2.1 便潜血検査陽性となる病的要因

| |
|---|
| 大腸がん |
| 細菌感染症（腸管出血性大腸菌など） |
| ウイルス・原虫などの感染症（赤痢アメーバなど） |
| 消化管出血 |
| 　食道・胃・十二指腸・小腸・大腸であるが，上部消化管の出血では pH や消化液により陰性化することがある |
| 重度の胃潰瘍 |
| 腸閉塞 |
| 消化管穿孔 |
| 痔出血（裂肛，いぼ痔など） |
| クローン病 |
| 潰瘍性大腸炎 |
| 腸結核 |
| 憩室出血 |

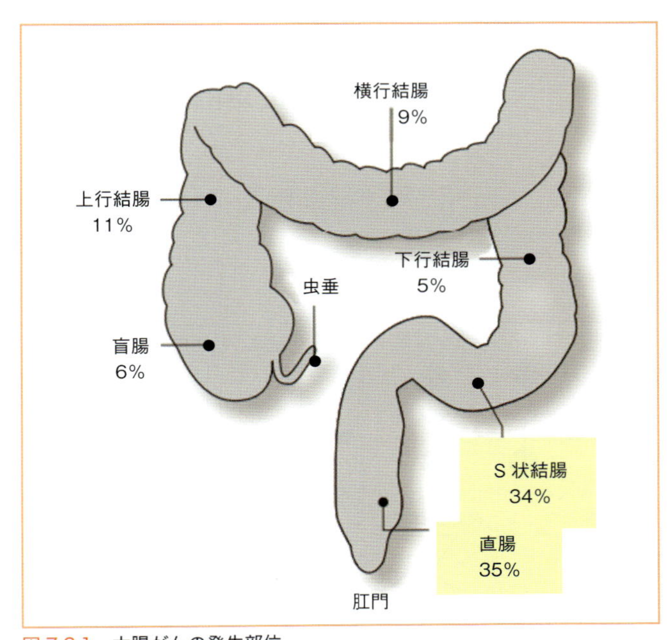


図 7.2.1 大腸がんの発生部位
〔平成21年度厚生労働省がん検診受診向上指導事業がん検診受診向上アドバイザリーパネル委員会：「2．がん検診ガイドライン：各種がん検診の科学的根拠と推奨」，かかりつけ医のためのがん検診ハンドブック，40，2010．https://www.mhlw.go.jp/file/06-Seisakujouhou-10900000-Kenkoukyoku/0000059965_1.pdf より改変〕

## 7. 2. 2　検査法

便潜血検査には大別すると，免疫学的方法と化学的方法がある。

### (1) 免疫学的方法

免疫学的方法は，ヒトヘモグロビンに対する抗体を用いて特異的に糞便中のヘモグロビンとの抗原抗体反応を用いた方法である。本測定法にはラテックス凝集免疫比濁法，金コロイド凝集法，イムノクロマト法などがある。ラテックス凝集免疫比濁法，金コロイド凝集法は全自動分析装置による測定では定量値として測定されている。また，イムノクロマト法は金コロイドを用いた定性法として短時間で簡易に検査が可能である（図7.2.2，7.2.3）。

**1）注意事項**

①食物中の豚，牛あるいは魚類の血液（ヘモグロビン）とは反応しないため，検査前の食事制限を行う必要がない。しかし，胃酸や胃・膵液由来の消化液によりヘモグロビンが変性するため上部消化管出血は検出できない。そのため，下部消化管での出血が早期症状である大腸がんの早期診断やスクリーニングに有用であるとして広く用いられている。

②検査の精度は，採便方法に左右される。血液が付着しているのは便表面の一部だけのことが多いので，採便器で表面を広く，まんべんなくこする。先端の溝が埋まるくらい取る。便の抗原量（ヘモグロビン量）が多いとプロゾーン現象が起き，偽陰性となることがある（図7.2.4）。

③室温（15～20度）ではヘモグロビンが変性していくので，採便から3日以内に提出し，冷暗所での保存が望まれる。

④病変があっても1日法では検出されない可能性があり，2日間連続で採便する2日法が推奨されている。

**2）測定結果の解釈**

①便潜血検査が陽性の場合

「便潜血陽性＝大腸がん」ではないが，必ず精密検査を受けるよう説明する。再度の便潜血検査の実施は意味がないことも説明する。

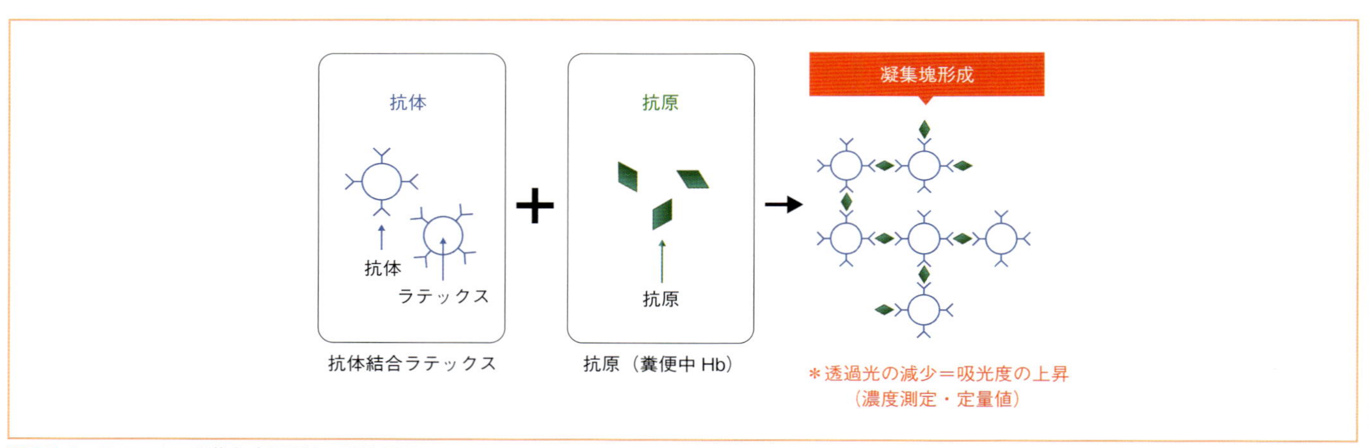


図 7.2.2　ラテックス凝集免疫比濁法の測定原理

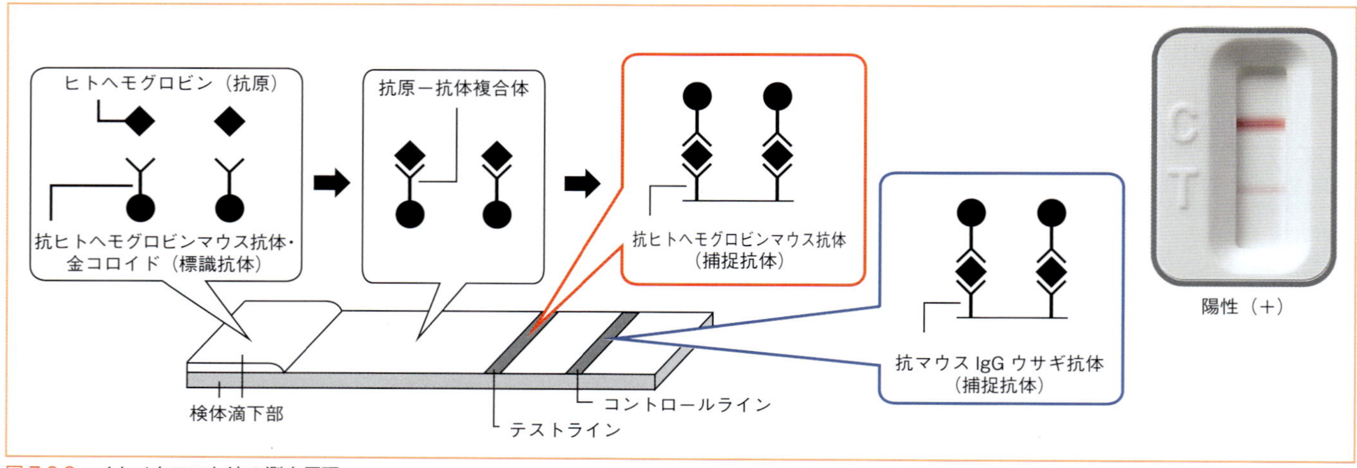


図 7.2.3　イムノクロマト法の測定原理

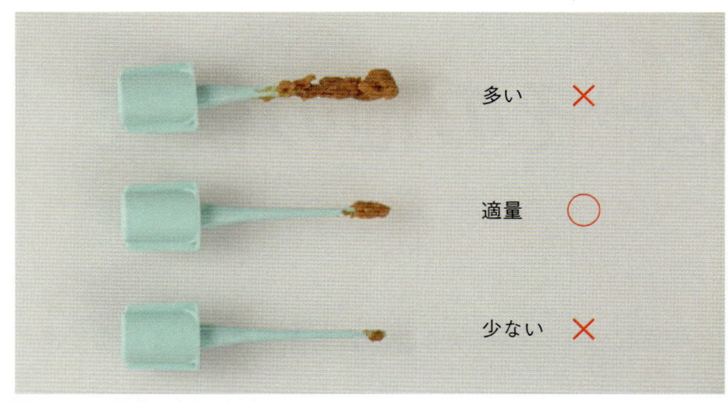


図 7.2.4 検体の採取方法
〔栄研化学：H 採便容器を用いた採便の方法，https://www.youtube.com/watch?v=PtbNn8oaTJQ より〕

②便潜血検査が陰性の場合

「便潜血が陰性＝大腸がんではない」ではない。すべての大腸がんがこの検査で陽性になるわけではなく，あくまで2日とも便に血が混ざっていなかったということでしかない。次の検診の機会には必ず受診するように説明する。しかし，便潜血が陰性でも便秘や下痢が続く，便が細い，腹痛などがある場合は大腸内視鏡検査などの精密検査を実施したほうがよい場合もあり，受診を勧めるべきである。

### (2) 化学的方法

赤血球中のヘムのもつペルオキシダーゼ（POD）様作用を検出する方法である。指示薬が異なるオルトトリジン法とグアヤック法の2つがあったが，現在，わが国では販売されている試薬はない。オルトトリジン法では微量な潜血でも検出可能だが，ヘムと同様なPOD様作用をもつ血液の含まれる肉や魚料理，あるいは鉄剤，ミオグロビン，緑黄色野菜でも陽性となり，偽陽性反応が問題となっていた。そのため，検査に先だって一定の食事制限を行う必要があった。

［油野友二］

用語 ペルオキシダーゼ（peroxidase；POD）

# 7.3 ｜ 糞便検査法② その他の検査

・便中トランスフェリン検査は便潜血検査と同様に便中に存在する血液の有無を検出する検査である。
・便中脂肪の測定は，消化吸収状態を確認するために行う。
・6～7g/日を超える脂肪が排泄される便を脂肪便といい，特有な光沢や色調を呈する。
・便中脂肪の測定には，脂肪染色（Sudan Ⅲ染色，ナイル青染色）がスクリーニング検査として実施されている。

## 7.3.1 便中トランスフェリン検査

**(1) 基礎知識および臨床的意義**

便潜血検査と基本的に検査目的は同じである。トランスフェリンは約1.5mg/dLの濃度で血液中に含まれる鉄結合性の蛋白であり，全血中ではヘモグロビンの約１％程度の含有量しかない。消化管中および便中でヘモグロビンより安定であるため，出血量が少ない小さいがんや便秘を有して大腸内での便の滞在期間が延長しヘモグロビンの変性がある症例では，便中のヘモグロビンとトランスフェリンの同時測定により陽性率が向上することが期待されている。

**(2) 検査法**

試料と金コロイド液を反応させると，試料中のヒトトランスフェリンと試薬中の金コロイド標識抗ヒトトランスフェリンポリクローナル抗体（ウサギ）が抗原抗体反応を起こす。この反応によって抗体に標識された金コロイド粒子が凝集して色調変化を生じ，この色調変化を光学的に測定することにより，試料中のヒトトランスフェリン濃度を求める。

## 7.3.2 便中脂肪染色検査

### 1. 基礎知識[1]

**(1) 便中脂肪の生理（消化吸収）**

食事に含まれる脂肪は，大部分が中性脂肪として摂取される。中性脂肪は十二指腸に入り，胆汁によって乳化され，さらに膵液中の消化酵素リパーゼのはたらきによってモノグリセリド，脂肪酸およびグリセロールに加水分解される。グリセロールは親水性であるため，そのまま小腸上皮細胞から吸収されるが，脂肪酸やモノグリセリドは親水性が低く取り込まれにくいので，胆汁に含まれる胆汁酸によりさらに細かく乳化され，ミセルという小さな構造になって乳び管から吸収される。

**(2) 脂肪便とは**

便中への脂肪排泄は1日に2～6gで，ケン化物5～15％，脂肪酸5～13％，中性脂肪（モノグリセリド，ジグリセリド，トリグリセリド）1～5％として認められる。6～7g/日（6歳以下2g/日以下）を超える脂肪が排泄される便を脂肪便といい，肉眼的に特有な光沢があり，水に浮きやすく，灰白色ないしクリーム色の軟膏状を呈する。また，未消化脂肪の細菌性分解による独特の悪臭（酸臭）がある。

### 2. 臨床的意義[2]

閉塞性黄疸や慢性膵炎における膵液分泌不全により消化酵素リパーゼの分泌減少などが起こると，脂肪便が見られることがある（表7.3.1）。

便中脂肪の証明は，消化吸収障害の有無のスクリーニングに用いられ，吸収不良症候群の診断基準の1つにもなっている[3]。さらに，脂肪の消化吸収機能から栄養状態を把握することは，栄養剤の選択と補充時期の決定，および治療効果の判定に有用であり，栄養サポートチーム（NST）

表 7.3.1 脂肪便が見られる原因

| 状態 | 原因 |
|---|---|
| 消化不良 | 膵酵素の減少：膵炎，嚢胞性線維症，膵臓がん，Zollinger-Ellison 症候群，回腸切除<br>胆汁酸ミセル形成の減少：肝細胞性疾患，胆管閉塞，胆汁性肝硬変症 |
| 吸収不良 | 腸粘膜障害：セリアック病，熱帯性スプルー<br>生化学的異常：無 $\beta$-リポ蛋白血症<br>リンパ液のうっ滞：リンパ腫，Whipple 病 |

〔Brunzel NA（著），池本正生，他（監訳）：「10 章 糞便検査」，ブルンツェル 尿・体液検査―基礎と臨床，206，西村書店，2007 より改変〕

での臨床検査技師による診療支援に役立つ検査項目となっている[4]。

## 3. 検査法

脂肪の有無および種類を証明するには，顕微鏡下にて，(1) 形状・性状観察，(2) 染色所見の観察，(3) 化学反応の観察を実施する。

### (1) 形状・性状観察

米粒大の便と生理食塩水1滴をスライドガラスに薄く塗布（塗抹量は下に敷いた文字が薄く見える程度の濃さとして直径1cm程度）し，カバーガラスをかけて鏡検する。

### (2) 染色所見の観察

定量的ではないが，脂肪便のスクリーニングとして実施される簡便で直接的な検査法である。

1) 米粒大の便に数滴の水を加えて攪拌混和し，少量をスライドガラス上に取る。
2) Sudan Ⅲ染色液*1（70%エタノール100mLにSudan Ⅲ色素2gを飽和溶解し，ときどき混和しながら60℃で1晩放置後，室温まで放冷させ，ろ過して使用する）あるいはナイル青濃厚水溶液を2～3滴加える。

**参考情報**

*1 Sudan Ⅲ染色液の冷却が不十分なままろ過して使用すると，沈渣中に橙色の針状結晶が析出することがあるので注意する。

表 7.3.2 便中脂肪の判定

| | | 中性脂肪 | 脂肪酸 | ケン化物 |
|---|---|---|---|---|
| 鏡検所見 | | 融点の低いものは淡黄色，光輝ある滴状<br>融点の高いものは無色，光沢ある不定形塊状 | 無職長細針状結晶，ときとして塊状 | 束針状，塊状（虫卵状，茸） |
| 染色所見 | Sudan Ⅲ | 赤色に染まる | 塊状結晶は赤色<br>針状結晶は不染 | 染まらない |
| | ナイル青 | 赤色に染まる | 青紫色に染まる | 青紫色に染まる |
| 顕微化学反応 | 加熱 | 溶ける（滴状となる） | 溶ける | 溶けない |
| | 冷アルコール | 溶けない（温アルコールには溶ける） | 溶ける | 溶けない |
| | 水酸化ナトリウム | 溶けない | 溶ける | 溶けない |
| | エーテル | 溶ける | 溶ける | 溶けない |

〔宿谷賢一：「Ⅱ：糞便検査」，臨床検査法提要 改訂第 35 版，184，金井正光（監修），金原出版，2020 より改変〕

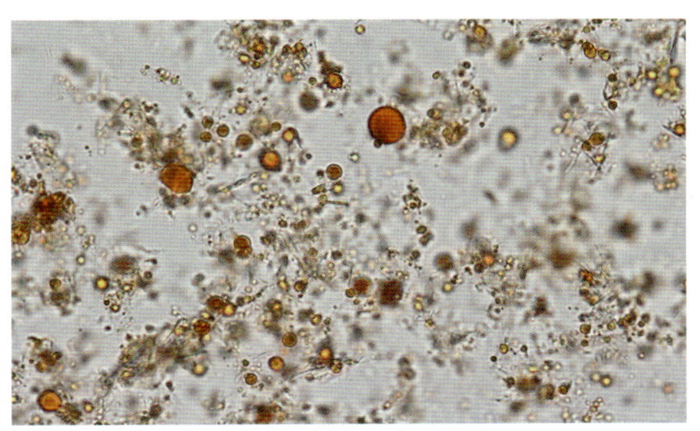

図 7.3.1 便中脂肪染色像 ×400 Sudan Ⅲ染色

3) スライド上で軽く混和し，カバーガラスをかけて弱拡大（10×）で鏡検する。
4) 判定[5]：便中脂肪の染色所見を表7.3.2，図7.3.1に示す。Sudan Ⅲ染色では，中性脂肪が橙赤～赤色，脂肪酸結晶（一部を除く）とケン化物は不染である。毎視野に脂肪滴が10個以上認められる場合を陽性とする。

### (3) 化学反応の観察

表7.3.2で示す各種試薬と便をスライドガラス上で混合し，カバーガラスをかけて鏡検する。または便標本のカバーガラスの一端から試薬を滴下し，他端からろ紙で吸引して反応を観察する。

［油野友二］

**用語** 栄養サポートチーム（nutrition support team；NST），ゾリンジャー・エリソン症候群（Zollinger-Ellison syndrome），セリアック病（celiac disease），熱帯性スプルー（tropical sprue），ウイップル病（Whipple's disease），ズダンⅢ（Sudan Ⅲ）染色，ナイル青（Nile blue）染色

**参考文献**


1) 石黒 洋，他：「糞便検査 便中脂肪の測定」，日本臨床，2009；67：212-215.
2) Brunzel NA（著），池本正生，他（監訳）：「10 章 糞便検査」，ブルンツェル 尿・体液検査－基礎と臨床，203-213，西村書店，2007.
3) 旧厚生省特定疾患消化吸収障害調査研究班：吸収不良症候群診断基準 潰瘍性大腸炎（指定難病 97），難病情報センター，1981.
4) 脇本理栄子：「便中脂肪定量検査」，検査と技術，2004：32：150-151.
5) 宿谷賢一：「Ⅱ 糞便検査」，臨床検査法提要 改訂第 35 版，180-188，金井正光（監修），金原出版，2020.

## C. 髄液検査

# 8章 髄液検査の基礎

章目次



SUMMARY

髄液は産生と循環により，脳を外部衝撃から保護するとともに，ビタミンやグルコース，電解質などの栄養素を脳に供給し恒常性を保つ。また，脳が出す老廃物や中枢神経系に侵入した病原微生物を排除しようとする組織液としての機能も有する。髄液検査では，死亡率や後遺症の残存率の高い中枢神経系感染症である細菌性髄膜炎を早期診断できるよう細胞数・細胞分類を迅速に報告することが望まれる。一方，腫瘍性疾患や白血病では異型細胞の検出が治療方針の決定に重要となる。また，脳室穿刺（脳室ドレナージ）適応疾患では，腫瘍再発の有無や二次性出血，二次的感染症などを把握するために有用である。したがって，これらのことを十分に考慮し，限られた検体量より検査項目の優先順位を決め項目を選択することが求められる。最近は自動算定分析装置による細胞数・細胞分類の測定も広く行われるようになったが，微生物類や異型・異常細胞の出現が疑われる場合には，塗抹標本を作製し細胞の詳細所見をしっかりと観察し報告することが望まれる。その他，髄液は認知症の補助診断としても用いられるようになってきており，髄液中バイオマーカーも注目されている。

# 8.1　脳脊髄液概論

- 髄液の多くは側脳室の脈絡叢で産生される。
- 髄液は脳や脊髄に浮力を与えることで外部衝撃から保護するとともに，ビタミン類やグルコースなどの栄養素や電解質を脳に供給し恒常性を維持している。
- 一方で髄液には脳が産生する老廃物を髄液で洗い流し，静脈系やリンパ系に排出するはたらきもある。
- 脳脊髄と密接な関わりをもつ髄液は中枢神経系の病態を知るうえで格好の検査材料となる。

## 8.1.1　脳脊髄液の名称

脳脊髄液，髄液，リコール，cerebrospinal fluid (CSF)，cerebral fluid，spinal fluid，liquor cerebrospinalisなどの呼称があるが，和名では「脳脊髄液」，あるいはこれを略して「髄液」とよぶ。国際共通名称では「cerebrospinal fluid」あるいはこれを略して「CSF」とよぶ。本章では「髄液」の名称を使用する。

## 8.1.2　髄液の産生と循環

髄液の多くは脈絡叢で産生され，とくに側脳室脈絡叢がその主役をなす。脈絡叢は脳室上衣より移行した1層の上皮であるが，乳頭状に複雑に入り組んだ組織構造を示し，血管に富む（図8.1.1）。脈絡叢に達した血液の一部は脈絡叢の分泌機能によって髄液に変化し，浸透圧勾配により脳室内へ輸送される。髄液の約90%は脈絡叢で産生され，残りの10%は脳実質内，くも膜下腔，脳室上衣などで産生される。

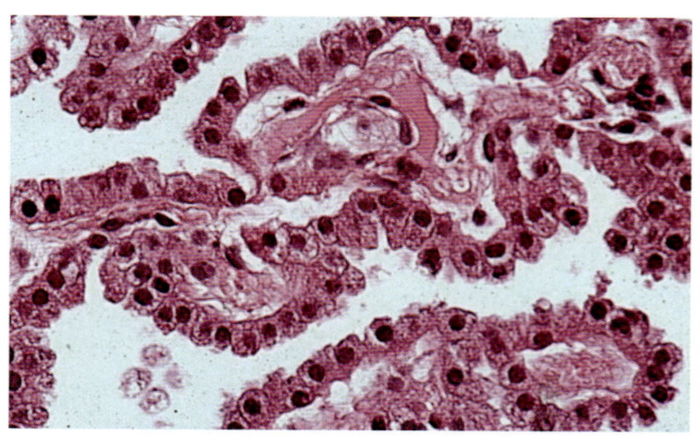
図8.1.1　脈絡叢の組織像　×200　hematoxylin-eosin 染色

健常人における髄液量は報告者によりさまざまであるが，脳くも膜下腔および脊髄くも膜下腔と脳室系（側脳室，第3脳室，第4脳室）を合わせると，成人で120～150mL，新生児・小児で50～60mLと推定されている[1,2]。1日に産生される髄液量について，Pappenheimarら（1962）は成人における髄液は毎分0.3～0.4mL産生され，1日量は500～600 mLとした[3]。また，Spectorら（1989）は脈絡叢組織1gにつき毎分約0.4mLの割合で髄液が産生され，成人の脈絡叢の重量は2～3gであるとしており[4]，これを1日産生量に換算すると約1,000～1,500mLになる。このように研究者によってかなりの差を認めるが，少なくとも1日に3～4回は完全に入れ替わっている計算になる。

側脳室脈絡叢で産生された髄液は脳室間孔(モンロー孔)，第3脳室，中脳水道の順で通過し，第4脳室に達し，開口部であるマジャンディー孔，ルシュカ孔を出て頭蓋内および脊椎管内のくも膜下腔を満たしながら循環する。こうして髄液は最終的に脳の頂上部に存在するくも膜顆粒（くも膜絨毛）より吸収され，上矢状静脈洞に流れ込み，再び血液循環に組み込まれることになる[5]（図8.1.2）。しかしな

用語　脳脊髄液（髄液）(cerebrospinal fluid：CSF)，モンロー孔（Monro foramen)，マジャンディー孔（Magendie foramen)，ルシュカ孔（Luschka foramen)

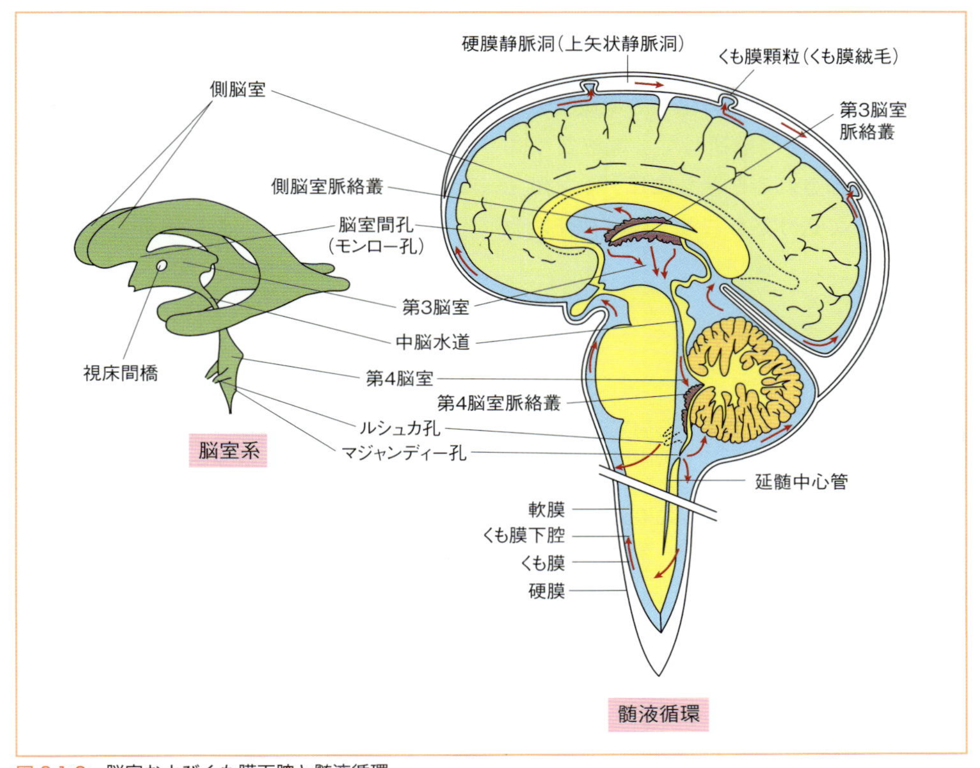


図 8.1.2 脳室およびくも膜下腔と髄液循環
〔大田喜孝：「髄液の役割と髄液検査の意義」, Medical Technology, 2014；42：429 より改変〕

がら，近年は髄液が一方向性に流動するバルクフロー説への疑問視[6]や，リンパ系での吸収に関する議論など報告もあり，いまだ解明されていない部分が多い。

## 8. 1. 3 髄液とくも膜下腔

髄膜は硬膜，くも膜，軟膜の3つの膜よりなり，硬膜は頭蓋骨に，軟膜は脳組織に密接している。くも膜と軟膜の間には空隙（くも膜下腔）があり，くも膜小柱とよばれる無数の線維で結ばれている。この小柱線維があたかも蜘蛛の糸状に見えることが「くも膜」の名称の由縁である。くも膜は脳くも膜と脊髄くも膜の2つに分けられ，脳から脊髄に至るくも膜下腔は常に髄液で満たされている（図 8.1.3）。一般に「髄膜炎」とよばれる病態は髄膜のうちの「軟膜」の炎症を意味している[7,8]。

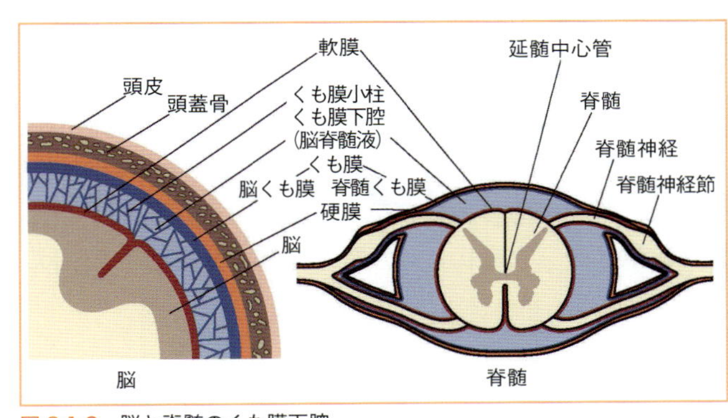


図 8.1.3 脳と脊髄のくも膜下腔
〔大田喜孝，安倍秀幸：「脳脊髄液」，細胞診の基本から実践へ，244，羽場礼次，内藤善哉（編），文光堂，2013 より改変〕

## 8. 1. 4 髄液の機能

髄液の機能についてはいまだ多くの疑問が残されているが，現在一般に認められているものを以下に要約する。

### 1. 中枢神経系の保護と支持

髄液は脳脊髄に常時浮力を与えており，Spector ら（1989）によれば実際の脳重量を1/30程度に軽減しているとされる[4]。すなわち，静水力学的なクッション機能により水の中に浮かぶ豆腐のような状態で中枢神経系を物理的外力から保護している。

### 2. 恒常性の維持

脳脊髄は正常な機能維持のため，周囲の化学的環境を一定に保つ必要がある。血液脳関門*1を通して，電解質やほかの生化学物質が微妙に調節されるとともにビタミン類，グルコースなどを栄養素として送り込むことで中枢神経系の恒常性を維持している[4]。

**参考情報**

＊1 血液脳関門（BBB）

脳は恒常性に強く依存する組織であり，血液から脳実質への物質移動は脳血管系により営まれている。脳血管の内皮細胞は緊密な結合を形成しており，選択された物質のみが通過でき，脳に不利益な物質は通過できない。このしくみが血液脳関門であり，脳は環境変化や有毒物質から守られている。髄膜炎や脳炎ではこのバリアー機能が低下し，あるいは破壊され，血液細胞や蛋白などが移行しやすくなる。また，現在は末梢と中枢系の関門として①血液脳関門，②血液脊髄関門，③血液脳脊髄液関門，④血液くも膜関門の4つのルートが考えられており，中でも血液くも膜関門（BAB）が薬理学的なルートとして重要なはたらきがある[9]と考えられている。

### 3. 組織液としての機能

中枢神経系に病原微生物や異物が侵入すると，髄液中には速やかに白血球増加が生じ，それらを排除しようとする。これは細菌に対する好中球の直接攻撃であったり，ウイルスに対するリンパ球の抗体産生であったりとさまざまであるが，白血球の動員にはインターロイキン-6(IL-6)，顆粒球コロニー刺激因子（G-CSF），マクロファージコロニー刺激因子（M-CSF）などの種々のサイトカインが必要とされ，髄液はその伝搬役を担っている。また，脳は恒常性を維持するため多くの老廃物を産生する。脳脊髄をくまなく循環する髄液はこの老廃物を洗い流し，静脈系やリンパ系に排出するはたらきをもっている[5]。

## 8. 1. 5　髄液の産生と循環

髄液検査の適応がある疾患には中枢神経系感染症（髄膜炎，脳炎）を始め，くも膜下出血，多発性硬化症，脳ヘルニア，脊髄疾患，ギラン・バレー(Guillain-Barré）症候群，ベーチェット（Behçet）症候群，サルコイドーシス，脳腫瘍，髄膜白血病やその他の転移性腫瘍などがある。

これらの疾患の診断ならびに経過観察のために髄液検査が実施されるわけであるが，実際には患者に髄膜刺激徴候や神経症状を認め，その原因究明を目的とする場合が多く，髄膜炎，脳炎がその主体をなす。髄膜炎，脳炎では発熱，頭痛，嘔吐を三大症状とし，髄液採取には髄液圧を下げ，これらの症状を緩和する目的もある。

髄液検査項目としては細胞数算定・細胞分類を始めとし，糖，蛋白，各種酵素，各種抗原・抗体の検出，免疫グロブリンや特殊蛋白の測定および微生物学的検索，細胞塗抹標本による形態学的検索などがあげられる。中でもとくにSamson液とFuchs-Rosenthal計算盤を用いた髄液細胞の算定と分類は，迅速な治療を必要とする各種中枢神経系感染症の鑑別診断および治療効果の判定において極めて重要な検査法である。

---

**用語**　血液脳関門（blood-brain barrier；BBB），血液くも膜関門（blood-arachnoid barrier；BAB），インターロイキン-6（interleukin-6；IL-6），顆粒球コロニー刺激因子（glanulocyte-colony stimulating factor；G-CSF），マクロファージコロニー刺激因子（macrophage-colony stimulating factor；M-CSF），ギラン・バレー症候群（Guillain-Barré syndrome），ベーチェット症候群 (Behçet's symdrome)，サルコイドーシス（sarcoidosis）

## Q 髄膜刺激徴候とは？

**A** 髄液腔（くも膜下腔）に炎症や出血が生じると髄膜が刺激され本症状をきたす。髄膜炎，脳炎，くも膜下出血のほか悪性腫瘍などで見られ，代表的な身体所見としては（1）項部硬直，（2）ケルニッヒ徴候（Kernig's sign），（3）ブルジンスキー徴候（Brudzinski's sign），（4）新生児・乳児の大泉門膨隆などがある[8,9]。

### (1) 項部硬直

検者は仰臥位の患者の後頭部を手ですくうようにして静かに持ち上げ，下顎を全胸部につけるような体位をとらせる。髄膜刺激徴候があれば項筋が収縮し硬くなり，患者は頸部の強い痛みを訴える（図8.1.4）。

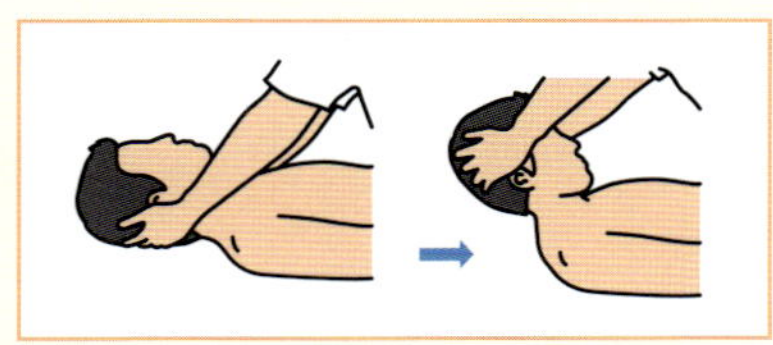

図 8.1.4 項部硬直（項部硬直のない例）

### (2) Kernig徴候

患者は仰臥位で足を伸ばし，検者は一側の下肢の足首～ふくらはぎ部を片手で保持，もう一方の手で上から膝を軽く押さえるようにして持ち上げていく。髄膜刺激徴候があると患者は下肢屈筋群の筋緊張亢進のために自動的に膝関節の屈曲を起こす（図8.1.5）。

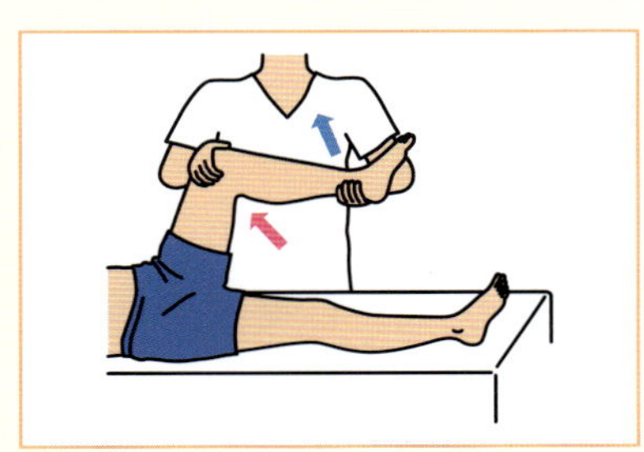

図 8.1.5 Kernig 徴候

### (3) Brudzinski徴候

1)Brudzinskiの項徴候：下肢を伸ばした仰臥位の状態で，患者の上体が起きないように（背中をベッドに付けた状態で）頭部を被動的に前屈させる。髄膜刺激徴候があると，患者の股関節と膝関節に自動的な屈曲が起こる[10]（図8.1.6）。

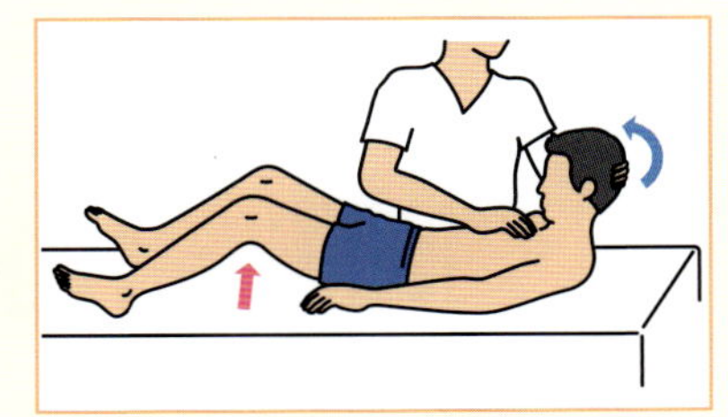

図 8.1.6 Brudzinski の項徴候

2)Brudzinskiの対側下肢徴候：下肢を伸ばした仰臥位の状態で，患者の一側の下肢を被動的に膝関節で屈曲させる。髄膜刺激徴候があると，もう一方の足が自動的に股関節と膝関節で屈曲する。

### (4) 新生児・乳児の大泉門膨隆

大泉門は頭部の冠状縫合，矢状縫合，前頭縫合の間にある最大の菱形の泉門で，生後1年半ないし2年で閉鎖する。髄膜炎では髄液圧の上昇のために大泉門が膨隆する。なお，新生児・乳児では一般に髄膜刺激徴候をとらえ難いとされるが，おむつ交換時に激しく泣くなどの親の訴えが診断の契機となることがある[11]。

［石山雅大］

用語　ケルニッヒ徴候（Kernig's sign），ブルジンスキー徴候（Brudzinski's sign）

## 参考文献


1）Wright EM：“Transport processes in the formation of the cerebrospinal fluid”，Rev Physiol Biochem Pharmacol，1978；83：2.
2）Greitz D，Hannerz J：“A proposed model of cerebrospinal fluid circulation：observations with radionuclide cisternography”，AJNR Am J Neuroradiol，1996；17：431-438.
3）Pappenheimar JR, *et al.*：“Perfusion of the cerebral ventricular system in unanesthetized goats”，Am J Physiol，1962；203：763.
4）Spector R, Johanson CE：“The mammalian choroid plexus”，Sci Am，1989；261：68-75.
5）Koh L, *et al.*：“Integration of the subarachnoid space and lymphatics：Is it time to embrace a new concept of cerebrospinal fluid absorption?”，Cerebrospinal Fluid Res，2005；2：6.
6）石川正恒：「従来の髄液産生・吸収・Bulk flow 説とその問題点」，臨床神経学，2014；54：1184-1186.
7）新井　一（監修）：「第２章 臨床解剖」，標準脳神経外科学 第15版，医学書院，2021.
8）Nolte J：“The Human Brain：An introduction of Its Functional Anatomy” 2nd ed, 51-71，The CV Mosby Company, 1988.
9）内田康雄：「新たな中枢関門“血液クモ膜関門”の生理学的および薬理学的な役割：新領域開拓における定量プロテオミクスの重要性」，日本プロテオーム学会誌，2020；5：1-11.
10）Verghese A, Gallemore G：“Kernig's and Brudzinski's signs revisited”，Rev Infect Dis，1987；9：1187-1192.
11）Feigin RD, *et al.*：“Diagnosis and management of meningitis”，Pediatr Infect Dis J，1992；11：785-814.

# 8.2 | 髄液検査法

- 腰椎穿刺，後頭下穿刺（大槽穿刺），脳室穿刺（脳室ドレナージ）の３つの採取方法を理解する。
- 肉眼的所見により細胞の増加や出血の有無などを推測する。キサントクロミーの判断，黄色調以外の要因も考える。
- 細胞分類はSamson染色で単核球と多形核球に分類する。鑑別不可能なときは細胞塗抹標本を作製し，MG染色などを用いて鑑別する。自動血球分析装置を導入している施設でも鏡検技術の習得は必須である。
- 細菌性髄膜炎は致死率が高いため，本疾患の診断および治療は迅速かつ正確に行われる必要がある。
- 認知症の原因疾患を学ぶ。補助診断として髄液中バイオマーカーも用いられている。
- プリオン病疑いの検体の取扱いについて理解する。

## 8.2.1 髄液の採取・取扱い・肉眼的観察

### 1. 髄液の採取（腰椎穿刺，後頭下穿刺，脳室穿刺）

髄液の採取は，腰椎穿刺による方法が一般的であるが，検査・治療目的により後頭下穿刺，脳室穿刺なども施行される場合がある。穿刺する部位によって細胞数や蛋白などの検査成績に相違が見られるため，検査前に穿刺部位を必ず確認する。髄液腔内の髄液量は成人でも120〜150mLと少なく，また脳ヘルニアなどの合併症を考えるとその採取量も限られ，成人で約1割の10mL以内，通常は2〜3mL程度が推奨される。

#### (1) 腰椎穿刺

腰椎穿刺の適応は脳室やくも膜下腔の感染や出血，神経疾患，腫瘍性疾患などがあげられる。採取には禁忌事項があり，また合併症を起こす危険性もあるため注意が必要である（表8.2.1）。腰椎穿刺では，被検者を側臥位とし腰椎の椎間腔より脊柱管に穿刺して髄液を採取する（図8.2.1）。穿刺は左右の腸骨稜の最高点を結んだヤコビ線（第4腰椎の棘突起に相当）を基準に第4〜5腰椎（L4〜5）間で行う（図8.2.2）。ただし第4〜5腰椎間に狭窄がある場合は脊髄円錐の損傷に留意し1椎上部の第3〜4腰椎（L3〜4）間からの採取や，1椎体下の第5腰椎〜第1仙椎（L5〜S1）間が選択される。穿刺針が穿通する順序は皮膚，皮下組織，筋膜，棘上靱帯，棘間靱帯，黄靱帯，硬膜，くも膜を通りくも膜下腔に達する。採取時には液圧測定やクエッケンシュテット（Queckenstedt）試験が施行されることがある。腰椎穿刺での正常液圧は70〜180mm$H_2O$程度である。

#### (2) 後頭下穿刺（大槽穿刺）

腰椎の棘突起間の狭窄やくも膜下腔の閉塞があり腰椎穿刺が困難な場合は後頭下穿刺が行われる。禁忌は腰椎穿刺と同様であるが，そのほか後頭蓋窩に腫瘍がある場合も含まれる。

採取方法は，被検者を側臥位とし頭部を前屈させ固定する。穿刺は外後頭隆起の下方の正中線上で軸椎の棘突起上

表8.2.1　腰椎穿刺の適応，禁忌，合併症

| 適　応 | 禁　忌 | 合併症 |
|---|---|---|
| 中枢神経系感染症<br>出血（くも膜下出血など）<br>神経疾患<br>（多発性硬化症，Guillain-Barré症候群など）<br>腫瘍性疾患（原発，転移・浸潤）<br>頭痛の精査 | 頭蓋内圧の亢進<br>穿刺部位に感染症がある場合<br>脊椎の変形や奇形（腰椎穿刺の場合）<br>出血傾向が強い場合<br>被検者の協力が得られない | 脳ヘルニア<br>一過性の頭痛<br>外転神経麻痺による複視<br>脊髄根性疼痛<br>馬尾神経の損傷<br>穿刺局所の感染 |

用語　ヤコビ線（Jacoby line），クエッケンシュテット試験（Queckenstedt test）

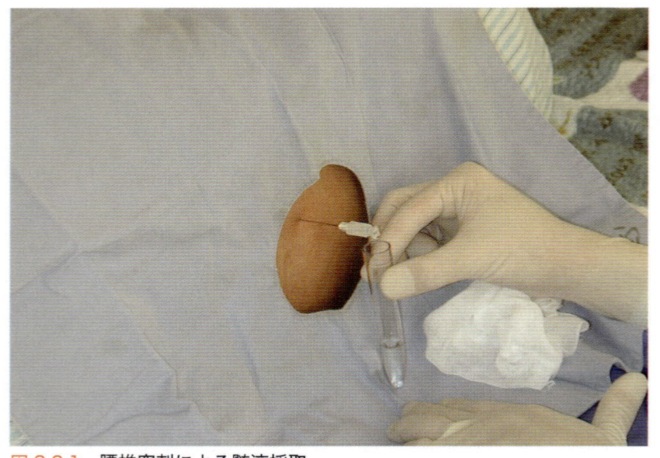

図 8.2.1　腰椎穿刺による髄液採取
〔日本臨床衛生検査技師会髄液検査法編集ワーキンググループ，髄液検査法 2002，19，2002 より〕

表 8.2.2　脳室穿刺適応疾患（水頭症）

| 分　類 | 病　名 |
|---|---|
| 出血性疾患 | くも膜下出血<br>脳室内出血<br>脳幹部出血 |
| 感染性疾患 | 髄膜炎<br>脳室炎 |
| 頭蓋内占拠性病変 | 脳腫瘍 |
| 脳部外傷 | |

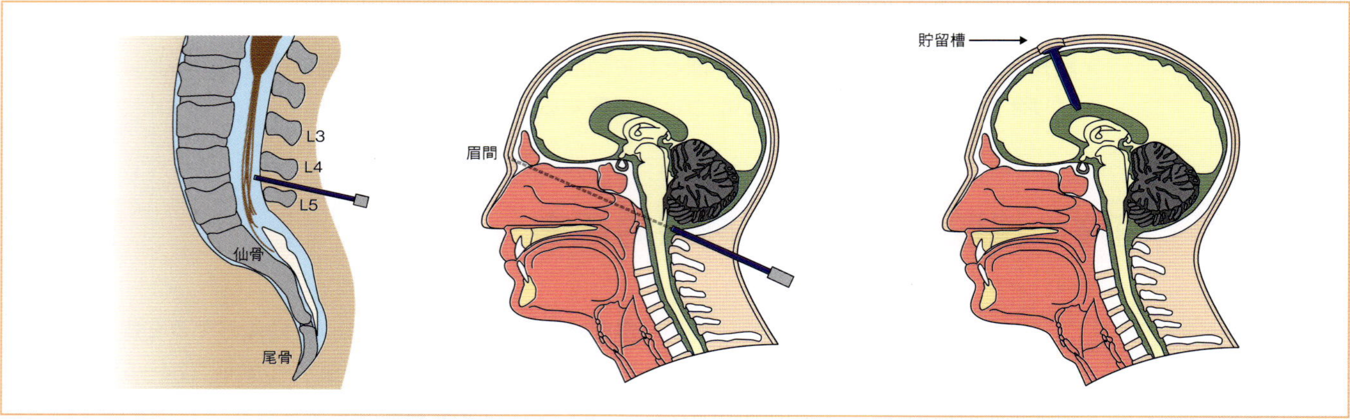


図 8.2.2　腰椎穿刺〔第４～５腰椎（L4～5）間〕

図 8.2.3　後頭下穿刺

図 8.2.4　脳室穿刺

0.5～1.0cmの場所より，透視下で図のように眉間に向けて大後頭孔の縁を滑らせながら大槽に挿入する（図8.2.3）。

### (3) 脳室穿刺

脳室穿刺（脳室ドレナージ）は頭蓋内圧をコントロールすることを第一目的とし，水頭症に対して行われる治療であり，脳内出血の脳室穿破，重症くも膜下出血や脳腫瘍による急性閉塞性水頭症が好適応である。くも膜下出血や髄膜炎が原因で，髄液の吸収障害がある場合，脳室拡大や頭蓋内圧亢進をきたすため，髄液を持続的に排液し，頭蓋内圧をコントロールする必要がある。頭蓋内感染や血腫によりシャント閉塞のリスクが高い場合にも適応となる（図8.2.4）。脳室穿刺の適応となる疾患を表8.2.2に示す。

#### 検査室ノート　髄液圧と頭蓋内圧

髄液圧は腰椎穿刺の際，マノメーター（圧力計）を用いて測定する。一方，頭蓋内圧は頭蓋内のすべての圧力の総称を示し，髄液圧，硬膜外圧，硬膜下圧，脳実質圧などが含まれる。頭蓋内圧の測定は圧電センサーを原理とした種々の機器で行う。

### 検査室ノート　Queckenstedt試験

頭蓋内の静脈とくも膜下腔，さらに脊柱管内のくも膜下腔が正常に開通しているかどうかを見る試験である。腰椎穿刺で髄液採取の際に，両側頸静脈を強く圧迫すると健常人では数秒で液圧が100mm$H_2O$以上上昇する。圧迫をやめるとすぐもとに戻る。これは，頸静脈の圧迫により頭蓋内の静脈が怒張し頭蓋内圧が上がり，腰椎での髄液圧も上がることによって起こる。くも膜下腔が完全に閉塞していると液圧の上昇は見られず，不完全閉塞では圧の上昇が少なくかつ下降も緩慢となる。これらの異常がある場合にQueckenstedt試験陽性となる。しかし，近年は画像診断の進歩によりその有用性は乏しくなってきているとされる[1]。

## 2. 髄液の取扱い

髄液の採取は容易に繰り返して行うことはできず，また一度に採取可能な量も限られているため，各検査項目に必要な検体量を把握しておかなければならない。髄液の採取容器は滅菌ポリプロピレン容器を用い，数本に分けて採取する。採取時には抗凝固剤は基本的に使用せず，髄液一般検査のほかにどのような検査が必要なのかを確認する。

### (1) 採取容器について

採取容器は滅菌ポリプロピレン容器を用いる。髄液中の細胞は負に荷電しており，ガラス製試験管では管壁に吸着され，細胞数算定の際に負の誤差が生じることがある。

また髄液は数本に分けて採取する。最初の1本目に細胞量が最も多く，細胞数の算定や分類に適している。ただし採取時に医原的な出血が生じた場合には1本目に血液の混入が多く見られるため（図8.2.5），2本目を使用するとよい。また，数本に分注することで細菌などの感染を疑った場合に速やかに微生物学検査に対応できる。

図8.2.5　採取された髄液の提出例（①，②，③の順に採取）
最初に採取された①に医原的な血液の混入が見られる。

### (2) 抗凝固剤について

本来，髄液にはフィブリノーゲンが存在しないため基本的に抗凝固剤は不要である。ヘパリンを加えると細胞数算定の際にSamson液と反応し微細な粒子が析出し鏡検が困難となる（図8.2.6）。これはヘパリンに含まれる高分子酸性ムコ多糖体がSamson液中の酢酸と反応し生じる現象である。

### (3) 検査に必要な検体量

検査項目により必要な検体量は異なるが，通常，髄液細胞検査（細胞数算定・分画）で200$\mu$L，臨床化学検査で300$\mu$L，微生物学検査と細胞塗抹標本作製でそれぞれ500$\mu$L以上必要となるため合計で2～3mL程度となる。図8.2.7にそれぞれの検査項目に必要な検体量と検査に必要な所要時間を記した[2]。

### (4) 髄液の保存

髄液の保存は検査内容にもよるが極めて難しい。とくに髄液中の細胞は変性が速いため，冷蔵保存しても防ぐことができない。これは髄液には蛋白や脂質成分が少ないことに起因する。図8.2.8は室温（25℃）と冷蔵（4℃）で髄液を24時間放置し経時的に細胞の残存状況を観察した結果

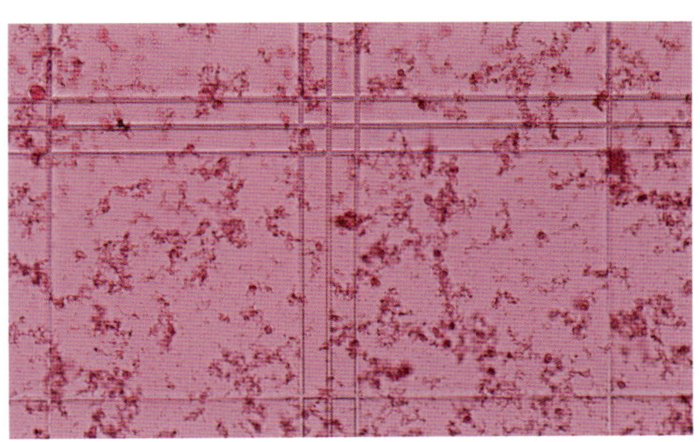
図8.2.6　ヘパリンとSamson液の反応　×200

である。室温保存では2時間後に細胞残存率が68%，24時間後には12%となった。細胞種別では好中球を主体とした多形核球がリンパ球などの単核球より変性が速い（図8.2.9）。よって，髄液採取後は細胞数・分画ともに変化するため，細胞検査は1時間以内には実施する必要がある。また，臨床化学検査や特殊蛋白検査，ウイルス抗体価については上清の凍結保存，微生物学検査は，チオグリコレート（TGC）培地や血液寒天培地などへ接種し，培養（37℃）を行う。検体は37℃で保存する（図8.2.7）。

### (5) プリオン病疑いの髄液検体の取扱いについて

クロイツフェルト・ヤコブ病（CJD）に代表されるプリオン病患者の髄液は感染の観点から細心の注意が必要である。プリオンの感染力そのものは弱いが，一般的な消毒や滅菌法では感染性を失わず，とくに髄液は中枢神経系を介するため感染の危険性が高い[3]。病理分野では細胞診検査を受け付けない医療機関も多く，一般検査においても危険性が高い場合には基本的に検査を実施すべきではない。どうしても髄液検査が必要な場合には，検査前に診療科からプリオン病疑いの検体であることの事前報告を必須とする。髄液の採取，搬送ならびに検査を実施する際にはマキシマルバリアプリコーション*1を徹底し，検査に使用する器具はディスポーザーを使用する。また計算盤などディスポーザーがない場合は廃棄する。

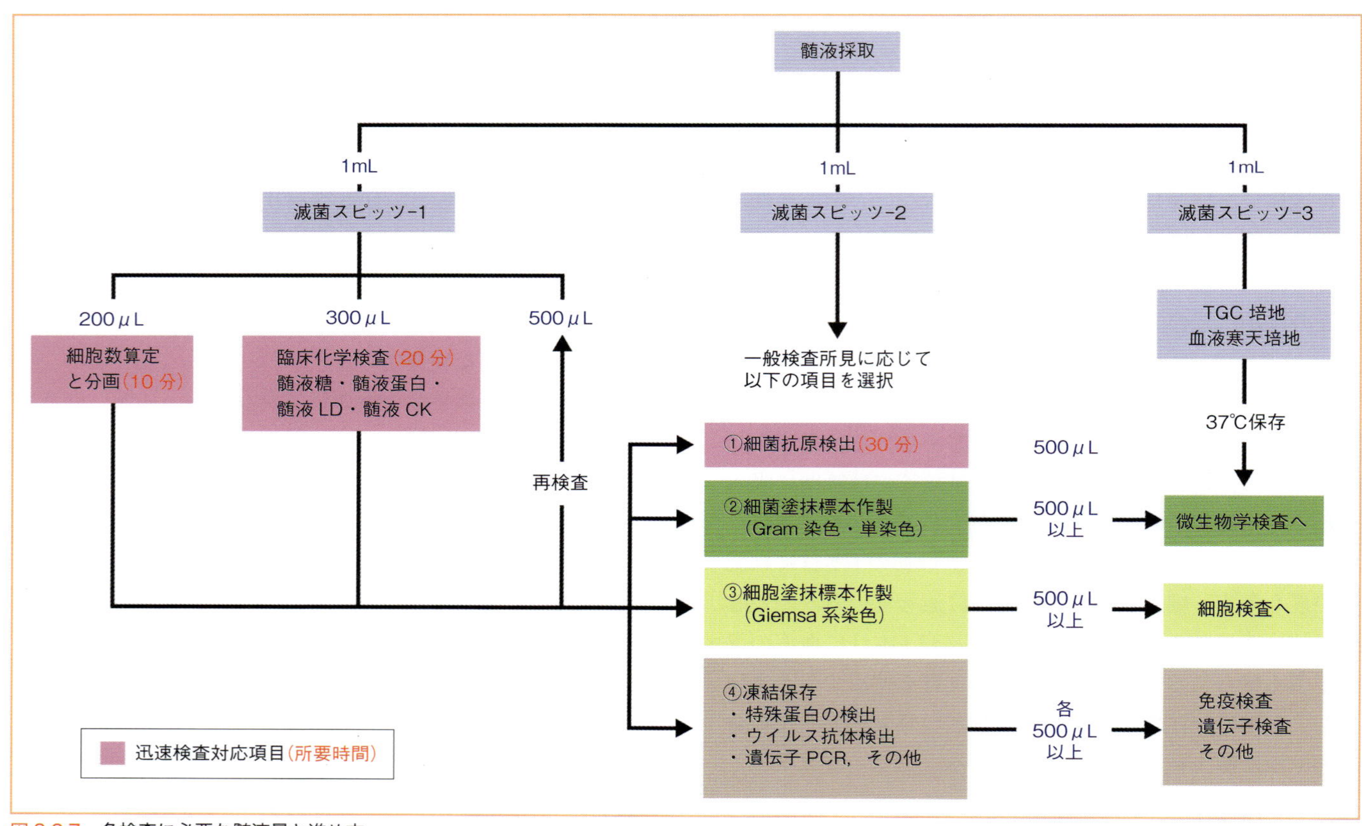


図8.2.7　各検査に必要な髄液量と進め方

〔大田喜孝：「第7章髄液検査」，一般検査技術教本，108，日本臨床衛生検査技師会（監修），2012より改変〕

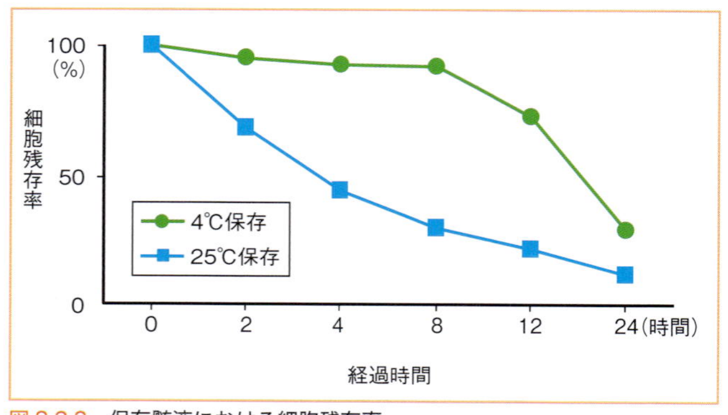


図8.2.8　保存髄液における細胞残存率

〔日本臨床衛生検査技師会髄液検査法編集ワーキンググループ，髄液検査法2002，23，日本臨床衛生検査技師会，2002より改変〕

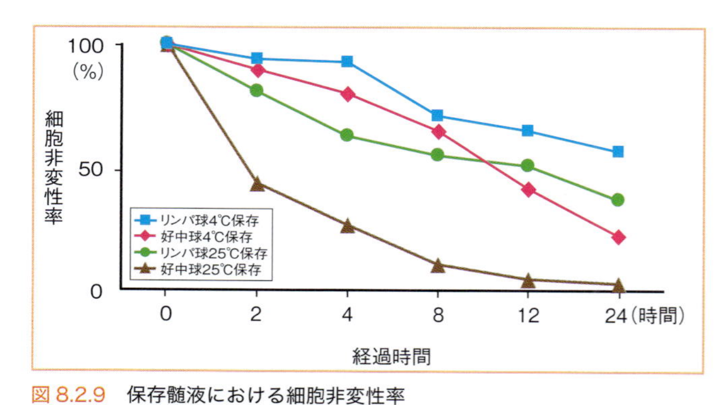


図8.2.9　保存髄液における細胞非変性率

〔日本臨床衛生検査技師会髄液検査法編集ワーキンググループ，髄液検査法2002，23，日本臨床衛生検査技師会，2002より改変〕

用語　チオグリコレート（thioglycollate；TGC），クロイツフェルト・ヤコブ病（Creutzfeldt-Jakob disease；CJD）

**参考情報**

＊1 マキシマルバリアプリコーション
　検体採取（穿刺時）の際，二次感染リスクを避けるためにディスポーザブルのキャップ，ゴーグル（またはアイガード），マスク，滅菌手袋，滅菌ガウンなどを用いて無菌操作を行うこと。

**Q 髄液検体が1本のみで提出されたら？**

**A** 採取量が少なく1本のみ提出された場合は，無菌的操作にて最低でも2本に分ける。髄液検査は細胞検査や臨床化学検査など多岐にわたるため，分注操作を行うことで効率的に検査を進めることができ，微生物学検査が必要な場合もすぐに対応が可能となる。

**Q 髄液の微生物学検査ではなぜ低温（冷蔵）保存をしてはいけないのか？**

**A** 細菌性髄膜炎を疑う場合は，可能な限り早く塗抹・培養検査を行う。しかし時間外などですぐに対応ができない場合は，低温で死滅する髄膜炎菌などを考慮し低温（冷蔵）保存は避ける。

### 3. 肉眼的観察

検体の到着時にはまず髄液の外観を観察する。基本的には図8.2.10のように透明，混濁，キサントクロミー，血性で外観をとらえる[4]。正常髄液は無色透明であり，細胞や微生物が増加すると混濁を示す。ただし透明であっても日光微塵が観察できれば細胞の微増が考えられる。

キサントクロミーは髄腔内である程度時間の経過した出血を意味する。キサントクロミーは赤血球の破壊により生じる間接ビリルビンの色調であるため基本的に黄色調を示す。出血後3～4時間で出現し，およそ1週間で色調は最も著明となり，3～4週間ほど続く。計算盤や塗抹標本の鏡検でヘモジデリンや赤血球を貪食する組織球の存在が確認できれば，頭蓋内（脳室やくも膜下腔）での出血を証明できる。また，キサントクロミーは高度の蛋白増加でも見られるほか，全身の黄疸が強い場合にも認められる。なお，髄腔内出血後，ある程度時間が経過した場合の髄液色調である桃色や橙色，褐色などを含めてキサントクロミーとよぶこととする。桃色はオキシヘモグロビン，橙色はヘモグロビンとビリルビン，褐色はメトヘモグロビンの存在によるものと考えられる[5]。血性髄液は頭蓋内出血を意味するが，穿刺時の医原的混入（トラウマチック・タップ）との鑑別が必要となる。このように髄液検査では最初の肉眼的所見が重要な検査の1つとなる。

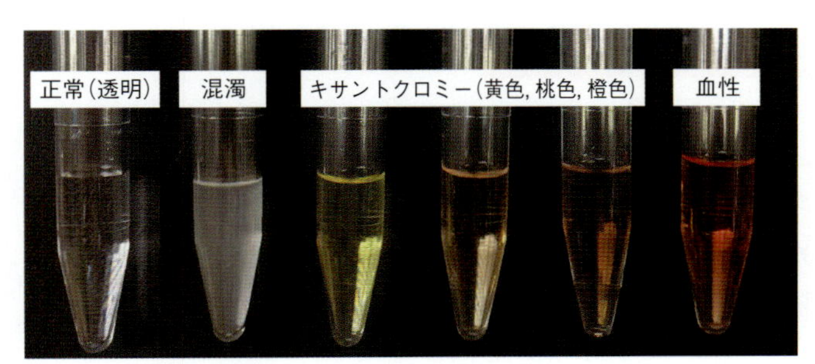


図8.2.10　髄液の色調

**検査室ノート　日光微塵**

軽度の細胞増加では，髄液の入ったスピッツを光にかざして軽く振りながら観察すると肉眼的に細胞が微細な粒子として観察される状態をいう。細胞の増加は数百個/μL程度と推定される。

## Q キサントクロミーとはどの程度の着色状態から判断するのか？

**A** キサントクロミーは白色背景で確認し，わずかな着色でもそれと判断する。判断が難しい場合はスピッツの上からも観察する。

## Q 黄色以外のキサントクロミーとは？

**A** 桃色はオキシヘモグロビンの混入が考えられる。オキシヘモグロビンは動脈血に代表される酸素が結合したヘモグロビンであるが，髄腔内で出血があり溶血すると，はじめにオキシヘモグロビンとなるためである[5)]。そのほか褐色はメトヘモグロビンの混入が考えられる。赤血球のヘモグロビンは通常，2価の鉄イオンであり，3価になった状態がメトヘモグロビンである。メトヘモグロビンは酸素を運搬できない。

## Q 新生児のキサントクロミーの要因は？

**A** 頭蓋内出血のほかに高ビリルビン血症によるものがある。通常，血中ビリルビンが高いだけではそれが髄液に反映されることはないが，新生児は血液脳関門が未発達のためビリルビンが通過でき，またあわせて蛋白も流入するためキサントクロミーを呈しやすい。

## Q 血性髄液の鑑別方法は？

**A** 血性髄液の鑑別方法はスピッツに入った髄液を800rpm・5分程度遠心し，上清を確認する。キサントクロミーを呈していれば古い出血が考えられ，無色透明では穿刺時の混入の可能性が高い。また，MG染色や，可能であれば鉄染色（ベルリン青染色）などでヘモジデリンや貪食する組織球の存在の確認も重要となる。

## Q 高度の血液混入髄液では検査は何もできないのか？

**A** 血清成分が混入しているので，蛋白をはじめ臨床化学検査はほとんどが不可となる。細胞数の算定においても血液細胞が混入するため，正確な値を求めることはできない。また，赤血球補正はトレーサビリティの観点から推奨していない。ただし，細菌性髄膜炎を疑う例では敗血症を伴っている[5)]場合が多いため，微生物学検査の対応は可能である。

用語　メイ・グリュンワルド・ギムザ（May-Grünwald Giemsa；MG）染色

## 8. 2. 2　髄液細胞の観察

### 1. 細胞数算定

髄液の細胞数算定は髄液検査の中で最も重要な検査である。細胞数の算定と分類を行うことで，髄膜炎や脳炎をはじめとする各種中枢神経系感染症の診断ならびに治療効果の推定が可能になる。検査技術は高い精度が要求され，使用する器具，手技には細心の注意が必要となる。

#### (1) Samson液の作製法

10%フクシンアルコール2mL，酢酸30mL，飽和フェノール2mLを加え，蒸留水で100mLにする。一般に顕微鏡用フクシンを使用するが，製品によって色調が異なる場合があるので注意を要する。Samson液調整後，経日的にフクシン色素の色調が劣化し，細胞核の染色性が低下した場合は随時調整し直す。試薬を作製した年月日は試薬びんに記載する。または，すぐに確認できるようにする。Samson液は既製品も市販されている。

#### (2) 希釈法（マイクロピペット法）

マイクロピペットを用いて，Samson液20μL，混和した髄液180μL（1：9）をプラスチック（ポリプロピレン）製の小試験管に取り，軽く混和後，計算盤に注入する（図8.2.11）。希釈比は，マイクロピペットの精度が保たれている場合，Samson液：髄液の希釈比は20μL：180μLでも20μL：200μLでもよい。マイクロピペットの性能は，定期的に検定を実施し管理する。

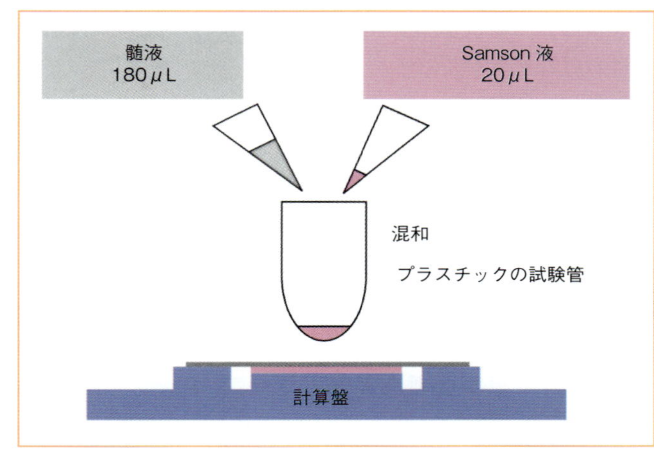

図 8.2.11　マイクロピペットを用いた方法

**Q　プラスチック（ポリプロピレン）製の試験管を用いる理由は？**

**A**　プラスチック（ポリプロピレン）製は，ガラス製に比べて，荷電イオンが生じにくい。そのため負に荷電している細胞が管壁に付着しにくく，細胞が浮遊した状態になるためである。

**Q　細胞数が著しく増加した髄液への対処法は？**

**A**　細胞数が多い髄液では，計算盤上に細胞が密集し算定困難となる。この場合，あらかじめ髄液を生理食塩水で希釈する。

または図8.2.12のように一定区画を算定し，16区画に換算する。

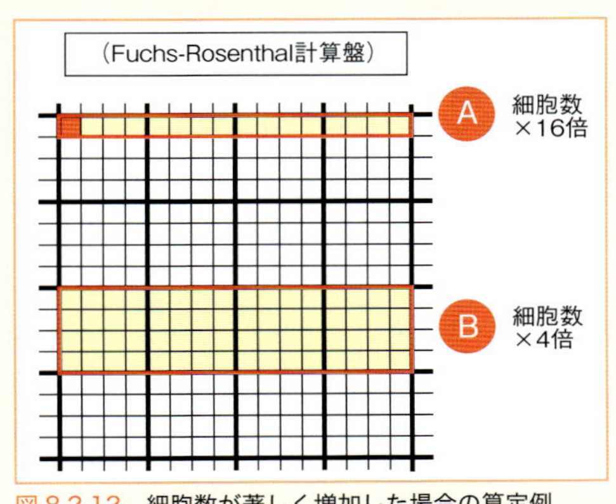

図 8.2.12　細胞数が著しく増加した場合の算定例

### (3) 算定法

使用する計算盤は，Fuchs-Rosenthal計算盤を推奨する。感染制御の観点から，最近はディスポーザブル計算盤を使用する施設も多くなったが，計算室の特性を理解し使用しなければならない。

1) 計算室の両側にニュートンリングが確認できるようにカバーガラスをかけ，Samson液で希釈した髄液を注入後，細胞が計算室の底に沈降するまで3～5分間放置する。なお，計算盤内の髄液は蒸発・乾燥しやすいため，すぐに鏡検できない場合は湿潤箱に入れておく。
2) 200倍（対物レンズ×接眼レンズ＝20×10，1視野に小区画が4マス入る）で鏡検し，全区画を算定する。細胞数（1$\mu$L）は全区画/3で算出される。Fuchs-Rosenthal計算盤は図8.2.13のように区画されており，1辺は4.00mmである。外側4辺の線上に細胞があった場合，2辺の線上にある細胞は算定し，ほかの2辺のものは除外するなど，計算盤における注意点はほかの計算盤と同様である。

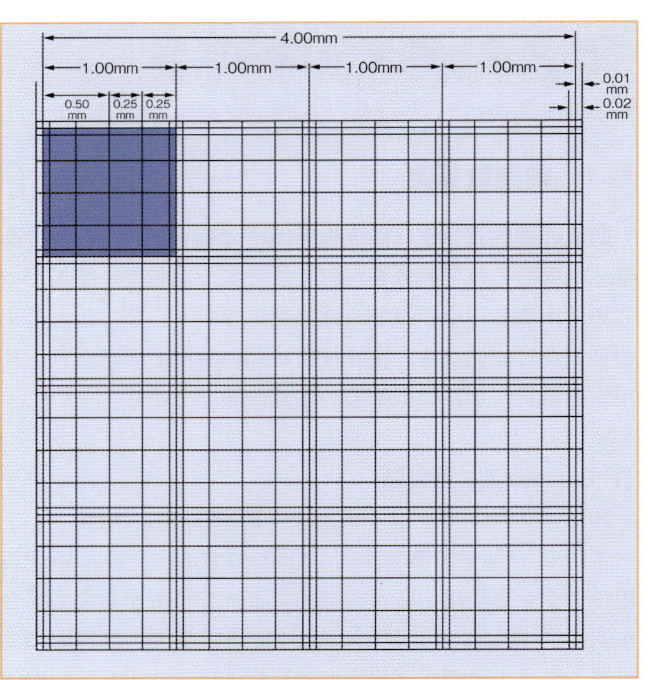


図8.2.13　Fuchs-Rosenthal計算盤とその目盛幅
濃いブルーは1区画を示す。
注意：ディスポーザブル計算盤は1区画を示す2本の目盛線の幅が10$\mu$mではなく，20$\mu$mである。

#### 検査室ノート　計算盤の特性

Fuchs-Rosenthal計算盤：

全区画面積4mm × 4mm = 16mm$^2$，深さ0.2mmであるため容積は3.2$\mu$L (mm$^3$)。

細胞数（/$\mu$L）

= x/3.2 × 10/9（希釈倍率）

≒ x/3

（x：全視野の細胞算定数）

#### 検査室ノート　算定法のポイント

1) 顕微鏡の倍率は，視認性や作業能率を考慮すると，細胞の算定と分画が同時に行える200倍が適切であるが，100倍で細胞算定を行い，400倍で細胞分類を行ってもよい。
2) 血液が混入した髄液では赤血球をできるだけ融解させ，核染を十分行うため，Samson液で希釈後，試験管内で5分間放置した後に計算盤に注入する。

### (4) 細胞数の報告

細胞数の報告値は整数とし，単位は細胞数表示の標準単位である/μLを用いることが望ましい。最小値は1とし，算定した数値が1に満たない場合は1/μL以下と表現する。

髄液細胞数の参考基準範囲は以下のとおりである。

新生児　：20/μL以下
乳児　　：10/μL以下
乳児以降：5/μL以下

### (5) 細胞分画の報告

細胞は，白血球を対象とし単核球と多形核球に分ける。測定値は細胞数が多い場合は各々の%，少ないときは実数で示す。実数，%の表記は自施設の診療科とコンセンサスをとり決定する。

※細胞数430/μL，単核球：多形核球＝72%：28%
※細胞数　6/μL，単核球：多形核球＝5：1

また，赤血球，赤芽球，異型細胞，微生物，結晶，その他の病的細胞，医原性細胞などは，臨床的意義があると判断されるものについては別途報告する。

#### 検査室ノート 「単核球」と「多形核球」について

内科学用語集では，髄液細胞の種類には，単核白血球（単核球），多形核白血球（多形核球）とされており，近年では，日本神経学会および日本臨床検査医学会の表記が単核球と多形核球に変更になっている。本書においても単核球と多形核球の記載に統一する。ただし，多形核球（多核球）の報告名称については，各施設内の協議のもと運用する。

#### 検査室ノート 異型細胞の取扱い

髄液検査においては，悪性ないし悪性を疑う細胞のみを異型細胞とする。Samson染色による細胞数算定・分画時には，白血病細胞の疑いがある異型細胞は髄液細胞数としてカウントする。異型細胞の判定は，塗抹標本によるMG染色などを併用し鑑別を行う。なお，鑑別にあたっては，認定一般検査技師，認定血液検査技師などの熟練者，細胞検査士，細胞診専門医，担当医などとの協議を原則とする。

#### Q 血液混入髄液に対する髄液細胞補正は必要か？

**A** 髄液中に末梢血が流入した場合，同時に混入したと考えられる白血球数を見込み，髄液細胞数の補正を行うことがある。しかし，その補正法は煩雑であり，計算盤で算定した赤血球数をもとに白血球数を計算式より推定するので，赤血球数算定時に生じる測定誤差の可能性が大きく，信頼性に乏しい。以上のことから，髄液検査を依頼するすべての診療科の医師と十分にコンセンサスをとり，細胞補正のもつ危険性について理解を促し，髄液細胞補正そのものを廃止した施設が増えてきている。

用語　単核白血球（単核球）（mononuclear leukocyte），多形核白血球（多形核球）（polymorphonuclear leukocyte）

## Q 白血病細胞の疑いがある異型細胞を認めたときの報告は？

**A** 白血病細胞の疑いがある異型細胞は髄液細胞数としてカウントするが，分画はあくまでも白血球の単核球と多形核球を対象とする。異型細胞と判断できれば分画から外して別途記載し，判断できなければ分画に加える。

(例1)計算盤上に120個の細胞があり，すべて異型細胞と判断できた場合

細胞数40/μL，単核球：多形核球＝0%：0%

コメント：髄液中の細胞は通常の白血球ではなくすべて異型細胞と考えられる。

(例2)計算盤上にリンパ球・単球が60個，好中球が40個，異型細胞が20個あった場合

細胞数40/μL，単核球：多形核球＝60%：40%

コメント：髄液中には白血球のほかに全体の約17%の割合で異型細胞が認められる。

(例3)計算盤上に120個の細胞があり，実際にはそれらはすべてリンパ性白血病細胞であったが，計算盤上では通常のリンパ球に見え，異型細胞の判断ができなかった場合

細胞数40/μL，単核球：多形核球＝100%：0%

## 2. 細胞分画

### (1) 細胞分画の臨床的意義

細胞数算定と細胞分画（単核球・多形核球）の第一の目的は，早急な治療を必要とする細菌性髄膜炎の早期発見である。細菌性髄膜炎で著明に増加する好中球を計算盤上で多形核球として鑑別し，その割合を細胞増加の程度と合わせて評価することで，ほかの髄膜炎との区別が可能になる。

### (2) 計算盤による細胞分画

髄液中には末梢血と同様に白血球が出現するが，計算盤上でSamson染色により分類可能なものは，好中球，リンパ球，単球，組織球の4種である。それぞれに出現意義をもつが，計算盤上では単核球と多形核球の2種に分画する。細胞分画は，リンパ球，単球，組織球を単核球としてまとめ，好中球および好酸球，好塩基球を多形核球としてまとめる。

計算盤上の白血球は球状を呈し，計算室の底に沈んだ状態で存在する。したがって，多形核であっても細胞の向き（計算盤の底に接地した位置）によって核が重なり合い，単核球様に見えることがある（図8.2.14）。細胞を観察するときは，核の形状のみにとらわれるのでなく，細胞質の形状や染色性に留意することで精度の高い細胞分画が可能になる。

### (3) 計算盤上の各種細胞形態とその出現意義

以下に各種細胞の出現意義と特徴所見について述べる。表8.2.3には計算盤上の細胞形態を模式図に示した。また，図8.2.15〜8.2.20にはSamson染色による実際の計算盤上の各種細胞形態について示した。

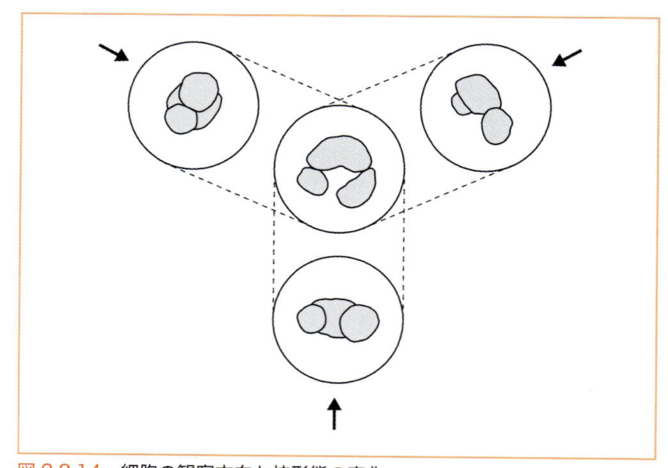

図8.2.14　細胞の観察方向と核形態の変化
〔日本臨床衛生検査技師会髄液検査法編集ワーキンググループ：髄液検査法2002，33，日本臨床衛生検査技師会，2002より〕

表 8.2.3　Samson 染色による計算盤上の細胞形態と模式図

| 単核球 | | | 多形核球 |
|---|---|---|---|
| リンパ球 | 単球 | 組織球 | 好中球 |
| 8 ～ 10 μm | 15 ～ 17 μm | 16 ～ 25 μm | 12 ～ 14 μm |
| 類円形の核<br>リング状の狭い細胞質 | 切れ込みのある核<br>細胞質はフクシン色素をよく取り込み赤桃色を呈する | 小型核，ときに多核<br>泡沫状の細胞質はフクシン色素に淡染<br>しばしばヘモジデリンや赤血球片を貪食 | 核が重なり合い，球形を示すものに注意<br>細胞質は不整形で染色されない |

〔日本臨床衛生検査技師会：髄液検査法 2002，34，日本臨床衛生検査技師会，2002 より改変〕

### 1）単核球

①リンパ球（図 8.2.15）

リンパ球は髄液に認める白血球の中で最も小型で，大きさは8～10μmである。円形の核を有し，核にわずかの切れ込みをもつものもある。細胞質は狭く核周囲にリング状に見られ，Samson 染色のフクシン色素に淡く染まる。リンパ球の増加は一般にウイルス感染症ならびに慢性炎症を示す。

②単球（図 8.2.16）

単球の大きさは，15～17μmでリンパ球より大きく，細胞質は比較的豊富でSamson染色のフクシン色素によく染色され，濃い桃色を呈する。核の位置は細胞質内に偏在し，類円形で深い切れ込みや巻き込みを有するものが多い。単球は髄膜の炎症やくも膜下出血など，髄膜へのある種の刺激に対し反応して増加する。

③組織球（図 8.2.17）

組織球は16～25μmの大きさで，髄液に認める白血球の中で最も大型である。核/細胞質比（N/C 比）は低く，小型の核は細胞質内に偏在して見られる。多核を示すものもある。細胞質はSamson 染色にて淡い桃色を呈する。単球と同一起源の細胞であり，その出現機序も単球と同様である。細胞質に赤血球片やヘモジデリン顆粒の貪食が見られることも多く，これはくも膜下出血など髄液腔内出血を証明できる有用な所見である。

**Q　単球がSamson染色によく染まる理由は？**

**A**　単球の細胞質内には小胞体（ER）が多く，この中にSamson 液の成分であるフクシン色素が取り込まれるためである。計算盤では球形の細胞を視察するため，ER が重なり合い，背景よりも濃い色調を呈することになる。

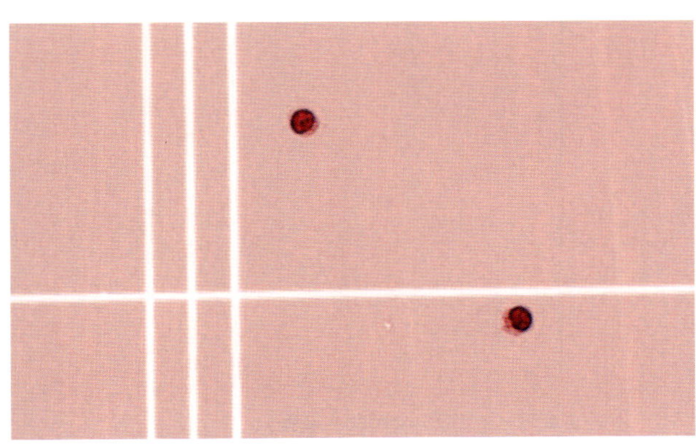

図 8.2.15　単核球（リンパ球）×400　Samson 染色

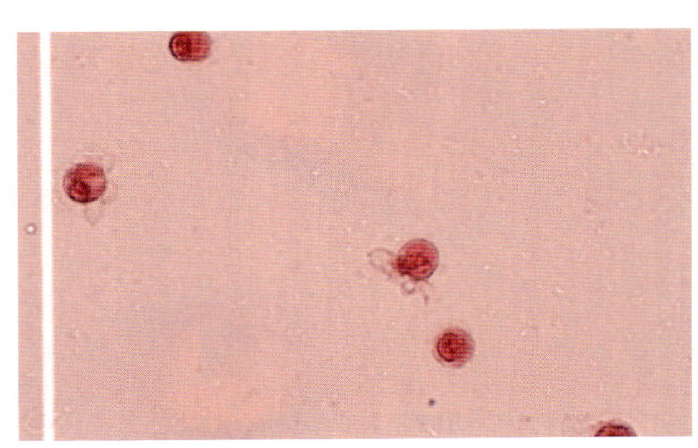

図 8.2.16　単核球（単球）×400　Samson 染色

用語　核 / 細胞質比（nuclear-cytoplasmic ratio；N/C 比），小胞体（endoplasmic reticulum；ER）

#### 2）多形核球

①好中球（図8.2.18）

好中球の大きさは12～14μmで，細胞質はSamson染色で染色されず，偽足をもったような不整形を示すものが多いが，類円形のものも認める。分葉した核が重なり合い，ボール状や桿状に見えることがあるが，細胞質の形状と染色性に留意すればリンパ球や単球との鑑別は容易に行える。好中球の増加は細菌感染症ならびに急性炎症を示す。

②好酸球（図8.2.19）

好酸球の大きさは12～14μmで，寄生虫性髄膜炎やアレルギー反応で著明に増加することがあり，この場合好酸球性髄膜炎ともよばれる。計算盤上の好酸球は好中球に比較して円形のものが多く，注意深く観察すると細胞質内がやや輝くような淡い橙色調を呈する。しかし，特徴的な2核の好酸球であればその推定は可能であろうが，単核様に見えるものもあり，計算盤上での積極的な分類は避けるべきである。

③好塩基球

好塩基球は好酸球とともに出現することが多く，また髄膜炎回復期に数%の割合で認めることがあるが，計算盤上での認識はできない。計算盤上では好酸球，好塩基球は好中球とともに多形核球として分類し，詳細な分類は後述する細胞塗抹標本を作製し行う。

#### 3）赤血球（図8.2.20）

赤血球は頭蓋内出血など病的原因に由来するものと，髄液採取時の医原的原因に由来するものとがあるが，双方の赤血球形態に違いは認めない。軽度の出血の場合，赤血球はSamson染色の酢酸効果により時間の経過とともに膨化，融解し，最終的には消失するが，出血の程度が強いほど多くの赤血球が残存しやすくなる（図8.2.20）。脳室穿刺による髄液ではときに収縮変性した赤血球が集塊を呈し，破砕片となって認められることがあるので注意する。

#### 4）その他の細胞

病的なものとしては各種病原微生物，脳ヘルニアに由来する脳組織細胞，原発性腫瘍細胞，転移性腫瘍細胞などがあげられる。一方，臨床的意義に乏しいものとしては髄液採取時に医原的に混在するさまざまな細胞がある。なお，計算盤上に白血球以外の細胞を認めた場合，それが臨床的意義を有するものであれば，細胞数算定とは別に報告する。成分は細胞塗抹標本にて確認する。

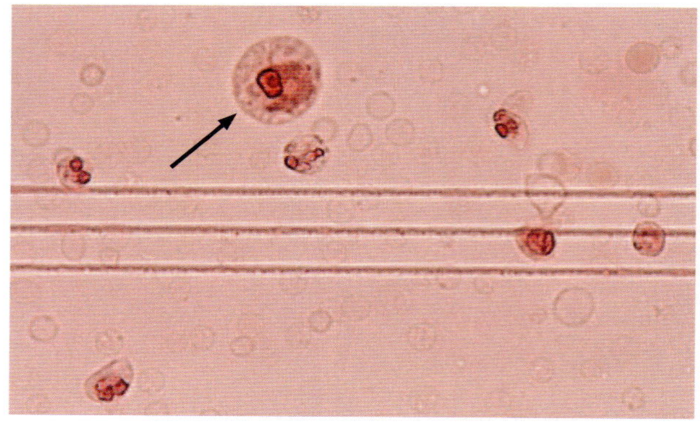
図8.2.17　単核球（組織球）（矢印）　×400　Samson染色

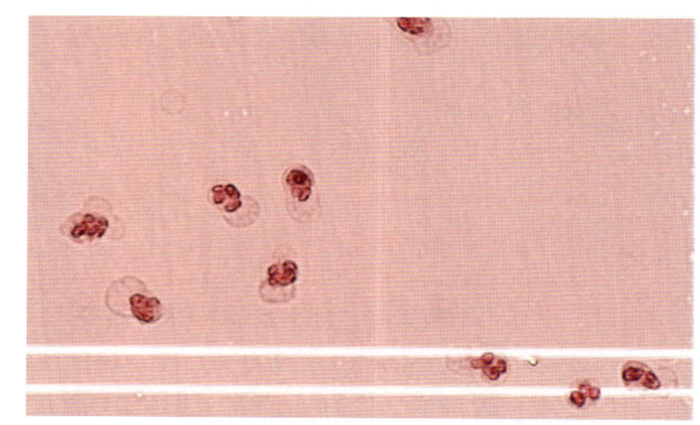
図8.2.18　多形核球（好中球）　×400　Samson染色

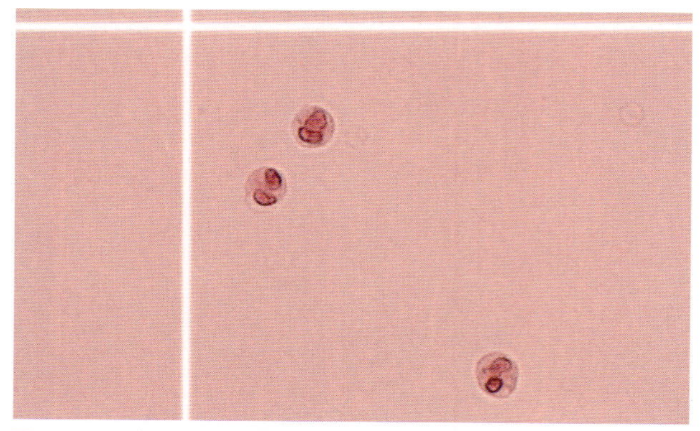
図8.2.19　多形核球（好酸球）　×400　Samson染色

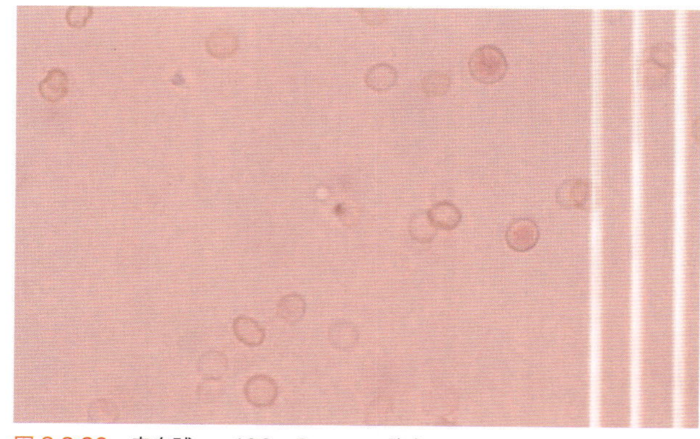
図8.2.20　赤血球　×400　Samson染色

### 検査室ノート　細胞観察の工夫（図8.2.21，8.2.22）

計算盤上の細胞観察が困難な場合，細胞数算定後のSamson染色液で希釈した検体を利用し，尿沈渣検査と同様に遠心後の残渣を鏡検する。通常の計算盤上の観察と比べると，細胞像が明瞭となり核や細胞質の詳細を知ることが可能になる[6]。

1）細胞数算定後のSamson染色液での希釈検体を使用する。
2）100～150*g*（800～1,000rpm）・5分間遠心し，その後上清を除去する。
3）尿沈渣用スライドガラスとカバーガラスを用いて残渣をスライドに滴下し，カバーガラスをかけて鏡検する。

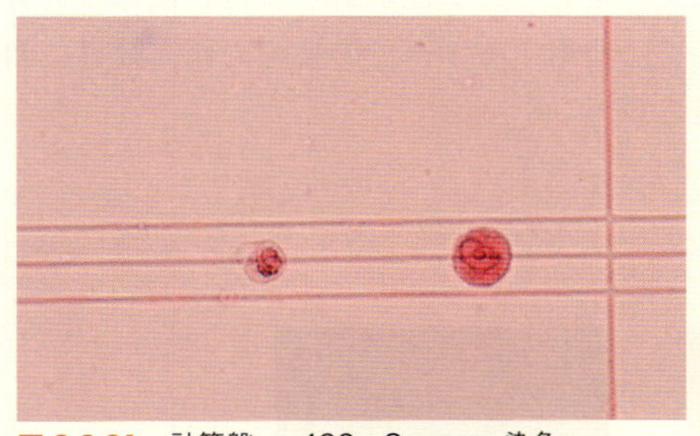

図8.2.21　計算盤　×400　Samson染色

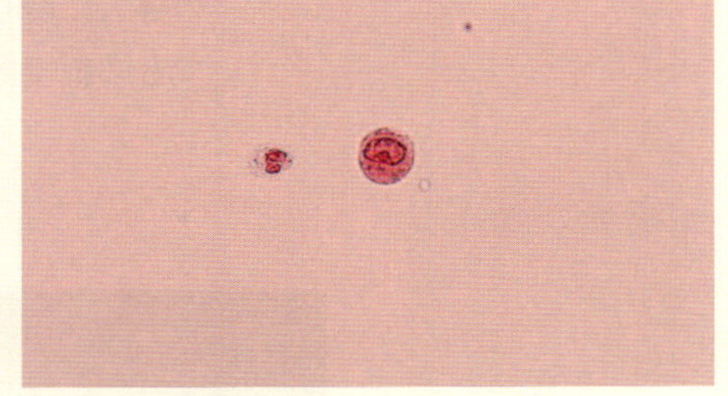

図8.2.22　残渣　×400　Samson染色

### 検査室ノート　髄液細胞の保存（図8.2.23，8.2.24）

髄液細胞に適した保存液はないが，Samson染色液で希釈した検体は，ある程度の保存が可能である。臨床からの問い合わせなどに応じた再鏡検や，技術教育にも使用可能である。ただし，長期間保存した検体はフクシン色素により通常染色されない好中球の細胞質も赤桃色に濃染されるため，注意が必要である[7]。

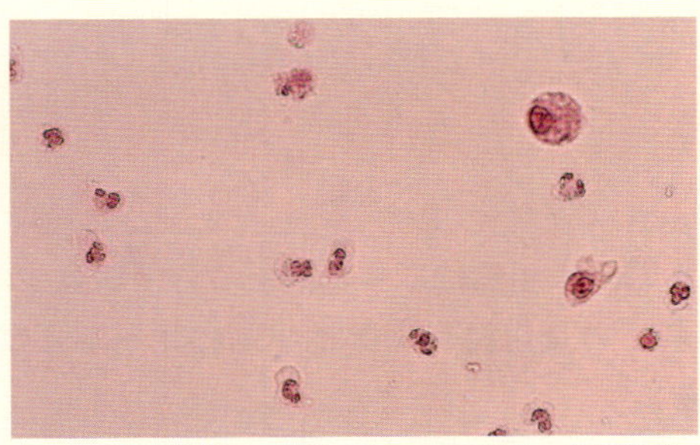
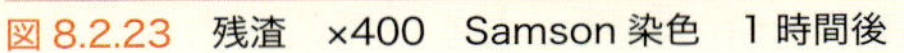

図8.2.23　残渣　×400　Samson染色　1時間後

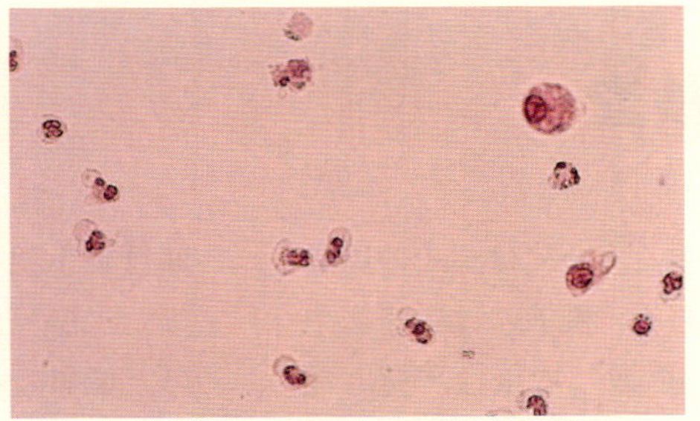

図8.2.24　×400　Samson染色　8時間後

## 3. 塗抹標本の作製

髄液中の細胞は血液由来のものが多いため，詳細な分類を行うにはMG染色が第一選択となる[8]。水に近い成分である髄液に含まれる細胞の変性・崩壊は速いため，塗抹標本作製まではできるだけ迅速に（採取後1時間以内），処理する必要がある[9]。その後の染色は急がなくてもよい。塗抹標本作製にはサイトスピン法やフィルター法を用いるとよいが，ここでは一般的であるウェッジ法について解説する。まず，髄液に100～120*g*・5分の弱遠心処理を施し，上清が多いと細胞収縮を起こしやすいのでデカント法でしっかりと除去する。細胞の変性・崩壊を防ぐため，沈渣量10$\mu$L程度に対し，本人の血清またはヒトAB型血清をごく少量（2～3$\mu$L）加えるとよい。ただし，髄液蛋白値が高い検体の場合には，血清の添加は細胞収縮を助長するため注意が必要である。ウェッジ法の標本塗抹は，スライドガラスに検体を5～10$\mu$L程度載せ，引きガラスで最後までは引ききらず，引き終わりに細胞を集束させる（図8.2.25）。引き終えた後に引きガラスに残った検体量が多い場合には，その残った分を図のように1，2度スライドガラスに収束させるとよい。塗抹後はすぐに冷風乾燥を施す。

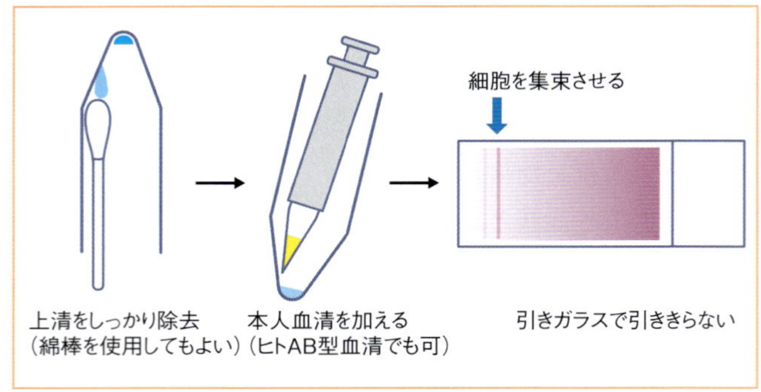


図 8.2.25 Giemsa 染色における塗抹標本の作製方法

### 4. 自動血球分析装置による細胞数算定と分類

髄液細胞の算定と分類に関しては，自動血球分析装置により測定している施設も多くなった（図8.2.26）。目視鏡検と比較した文献も多数報告されているが，低値から高値まで相関性もよく安定した結果と評価されている。また，自動血球分析装置での測定は，日当直時など普段髄液検査に慣れていない技師にとっても安定した結果が迅速に得られるため導入効果が大きい。ただし，スキャッタグラムの判読教育や，悪性細胞の出現疑い，明らかな異常値の場合には目視鏡検での確認の必要性があり，自動血球分析装置の導入に関しては使用するすべての技師の個人教育に関しても必須である[9, 10]。

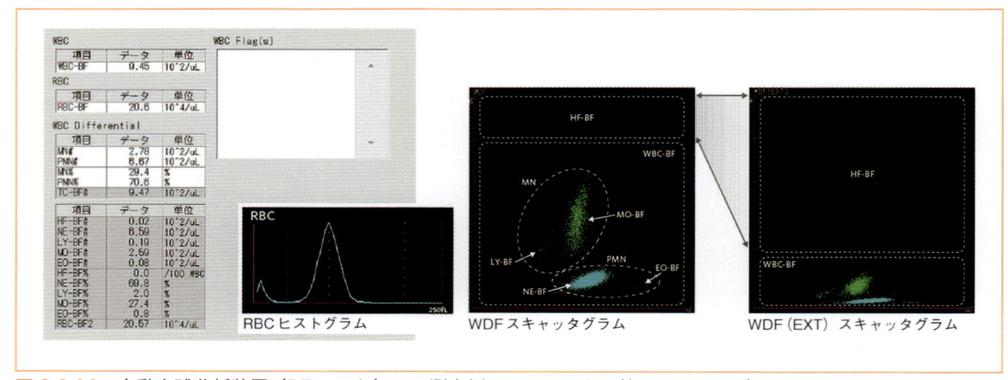


図 8.2.26 自動血球分析装置（BF モード）での測定例 シスメックス社 XN シリーズ Clinical Case Report Vol.3 (BF mode)
WBC-BF：白血球数，単核球（MN）と多形核球（PMN）の算定値と％で表記。
〔資料提供：シスメックス株式会社〕

## 8. 2. 3 臨床化学検査

中枢神経系が正常な機能を維持するためには，その周囲を一定の化学的環境で保つ必要がある。髄液には脈絡叢や脳血管にある血液脳関門（BBB）を通して蛋白，糖，電解質などが選択的に送り込まれ，恒常性が維持されている。中枢神経系疾患により，BBBの破壊などが生じると，髄液中の化学的成分のバランスが崩れその濃度が変化する。髄液の臨床化学検査の結果では疾患特異性は確認できないが，各疾患の診断や治療効果判定などの経過観察のために重要な検査所見である。

### 1. 髄液蛋白

髄液中の蛋白濃度は血中蛋白の1/300～1/200と微量であり，アルブミン/グロブリン（A/G）比は8：2とされている。腰椎穿刺での基準範囲を表8.2.4[11]に示す。基準範囲は新生児・小児では年齢により変動するので注意する。また，脳室穿刺での蛋白濃度は腰椎穿刺に比べると30%ほど低値になる。

図8.2.27は髄液蛋白の動態である。髄液蛋白は血液より移行し，BBBの機能により一定に維持されているが，分子量の大きい免疫グロブリンM（IgM）についてはBBBの通過は困難であると報告されている[12]。

表 8.2.4 髄液蛋白の年齢別基準範囲

| 年 齢 | 基準範囲（mg/dL） |
|---|---|
| 生後 7 生日 | 35 ～ 180 |
| 30 生日 | 20 ～ 150 |
| ～ 90 生日 | 20 ～ 100 |
| ～ 1 歳 | 20 ～ 60 |
| 2 歳～ 14 歳 | 15 ～ 40 |
| 15 歳～ | 10 ～ 35 |

〔Bell JE, *et al.*："Developmental profile of plasma proteins in human fetal cerebrospinal fluid and blood," Neuropathol Appl Neurobiol, 1991；17：441-456.〕

用語 血液脳関門（blood-brain barrier；BBB），アルブミン / グロブリン（albumin/globulin；A/G）

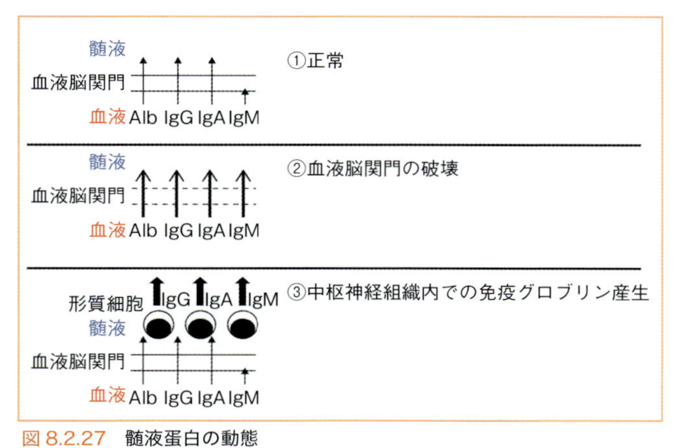


図 8.2.27 髄液蛋白の動態
〔奈良 豊：「第4章 髄液 4. 化学的成分」，カラー図解 一般検査ポケットマニュアル，121，伊藤機一，高橋勝幸（監修），菊池春人，他（編），羊土社，2009 より改変〕

中枢神経系に異常が生じると蛋白が増加するが，疾患によっては増加する蛋白成分が異なることがある[13)]。表 8.2.5にその原因と関連する疾患について示した。

髄液蛋白定量には色素法であるピロガロールレッド法を用いる。

## 2. IgG インデックス

多発性硬化症などの脱髄疾患では中枢神経組織内で産生された免疫グロブリン（Ig）が増加する。このため，蛋白の測定よりも免疫グロブリン値を測定することが重要となり，髄液IgG量の測定が行われる。髄液IgGの増加を指標とする場合にはその測定値よりも相対的な増加量を指標とするIgGインデックスが，臨床評価として用いられることが多い。しかし，中枢神経系感染症などの疾患でも高値を示す場合があり，脱髄疾患に特異的な検査とはいえない(図 8.2.28)。IgGインデックスは髄液IgG濃度をBBBの透過度（髄液アルブミン/血清アルブミン比）と血清IgG濃度で補正したものであり，表 8.2.6に基準範囲を示す。報告者により多少の違いがあるが0.7以下が基準範囲と考えられ，それ以上は，中枢神経組織内でのIgG産生の亢進が疑われる[17)]。

IgG量の測定は免疫比濁法やネフェロメトリー法などで行う。

IgGインデックス＝（髄液IgG×血清アルブミン）/（血清IgG×髄液アルブミン）

## 3. 髄液糖

髄液中の糖は正常状態においては血糖値の60〜80%に維持されており，基準範囲は血糖値が正常の場合は50〜80mg/dLであり，その値は血糖値の影響を受ける。したがって髄液糖の増減を評価するためには，必ず血糖値を測定し，両者を対比する必要がある。たとえば髄液糖が60mg/dLの場合，数値的には基準範囲内である。しかし，血糖値が180mg/dLであるとすると，髄液糖/血液糖比は33%になり，髄液糖は減少していることになる。

髄液糖は一般的には低値の場合は臨床的意義が高く，減少する代表的な疾患として細菌性髄膜炎，結核性髄膜炎，真菌性髄膜炎，悪性細胞の髄膜浸潤などがあり，とくに細菌性髄膜炎での減少は著明であることが多い。この機序としてBBBの破壊による糖移送の障害，および病原体や好中球による嫌気性解糖作用の亢進によるとされている。ウイルス性髄膜炎での髄液糖は，通常は正常であるが，ムンプスウイルスによる髄膜炎の一部では糖の低下が認められたとの報告がある[18)]。測定は酵素法や電極法などで血糖と同様に行う。

表 8.2.5 髄液蛋白の病的動態と関連疾患

| 病的変動 | 疾 患 |
|---|---|
| 血液脳関門の破壊や透過性亢進による血清蛋白の移行 | 髄膜炎，Guillain-Barré 症候群など |
| 中枢神経組織内での免疫グロブリン産生の亢進 | 多発性硬化症，脳炎など |
| 血清蛋白の増加 | 多発性骨髄腫など |
| 血中蛋白の混入 | くも膜下出血，脳出血，脳腫瘍など |
| 髄液の turn over の阻害 | 脊髄腫瘍など |

〔日本臨床衛生検査技師会髄液検査法編集ワーキンググループ：髄液検査法 2002，25，日本臨床衛生検査技師会，2002 より改変〕

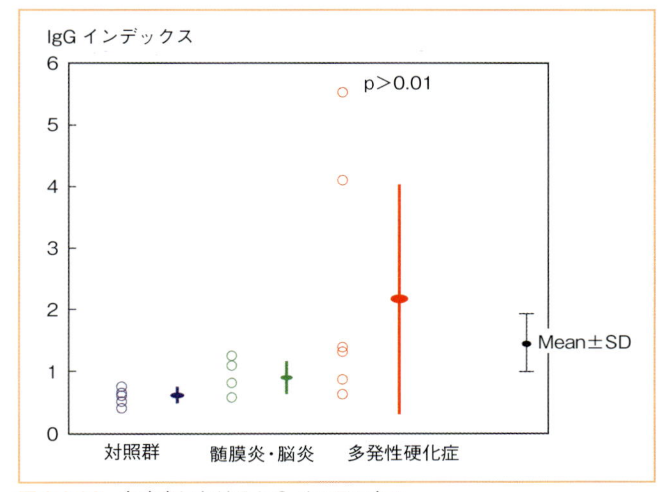


図 8.2.28 各疾患における IgG インデックス
〔奈良 豊：「第4章 髄液 4. 化学的成分」，カラー図解 一般検査ポケットマニュアル，122，伊藤機一，高橋勝幸（監修），菊池春人，他（編），羊土社，2009 より改変〕

表 8.2.6 IgG インデックス基準範囲[14〜16)]

| 文 献 | 基準範囲 |
|---|---|
| 竹岡ら（1996）[14)] | 0.6 〜 0.7 |
| 本田ら（1989）[15)] | 0.4 〜 0.5 |
| 田中ら（2010）[16)] | 0.35 〜 0.6 |

用語 免疫グロブリン M（immunoglobulin M；IgM），免疫グロブリン（immunoglobulin；Ig）

## 4. 髄液乳酸脱水素酵素

髄液中の乳酸脱水素酵素（LD）は髄膜炎や中枢神経組織の破壊などで増加し，とくに細菌性髄膜炎では著明に上昇する。正常の髄液ではLDアイソザイムのLD4，LD5はほとんど認められず，LD1，LD2，LD3＞LD4，LD5のパターンである[19]。細菌性髄膜炎では好中球由来のLD4，LD5の著明な増加が認められLD1，LD2，LD3＜LD4，LD5となり，髄液中のLD値が上昇する。しかし，ウイルス性髄膜炎であってもリンパ球の著明な増加を認める症例ではリンパ球由来のLD2，LD3が増加し髄液中のLD値が高値を示す場合がある。図8.2.29に両髄膜炎のアイソザイムパターンを示した。また，中枢神経組織内で広範囲の障害や破壊があるときにはLD1，LD2が増加する。このように髄液LD値は細菌性髄膜炎の予後判定や治療効果の指標に役立つとされており，また病初期での髄膜炎の鑑別にも効果があることから臨床的に意義のある髄液マーカーとされている。基準範囲については報告者により9〜30U/Lと幅があるが，一般的には30U/L以下と考えられる（表8.2.7）。分析は血清と同様に自動分析装置で測定する。

## 5. 髄液クレアチンキナーゼ

髄液中のクレアチンキナーゼ（CK）は血中のCKとは独立して変動する。アイソザイムには，CK-MM（骨格筋由来），CK-MB（心筋由来），CK-BB（脳由来）があるが，髄液で検出されるのはほとんどCK-BB（脳由来）である。脳組織の荒廃や破壊により上昇し，その代表的な疾患として髄膜炎，脳炎，脳挫傷，脳腫瘍，脳血管障害，多発性硬化症などがある。基準範囲は6U/L以下[23]で，髄液LDと同様に自動分析装置で測定する。

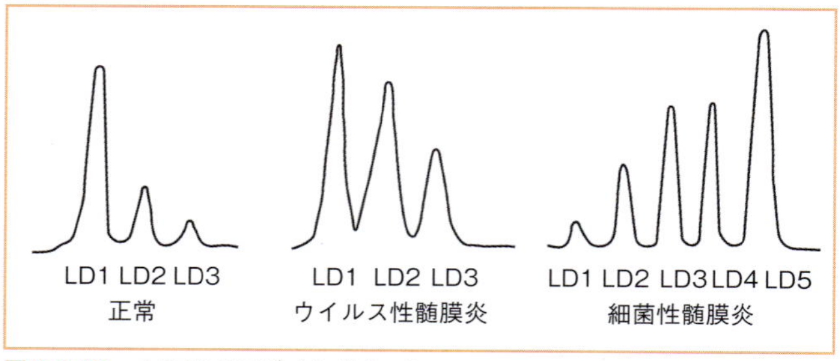


図8.2.29　LDアイソザイムパターン

表8.2.7　髄液LD基準範囲[20〜22]

| 文　献 | 基準範囲（U/L） |
|---|---|
| 古堅ら（1978）[20] | 20.5 〜 26.9 |
| 奈良ら（2001）[21] | 9 〜 24.4 |
| 武田ら（2008）[22] | 6 〜 30 |

## 6. 髄液クロール

髄液中のクロール（CL）は髄液糖と同様に血中CLに由来し，血中より15〜20mEq/Lほど高値で，基準範囲は118〜130mEq/Lである。この機序として，ドナン（Donnan）の膜平衡および髄液と血液間にある陰イオンの電位差により生じ，髄液CLは血中CLの変動に伴い増減する。また，髄液蛋白が上昇する症例ではDonnanの膜平衡に抵抗が加わり，膜電位の平衡を保つため陰イオンが減少し，髄液CLが減少する。結核性髄膜炎の検査所見で髄液CL値が特異的に減少するために，その診断に意義があるとの報告があるが，これは結核性髄膜炎で生じる低CL血症と前述のDonnanの膜平衡に対する抵抗による減少が原因とされているためであり，臨床的意義は低いといえる。

## 7. 髄液乳酸

髄液中の乳酸は脳脊髄圧の急変，頭蓋内出血，細菌性髄膜炎，てんかんなどで脳組織などの代謝状態に変化が生じることで上昇する。とくに細菌性髄膜炎では好中球増加による嫌気性解糖作用の亢進に伴う糖の低下のため乳酸が増加する。ウイルス性髄膜炎では髄液中の乳酸は一般的に上昇しないので，両髄膜炎の鑑別に役立つとされている（図8.2.30）[24, 25]。基準範囲を表8.2.8に示す。報告者により差があるが，25mg/dL以下と考えられる。分析は血清と同様に自動分析装置で測定する。

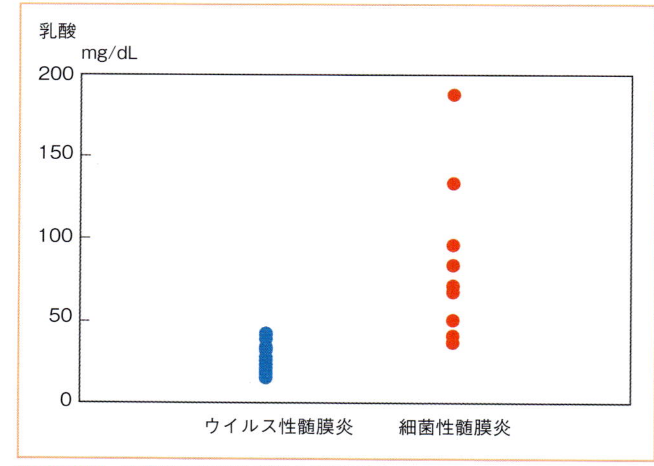


図8.2.30　髄膜炎における髄液中乳酸範囲

表8.2.8　髄液乳酸基準範囲[26]

| 文　献 | 基準範囲（mg/dL） |
|---|---|
| 山本（1999）[26] | 25 以下 |

用語　乳酸脱水素酵素（lactate dehydrogenase；LD），クレアチンキナーゼ（creatine kinase；CK），クロール（chloride；CL），ドナン（Donnan）の膜平衡

## 8. 髄液アデノシンデアミナーゼ

髄液中のアデノシンデアミナーゼ（ADA）はアデノシンを加水分解し，アンモニアとイノシンを生成する酵素で，細胞内で核酸の代謝に関わる重要な酵素である。アイソザイムとして$ADA_1$（組織由来）と$ADA_2$（T細胞由来）の2種類があり，$ADA_1$が欠損すると重症免疫不全の原因となる。近年，髄液や胸水のADA活性値が結核性の場合に上昇することが報告され，髄液中のADAが結核性髄膜炎の鑑別に有用性があると報告されている[27]。上昇する機序としてT細胞由来のADA2の増加が関係すると考えられている。髄液ADAの基準範囲の報告は少ないが，Malanら[28]は4U/L以下であるとしている。

**Q 脳室穿刺による髄液の蛋白濃度が腰椎穿刺髄液より低いのはなぜか？**

**A** 脳室では側脳室にある脈絡叢から髄液が直接産生される。そのため脳室では髄液の入れ替わりが速いのに対し，ルシュカ孔，マジャンディー孔を出てくも膜下腔に達する腰椎では髄液の巡回速度が遅く蛋白が濃縮されるためと考えられている。

**Q グロブリン反応（Pandy反応，Nonne-Apelt反応），トリプトファン反応の臨床的意義が低いのはなぜか？**

**A** パンディー(Pandy）反応は1910年，ノンネ・アペルト（Nonne-Apelt）反応は1908年と，いずれも100年以上前に報告されている古典的検査法で，それぞれの感度はPandy反応が25mg/dL，Nonne-Apelt反応が50mg/dLである。両者はグロブリン検査として理解されていることが多いが，真のグロブリン検査ではなく，あくまでも古典的な定性試験である。精度の高い蛋白定量法が普及している現在では臨床的意義が低い。

真のグロブリン濃度を把握したい場合は，髄液のアルブミンを測定し，総蛋白濃度からアルブミン濃度を差し引けばグロブリン濃度が算出できる。髄液中のアルブミンは尿中の微量アルブミン測定試薬で測定可能である。

トリプトファン反応は1927年に結核性髄膜炎の髄液中にトリプトファンが存在することが報告されたことから，その補助的診断法として用いられてきた。わが国では里見変法が用いられているが，本法の反応機序はいまだに明らかではない。また，一度に髄液を1mLも必要とすることにも問題がある。陰性であれば結核性髄膜炎を否定できる可能性があるが，結核性髄膜炎以外の髄膜炎やキサントクロミーでも陽性を示す場合がある（図8.2.31）。結核菌検出のための迅速法や高精度検査法（PCR法など）が確立されており，本検査法の有用性は低い。

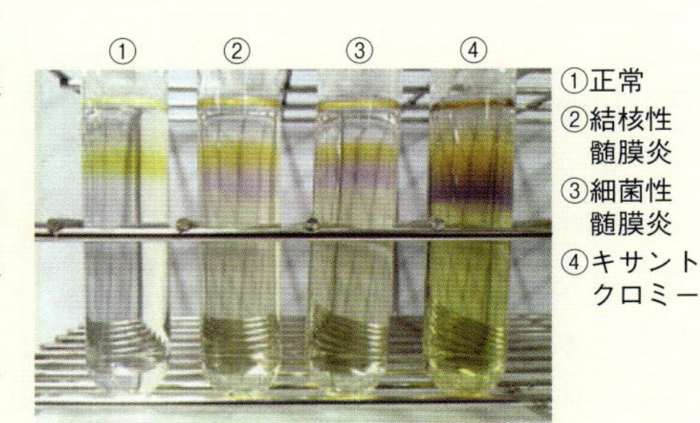


図 8.2.31 トリプトファン反応

**用語** アデノシンデアミナーゼ（adenosine deaminase；ADA），パンディー（Pandy）反応，ノンネ・アペルト（Nonne-Apelt）反応，ポリメラーゼ連鎖反応（polymerase chain reaction；PCR）

## 髄液中のIgGは汎用機で血清IgGと同様に測定可能か？

**A** 測定は可能である。しかし，髄液中のIgG濃度は正常で6.0mg/dLほどであるため，血清と同じユニットで測定した場合，キャリーオーバーの影響を受ける可能性がある。IgGの測定は，髄液蛋白が高値を示した場合でなければその意義は低いと考える。

### 検査室ノート Donnanの膜平衡

透析膜を通過できない非透過性高分子を含む溶液と，膜を自由に通過できる塩イオンをもつ2つの溶液とを膜で隔てると，膜を通過できる塩イオンは両液に不均等に分布するために平衡となる。このことをDonnanの膜平衡という。この場合，双方の塩イオン濃度と浸透圧は異なる。

## 8.2.4 微生物学検査

### 1. 概 要

#### (1) はじめに

各種髄膜炎の中でも細菌性髄膜炎は極めて致死率が高く，診断および治療の遅れは後遺症の残存にも密接に関連するため，早期の診断および適切な抗菌薬治療が極めて重要となる。細菌性髄膜炎は発症年齢により原因細菌が異なる。新生児は産道感染によって産道に常在する*Streptococcus agalactiae*（B群溶血性連鎖球菌：GBS）や*Escherichia coli*の分離頻度が高い。乳幼児～成人では鼻腔，咽頭がおもな侵入門戸となり，*Haemophilus influenzae* type bや*Streptococcus pneumoniae*が原因細菌となる（表8.2.9）。そのほか，*Streptococcus gallolyticus*感染例では，髄膜炎のみならず大腸がんや潰瘍性大腸炎，感染性心内膜炎も発症するため同定された場合には臨床医のほか，病理，細菌，生理部門などとの情報共有が必須である。また，免疫不全患者では*Listeria monocytogenes*や*Pseudomonas aeruginosa*，V-P（venticulo-peritoneal）シャント（脳室－腹腔シャント）後の患者では頭皮に常在する*Staphylococcus* spp.が原因となる。検査実施時には年齢および基礎疾患などの患者背景を考慮のうえ，実施することが望ましい。本項では髄液微生物学検査の実際と最新の検査法について述べる。

#### (2) 微生物学検査の流れ

細菌性髄膜炎を疑った場合の微生物学検査の流れを図8.2.32に示す。細菌性髄膜炎を疑う髄液検査所見として多形核球優位で細胞数が著明に増加する。これはウイルス性髄膜炎との鑑別に重要な所見である。また細菌の増殖に伴い，髄液中の糖は減少し蛋白の増加を認める。細菌性髄膜

表 8.2.9 細菌性髄膜炎の年齢別起炎菌

| 起炎菌 | ＜4カ月 | 4カ月～5歳 | 6～49歳 | ≧50歳 |
|---|---|---|---|---|
| B群溶血性連鎖球菌（*S. agalactiae*） | ◎ 45～50% | ＜1% | ＜1% | ＜1% |
| 大腸菌（*E. coli*） | ◎ 20～25% | ＜1% | ＜1% | ＜5% |
| その他腸内細菌（*Klebsiella* spp.や*Enterobacter* spp.を含む） | ○ 5～10% | ＜1% | ＜1% | ＜2% |
| リステリア菌（*L. monocytogenes*） | 1～2% | ＜2% | ＜1% | ＜1% |
| その他連鎖球菌 | 1～3% | ＜1% | ＜2% | ＜3% |
| 緑膿菌（*P. aeruginosa*）その他のブドウ糖非発酵菌 | ＜5% | ＜1% | ＜1% | ＜5% |
| 黄色ブドウ球菌（*S. aureus*） | ＜5% | ＜1% | ＜2% | 5% |
| 肺炎球菌（*S. pneumoniae*） | ○ 5～10% | ◎ 20～25% | ◎ 60～65% | ◎ 80% |
| インフルエンザ菌（*H. influenzae*） | ◎ 15～20% | ◎ 70～72% | ○ 5～10% | ＜5% |
| 髄膜炎菌（*N. meningitidis*） | 1～2% | 1～2% | ＜5% | |
| その他の細菌，真菌クリプトコッカスを含む | ＜5% | ＜5% | ＜5% | 10% |

※ 年齢別起炎菌で，とくに頻度が高い（◎），高い（○）である。
〔日本神経治療学会，他（監修），細菌性髄膜炎の診療ガイドライン作成委員会（編）：細菌性髄膜炎の診療ガイドライン，54，医学書院，2007より改変〕

用語 B群溶血性連鎖球菌（Group B *Streptococcus*；GBS）

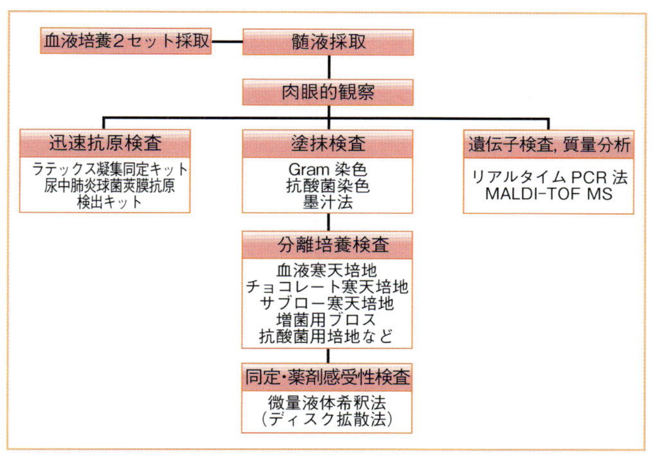

図 8.2.32　細菌性髄膜炎を疑った場合の微生物学検査の流れ

炎では菌血症を伴うため，本疾患が疑われる場合は髄液培養検査と同時に血液培養検査も実施する。血液培養の詳細については本項の主旨から外れるので割愛する。髄液は滅菌容器に採取し，採取後は可能な限り迅速に検査を実施する。1時間以内に報告可能な迅速検査として塗抹検査および迅速抗原検査があり，これらは迅速性が求められる微生物学検査としては最重要項目である。とくにGram染色は菌種に限らず原因細菌の検出が可能であり，微生物検査室がない施設においても実施すべき検査項目である。微生物検査室がある施設では細菌培養同定検査・薬剤感受性検査を実施する。近年は髄液検体を直接用いた遺伝子検査や質量分析を実施し，迅速に菌種を決定するワークフローが報告されている[29〜34]。

## 2. 塗抹検査

### (1) Gram染色

Gram染色は一般細菌の形態および大きさを特徴づける最も基本的な染色法である。得られる情報は適切な抗菌薬の選択に重要な手がかりとなる。Gram染色はハッカー(Hucker) の変法，バーミー法，フェイバー(Faber) 法など複数の手技があり，各メーカーから試薬の購入が可能である。

髄液材料は検出感度を上げるために，髄液が1mL程度以上あれば1,500〜2,000rpm 15分遠心を行い，上清は免疫学的な迅速抗原検査に，沈渣は塗抹検査および培養検査に供する。検査室にサイトスピンがある場合にはサイトスピンを用いて作製した標本を用いてもよい。標本乾燥は自然乾燥もしくはドライヤーの冷風で乾燥させる。Gram染色(Huckerの変法) の手順と染色のポイントを図8.2.33に示す[35]。染色後の鏡検はまず弱拡大（100倍）にて炎症細胞の有無，次に油浸視野（1,000倍）にて菌体を確認する。

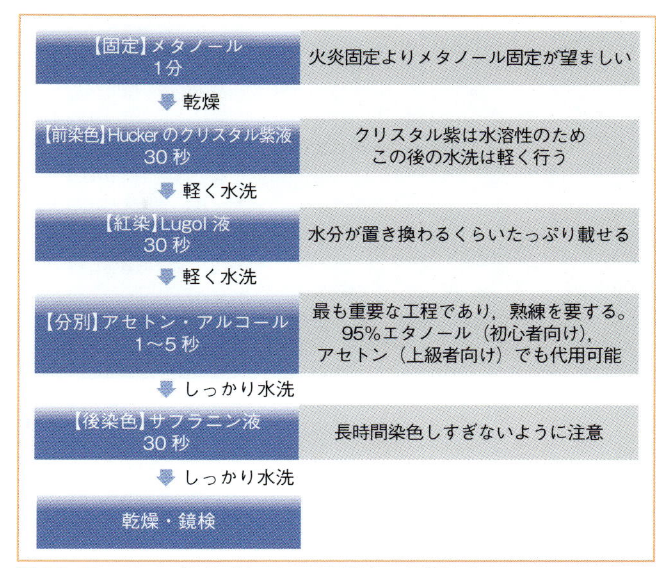

図 8.2.33　Gram 染色（Hucker の変法）の手順とそのコツ

Gram染色による原因細菌の検出限界は$10^5$CFU/mLである。分離培養検査で陽性ならば感度は70〜90%だが，抗菌薬投与中の場合では40〜60%に低下する[36]。したがって，Gram染色が陰性であっても細菌性髄膜炎を否定できない。*S. pneumoniae*はGram陽性双球菌であるが本菌の特性である自己融解によりGram陰性を示すことがあるので注意が必要である。

### (2) 抗酸菌染色

結核性髄膜炎を疑う場合に抗酸菌染色を実施する。抗酸菌染色はZiehl-Neelsen染色やZiehl-Gabbet染色，蛍光染色（Auramine-rhodamine染色やAcridine orange染色）などの方法がある。後者は蛍光顕微鏡が必要であるが，前者よりも感度が高く，材料中に菌数が少ない場合の観察にはとくに有用である。標本作製は前述したGram染色同様，遠心後の沈渣を用いる。鏡検は油浸視野（1,000倍）で赤色に染まる菌体を確認する（図8.2.34）。Ziehl-Neelsen染色による検出感度は58%と低く[37]，培養検査を必ず実施

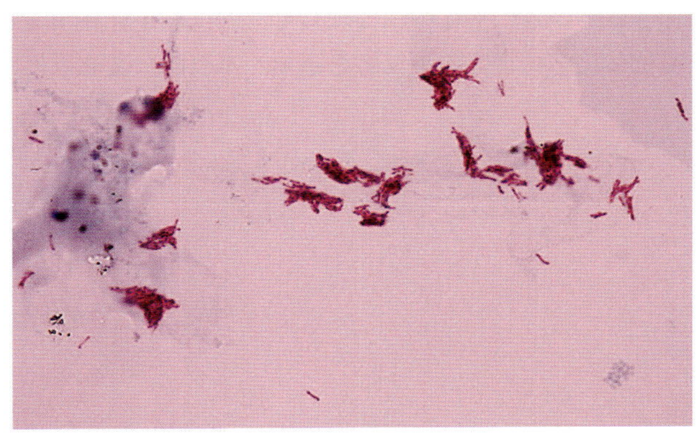
図 8.2.34　*Mycobacterium tuberculosis*　×1,000
Ziehl-Neelsen 染色

用語　グラム（Gram）染色，ハッカー（Hucker）の変法，バーミー（Bartholomew & Mittwer の頭文字）法，フェイバー（Faber）法

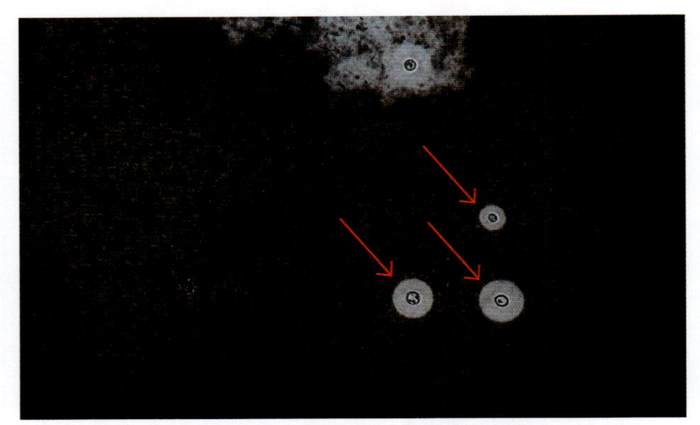

図 8.2.35　*Cryptococcus neoformans* の墨汁法像　×400

する。PCR検査も併用する場合があるが，鏡検と同様に検出感度は低い。

### (3) 墨汁法

クリプトコッカス髄膜炎を疑う場合は墨汁法を実施する。手順は沈渣を1白金耳（約10μL）と少量の墨汁をスライドガラス上で混和し，カバーガラスをかけ鏡検する。*Cryptococcus neoformans*の菌体および周囲の莢膜部分は染まらず透明に見え，背景は黒くなる（図8.2.35）。墨汁法による検出感度は56%である[37]。

## 3. 迅速抗原検査

### (1) ラテックス凝集同定キット

わが国ではPASTOREX™メニンジャイティスのみが市販されている。本製品はラテックス凝集法を原理とする莢膜多糖抗原検出試薬であり，30分以内に原因細菌の特定が可能な迅速診断試薬である。

本製品に含まれるラテックス粒子は*H. influenzae* type b，*S. pneumoniae*（83の血清型），*S. agalactiae*，*Neisseria meningitidis*血清型A，*N. meningitidis*血清型B，*E. coli* K1抗原保有株，*N. meningitidis*血清型C，*N. meningitidis*血清型Y/W135の可溶性抗原にそれぞれ特異的な抗体が感作されている。検体中にこれら可溶性抗原が存在すると抗原抗体反応により凝集反応を示す。本製品は髄液以外に，胸水や尿，培養コロニーを用いることが可能である。本法による感度は70%であり[38]，Gram染色および培養検査の併用が必要である。本キットでは前述した菌種以外の原因細菌は検出できない。

### (2) 脳脊髄膜炎起炎菌莢膜多糖抗原キット

わが国ではBinaxNOW® 肺炎球菌などが市販されている。本製品はもともと尿中の肺炎球菌莢膜抗原検出試薬として開発されたが，髄液材料を用いた有用性も報告され[39, 40]，2013年に保険収載された。

本製品はイムノクロマト法にもとづいた尿中または髄液中の肺炎球菌莢膜抗原検出試薬であり，約15分間で検出可能な迅速診断試薬である。ただし，共通抗原をもつ*Streptococcus mitis*が存在すると偽陽性を呈することがあるので注意が必要である。細菌性髄膜炎患者において尿材料を用いた本法による感度は57.1%と低いが，髄液材料を用いた場合は感度95.4%と高い[41]。また，抗菌薬がすでに投与された後の髄液では，Gram染色および培養検査での検出が困難となるが，本法は菌が死滅した場合でも検出が可能である[42]。

## 4. 培養検査

髄液採取後は，原因細菌の死滅を防ぐため速やかに分離培養を実施する。検査実施までに時間を要する場合には室温で保存し，冷蔵しない[35]。これは*N. meningitidis*（髄膜炎菌）は低温で死滅するからである。培養は，遠心後の沈渣を用いて血液寒天培地，チョコレート寒天培地および増菌用ブロス（液状チオグリコレート培地など）に接種し，寒天培地は5% $CO_2$存在下にて培養する。通常，寒天培地は48時間，増菌用ブロスは1週間培養する。必要に応じて酵母様真菌用培地（サブロー寒天培地など）や嫌気培養用培地（ブルセラHK培地など），抗酸菌用培地などを追加する。菌の発育を認めた場合には次に同定および薬剤感受性検査を実施する。同定および薬剤感受性検査については本書では割愛するので，成書を参考にされたい。

用語　ブルセラHK（hemin，vitamin $K_1$）培地

## Q Gram染色がきちんと染まっているかはどう判断する？

**A** 初心者はスライドグラスの一端にGram陽性菌（例：ブドウ球菌）とGram陰性菌（例：大腸菌）を塗抹し，対照にするのが望ましい。微生物検査室がなく菌株が得られない施設では自身の唾液を塗抹するのもよい（抗菌薬投与のない唾液中にはGram陽性および陰性菌が多数存在するため）。

## Q 鏡検時にピントが合っているか判断するには？

**A** 髄液検体は成分が少ないため，ピントが合っているかどうかの判断が難しい検体である。検体を塗布する場所には硝子ペンなどで円を描き，その内側に検体を塗布する。ピントはまず硝子ペンで描いた円に合わせ，その後円の内側を見るようにすればミスが少ない。

## Q Gram染色はどれくらいの視野を見る？

**A** 油浸（対物レンズ×100）にて最低40視野を観察する。

## Q Gram染色における細胞および細菌の量的表示は？

**A** 米国のASMの表記にもとづくとよい（表8.2.10）。

表8.2.10　ASMによるGram染色標本における細胞および細菌の量的表示

| 表示方法 | 細胞（×100）/ 視野 | 細菌（×1,000）/ 視野 |
|---|---|---|
| 1+ | ＜1 | ＜1 |
| 2+ | 1～9 | 1～5 |
| 3+ | 10～25 | 6～30 |
| 4+ | ＞25 | ＞30 |

# 8.2.5 その他の髄液検査

高齢化社会が進むなか，認知症有病者数も増加傾向を示し社会的問題となっている。認知症はその原因となる疾患や症状がさまざまであり，最も多いのは神経細胞の異常で起こるアルツハイマー（Alzheimer）病（AD）で全認知症疾患の約半数を占めている。続いて多いのが脳梗塞，脳出血などの脳の血管異常が原因で起こる血管性認知症となっている。その他感染症に伴うものや内分泌・代謝障害，代謝疾患・欠乏症，その他の認知症などがある（表8.2.11）[43, 44]。

近年，認知症の補助診断として髄液検査が用いられている。髄液中にADの特徴的な病理像を反映する脳アミロイドと神経原線維変化の主成分であるアミロイドベータ蛋白（Aβ）とタウ蛋白が存在していることから，これらの成分測定はADのサロゲートマーカーになる可能性が報告されている。また，これらの蛋白は軽度認知障害（MCI）の段階から80～90％の確率でADと診断できることから予測因子としても注目されている。

**用語**　米国微生物学会（American Society for Microbiology；ASM），アルツハイマー病（Alzheimer's disease；AD），アミロイドベータ（amyloid β；Aβ）蛋白，軽度認知障害（mild cognitive impairment；MCI）

表 8.2.11 認知症の原因疾患の分類

| 分類 | 疾患 | 分類 | 疾患 |
|---|---|---|---|
| 中枢神経変性疾患 | Alzheimer 病 | 内分泌・代謝障害 | 甲状腺機能低下症 |
| | Lewy 小体型認知症 | | 下垂体機能低下症 |
| | 前頭側頭葉変性症 | | Cushing 症候群 |
| | 進行性核上性麻痺 | | 副腎皮質機能低下症 |
| | Huntington 病 | 欠乏性疾患・中毒性疾患 | アルコール依存症 |
| | 嗜銀顆粒性認知症 | | 一酸化炭素中毒 |
| | 神経原線維変化型老年期認知症 | | Marchiafava-Bignami 病 |
| 血管性認知症（VaD） | 多発梗塞性認知症 | | ビタミン $B_1$ 欠乏症 |
| | 小血管病変性認知症 | | ビタミン $B_{12}$ 欠乏症 |
| | 低灌流性 VaD | | 薬物中毒（抗がん剤，抗菌薬，向精神薬など） |
| | 脳出血性 VaD | | 金属中毒（水銀，マンガン，鉛など） |
| | 慢性硬膜下血腫 | 脱髄疾患・自己免疫性疾患 | 多発性硬化症 |
| 神経感染症 | Creutzfeldt-Jakob 病 | | 急性散在性脳脊髄炎 |
| | 亜急性硬化性全脳炎 | | Behçet 病 |
| | 急性ウイルス脳炎（単純ヘルペスなど） | 蓄積病 | 遅発性スフィンゴリピド症 |
| | HIV 感染症（AIDS） | | 副腎白質ジストロフィー |
| | 進行性麻痺（神経梅毒） | その他 | ミトコンドリア脳筋症 |
| | 細菌性髄膜炎 | | 進行性筋ジストロフィー |
| | 脳寄生虫 | | |

〔日本神経学会（監修），「認知症疾患診療ガイドライン」作成委員会（編）：認知症疾患診療ガイドライン 2017，7，医学書院，2017 より改変〕

## 検査室ノート 4大認知症

### (1) Alzheimer病（AD）

全認知症の半分以上を占める代表的な疾患。記憶障害に始まり病状が進むと行動異常・精神症状で，妄想，焦燥，不穏，うつなどの症状が見られる。さらに重度になると運動機能に支障をきたし失禁が現れ，衰弱が進む疾患。

### (2) 血管性認知症

認知症状が見られその背景に脳血管疾患があり，この認知症状態と脳血管疾患発症との間に時間的関連性が認められる疾患。

### (3) レビー（Lewy）小体型認知症

病初期には記憶障害よりも注意障害や構成障害などが目立ち，幻視や錯乱状態を呈したり，方向感覚の低下も見られる。睡眠異常および歩行障害と動作緩慢があり，姿勢障害や失神も多い疾患。

### (4) 前頭側頭葉変性症

病初期には特徴的な人格変化，情動面の変化，病識の欠如や判断力の低下が見られる。病状が進むと失語が目立ち，定刻に同じ場所を回り歩く「周徊」も特徴的な疾患。

［石山雅大］

---

## 参考文献


1) Ropper AH, *et al.*：“Imaging, electrophysiologic, and laboratory techniques for neurologic diagnosis”, Adams and Victor's Principles of Neurology 10th edition, McGraw-Hill Education/Medical, 2014.
2) 大田喜孝, 他：「髄液の検査を学ぶ－その意義・方法・新たな展開」, Medical Technology, 2014；42：427-472.
3) プリオン病感染予防ガイドライン作成委員会：プリオン病感染予防ガイドライン(2020年版), 日本神経学会, 2020.
4) 石山雅大, 奈良　豊:「第４章　髄液」, カラー図解　一般検査ポケットマニュアル, 106-128, 伊藤機一, 高橋勝幸(監修), 菊池春人, 他(編), 羊土社, 2009.
5) Brunzel NA(著), 池本正生, 他(監訳)：「第13章 脳脊髄液分析」, ブルンツェル 尿・体液検査－基礎と臨床, 233-246, 西村書店, 2007.
6) 宿谷賢一, 田中雅美：「サムソン染色による細胞分類」, Medical Technology, 2014；42：437-440.
7) 田中雅美, 宿谷賢一：「髄液細胞の保存方法」, Medical Technology, 2014；42：441-443.
8) 保科ひづる：「塗抹標本作製(メイ・ギムザ染色)の方法と細胞所見」, Medical Technology, 2014；42：444-452.
9) 田中雅美, 他：「総合血液学検査装置ADVIA2010iによる髄液・体腔液細胞算定の検討」, 日本臨床検査自動化学会会誌, 2013；38：129-136.
10) 久末崇司, 他：「多項目自動血球分析装置XN-2000による髄液細胞算定の検討」, 日本臨床検査自動化学会会誌, 2013；38：346-351.
11) Bell J E, *et al.*：“Developmental profile of plasma proteins in human fetal cerebrospinal fluid and blood,” Neuropathol Appl Neurobiol, 1991；17：441-456.
12) Hirohata S, *et al.*：“Quantitation of IgG, IgA and IgM in the cerebrospinal fluid by a solid-phase enzyme-immunoassay. Establishment of normal control values”, J Neurol Sci, 1984；63：101-110.
13) 奈良　豊：「髄液の生化学検査」, Medical Technology, 2003；31：476-483.
14) 竹岡常行：「脳脊髄液検査の意義」, 日本内科学会雑誌, 1996；85：672-676.
15) 本田政臣：「神経疾患の診断におけるIgG indexの有用性に関する研究」, 東京女子医科大学雑誌, 1989；59：683-692.
16) 田中正美, 他：「脊髄液IgG indexの日本人正常値」, 神経内科, 2010；72：337-338.
17) 太田宏平：「炎症性神経疾患における髄液中炎症関連蛋白に関する研究」, 東京女子医科大学雑誌, 1987；57：1373-1383.
18) 冨井郁子, 他：「最近３年間の無菌性髄膜炎150例の検討」, 病原微生物検出情報月報, 1983；4：36.
19) 水田隆三：「小児髄液の乳酸脱水素酵素アイソザイムについて」, 脳と発達, 1974；6：125-136.
20) 古堅宗範, 田村武雄:「脳血管障害急性期における髄液および血清Fructose-1,6-diphosphate aldolase(ALD), Lactic dehydrogenase(LDH)の変動」, 日本老年医学会雑誌, 1978；15：235-244.
21) 奈良　豊：「髄液LDH測定の有用性」, 第38回関東甲信地区医学検査学会講演集, 104, 2001.
22) 武田麻衣子, 他：「脳脊髄液のLD, CK活性の基準値範囲設定」, 医学検査, 2008；57：678.
23) Briem H, *et al.*：“Creatine kinase isoenzyme BB in cerebrospinal fluid from patients with meningitis and encephalitis,” J Infect Dis, 1983；148：180.

24) 佐久嶋研，他：「血液ガス分析装置による髄液乳酸および糖の迅速測定の信頼性」，臨床神経学，2009；49：275-277.
25) Brouwer MC, *et al.*："Dilemmas in the diagnosis of acute community-acquired bacterial meningitis", Lancet, 2012；380：1684-1692.
26) 山本慶和：「髄液検査　技術編」，検査と技術，1999；27；928-931.
27) 高杉尚志，他：「2回のBCG接種歴がある結核性髄膜炎の15歳女児例」，小児感染免疫，2006；18：393-398.
28) Malan C, *et al.*："Adenosine deaminase levels in cerebrospinal fluid in the diagnosis of tuberculous meningitis", J Trop Med Hyg, 1984；87：33-40.
29) Abdeldaim GM, *et al.*："Multiplex quantitative PCR for detection of lower respiratory tract infection and meningitis cause by Streptococcus pneumoniae, Haemophilus influenzae and Neisseria meningitidis", BMC Microbiol, 2010；10：310.
30) Bergseng H, *et al.*："Real-time PCR targeting the sip gene for detection of group B Streptococcus colonization in pregnant women at delivery", J Med Microbiol, 2007；56：223-228.
31) Corless CE, *et al.*："Simultaneous detection of Neisseria meningitidis, Haemophilus influenzae, and Streptococcus pneumoniae in suspected cases of meningitis and septicemia using real-time PCR", J Clin Microbiol, 2001；39：1553-1558.
32) 大楠清文，江崎孝行：「感染症診断における遺伝子解析技術の適応」，日本臨床微生物学雑誌，2008；18：163-176.
33) Ferreira L, *et al.*："Direct identification of urinary tract pathogens from urine samples by matrix-assisted laser desorption ionization-time of flight mass spectrometry", J Clin Microbiol, 2010；48：2110-2115.
34) Nyvang Hartmeyer G, *et al.*："Mass spectrometry：pneumococcal meningitis verified and Brucella species identified in less than half an hour", Scand J Infect Dis, 2010；42：716-718.
35) Amy LL, Corey DB：Clinical Microbiology Procedures Handbook, 5th ed, ASM Press, 2023.
36) Thwaites GE, *et al.*："Improving the bacteriological diagnosis of tuberculous meningitis", J Clin Microbiol, 2004；42：378-379.
37) Dismukes WE, *et al.*："Treatment of cryptococcal meningitis with combination amphotericin B and flucytosine for four as compared with six weeks", N Engl J Med, 1987；317：334-341.
38) Hayden RT, Frenkel LD："More laboratory testing：greater cost but not necessarily better", Pediatr Infect Dis J, 2000；19：290-292.
39) 株式会社LSIメディエンス　検査のご案内.
40) 横浜市立大学付属病院　臨床検査部・輸血細胞治療部：臨床検査基準値一覧.
41) Samra Z, *et al.*："Use of the NOW Streptococcus pneumoniae urinary antigen test in cerebrospinal fluid for rapid diagnosis of pneumococcal meningitis", Diagn Microbiol Infect Dis, 2003；45：237-240.
42) 稲見由紀子，他：「髄液検体に対する肺炎球菌尿中抗原迅速検出キットの使用が診断上有用であった肺炎球菌性髄膜炎の1例」，小児感染免疫，2006；18：405-409.
43) 石塚直樹，他：「認知症の分類と診断の概略」，臨床検査，2012；56：13-21.
44) 日本神経学会（監修），「認知症疾患診療ガイドライン」作成委員会（編）：「第1章　認知症全般：疫学，定義，用語」，認知症疾患治療ガイドライン2017，6-7，医学書院，2017.

# 8.3 | 疾患と髄液細胞所見

- 中枢神経系感染症は髄膜炎，脳炎に代表され，原因となる微生物の種類によってウイルス性，細菌性，結核性，真菌性，寄生虫性，アメーバ性などに分類される。
- 無菌性髄膜反応は，感染による炎症性疾患ではなく反応性の病変を指す。原因としてくも膜下出血など頭蓋内出血，炎症巣や壊死巣あるいは腫瘍が存在する場合，治療や検査目的で髄腔内に異物を注入した場合などがあげられる。
- 髄液中に出現する腫瘍細胞は転移性の細胞が多い。したがって異常細胞を疑う場合には患者の病態や既往歴などを必ず確認する。
- 脱髄疾患には，Guillain-Barré 症候群と多発性硬化症が代表的な疾患としてあげられる。いずれも髄液検査では明確な所見はなく判断が難しいため，患者の既往など情報を確認する。
- 医原性細胞とは，髄液採取時に混入した細胞を示す。基本的には正常な細胞であるが，大型細胞や異型性を伴う細胞もあるため鑑別のポイントを押さえる。

## 8. 3. 1 中枢神経系感染症

### 1. ウイルス性髄膜炎

髄膜炎の約80%以上がウイルス性髄膜炎であり，その原因としてエンテロウイルス群によるものが全体の約70～80%を占め，とくにわが国ではエコーウイルスとコクサッキーウイルスを多く認める。ほかにムンプスウイルス，ヘルペスウイルス群〔単純ヘルペスウイルス，水痘・帯状疱疹ウイルス，エプスタイン・バー(EB) ウイルス)〕，麻疹ウイルス，風疹ウイルスなども髄膜炎を引き起こす[1)]。エンテロウイルス群によるものは初夏～秋にかけて小児や若年層に多く発症する。

ウイルス性髄膜炎の典型的な髄液所見は，リンパ球優位の中等度（1,000/μL未満）の細胞増加にとどまることが多く，髄液糖の低下を認めず，血中C反応性蛋白（CRP）は正常～軽度の上昇にとどまることが多い。とくに反応性リンパ球の出現はウイルス性髄膜炎を疑う重要な所見となる。しかし，ウイルス性髄膜炎の病初期には多形核球優位の細胞数増加を示すことがあり，また一部のウイルス性髄膜炎では髄液糖の低下を認めることがあるため，細菌性髄膜炎との鑑別が困難なこともある。単核球の絶対数での増加や反応性リンパ球の出現などがウイルス性髄膜炎の鑑別のポイントとなる。なお，分離培養でウイルスを同定するか，あるいは髄液中にウイルスの遺伝子が検出できればウイルス性髄膜炎と確定診断できる。

新型コロナウイルス（SARS-CoV-2）による髄膜炎は，2020年に最初に山梨大学で発表され，その後もいくつかの医療機関より報告がなされている。まだ症例数が少なく詳細は不明な点が多く，髄液検査では一般的なウイルス性髄膜炎と同様な検査結果を呈するが，重症例も多いため注意が必要である。

**用語** ウイルス性髄膜炎（viral meningitis），エプスタイン・バー（Epstein-Barr）ウイルス，C反応性蛋白（C-reactive protein；CRP），新型コロナウイルス（severe acute respiratory syndrome coronavirus 2；SARS-CoV-2）

## ウイルス性髄膜炎（典型例）（図8.3.1，8.3.2）

●患者：17歳　女性

頭部から首筋にかけての強い痛みと嘔気を主訴とし来院。髄膜刺激徴候を認め，腰椎穿刺による髄液採取を行った。

髄液検査所見：細胞数172/μL（単核球77%：多形核球23%），髄液蛋白58mg/dL，髄液糖61mg/dL（血糖92mg/dL），後のウイルス同定によりエコーウイルス30型を検出。

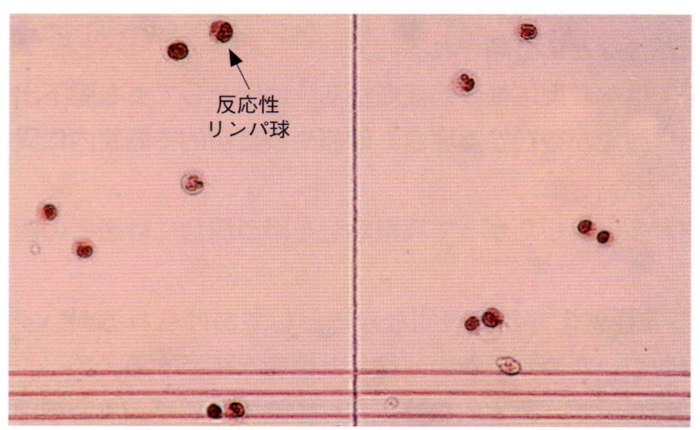

図8.3.1　ウイルス性髄膜炎（典型例）×200　Samson染色

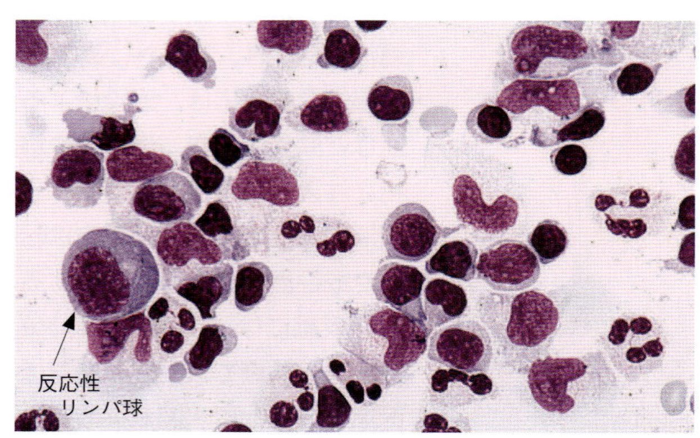

図8.3.2　同一症例　×600　MG染色

典型例ではリンパ球優位の中等度の細胞増加を認め，MG染色像では多くの症例に大型の反応性リンパ球*1が出現する。反応性リンパ球は病初期に多く認め，これは末梢血やリンパ節に見られる反応性リンパ球と同様で，ウイルスの刺激によって幼若化傾向を示す活動性のリンパ球と考えられる。大きさは成熟リンパ球の約1.5〜2倍で，細胞質は好塩基性，核はやや偏在傾向を示す。核の一辺に窪みを有することが多く，窪みに一致して細胞質に明庭の広がりを認める。核クロマチンは粗造で，核小体やクロモセンターを見ることが多い。免疫芽球や形質細胞の形態に似るが，免疫細胞学的にはCD3，CD8に陽性を示すT細胞である[2)]。

## ウイルス性髄膜炎（好中球優位例）（図8.3.3，8.3.4）

●患者：6歳　女児

母親に頭が痛いと訴え，38℃の発熱と嘔吐を認めたため来院。髄膜炎を疑い腰椎穿刺による髄液採取を行った。

髄液検査所見：細胞数246/μL（単核球22%：多形核球78%），髄液蛋白47mg/dL，髄液糖58mg/dL（血糖88mg/dL），後のウイルス同定によりコクサッキーウイルスを検出。

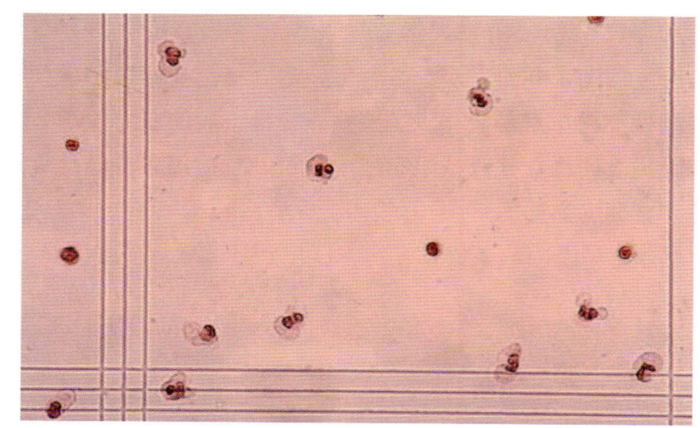
図8.3.3　ウイルス性髄膜炎（好中球優位例）×200　Samson染色

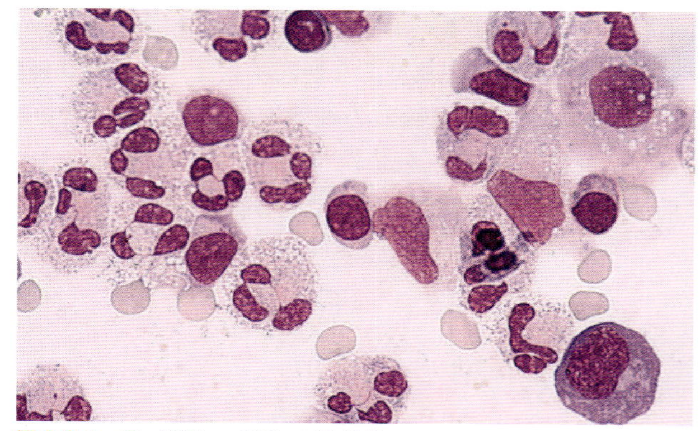
図8.3.4　同一症例　×600　MG染色

小児のウイルス性髄膜炎では病初期に髄液細胞が好中球優位を示し，細菌性髄膜炎との鑑別が問題となることが少なくない。細菌性髄膜炎の髄液所見と異なる点は，①細胞増加が中等度（300/μL前後）にとどまることが多い，②

用語　cluster of differentiation（CD）

髄液蛋白の増加は軽度であり，髄液糖の低下を認めない，③好中球優位の中にも10～20%の割合でリンパ球の介在を認める，④血中CRP値の上昇が軽度にとどまる，などの点である。また，このような場合もウイルス性髄膜炎に特徴的な反応性リンパ球を確認できれば，その鑑別に役立つ。ただウイルス性髄膜炎における好中球優位像は一過性で，速やかにリンパ球主体へと変化する。その速度は速く，わずか10時間で両者が完全に入れ替わったとの報告もある。

**参考情報**

**＊1 反応性リンパ球のSamson染色での細胞像**

通常のリンパ球の1.5～2倍程度の大きさで，細胞質の染色性はよく，核は偏在し特徴的な核周明庭がみられる。

### 検査室ノート　無菌性髄膜炎

無菌性髄膜炎は原因が特定できない非細菌性髄膜炎の総称であり，細菌性髄膜炎以外のすべての髄膜炎が含まれるが，実際の臨床の場では，おおむねウイルス性髄膜炎の同義語として使用されてきた。ウイルス性髄膜炎を疑った場合，その確定のためには髄液より病因ウイルスを検出する必要がある。しかし，ウイルス分離培養・同定にはかなりの時間と費用を必要とするため，日常の臨床検査として実用的ではない。また，ウイルス性髄膜炎の約8割を占めるエンテロウイルス（エコーウイルス，コクサッキーウイルスなど）による髄膜炎の多くは，対処療法のみで良好な経過を示すことから[3]，ウイルス同定の意義が強く求められるものではない。このような背景から，細菌を検出できない髄膜炎については，ウイルス性髄膜炎を強く疑いつつもウイルス検出には至っていないとの理由から，無菌性髄膜炎の名称が使われてきた。ウイルス性髄膜炎に対する髄液検査所見が明確になり，迅速PCR法などによるウイルス検出法が導入されるようになった現在，無菌性髄膜炎の名称は徐々に使用されなくなりつつある。

## 2. 細菌性髄膜炎

細菌性髄膜炎の典型的な症状と徴候は，発熱，頭痛，嘔吐，羞明，項部硬直などの髄膜刺激徴候，傾眠，錯乱である。数時間で意識清明から昏睡に至り死亡する例もあるため，その緊急性と病態を理解したうえで検査に臨むことが重要である。一般に発熱，項部硬直，意識障害が髄膜炎の三徴候とされるが，三徴候すべてがそろうのは髄膜炎患者の2/3以下であり，二徴候以上で95%程度，一徴候ではほぼ100%の患者に認められる。わが国における細菌性髄膜炎の発症頻度は，年間約1,500人程度で，小児が7割を占める。また細菌性髄膜炎の死亡率は15～30%，後遺症は10～30%とされており，初期治療が転帰を大きく左右するため，早期診断，早期治療が重要となる。

わが国の細菌性髄膜炎における起炎菌として，6歳以上（小児では6歳を過ぎると免疫学的にほぼ成人に近い状態に近づき，この年齢以降での細菌性髄膜炎は極めて稀となる）では，*Streptococcus pneumoniae*（肺炎球菌）が60～65%，*Haemophilus influenzae*（インフルエンザ菌）が5～10%，*Neisseria meningitidis*（髄膜炎菌）が5%未満であり，5歳以下では*Haemophilus influenzae*が70～72%と頻度が高く，*Streptococcus pneumoniae*が20～25%と続く。4カ月未満では，*Streptococcus agalactiae*（B群溶血性連鎖球菌）が45～50%，*Escherichia coli*（大腸菌）が20～25%であり，この2菌種で約80%を占める。近年では，*Streptococcus pneumoniae*や*Haemophilus influenzae* type b（Hib）に対するワクチンにより発生数は激減しているが，新型コロナウイルス蔓延により前述のワクチン接種率低下があり，また最近の細菌性髄膜炎の発生数に関する疫学調査が行われておらず詳細は不明である。

髄液所見では多くの症例で髄液中に1,000/μL以上の著しい細胞増加を認め，出現する細胞は多形核球優位である。細胞数が10,000/μL以上になることも少なくなく，とくに髄液の外観が白濁している場合は細菌性髄膜炎の可能性を考慮する[4]。また細胞数の著しい増加とともに髄液糖/血糖比が0.4以下，血中CRP高値を示せば，細菌性髄膜炎の

**用語**　無菌性髄膜炎（aseptic meningitis），細菌性髄膜炎（bacterial meningitis）

疑いが強くなる。病初期に多形核球優位の細胞増加を示す髄膜炎との鑑別には注意を要する。

*Neisseria meningitidis*による髄膜炎菌性髄膜炎は，細菌性髄膜炎のうち唯一大規模に流行するため流行性髄膜炎とよばれる[5]。*Neisseria meningitidis*の鼻咽腔での保菌率は欧米での健常人5～20%に対し，日本は0.3～0.4%と少ないこともあり，国内では年間10～30名程度，1990年以降は一桁台と減少している。一方で，2011年には宮崎県の高校寮内で発生し，搬送後4時間で死亡した事例も報告されている。

**肺炎球菌による細菌性髄膜炎**　（図8.3.5，8.3.6）

- 患者：4歳　男児

数日前より不機嫌であり風邪様症状があった。夜間に39℃の高熱と嘔吐を認めたため，救急外来を受診した。軽度の意識混濁があり，髄膜脳炎を疑い腰椎穿刺による髄液採取を行った。

髄液検査所見：細胞数2,840/μL（単核球7%：多形核球93%），髄液蛋白125mg/dL，髄液糖34mg/dL（血糖88mg/dL），後の微生物学検査により肺炎球菌を検出。

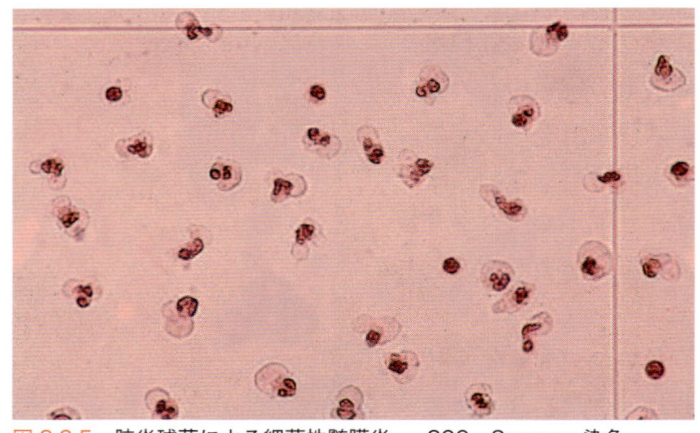

図8.3.5　肺炎球菌による細菌性髄膜炎　×200　Samson染色

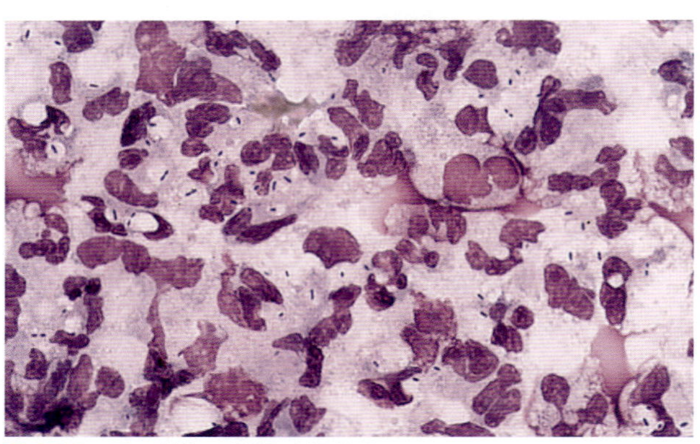

図8.3.6　同一症例　×600　MG染色

細菌性髄膜炎では髄液中に著しい細胞の増加を認め，髄液が白濁して見られることが多い。細胞数は4桁，ときに5桁を示すこともある。出現する細胞の80%以上が好中球であり，そのほとんどが核の過分葉傾向を示す。残りの細胞はリンパ球よりも単球が多い。未治療例ではMG染色で細胞の内外に起炎菌を認めることがある。抗菌薬で部分治療された例では細胞増加の程度は弱くなるが，細胞組成は好中球優位像を残す。この場合，細菌培養を行っても原因菌の検出が困難なことが多い。抗菌薬による治療が奏効すると細胞数の減少とともに単核球優位となる。

**細菌性髄膜炎（重度の敗血症を伴う例）**　（図8.3.7）

- 患者：3歳　女児

急性肺炎とともに重度の敗血症をきたし集中治療中の児であり，意識障害を認めたため髄膜脳炎を疑い腰椎穿刺による髄液採取を行った。

髄液検査所見：細胞数28/μL（単核球62%：多形核球38%），髄液蛋白326mg/dL，髄液糖3mg/dL（血糖94mg/dL），血液培養および髄液の微生物学検査により肺炎球菌を検出。

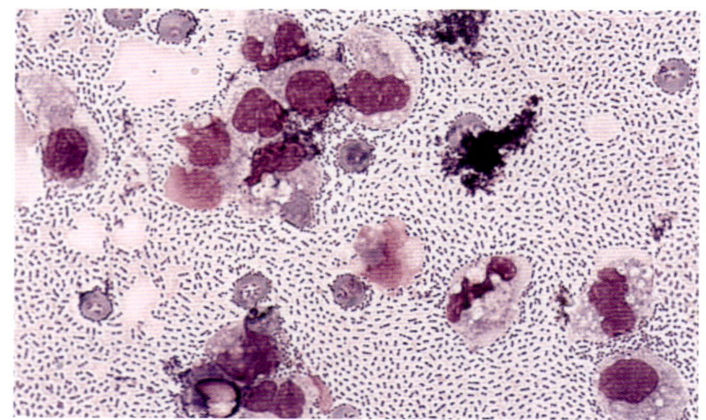

図8.3.7　重度の敗血症を伴った細菌性髄膜炎　×600　MG染色

重度の敗血症を伴った細菌性髄膜炎の例では細胞応答性の低下から髄液細胞増加に乏しく，しかも好中球優位とは限らない。この場合，髄液塗抹標本の背景を埋め尽くすように細菌の増生が見られ，著明な髄液蛋白の上昇と髄液糖の低下を同時に認める。本症例は同時に免疫能低下を示し，治療抵抗性で予後不良であった。

## 3. 真菌性髄膜炎

真菌性髄膜炎は，一般的に亜急性に発症し前駆症状なく頭痛，悪心，嘔吐，めまいなどで発症することが多い髄膜炎である。本症の原因菌として*Cryptococcus*属，*Candida*属，*Aspergillus*属，*Mucor*属，*Nocardia*属などがあるが，成人では*Cryptococcus*属によるものが約90%を占め，中でも*Cryptococcus neoformans*によるものが最も頻度が高く，ほかに*Cryptococcus gattii*例もある。これは，Cryptococcus菌体が中枢神経系に対し高い親和性を有するためと考えられている。発症は易感染宿主に多く，HIV感染，腎疾患，膠原病，悪性腫瘍，副腎皮質ステロイド投与，糖尿病を有している患者など免疫不全患者がハイリスク群となり，中でもHIV感染は最も大きな危険因子である。ハトの糞はクリプトコッカスの増殖の温床になっているため経口による感染など注意が必要である。

クリプトコッカス髄膜炎では，一般的にリンパ球主体の髄液細胞増加を示すが，髄液中より菌体を証明することが重要となる。墨汁法では60%，サブロー培地での培養陽性は96%との報告がある。免疫不全を伴う場合は，菌体の著しい増生を認め，菌体自体も大型なため，特徴的な分厚い莢膜を計算盤上でも容易に鑑別できる。しかし，免疫不全を伴わない症例ではリンパ球主体の細胞増加を示すものの，菌体は小型で目立たず，計算盤上での認識が困難であるため注意を要する。塗抹標本を作製するなどの操作が必要である。また，免疫が低下している患者や小児ではカンジダによる髄膜炎例も見られる。

**症例5**

**クリプトコッカス髄膜炎（続発性クリプトコッカス症例）**（図8.3.8，8.3.9）

● 患者：33歳　男性

Guillain-Barré症候群の診断のもとに大量のステロイド系抗炎症薬投与ならびに抗菌薬投与がなされていた。2日前より多発性の神経症状に次いで意識レベルの低下を認めたため，腰椎穿刺による髄液採取を行った。

髄液検査所見：細胞数12/μL（単核球8：多形核球4），髄液蛋白130mg/dL，髄液糖6mg/dL（血糖112mg/dL），微生物検査により*Cryptococcus neoformans*を検出。

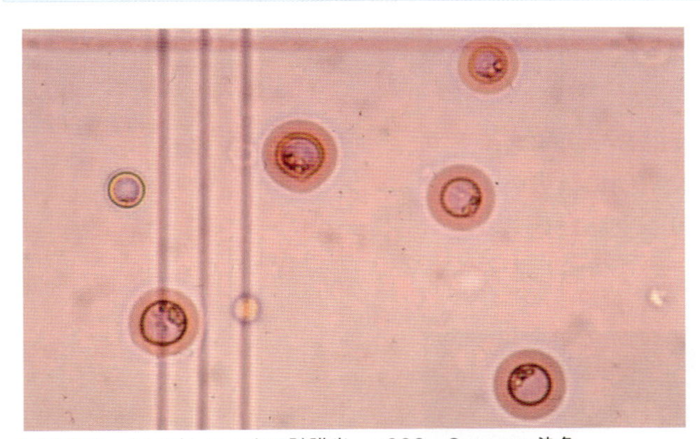

図8.3.8　クリプトコッカス髄膜炎　×600　Samson染色（続発性クリプトコッカス症）

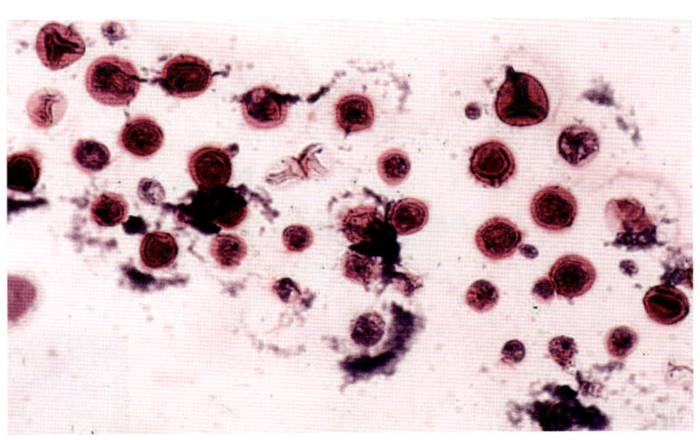

図8.3.9　同一症例　×400　MG染色

豊富な莢膜を有するクリプトコッカス菌体の著明な増生を認め，個々の菌体は大型かつ大小不同に富み，計算盤上でも比較的容易に認識できる。免疫能低下に伴って髄液細胞応答性も低下するため白血球の増加に乏しく，わずかにリンパ球や単球を散見する程度である。髄液の臨床化学所見は細菌性髄膜炎に似ており，髄液蛋白の増加と髄液糖の低下を同時に認める。MG染色像でのクリプトコッカス菌体は空気を抜いたゴムボールのような形状を示し，菌体の周囲には暗紫色の塵埃状物質が認められ，これは標本作製過程で生じた莢膜変性物質と考えられる。

---

**用語**　真菌性髄膜炎（fungal meningitis），ヒト免疫不全ウイルス（human immunodeficiency virus：HIV）

症例6

## クリプトコッカス髄膜炎（原発性クリプトコッカス症例）（図8.3.10）

● 患者：43歳　男性

数日前より感冒症状と倦怠感を認めていた。首筋の強い痛み，眼部痛とともに，悪心・嘔吐をきたし来院。項部硬直を認め，腰椎穿刺による髄液採取を行った。

髄液検査所見：細胞数256/μL（単核球92%：多形核球8%），髄液蛋白88mg/dL，髄液糖31mg/dL（血糖101mg/dL），細菌培養検査により *Cryptococcus neoformans* を検出。

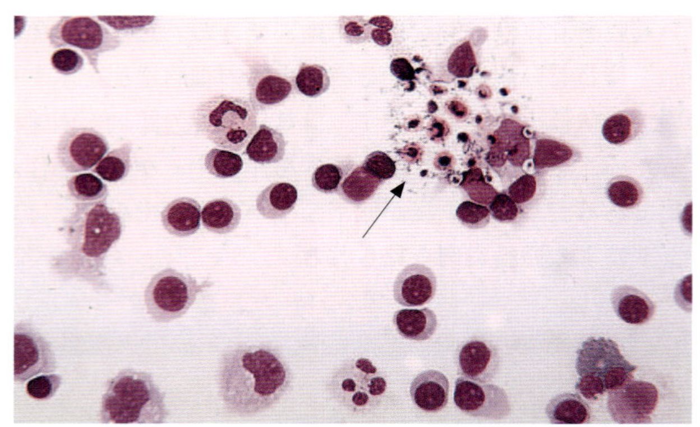

図8.3.10　クリプトコッカス髄膜炎（原発性クリプトコッカス症）×400　MG染色

リンパ球主体の中等度の細胞増加を示し，70%以上がリンパ球で残りは単球が多い。菌体は細胞間のところどころに小集団として認められ（矢印），小型で目立たない。これらの菌体を計算盤上で認識することはおよそ困難であるため，塗抹標本を作製し確認する必要がある。増加したリンパ球の多くはCD4陽性であり，CD4リンパ球はクリプトコッカス増生を抑制する機能をもつ。免疫能の低下を伴う続発性クリプトコッカス症では血中のCD4細胞が欠落，もしくは減少しており，この点から免疫不全を伴う例と伴わない例の髄液細胞所見の違いを理解することができる。

## 検査室ノート　墨汁法によるクリプトコッカス菌体検出

クリプトコッカスの菌体を確認する簡便な方法として墨汁法がある。墨汁法はクリプトコッカスの菌体を直接染色するのではなく，背景を暗くマスクして菌体を浮き彫りにするレリーフ染色法である。

方法は髄液を3,000rpm 5分間遠心後，沈渣1滴と墨汁1滴を混合し，スライドガラスに取り，カバーガラスをかけ鏡検する。クリプトコッカスは周囲に幅広い莢膜を備えた大小不同の酵母様菌体として観察でき，白く抜けた二重リング状に見える（図8.3.11）。墨汁は良質の墨をそのつど硯で擦って使用する。少し粘りを感じるくらい濃く擦るのがよく，軽く遠心して使用する。擦りおきの墨や市販の書道用墨汁は本法に適さない。なお，本法の菌体検出率は53～56%と報告され，必ずしも高くはない。むしろ髄液塗抹標本のMG染色の方がより高い検出率を期待できる。また，ラテックス凝集反応法による髄液中のクリプトコッカス抗原検出も診断に有用とされている[6]。

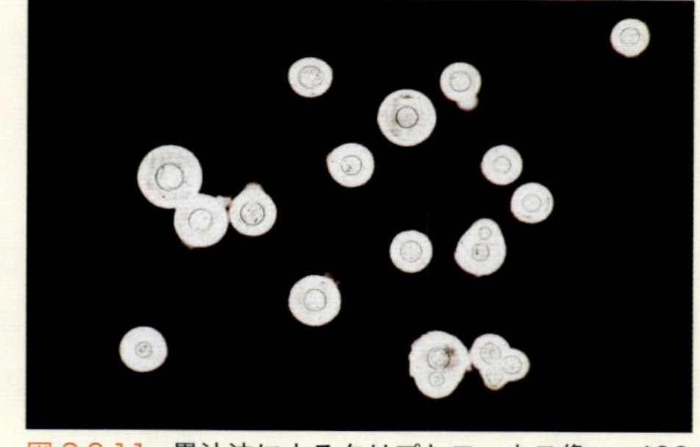

図8.3.11　墨汁法によるクリプトコッカス像　×400

## 4. 好酸球性髄膜炎

髄液に好酸球が著明に増加する病態をとくに好酸球性髄膜炎とよぶ。本症の原因として，かつてより寄生虫感染症があげられてきたが，近年わが国ではその頻度は低く，実際にはアレルギー反応や薬剤の副作用によるものが主体をなす。その具体的な原因としては血中の過好酸球増加症（好酸球増加症），脳室穿刺やミエログラフィーに対する異物反応やアレルギー反応，髄膜炎や悪性腫瘍の髄膜浸潤に対する二次的反応，非ステロイド性消炎鎮痛剤や抗菌薬による副作用などがあげられる[7]。

寄生虫性髄膜炎は寄生虫体が中枢神経系に侵入することで発症し，原因となる寄生虫には線虫類（広東住血線虫，回虫，旋毛虫），吸虫類（肺吸虫，日本住血吸虫），条虫類（有鉤条虫，包虫）などがあるが，中でも広東住血線虫（*Angiostrongylus cantonensis*）による髄膜炎はアジア諸国を中心に発症頻度が高いことで知られている。

好酸球性髄膜炎の臨床所見はほかの髄膜炎と同様に頭痛，発熱，嘔吐とともに髄膜刺激徴候を認める。髄液所見は中等度の細胞の増加を示し，好酸球の割合は約40～80%（平均70%）である。髄液蛋白の軽度上昇を示すことがあるが，糖は変化しない。

好酸球の計算盤上での形態は好中球のようにアメーバ状の不整形は示さず，円～類円形のものが多い。細胞質は淡い橙黄色を呈し，コンデンサを下げて観察すると光り輝くように認められる。しかし，計算盤のみで好酸球を確定することは精度上まだいくつかの問題を残しており，好酸球を疑う細胞を認めた場合は細胞塗抹標本を作製し確認する必要がある。MG染色像では2核を示すものが多く，細胞変性のために好酸性顆粒の分布が偏って見られるものが多い（図8.3.12，8.3.13）。

## 5. 原発性アメーバ性髄膜脳炎

原発性アメーバ性髄膜脳炎の多くは激烈な髄膜脳炎症状を起こし，その多くが死に至る。起因アメーバはおもに川・池・プールなどの淡水に生息する*Naegleria fowleri*と考えられており，経鼻腔的に侵入し感染を成立させる。極めて急性の経過を取るのが特徴で，1週間程度の潜伏期を経て，嘔吐を伴う強い頭痛，発熱などの初発症状が現れ，その後，さまざまな中枢神経症状が出現する。神経症状の急速な悪化とともに意識障害を伴うようになり，多くは発症後10日前後で死亡する。初期症状がウイルス性や細菌性の髄膜脳炎と鑑別できず，死亡後に初めて診断がつく例がほとんどである。ただ，病初期に発見できれば抗真菌薬投与で救命できるとの報告もある[8]。また，非常に稀ではあるが，アカントアメーバと*Balamuthia mandrillaris*といった自由生活性アメーバによる肉芽腫性アメーバ性髄膜炎を引き起こすこともある。

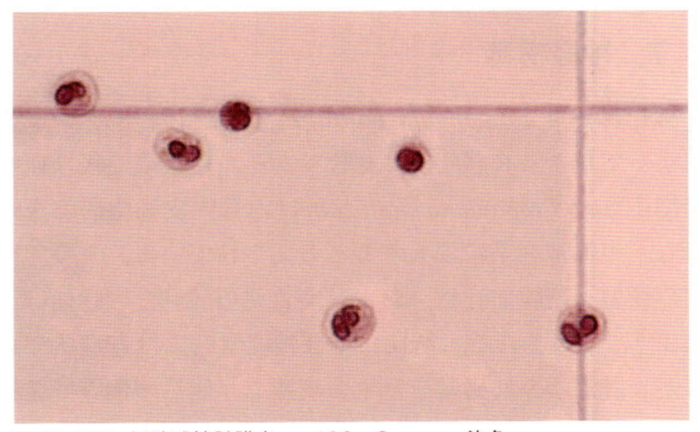

図8.3.12　好酸球性髄膜炎　×400　Samson染色

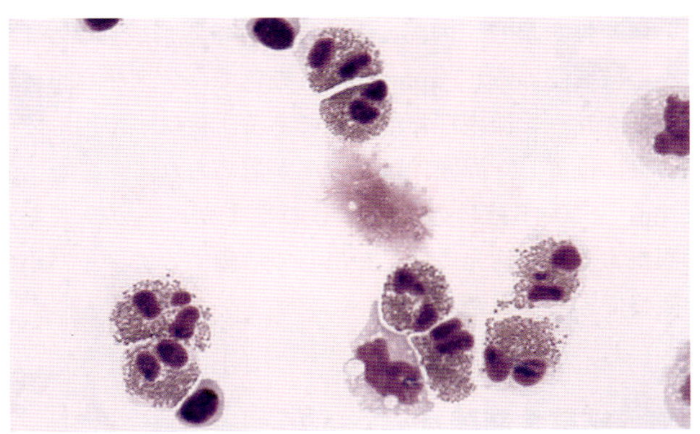

図8.3.13　好酸球性髄膜炎　×400　MG染色

用語　好酸球性髄膜炎（eosinophilic meningitis），原発性アメーバ性髄膜脳炎（primary amoebic meningoencephalitis）

**症例7**

## アメーバ性髄膜炎 （図 8.3.14，8.3.15）

● 患者：25 歳 女性

数日前より悪寒，軽度の頭痛などの感冒様症状を認めていた。頭痛が徐々に強くなり，発熱，嘔吐を認めたため近医受診。投薬を受けるも意識障害を認め緊急入院となる。髄膜脳炎を疑い腰椎穿刺により髄液採取を行った。

髄液検査所見：細胞数 1,282/μL（単核球 54%：多形核球 46%），髄液蛋白 285mg/dL，髄液糖 23mg/dL（血糖 95mg/dL），髄液塗沫標本にて *Naegleria fowleri* を検出。

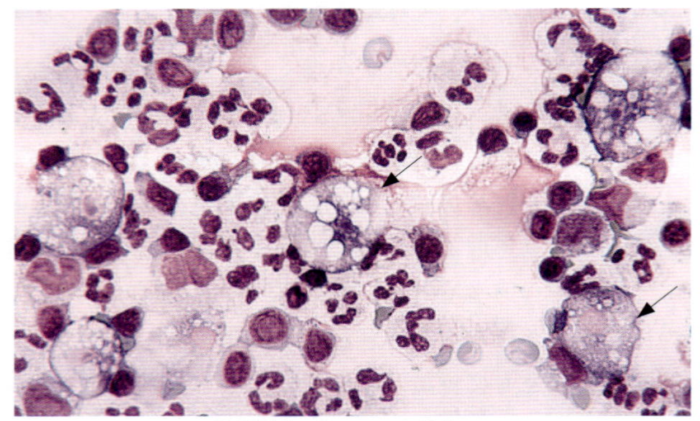

図 8.3.14 アメーバ性髄膜炎 ×400 MG 染色

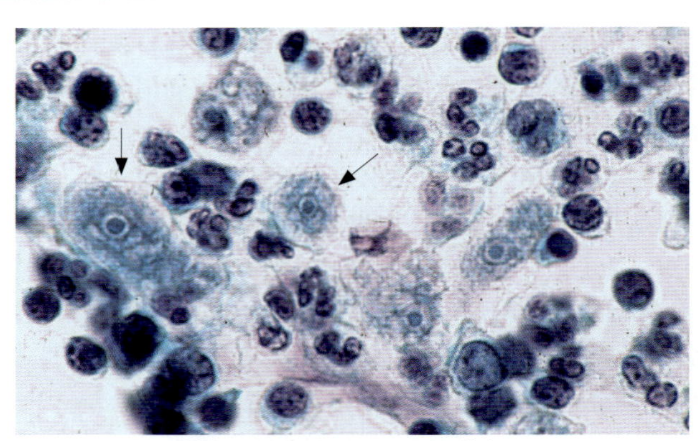

図 8.3.15 同一症例 ×600 Papanicolaou 染色

髄液所見は中等度～高度の細胞の増加を認め，細胞組成は好中球，リンパ球，単球が混在して認められる。髄液蛋白はほとんどの例で増加し，髄液糖の低下を示す例も少なくない。アメーバ小体を計算盤上で見出すことはよほど注意しない限り困難であるが，細胞塗抹標本では比較的容易に検出できる。MG染色像では高度に増加した白血球間に介在する18～30μmの類円形の小体として認め，細胞質は淡い塩基性を呈し，内部に大小多数の空胞形成および1個の小型核を認める。Papanicolaou染色でのアメーバ小体はライトグリーン淡染性で泡沫状である。核は小型円形でほぼ中央に位置し，周囲にはハローが認められる。また，髄液沈渣（500*g* 5分）の小滴をそのままカバーガラスをかけ観察すると，活発に偽足を出して活動するアメーバ小体を観察できることがある。

## 6. 結核性髄膜炎

結核性髄膜炎は結核症そのものの減少もあって，今日では稀な疾患としてとらえられがちであるが，近年の結核罹患率の動向を見るに十分に遭遇する可能性がある疾患として念頭に置いておく必要がある。

本症は肺を始めとし，リンパ節，腎，消化管などの諸臓器病巣から血行性に伝播し，発症するものがほとんどである。発病は一般には緩徐であり，頭痛，発熱などに始まり，髄膜刺激徴候，動眼神経麻痺などを認め，ときに痙攣発作や意識障害などが現れることもある。

結核性髄膜炎では中等度の細胞増加を認め，リンパ球優位であるが，発病初期や重症例ではウイルス性髄膜炎の発病初期と同様に好中球優位を示す場合がある[6)]。

本症の診断には微生物学検査が不可欠で，とくにPCR法や結核菌群核酸増幅同定検査（MTD）法などの遺伝子検査は正確性かつ迅速性に富み，有用性が高い。

## 7. 神経梅毒

神経梅毒は*Treponema pallidum*の中枢神経系への侵襲によって起こる神経疾患の総称である。感染成立後，血中で増生した*Treponema pallidum*は血管内皮細胞間隙を通過し，中枢神経系に侵入すると考えられている。一般的に無症候型，髄膜血管型，および実質型（脊髄癆，進行麻痺）の3型に分類される。無症候型は神経学的には無症状であるが，髄液のみに異常を呈する病態で，偶然の検査で発見される場合が多い。放置すると実質型に移行する可能性があるので，十分な経過観察と治療が必要である。髄膜血管型は感染後3～10年の潜伏期間を経て発症し，髄膜の障害と血管性病変を特徴とする。実質型は感染後5～20年を経て発症し，脊髄癆（ろう）は脊髄後索，後根神経節に慢性進行性の変性変化をきたす。麻痺性認知症は*Treponema pallidum*による脳炎であり，主として大脳皮質が侵される。

神経梅毒の髄液細胞所見は発症初期では正常のこともあるが，髄膜血管型や実質型ではほとんどの例で髄液細胞の増加を認める。細胞増加の程度は軽度～中等度だが，一般

**用語** 結核性髄膜炎（tuberculous meningitis），結核菌群核酸増幅同定検査（*Mycobacterium tuberclosis* direct test；MTD），神経梅毒（neurosyphilis）

に重症例ほど細胞が増加する。その組成はリンパ球優位を示し，数十％に単球の混在を認める[6]。ただ，髄液細胞形態のみではウイルス性髄膜炎や結核性髄膜炎との鑑別は困難である。神経梅毒の診断のためには血清ならびに髄液の各種梅毒反応検査〔梅毒血清試験（STS），梅毒トレポネーマ蛍光抗体吸収試験（FTA-ABS）など〕を併施する必要がある。

### 8．脳炎，髄膜脳炎

脳炎は脳実質に炎症性変化をもたらす病態であり，原因としては単純ヘルペスや日本脳炎などウイルス性のものの頻度が高いが，寄生虫を含め髄膜炎を起こすすべての病原微生物にその可能性があるといってよい。病理学的には炎症が脳軟膜，くも膜にとどまるものを髄膜炎とし，脳実質に及ぶものを脳炎という。臨床的には頭痛，発熱，項部硬直，Kernig徴候などの髄膜刺激徴候に加え，髄膜炎では認められない意識障害や脳局在症状を主徴とする場合に脳炎を疑う[6]。

また，脳炎に移行しやすい種類の髄膜炎の場合や，髄膜炎が脳炎に波及している可能性が高い場合，あるいは髄膜炎か脳炎か判断ができない場合などに髄膜脳炎の名称が臨床診断として用いられることがある。

脳炎の髄液細胞像は本質的に髄膜炎のそれと同様で，細胞形態のみで両者を鑑別することは困難であるが，脳炎の場合，脳の出血性壊死性病変を反映して，赤血球の遊出やキサントクロミーを認める場合がある。

### 9．マイコプラズマ（*Mycoplasma pneumoniae*）性髄膜炎

マイコプラズマによる肺炎などの感染症では，中枢神経系の合併症を起こすことも多く，二次性の髄膜炎の原因菌として重要である[9,10]。髄液検査においてはウイルス性髄膜炎とほぼ同様に細胞数の細胞数の増加程度のみで，ほかに所見がない場合が多い。また髄液からのマイコプラズマの分離成功例も少なく同定も難しい。ステロイドパルス療法により回復するが，治療効果が得られず予後不良例も多いと報告されている。

## 8.3.2　無菌性髄膜反応

無菌性髄膜反応は，髄腔内に病因菌などが存在せず感染以外による反応性病変である。くも膜下出血などの出血性病変によるものが多いが，そのほか脳室穿刺や脊髄造影などによる医原性のもの，一部のワクチンや抗てんかん薬，抗菌薬などによる薬剤性のものも見られる。くも膜下出血などの頭蓋内出血による反応では，肉眼的所見としてはキサントクロミー，鏡検では出血像のほか，ヘモジデリン顆粒と貪食する単球・組織球が観察される。医原性・薬剤性の反応では，好酸球が増加する場合も多い。

**用語**　梅毒血清試験（serologic test for syphilis；STS），梅毒トレポネーマ蛍光抗体吸収試験（fluorescent treponemal antibody absorption test；FTA-ABS），脳炎（encephalitis），髄膜脳炎（meningoencephalitis）

**症例8**

**くも膜下出血による無菌性髄膜反応** (図8.3.16, 8.3.17)

●患者：62歳 男性

早朝，犬の散歩中に突然の頭痛と悪心を訴え，救急車にて搬入。頭部CT，MRI像では軽度の脳室の拡張を認めるほかには著変なく，腰椎穿刺による髄液採取を行った。

髄液検査所見：細胞数34/μL（単核球65%：多形核球35%），髄液蛋白31mg/dL，髄液糖83mg/dL（血糖110mg/dL），軽度のキサントクロミー（+）。

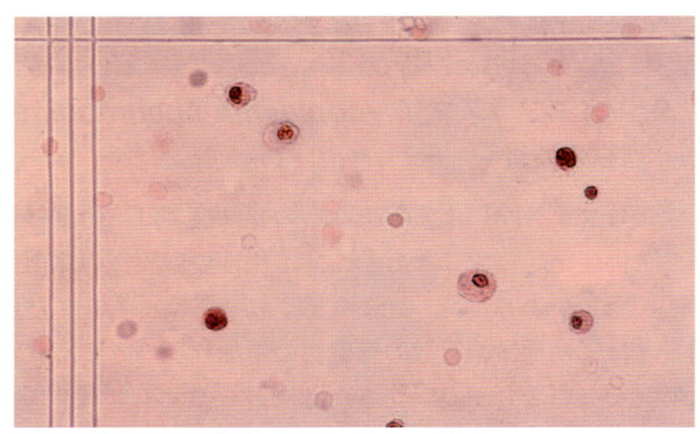

図8.3.16 くも膜下出血 ×200 Samson染色

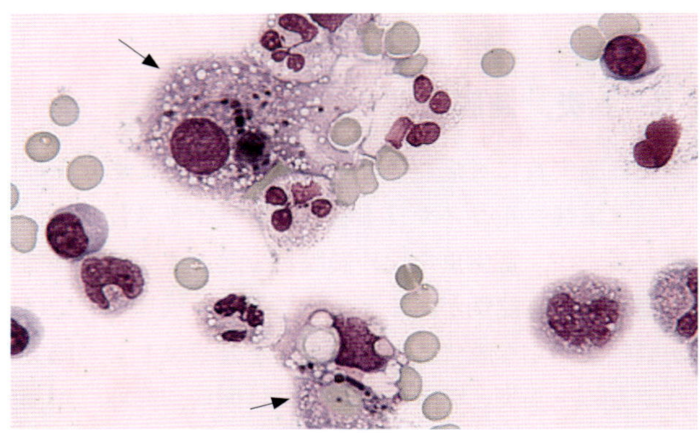

図8.3.17 同一症例 ×400 MG染色

無菌性髄膜反応では主として単核球の増加を認めるが，髄膜炎と異なる点は細胞の増加の程度が軽度（50/μL以下）であることと，とくに単球の増加が目立ち，しばしば大型の組織球を認めることである。とくにくも膜下出血ではヘモジデリン顆粒や赤血球を貪食した単球や組織球（マクロファージ）が出現し，これは髄液腔内での出血を反映する重要な所見である。MG染色標本ではさらに出血像や組織球の貪食所見が判然と観察される[11]。ときに髄液出血が真の髄液腔内出血であるのか，あるいは穿刺時出血であるのかで議論されることがあるが，これらの所見に留意すればその鑑別は困難ではない。なお，p.139，8.2節「3. 肉眼的観察」でも述べたが，くも膜下出血ではキサントクロミーを認めることが多い。キサントクロミーは出血の発生より3～4時間で現れ，7～10日でピークを示し，3～4週間持続する[12]。

## 8.3.3 腫瘍性疾患

### 1. はじめに

日常の髄液細胞診の2.4%に腫瘍細胞を認め，そのうち原発性腫瘍は約15%，残りの85%は転移性腫瘍であった（表8.3.1）。したがって計算盤上に腫瘍細胞が出現する頻度は低いが，もし仮に一次選択として提出された髄液検査で予期せず腫瘍細胞を検出できたとすれば，患者の病態を知るうえで極めて有用な情報となり得る。

脳腫瘍は中枢神経を構成するさまざまな組織から発生するため，組織型の分類には発生母地を基準にした世界保健機関（WHO）の分類が広く用いられている。以下に示すように7項目に大別され（表8.3.2），約130種類の脳腫瘍の組織型が定義されている[13]。

表8.3.1 髄液細胞診で認められた腫瘍細胞の組織型

| | 腫瘍組織型 | 症例数 |
|---|---|---|
| 原発性腫瘍 14.7% | 膠芽腫 | 5 |
| | 乏突起膠腫 | 1 |
| | 髄芽腫 | 4 |
| | 脳室上衣腫 | 2 |
| | 胚細胞腫 | 2 |
| | 悪性リンパ腫 | 3 |
| 転移性腫瘍 85.3% | 腺癌 | 25 |
| | 扁平上皮癌 | 2 |
| | 小細胞癌 | 4 |
| | 未分化癌 | 2 |
| | 白血病 | 49 |
| | 悪性リンパ腫 | 15 |
| | 多発性骨髄腫 | 2 |
| | 合計数 | 116 |
| | 合計数／髄液細胞診総数 | 116 ／ 4,644 |

**用語** コンピュータ断層撮影（computed tomography；CT），磁気共鳴画像法（magnetic resonance imaging；MRI），世界保健機関（World Health Organization；WHO）

表 8.3.2 WHO（2007 年）による中枢神経系腫瘍の分類とおもな腫瘍

| |
|---|
| 神経上皮組織腫瘍：星細胞腫，膠芽腫，乏突起細胞腫などの神経膠腫，上衣腫，脈絡叢腫瘍，その他の神経上皮性腫瘍，神経細胞性腫瘍，松果体部腫瘍，胎児性腫瘍など |
| 脳神経および脊髄神経腫瘍：神経鞘腫，神経線維腫など |
| 髄膜性腫瘍：髄膜腫，その他の間葉性腫瘍，悪性黒色腫など |
| リンパ腫および造血細胞性新生物：悪性リンパ腫，形質細胞腫など |
| 胚細胞性腫瘍：胚細胞腫，卵黄嚢腫瘍，絨毛癌，奇形腫など |
| トルコ鞍部腫瘍：頭蓋咽頭腫，下垂体細胞腫など |
| 転移性腫瘍 |

## 2. 腫瘍細胞の形態的特徴

計算盤上に腫瘍細胞が出現した場合，それを異型細胞と推定することはさほど困難なことではない。なぜなら，髄液に通常認められる細胞は血液細胞や組織球に限られ，腫瘍細胞の多くはそれらとは形態学的にかなり異なるからである。以下に計算盤上の腫瘍細胞検出のための留意点について述べる。

ただ，計算盤上での形態検索には限界があるため，腫瘍細胞が疑われた場合，報告は「異型細胞疑い」にとどめ，塗抹標本を作製し鑑別を行う。なお鑑別にあたっては認定一般検査技師，認定血液検査技師などの熟練者，細胞検査士や細胞診専門医，担当医などとの協議を原則とする。また，後述する医原性混入細胞を腫瘍細胞と見誤らないようにしなければならない。

## 3. 原発性脳腫瘍

中枢神経系に原発する腫瘍は良性から悪性まで組織型は多種にわたり，発生部位は脳・髄膜・下垂体・松果体・神経・血管・結合組織などである。前述のように原発性脳腫瘍細胞が髄液中に出現する頻度は低い。これは，もともとほかの腫瘍に比較し原発性脳腫瘍の発生率が低いことや，髄液中に腫瘍細胞を認めるためには腫瘍組織がくも膜下腔に到達するか，脳室壁を越えて脳室内に浸潤することが条件になるからである。その中でも髄液に出現しやすい腫瘍組織型としては膠芽腫，髄芽腫，悪性リンパ腫，脈絡叢乳頭腫，上衣腫などがあげられる。一般的に悪性度が高い腫瘍細胞は細胞異型が強く，微細な核クロマチン構築ながらも強い染色性を認める[14~16]。

**膠芽腫，大脳原発**（図 8.3.18 ～ 8.3.21）

- 患者：47 歳　男性

前頭葉に 40 × 50mm の腫瘍を認め摘出術を施行するも 3 カ月後に再発し，MRI 像にて脳室の拡張と脳室浸潤を示唆する所見を認めたため，脳室穿刺を施行し髄液採取を行った。

髄液検査所見：細胞数 32/μL（単核球 46%：多形核球 54%），髄液蛋白 93mg/dL，髄液糖 47mg/dL（血糖 96mg/dL），異型細胞（＋），キサントクロミー（＋）。

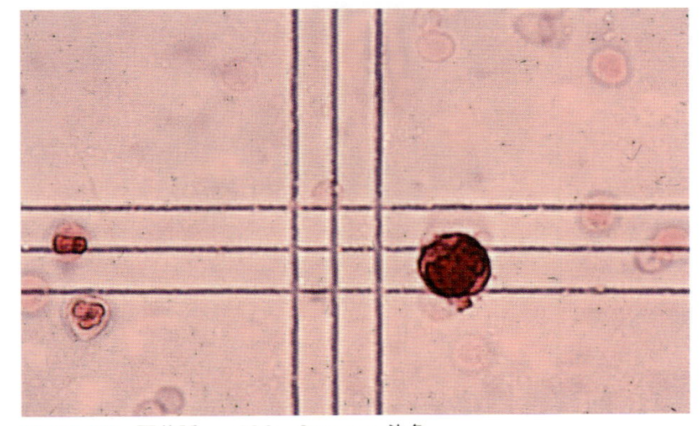
図 8.3.18　膠芽腫　×400　Samson 染色

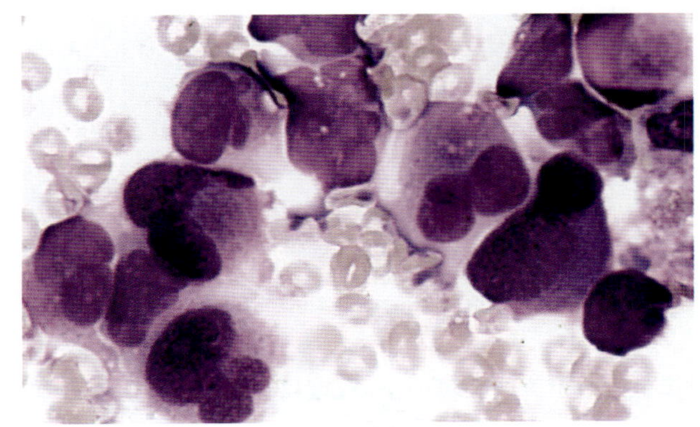
図 8.3.19　同一症例　×600　MG 染色

用語　原発性脳腫瘍（primary brain tumor），膠芽腫（glioblastoma）

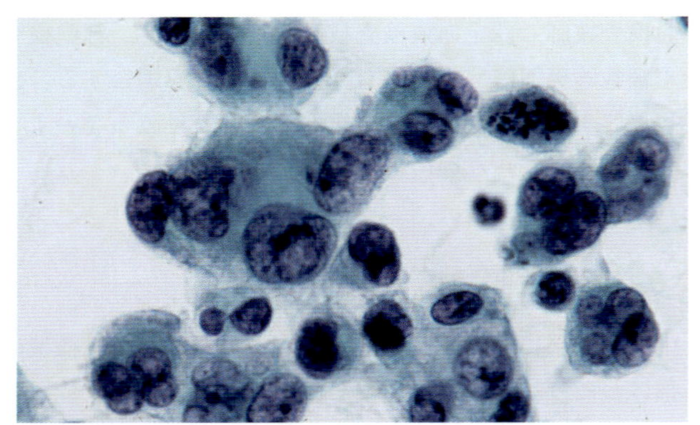
図 8.3.20　同一症例　×600　Papanicolaou 染色

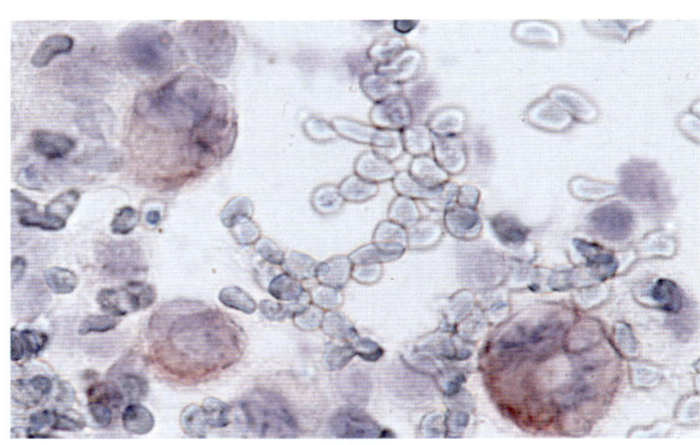
図 8.3.21　同一症例　×600　免疫細胞化学染色
腫瘍細胞はグリア細胞線維性蛋白（GFAP）陽性

膠芽腫は原発性脳腫瘍全体の約11%を占め，さらに神経膠腫の中では29%と最も頻度が高い。発症年齢は60歳代をピークとし，前頭葉，側頭葉，頭頂葉の白質に好発する。脳腫瘍の中で最も予後が悪く，5年生存率は8%に満たないとの報告もある。髄液中に出現する膠芽腫細胞は弧在性あるいは小集団として見られ，大小不同に富み，N/C比の増大，多核・巨核細胞の出現，核形不整，核クロマチン染色性増加など，強い細胞異型を示すものが多い[17, 18]。

**症例 10**

**髄芽腫，小脳原発**　（図 8.3.22，8.3.23）

● 患者：7歳　男児

歩行困難，嘔吐，頭痛を主訴として救急来院。頭部 CT 像にて小脳の浮腫と腫瘤形成を認めた。原因究明のため腰椎穿刺による髄液採取を行った。

髄液検査所見：細胞数 16/μL（単核球 60%：多形核球 40%），髄液蛋白 220mg/dL，髄液糖 43mg/dL（血糖 88mg/dL），異型細胞（＋），キサントクロミー（＋）。

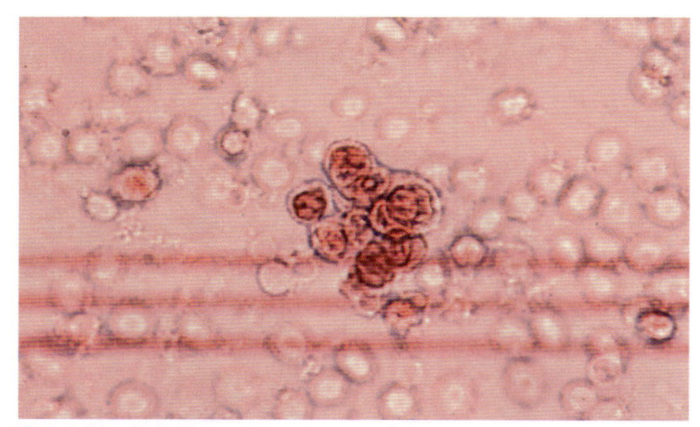
図 8.3.22　髄芽腫　×400　Samson 染色

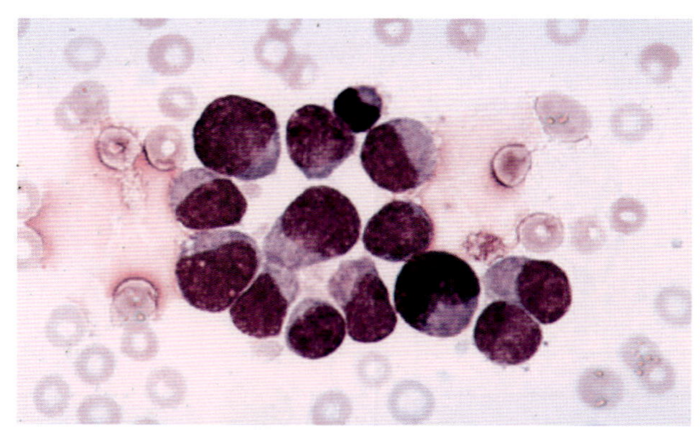
図 8.3.23　同一症例　×600　MG 染色

髄芽腫は頭蓋内腫瘍の2%程度に見られ，5歳未満の発症が約8割を占める。小脳虫部に好発し，くも膜下腔への播種・転移を多く認める予後不良の腫瘍である。

髄芽腫は脳室内への播種をきたしやすいこともあり，髄液中に腫瘍細胞を認める可能性が高い。小型ながらもN/C比の高い細胞を集合性に認め，腫瘍細胞は裸核状もしくは狭小な細胞質を有する。核形は円形〜類円形を呈し不整を伴う。クロマチン構築は細顆粒状で1〜数個の核小体を認める。ときにロゼット様の細胞配列を見ることもある[16]。

## 4. 転移性腫瘍

前述のように髄液中に腫瘍細胞を認めた症例の85%が転移性腫瘍であり，そのうちの約半数が白血病である[16]。次いで発生頻度の高い腺がんが多い（表8.3.1）。白血病や悪性リンパ腫の髄膜浸潤機序は癌腫の転移機序とはやや異なっており，ここでは両者を区別して解説する。

### (1) 白血病，悪性リンパ腫の髄膜浸潤

近年，白血病や悪性リンパ腫に対する化学療法がめざま

**用語**　グリア細胞線維性蛋白（Glial fibrillary acid protein；GFAP），髄芽腫（medulloblastoma），転移性腫瘍（metastatic tumor）

しい発展を遂げ，長期寛解が可能になるとともに薬理学聖域である髄液腔に病的細胞が逃げ込み増生する例が増加し，治療を行ううえで重要な問題とされている。

ときに病的細胞が末梢血や骨髄中では消失している完全寛解（CR）期であるにもかかわらず，髄液腔内でのみ増加する病態が起こり得る。また髄液細胞数が基準範囲であっても病的細胞が出現することがあり，この場合，髄膜刺激徴候などの臨床症状も明らかではないことが多いとされている。したがって，白血病や悪性リンパ腫の化学療法後の髄液細胞の評価に際しては細心の注意が必要となり，計算盤での検索のみにとどまらず，積極的な細胞塗抹標本の作製が望まれる[19]。

### 1）白血病

白血病の髄膜浸潤は急性リンパ性白血病に最も頻度が高く，次いで急性骨髄性白血病が多いとされてきたが，化学療法が進歩した現在，あらゆるタイプの白血病，悪性リンパ腫での髄膜浸潤の可能性を念頭に置くべきである。

**急性リンパ性白血病（L2）の髄膜浸潤**（図 8.3.24，8.3.25）

● 患者：35歳　男性

1年前，急性リンパ性白血病（L2）を発症し，化学療法3クールを受け寛解。今回脱力感，身体のしびれ感を主訴とし来院。髄膜刺激徴候様所見を認めたため，腰椎穿刺による髄液採取を行った。

髄液検査所見：細胞数 137/μL（単核球 100%：多形核球 0%），髄液蛋白 73mg/dL，髄液糖 43mg/dL（血糖 92mg/dL）。計算盤では単核球 100%：多形核球 0%として報告したが，後の細胞塗抹標本による検索でほとんどが白血病細胞であることが判明した。

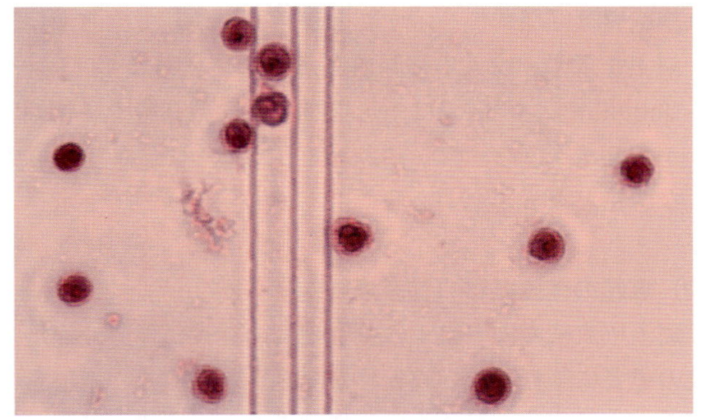
図 8.3.24　急性リンパ性白血病（L2）の髄膜浸潤　×400 Samson 染色

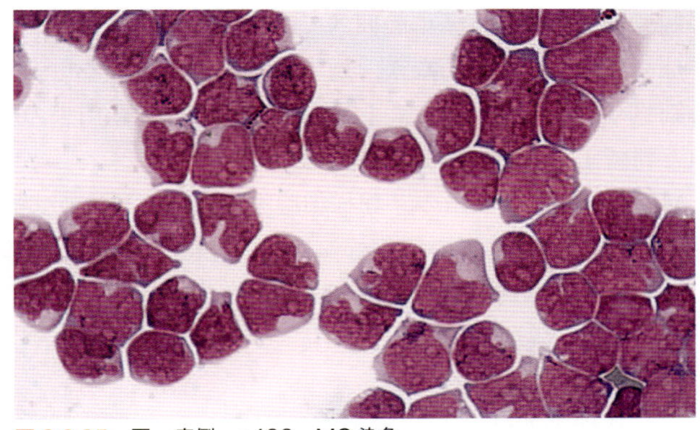
図 8.3.25　同一症例　×400　MG 染色

計算盤での細胞所見はN/C比の高い，やや大型の白血球が単一増生して見られる。一部の細胞には核形不整が観察される。MG染色像ではリンパ芽球と考えられる幼若細胞の単一増生を認め，写真の中のほとんどの細胞が病的細胞と考えられる。リンパ芽球は通常の成熟リンパ球とは一見して異なり，N/C比増大，核の切れ込み，核質の柔らかい染色性，明瞭な核小体を認める。

**用語**　完全寛解（complete remission；CR）期，白血病（leukemia），急性リンパ性白血病（acute lymphocytic leukemia）

**急性骨髄性白血病 M2 の髄膜浸潤**　（図 8.3.26，8.3.27）

● **患者：55 歳　男性**

6 カ月前に急性骨髄性白血病（M2）と診断され，化学療法ならびに造血幹細胞移植を施行。完全寛解となったが，軽度の頭痛をときおり認めるようになり，髄膜浸潤否定のため腰椎穿刺による髄液採取を行った。

髄液検査所見：細胞数 5/μL（単核球 5：多形核球 0），髄液蛋白 38mg/dL，髄液糖 61mg/dL（血糖 97mg/dL），異型細胞（＋）。

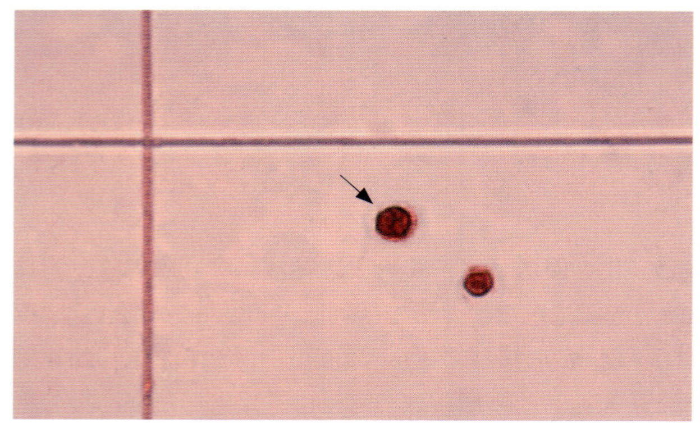

図 8.3.26　急性骨髄性白血病（M2）の髄膜浸潤　×400 Samson 染色

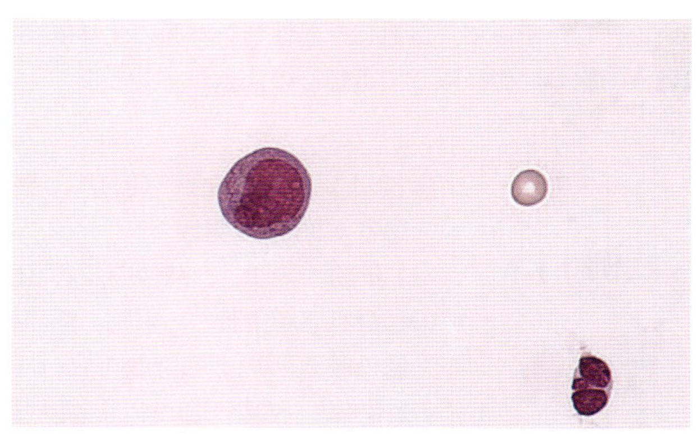

図 8.3.27　同一症例　×400　MG 染色

髄液細胞数はほぼ基準範囲内であり，計算盤上にはリンパ球や単球を散見するなか，通常のリンパ球よりやや大型の細胞（矢印）を認めた。しかし，これを白血病由来の細胞と判断することは困難と考えられる。

MG 染色像では大型の芽球様細胞を観察することができ，N/C 比増大，細胞質の微細なアズール顆粒，核形不整などの所見から病的細胞と認識できる。

#### 2）悪性リンパ腫

転移性の悪性リンパ腫の組織型の多くは非ホジキン（Hodgkin）リンパ腫である。髄液中の腫瘍細胞形態は，N/C 比が著しく増大し，核形不整や幼若な核クロマチン染色性を認める（図 8.3.28）。MG 染色像では狭小な細胞質は好塩基性を示すことが多く，幼若で柔らかい核網工を示す。成人 T 細胞白血病・リンパ腫（ATLL）や Hodgkin リンパ腫では多形性を示す大型細胞や多核細胞が出現し（図 8.3.29，8.3.30），これが本症推定に有力な所見となることがある[16, 19]。

#### （2）癌腫の髄膜転移（髄膜癌腫症）

癌治療成績の向上による生存期間の延長に伴い，癌治療後の患者に脳転移や髄膜転移が発見される機会が増加している。癌腫が髄膜転移や髄膜播種をきたす病態を髄膜癌腫症という。髄膜癌腫症は一般に予後不良で，確定診断後の生存期間は自然経過で 3 カ月以内とされているが，発見が早いほど放射線や抗がん剤による積極的な治療により延命

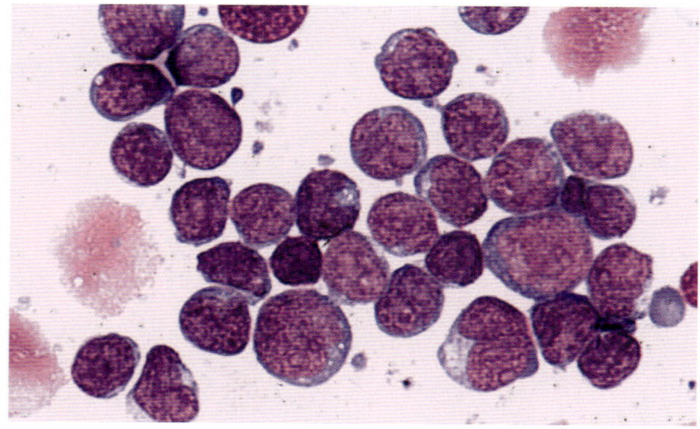

図 8.3.28　悪性リンパ腫（びまん性 B 細胞型リンパ腫）　×600 MG 染色
N/C 比が極めて高く，一部に核の切れ込みや巻き込みを認める。核クロマチンは粗網状で幼若な染色性を示している。

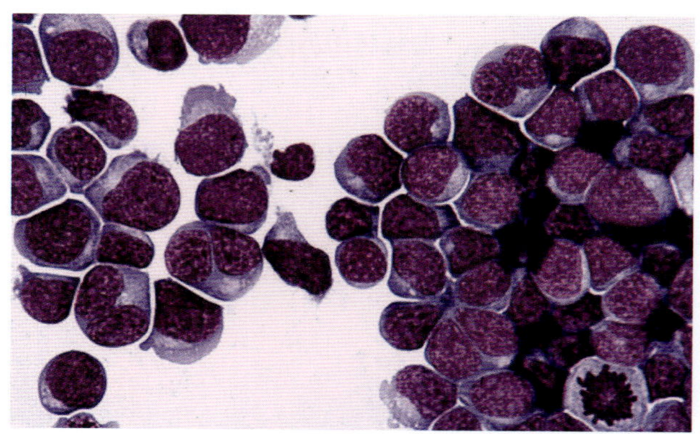

図 8.3.29　成人性 T 細胞白血病・リンパ腫（ATLL）　×600 MG 染色
細胞は大小不同，多形性に富み，多核細胞も認める。好塩基性の細胞質，粗造で強いクロマチン染色性が ATLL の特徴所見である。

**用語**　急性骨髄性白血病（acute myelocytic leukemia），悪性リンパ腫（malignant lymphoma），ホジキンリンパ腫（Hodgkin lymphoma），成人 T 細胞白血病・リンパ腫（adult T-cell leukemia/lymphoma；ATLL）

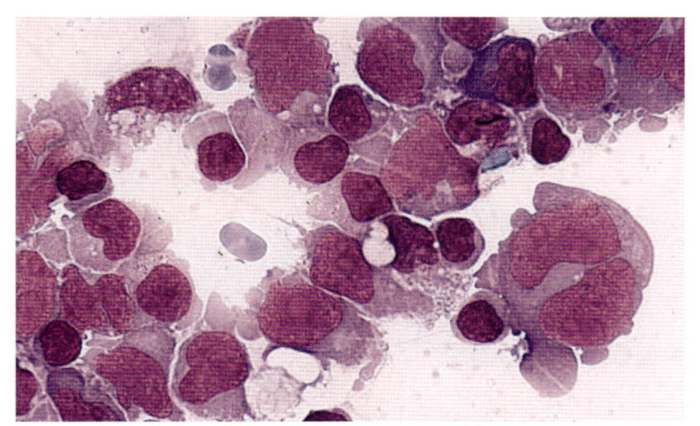

図 8.3.30 Hodgkin リンパ腫 ×600 MG 染色
稀ではあるがホジキンリンパ腫も髄膜浸潤をきたす。細胞は大型で核クロマチン染色性は柔らかく，一部には鏡像を示すリード・ステルンベルグ（Reed-Sternberg）巨細胞も観察される。背景にはいくらかの成熟リンパ球を認め，腫瘍細胞との比較に役立つ。

できる可能性は高い。癌腫の組織型はその発生頻度から腺癌が圧倒的に多く，原発巣としては胃癌，肺癌，大腸癌，乳癌などが多いとされる。腺癌のほかには扁平上皮癌，小細胞癌，未分化癌などがあげられる。なお，多発性骨髄腫，悪性黒色腫や肉腫病変などの非上皮性腫瘍も稀に髄膜転移をきたすことがある。なお，臨床的には悪性腫瘍が疑われておらず，髄液検査で腫瘍細胞を検出し，初めてそれが明らかになる例も少なくない[16]。

**症例13**

**腺癌の髄膜転移**　（図 8.3.31，8.3.32）

● 患者：57 歳　男性

急激な体重減少，食思不振，頭痛を主訴とし来院。髄液より腫瘍細胞が検出され，全身精査により胆管原発の腺癌であることが判明した。

髄液検査所見：細胞数 21/μL（単核球 65%：多形核球 35%），髄液蛋白 77mg/dL，髄液糖 41mg/dL（血糖 89mg/dL），異型細胞（+）。

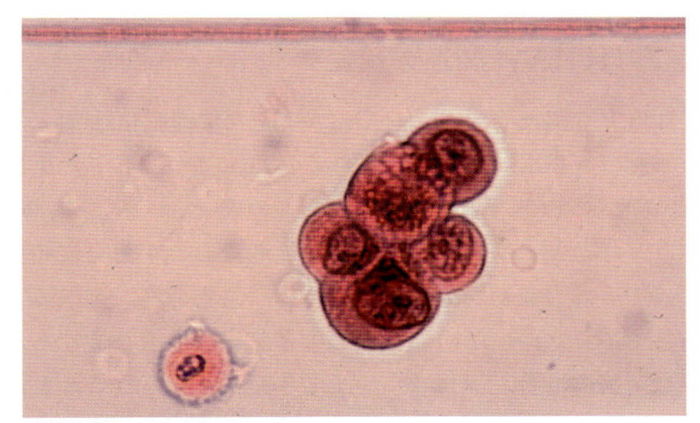

図 8.3.31　髄膜癌腫症（腺癌）　×400　Samson 染色

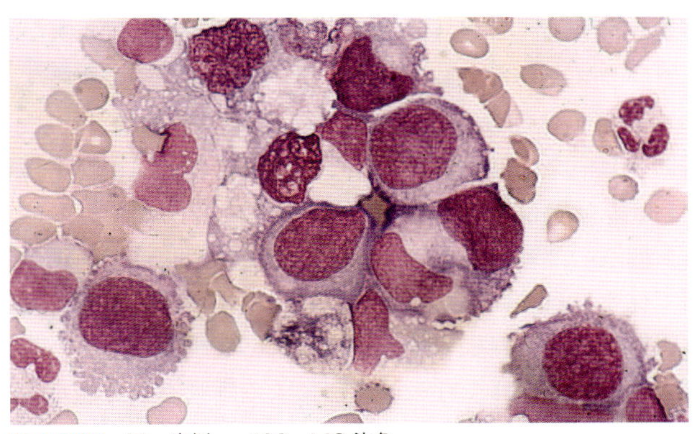

図 8.3.32　同一症例　×400　MG 染色

計算盤上の腺癌細胞は小集団あるいは弧在性に出現し，サムソン染色像でも核形不整や核小体を観察できることが多い。MG染色像ではN/C比が増大した異型細胞の集合を認め，細胞質の一部あるいは全体が汚れたような濃い塩基性を示すことが多い。核は偏在し核クロマチン染色性は一般に強い。

用語　腺癌（adenocarcinoma）

**検査室ノート　髄液細胞塗抹標本上の白血病細胞検出のための留意点**

1) ウイルス性髄膜炎の場合と異なり，わずかの細胞増加にもかかわらず病的細胞を認め，周囲のリンパ球や単球とは関連性のない細胞形態を示す。
2) N/C比の高い細胞の単一増生に注意する。
3) 髄膜浸潤をきたした例では一般に髄液細胞数が増加するほど腫瘍細胞の占める割合が高くなる。
4) 腫瘍細胞の核質構造は微細でかつ密であり，クロマチン染色性は柔らかく，大型の核小体を認めることが多い。また骨髄系ではしばしば細胞質にアズール顆粒を認める。

## 8.3.4　その他の病態

### 1. Guillain-Barré 症候群

Guillain-Barré症候群は，末梢神経髄鞘に対する感染（HIV，デング熱，インフルエンザ，*Campylobacter jejuni*，肝炎ウイルス，サイトメガロウイルス，EBウイルス，マイコプラズマなど）あるいは中毒・アレルギーによって生じる脱髄疾患と考えられており，発症は急速で，数日～2週間をピークに運動障害を伴った末梢神経症状が認められる。症状は腰部神経から始まり上方に向かって急速に広がる。四肢の運動障害や腱反射消失を認め，急性発症後数週間で徐々に自然回復するが，一部再燃する例もある。病態は末梢神経や神経根の多発性炎症反応と脱髄であり，重症例では脳神経麻痺や呼吸筋麻痺による呼吸不全をきたすものもある。青年期～中年期にかけ好発し，欧米に多いとされてきたが，近年わが国でも患者は増加傾向にある。

髄液蛋白の著明上昇を認めるが，細胞数の増加はなく10/μL以下にとどまる。いわゆる「蛋白細胞解離」を特徴とする。髄液細胞像はわずかのリンパ球，単球を散見するのみである。

### 2. HTLV-I 関連脊髄症

HTLV-I関連脊髄症（HAM）は成人T細胞白血病・リンパ腫（ATLL）の原因とされるHTLV-Iが関与した痙性脊髄麻痺である。HAMはATLLの発症が多い地域，HTLV-Iのキャリアの比率が高い地域におのずと発症頻度が高い。おもな初発症状は歩行障害，感覚障害，排尿障害などであり，いずれの症状も原則として緩徐進行性である。歩行障害の場合，歩行時につまずきやすくなったことを最初に主訴とする場合が多い。その後，引きずり歩行が始まり，最終的には歩行困難になる。発症から歩行困難に至るまでの期間は4カ月から40年とさまざまである[20, 21]。

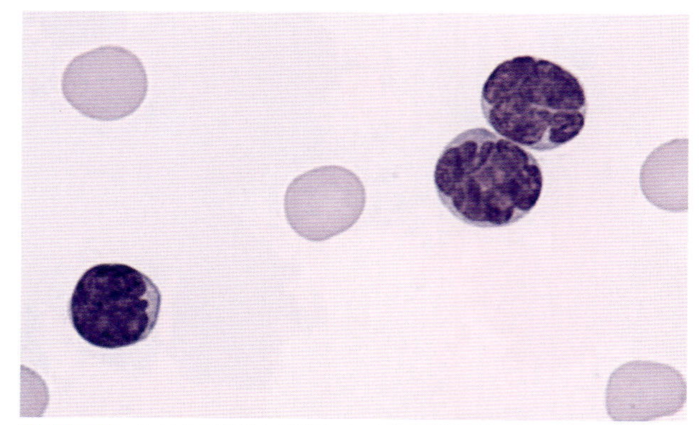

図 8.3.33　HAMの髄液に出現したATLL様細胞　×1,000　MG染色
フラワーセルとよばれる花弁状に分葉した核を示している。

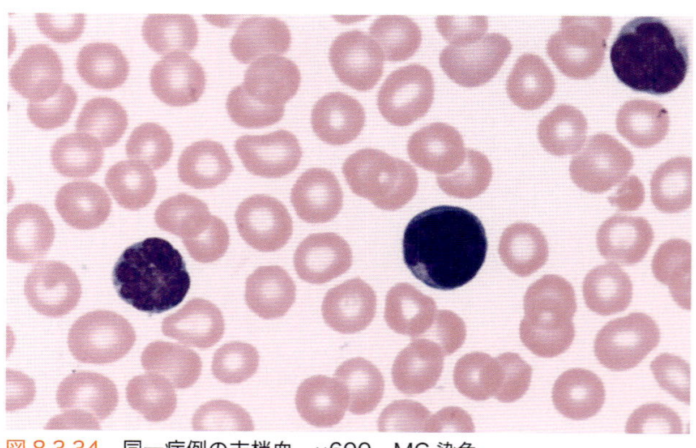

図 8.3.34　同一症例の末梢血　×600　MG染色
髄液中にATLL様細胞が検出される場合，末梢血にも同様の異型細胞を認めることが多い。

用語　HTLV-I（human T-cell lymphotropic virus type I），HTLV-I 関連脊髄症（HTLV-I-associated myelopathy；HAM）

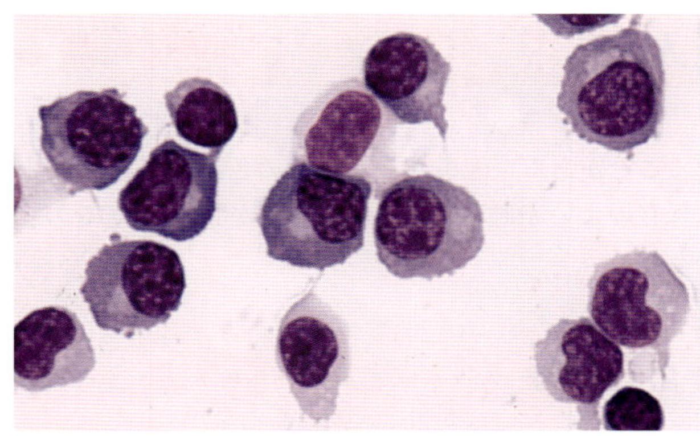

図 8.3.35　多発性硬化症の髄液細胞　×600　MG 染色
多発性硬化症の活動期には形質細胞の増加を認めることがある。形質細胞の細胞質は好塩基性を示し，一部に明庭を認める。核クロマチンは粗造で強い染色性を示す。

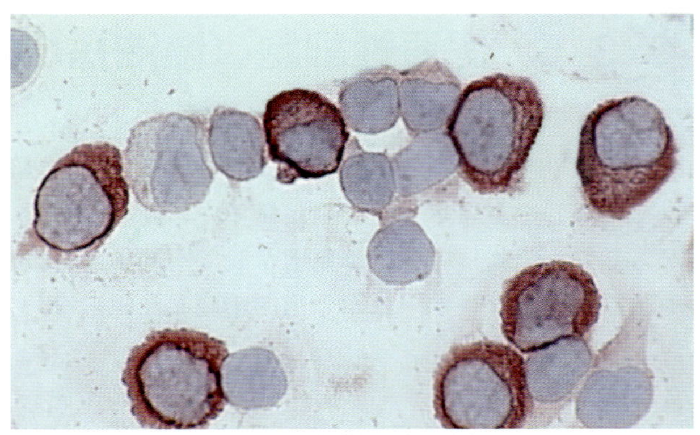

図 8.3.36　同一症例　×600　免疫細胞化学染色
表面免疫グロブリン（Sm-Ig）を用いた免疫細胞化学染色で形質細胞は強い陽性を示す。

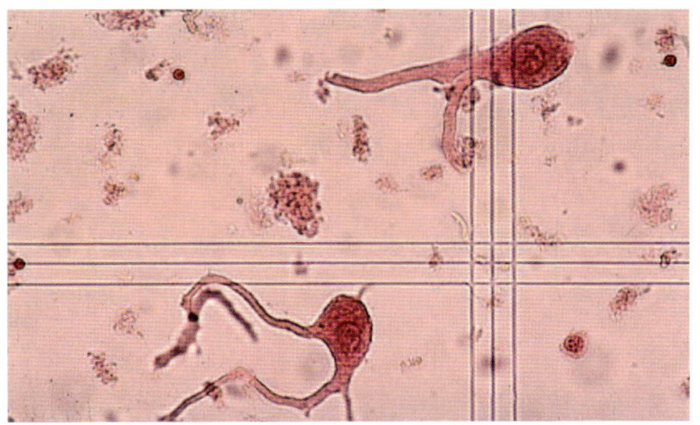

図 8.3.37　小脳扁桃ヘルニアの髄液　×200　Samson 染色
5 生日の新生児に認められた例であり，小脳組織由来の大型で奇怪な形状の Purkinje 細胞を認める。

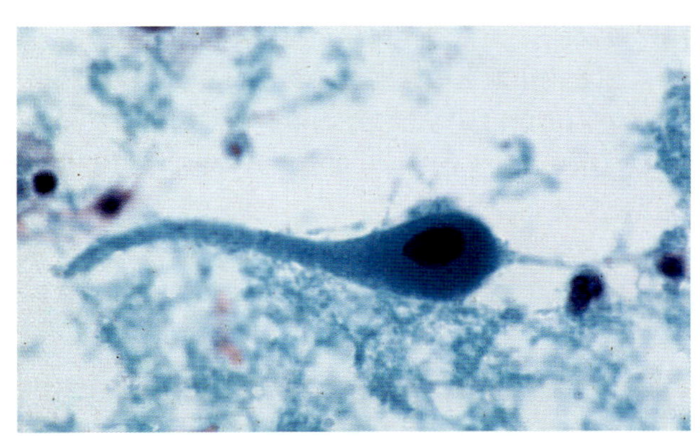

図 8.3.38　同一症例の細胞像　×600　Papanicolaou 染色
壊死物質を背景に有尾形状の Purkinje 細胞を認める。

HAMの診断基準は以上の臨床所見に加え，血液中および髄液中の双方にHTLV–I抗体が証明される点が重要となる。髄液細胞数は一般に基準範囲内にとどまる場合が多いが，ときにリンパ球主体の軽度～中等度の細胞の増加を示すこともある。また，髄液中にATL様細胞が出現することがあり，この場合，末梢血中にも同様の細胞を認めることが多いとされている（図8.3.33，8.3.34）[22]。

## ● 3. 多発性硬化症

多発性硬化症（MS）は最も代表的な脱髄性疾患である。脱髄とは中枢神経の神経線維のミエリンが崩壊，脱落する状態をいう。このミエリンが完全に失われると神経伝達に障害を起こす。多発性硬化症では脳と脊髄に脱髄による広範囲な障害を認め，視力障害，運動麻痺，脱力，言語障害，膀胱障害など多彩な臨床症状を呈する。本疾患は再発と寛解を繰り返すことが特徴とされ，発症機序はいまだ明らかではないが，自己免疫説，遅発性ウイルス感染説が有力である。

多発性硬化症の髄液細胞所見としては病態の活動期に軽度の細胞増加が認められ，非活動期には正常化する。出現する細胞は大部分がリンパ球であるが，約半数の症例で活動期に形質細胞の増加を認めるとの報告がある（図8.3.35，8.3.36）。ほかの髄液所見としては髄液蛋白の上昇がある。髄液蛋白は活動期に上昇する傾向を認め，この機序として免疫グロブリンが中枢神経組織内で産生されるためとされている。

## ● 4. 脳ヘルニア

脳ヘルニアとは腫瘍や炎症，出血，浮腫などの原因により脳組織にびまん性，あるいは局所性の肥大が生じ，頭蓋構造のため脳が圧排され，圧の低い方に向かって脳が押し出される病態をいう。脳ヘルニアを生じる部位によって帯状回ヘルニア，中心性ヘルニア，鉤ヘルニア，小脳扁桃ヘルニアなどに分類される[23]。

この中でとくに小脳扁桃ヘルニアでは壊死に陥った偏位小脳組織がくも膜下腔に脱落し，髄液中にプルキンエ（Purkinje）細胞を認めることがあり（図8.3.37，8.3.38），新生児では髄液中のこの所見から初めて本症が明らかにされる場合もある。

用語　多発性硬化症（multiple sclerosis；MS），プルキンエ（Purkinje）細胞

## 8.3.5 医原性細胞（髄液採取時の混入）

腰椎穿刺や脳室穿刺による髄液採取時に医原的誘因によって混入したさまざまな細胞が髄液中に認められることがある[24]。これらの細胞は原則として病的あるいは診断的意義をもたないが，ほかの病的細胞と見誤らないよう注意が必要である。

### 1. 赤血球

腰椎穿刺時に脊髄硬膜外静脈叢を損傷すると髄液に末梢血が混入し，多くの赤血球を認めることがある。この場合，頭蓋内出血との鑑別が必要となるが，穿刺時出血では頭蓋内出血に見るような髄液腔内での出血を反映する所見（キサントクロミー，組織球のヘモジデリン貪食など）を認めない。

なお，これとは別の意味合いとして，脳室穿刺による髄液では変性，破砕した赤血球が出現し，判定を難しくすることがある（図8.3.39）。破片の色調に留意し，周囲に保存のよい赤血球を探し出すことが判定に役立つ場合がある。

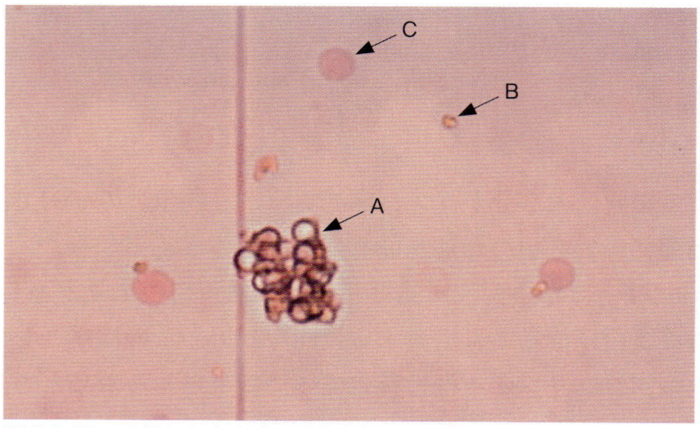

図 8.3.39　変性した赤血球，脳室穿刺による髄液　×400 Samson 染色
ときに変性したさまざまな形状の赤血球が出現し，その判断を難しくさせることがある。とくに脳室穿刺による髄液では注意する。A：萎縮・凝集した赤血球群，B：破砕した赤血球片，C：膨化した赤血球。

### 2. 赤芽球

頭蓋内出血，穿刺時出血を問わず，赤芽球の増加した末梢血が髄液中に流入すると計算盤や塗抹標本に赤芽球が出現することがある。とくに新生児では末血中に赤芽球が多く，混入のみならず脳室内出血やくも膜下出血においても赤芽球を認めることがある。赤芽球はリンパ球に類似した形態を示すが，細胞質が赤血球と同様の色調を呈すること，周囲に赤血球の同時出現を認めることなどが鑑別のポイントとなる（図8.3.40，8.3.41）。また，後に述べる骨髄血の混入によって赤芽球が出現することもある。

### 3. 骨髄細胞

腰椎穿刺時に骨髄細胞が髄液中に混入することがある。その原因の多くは穿刺時に誤って椎体骨骨髄内に穿刺針が挿入され，針内に入った骨髄細胞が髄液とともに採取されることで生じる。赤芽球，幼弱顆粒球，巨核球など3系統すべての骨髄細胞が認められることもあり，白血病の髄膜浸潤やほかの悪性腫瘍などと誤認しないよう注意が必要である（図8.3.42，8.3.43）。悪性疾患との鑑別には赤芽球の存在を目安とすればよい。

とくに患者に骨粗鬆症がある場合に頻度が高い。これは骨粗鬆症のために骨梁が菲薄となり，容易に穿刺針が

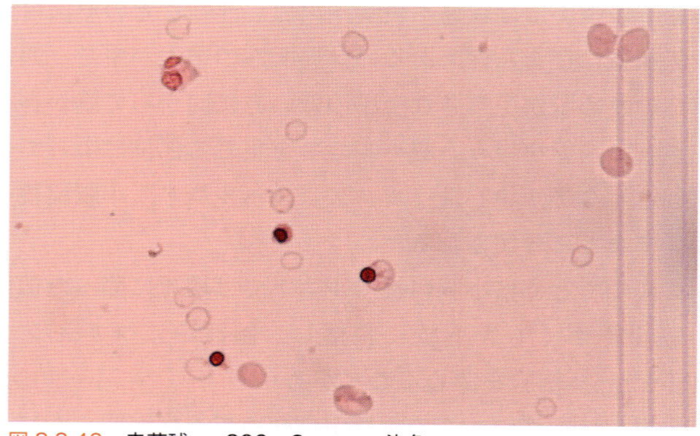

図 8.3.40　赤芽球　×200　Samson 染色
計算盤上ではリンパ球に似ているが，より小型で細胞質の染色性は赤血球と同じである。赤芽球が出現する場合，必ず周囲に多数の赤血球が認められる。

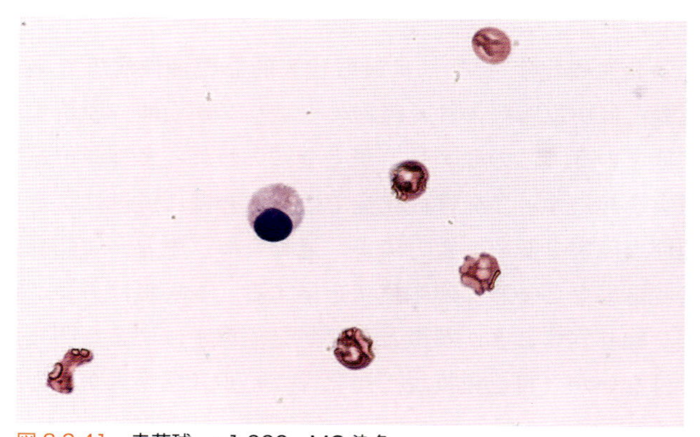

図 8.3.41　赤芽球　×1,000　MG 染色
核はリンパ球より小型で濃縮状の染色性を示し，細胞質は周囲の赤血球とほぼ同様の染色性を示している。

用語　骨粗鬆症（osteoporosis）

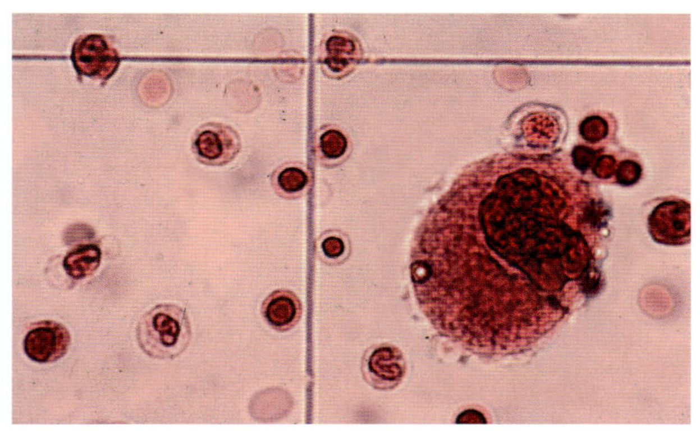

図 8.3.42　骨髄細胞の混入　×400　Samson 染色
赤芽球，巨核球，幼若白血球が混在して認められる。白血病やほかの悪性腫瘍と誤認しないよう注意が必要である。

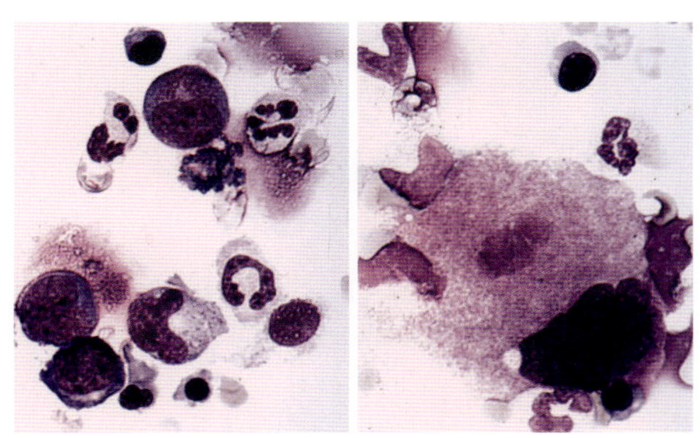

図 8.3.43　骨髄細胞の混入　×400　MG 染色
正常の骨髄に存在する 3 系統の細胞が観察される。赤芽球の存在は悪性疾患との鑑別に役立つ。

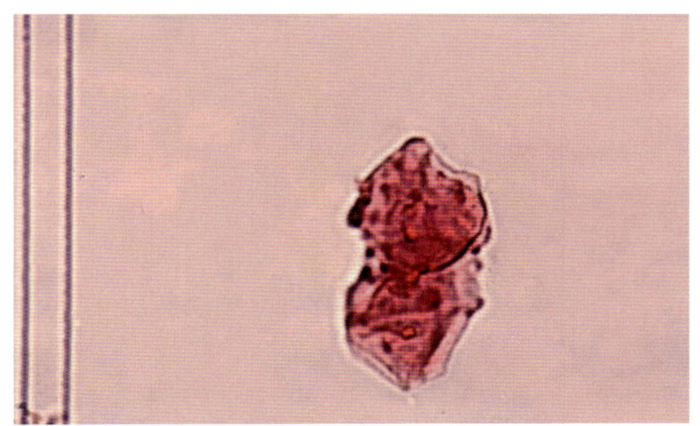

図 8.3.44　扁平上皮細胞の混入　×400　Samson 染色
皮膚表層の角質化した無核の扁平上皮細胞と考えられ，穿刺時に患者皮膚から混入したか，あるいは検査技術者の手指より剥離混入したものと考えられる。

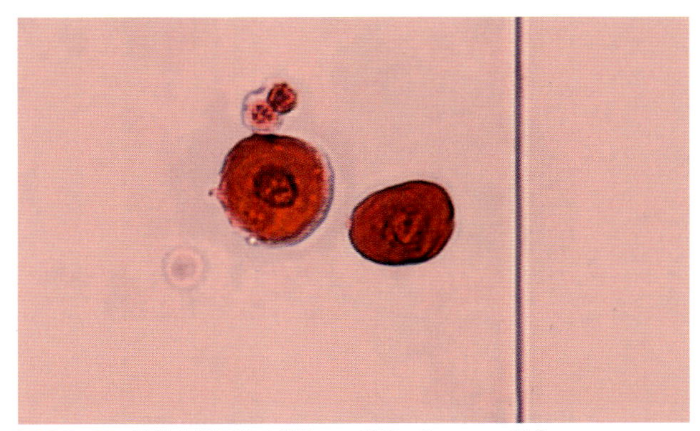

図 8.3.45　椎体軟骨細胞の混入　×400　Samson 染色

骨梁を通過するためである。したがって骨粗鬆症の頻度が高い高齢の女性の腰椎穿刺髄液の評価に際しては骨髄血混入の可能性を常に念頭に置いておく必要がある。

## 4. 皮膚の重層扁平上皮細胞

扁平上皮表層部の角質化層より剥離混入した細胞は，鱗片状で無核のものが多い（図8.3.44）。扁平上皮の深層部になるほど小型円形化し，ほぼ中心部に核を有する。核周囲にケラトヒアリン顆粒を認めることもある。なお，鱗片状の扁平上皮細胞は検者の手指から計算盤に付着した可能性もある。

## 5. 椎体軟骨細胞

穿刺針の先端が椎体軟骨に触れると，軟骨細胞や軟骨基質が髄液に混入することがある。軟骨細胞はSamson染色で濃くべっとりと染色され，よく観察すると細胞内に小型の核を認めることができる（図8.3.45）。MG染色では赤紫色に強く染まり，核周囲にハローを認めることがある。ときに細胞周囲に無構造赤紫色の軟骨基質を伴うこともある（図8.3.46）。

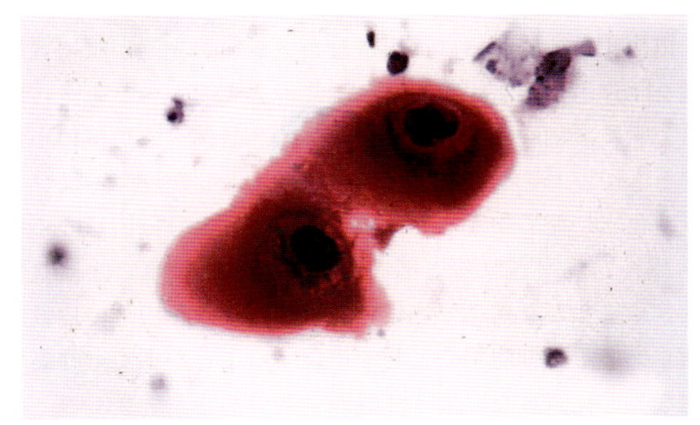

図 8.3.46　同一症例　×400　MG 染色

## 6. 脳室穿刺による髄液に見られる医原性細胞

髄液の循環経路である中脳水道が種々の病因で閉鎖し，水頭症をきたした場合，治療を目的として脳室穿刺が施行される。脳室穿刺では頭蓋骨を開孔し，大脳実質を穿破してドレーンを進め，先端部を側脳室に到達させ髄液を排出する。したがって，脳室穿刺で得た髄液には大脳実質の組織をはじめ，軟膜細胞や脈絡叢細胞が混入する可能性が高い。

### (1) 脳室脈絡叢細胞

脳室穿刺による髄液には髄液を産生する脈絡叢細胞もよ

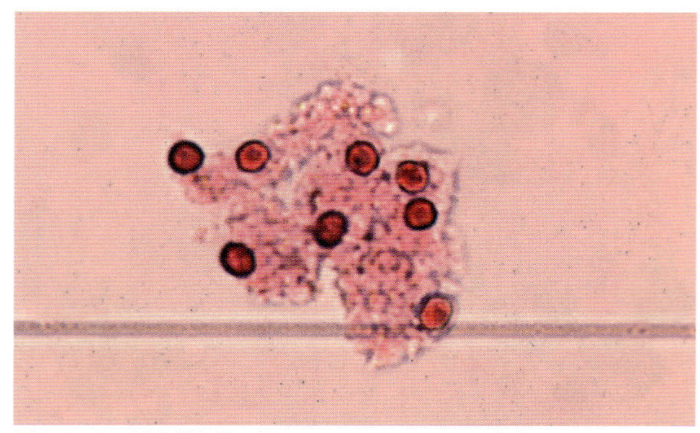

図 8.3.47　脈絡叢細胞の混入　×400　Samson 染色
脈絡叢細胞は細胞間結合が強く，細胞集団として認めることが多い。淡く染まる細胞質の中に円形の小型核が認められる。

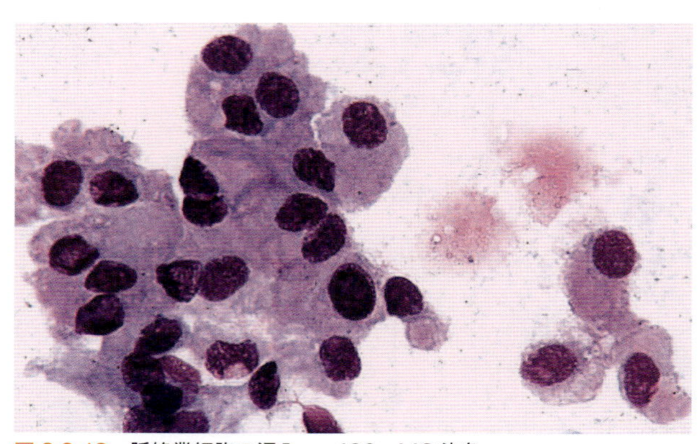

図 8.3.48　脈絡叢細胞の混入　×400　MG 染色
脈絡叢細胞の細胞質はきめ細やかな淡紫色を示し，類円形の核は比較的強く染まる。

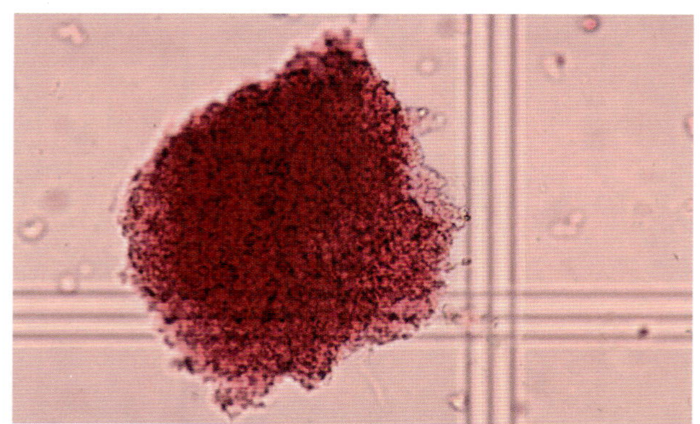

図 8.3.49　大脳実質組織片の混入　×200　Samson 染色
大脳組織片は脳室穿刺による髄液でしばしば出現する。Samson 染色によく染まり，スポンジ片状の様相を呈する。

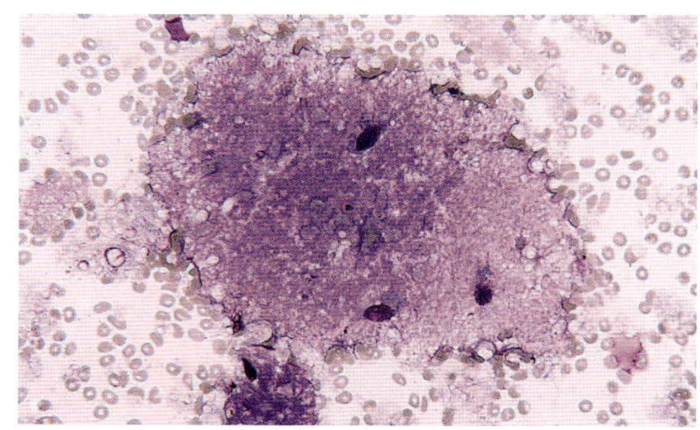

図 8.3.50　骨髄細胞の混入　×200　MG 染色
淡紫色の大脳基質の中に数個のグリア細胞が観察される。

く出現する。側脳室に挿入されたドレーン先端が脈絡叢組織を物理的に刺激するために剥離混入するものと考えられる。脈絡叢細胞は細胞間結合が強く，数個～十数個の小集団として認められることが多い。Samson染色像ではフクシン色素に淡く染まるレース状の細胞質とほぼ円形の小型核として観察される（図8.3.47）。MG染色像では細胞質はきめ細やかな構造で淡紫色を呈し，核は類円形で比較的強く染まる。細胞集団として出現することが多く，腫瘍細胞などと見誤らないよう注意が必要である（図8.3.48）。

ときに腰椎穿刺髄液にも脈絡叢細胞を認めることがあり，急性髄膜脳炎など髄腔に強い炎症がある場合に頻度が高い。

**(2) 大脳実質の組織小片**

ドレーンによって挫滅された大脳実質組織がドレーン先端の孔を通じて髄液中に混入する。Samson染色像ではフクシン色素でよく染まる“スポンジのかけら状物質”として観察される（図8.3.49）。MG染色像で基質は淡い紫色を呈し，その中に小型でN/C比の高い少数のグリア細胞が散在する（図8.3.50）。大脳実質の組織片は脳室穿刺による髄液だけに認められる医原性所見である。

［石山雅大］

## 参考文献


1) Cutler RW, Spertell RB："Cerebrospinal fluid：A selective review", Ann Neurol, 1982；11：1-10.
2) 大田喜孝, 他：「エコーウイルスによる無菌性髄膜炎の髄液細胞形態に関する新知見」, 医学のあゆみ, 1984；131：659-660.
3) Katz SL, *et al.*："Viral infection of the central nervous system, 13th ed," Mosby-Year Book, 1998.
4) Banadio WA："The cerebrospinal fluid：physiologic aspects and alterations associated with bacterial meningitis", Pediatr Infect Dis J, 1992；11：423-432.
5) NIID 国立感染症研究所：「髄膜炎菌性髄膜炎とは」, 2005. https://www.niid.go.jp/niid/ja/kansennohanashi/405-neisseria-meningitidis.html
6) 佐藤能啓, 大田喜孝：「髄液細胞標本の作製法」, 髄液細胞アトラス, 60-100, 加地正郎(監修), 朝倉書店, 1987.
7) Weller PF："Eosinophilic meningitis", The American Journal of Medicine, 1993；95：250-253.
8) Capewell LG, *et al.*："Diagnosis, clinical course, and treatment of primary amoebic meningoencephalitis in the United States, 1937-2013", J Pediatric Infect Dis Soc, 2015；4：68-75.
9) NIID 国立感染症研究所：「無菌性髄膜炎とは」, 2014. https://www.niid.go.jp/niid/ja/kansennohanashi/520-viral-megingitis.html
10) 西屋克己, 他：「マイコプラズマ感染症に関連した二次性髄膜脳炎の 1 例」, 感染症学雑誌, 2000；75：209-212.
11) 佐藤能啓, 大田喜孝：「髄液細胞標本の作製法」, 髄液細胞アトラス, 56-59, 加地正郎(監修), 朝倉書店, 1987.
12) 大田喜孝：「髄液細胞診でわかる中枢神経系の病態」, 臨床病理レビュー, 2007；140：72-77.
13) Louis DN："The 2007 WHO classification of tumors of the central nervous system", Acta Neuropathol, 2007；114：97-109.
14) Qian X, *et al.*："Cerebrospinal fluid cytology in patients with ependymoma：a bi-institutional retrospective study", Cancer, 2008；114：307-314.
15) Savage NM, *et al.*："The cytologic findings in choroid plexus carcinoma：report of a case with differential diagnosis", Diagn Cytopathol, 2012；40：1-6.
16) 大田喜孝, 安倍秀幸：「脳脊髄液」, 細胞診の基本から実践へ, 242-251, 羽場礼次, 内藤善哉(編), 文光堂, 2013.
17) 若林俊彦, 他(編)：脳腫瘍臨床病理カラーアトラス 第 4 版, 22-194, 医学書院, 2017.
18) Abe H, *et al.*："Follow-up evaluation of radiation-induced DNA damage in CSF disseminated high-grade glioma using phospho-histone H2AX antibody", Diagn Cytopathol, 2012；40：435-439.
19) 中野祐子, 他：「髄膜浸潤を来たした白血病ならび悪性リンパ腫の髄液細胞形態の検討」, 日本臨床細胞学会雑誌, 1998；37：286-291.
20) Osame, M, *et al.*："HTLV-1 associated myelopathy, a new clinical entity", Lancet, 1986；1：1031-1032.
21) 納　光弘, 他：「HTLV-1-associated myelopathy(HAM)－新しい疾患概念の提唱」, 日本医事新報, 1986；3236：29-34.
22) 佐藤能啓, 大田喜孝：「髄液細胞標本の作製法」, 髄液細胞アトラス, 146-150, 加地正郎(監修), 朝倉書店, 1987.
23) 奈良　勲, 鎌倉矩子(監修), 川平和美(編)：「脳圧亢進症と脳ヘルニア」, 神経内科学 第 5 版, 21, 医学書院, 2019.
24) 佐藤能啓, 大田喜孝：「髄液細胞標本の作製法」, 髄液細胞アトラス, 26-28, 加地正郎(監修), 朝倉書店, 1987.

# 8.4 髄液細胞アトラス

- Samson 染色での単核球と多形核球の分類には細胞質の染色性の違いに注意する。
- 悪性を疑う異常細胞は，単一的な細胞出現，不規則な細胞集塊，大型の細胞，核形の異常などが鏡検ポイントとなる。合わせて炎症性や出血性の背景がないかも確認する。
- ウイルス性髄膜炎では反応性リンパ球が出現することが多い。
- *Cryptococcus neoformans* の菌体は，単核球や赤血球，気泡と誤認する場合が多い。確認には Giemsa 染色，Gram 染色，墨汁法などを併用する。

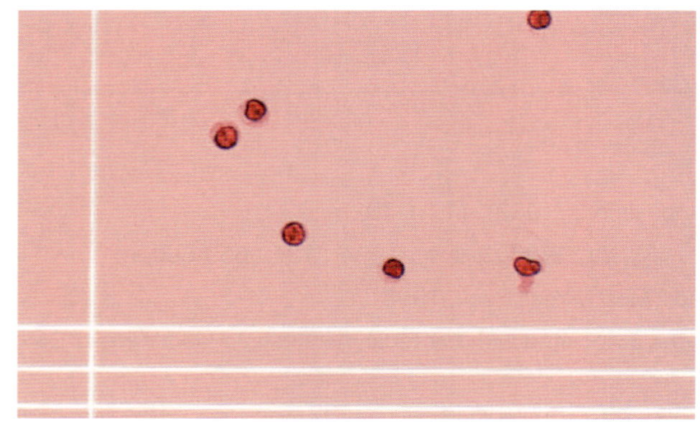
図 8.4.1　単核球（リンパ球）×400　Samson 染色

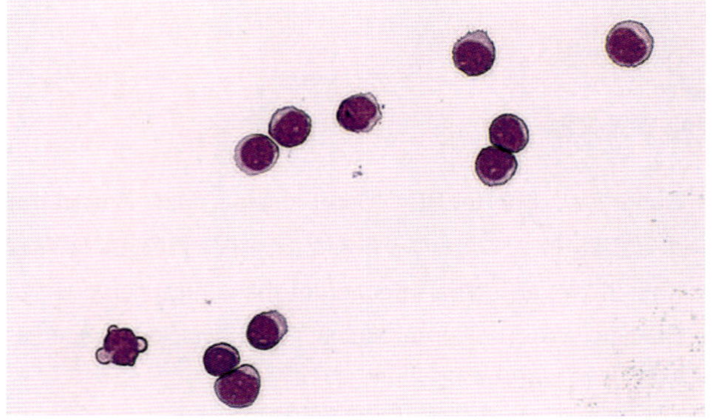
図 8.4.2　リンパ球　×400　MG 染色
図 8.4.1 の同一症例

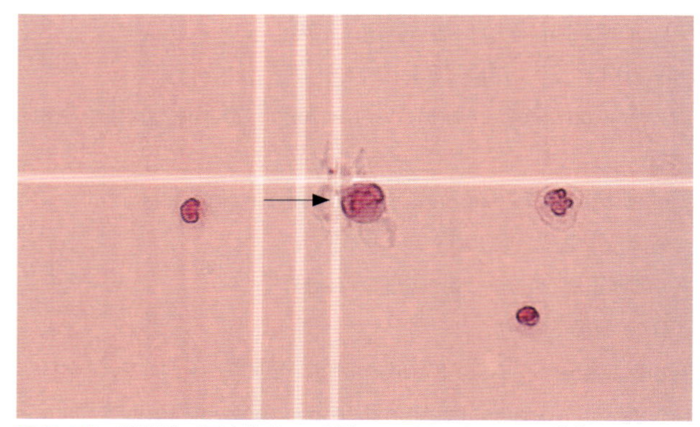
図 8.4.3　単核球（反応性リンパ球）×400　Samson 染色
（p.161 の「参考情報」を参照）

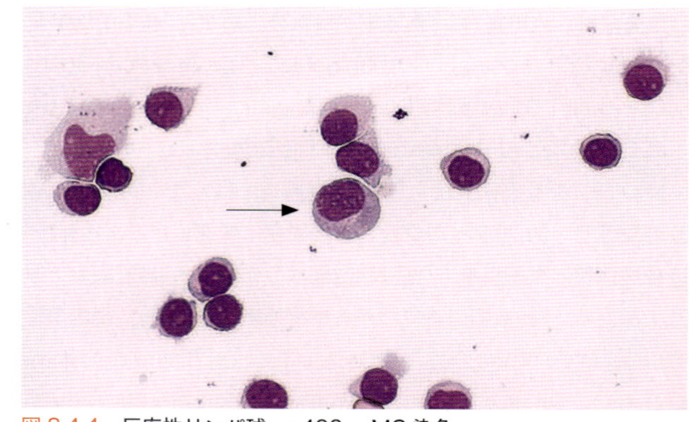
図 8.4.4　反応性リンパ球　×400　MG 染色
図 8.4.3 の同一症例（p.161 の「参考情報」を参照）

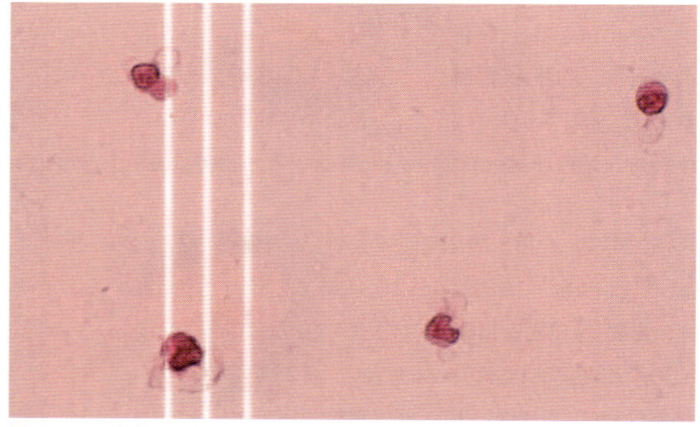
図 8.4.5　単核球（単球）×400　Samson 染色

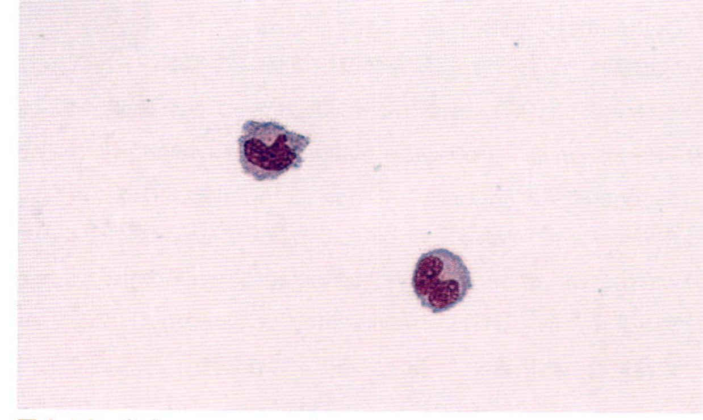
図 8.4.6　単球　×400　MG 染色
図 8.4.5 の同一症例

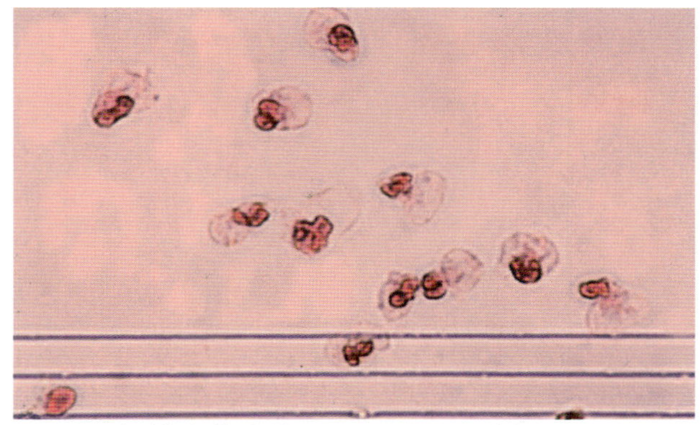

図 8.4.7　多形核球（好中球）　×400　Samson 染色

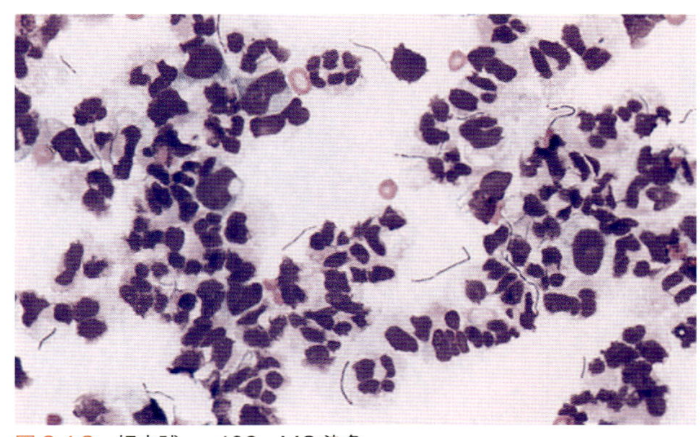

図 8.4.8　好中球　×400　MG 染色

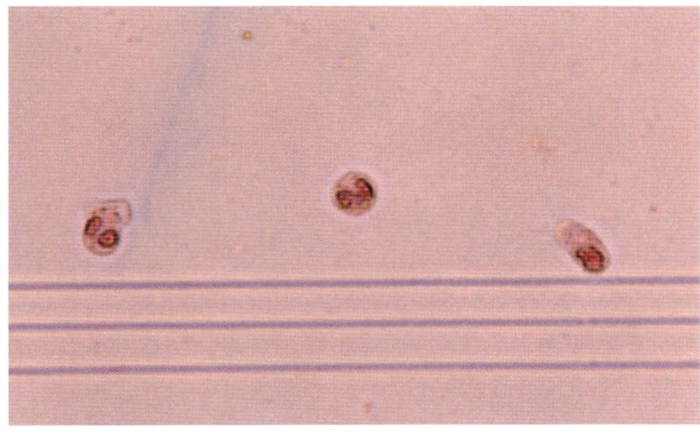

図 8.4.9　多形核球（好酸球）　×400　Samson 染色

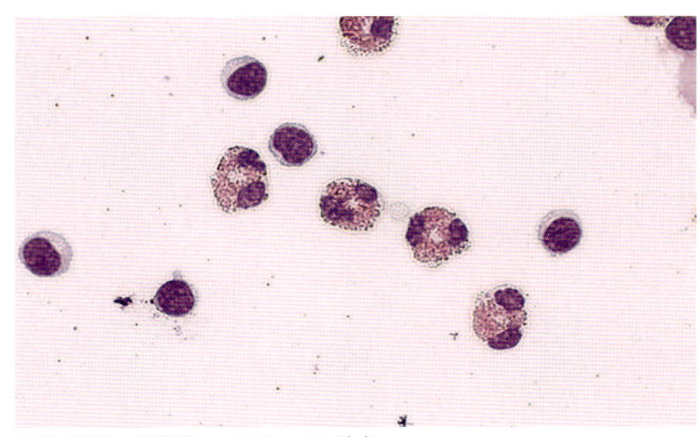

図 8.4.10　好酸球　×400　MG 染色
図 8.4.9 の同一症例

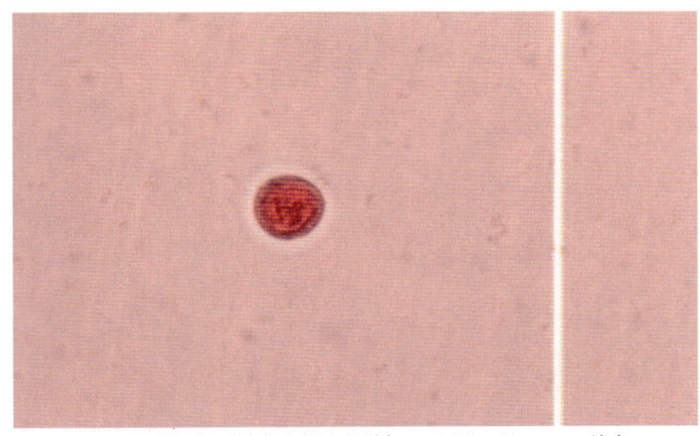

図 8.4.11　異型細胞（腺癌を疑う細胞）　×400　Samson 染色
胃癌の転移

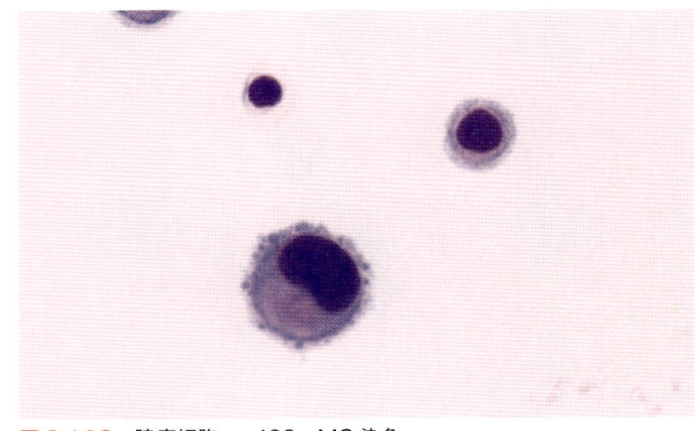

図 8.4.12　腺癌細胞　×400　MG 染色
胃癌の転移

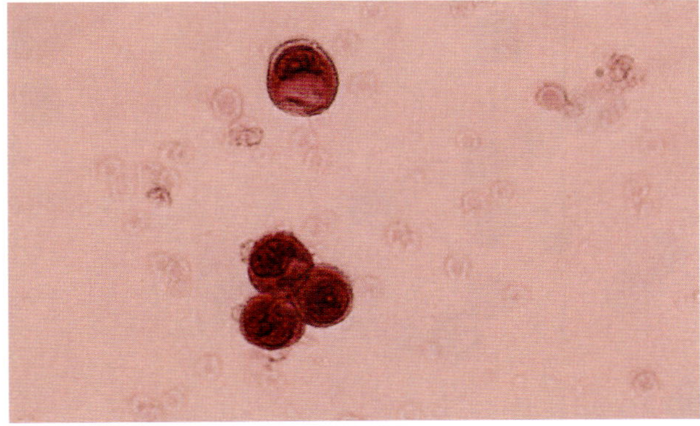

図 8.4.13　異型細胞（腺癌を疑う細胞）　×400　Samson 染色
胃癌の転移

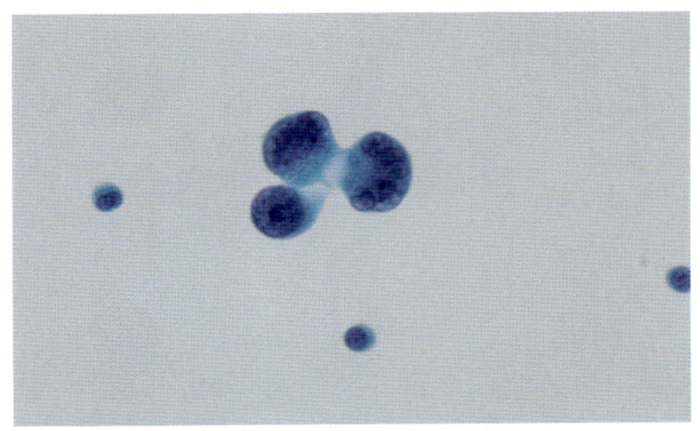

図 8.4.14　腺癌細胞　×400　Papanicolaou 染色
胃癌の転移　図 8.4.13 の同一症例

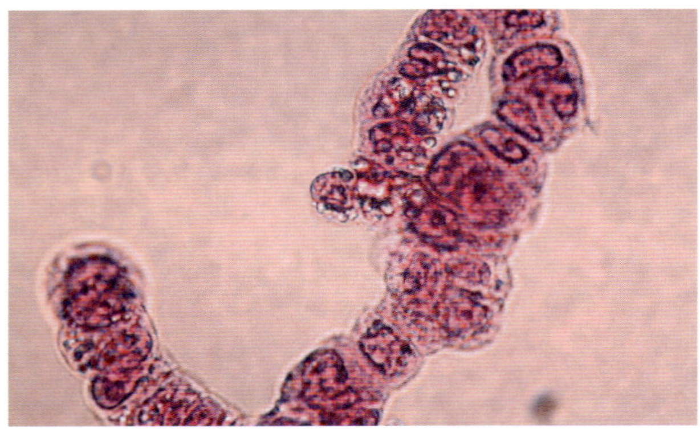

図 8.4.15　異型細胞（腺癌を疑う細胞）　×400　Samson 染色
乳癌の転移

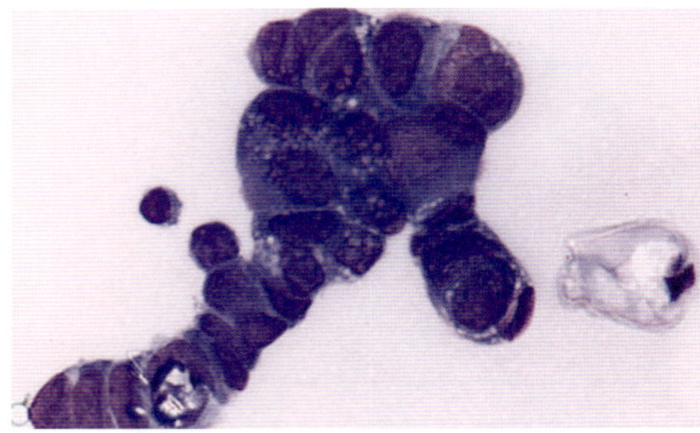

図 8.4.16　腺癌細胞　×400　MG 染色
乳癌の転移　図 8.4.15 の同一症例

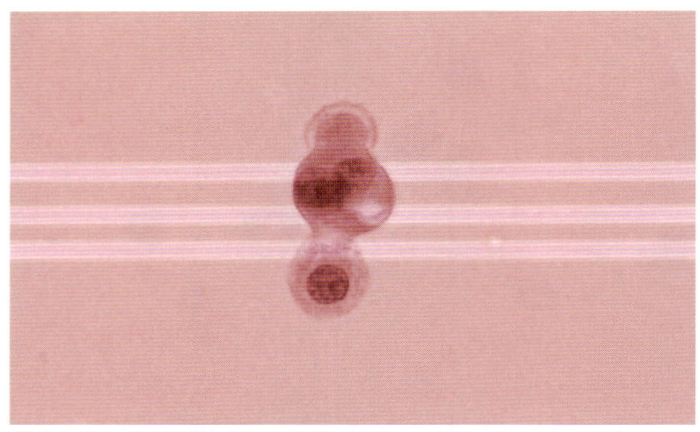

図 8.4.17　異型細胞（腺癌を疑う細胞）　×400　Samson 染色
肺癌の転移

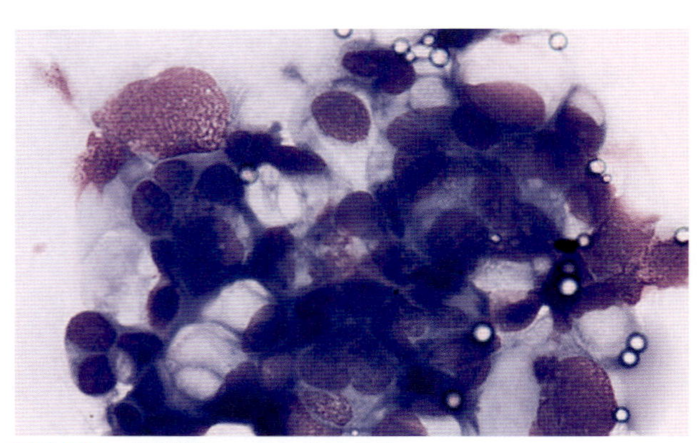

図 8.4.18　腺癌細胞　×400　MG 染色
肺癌の転移

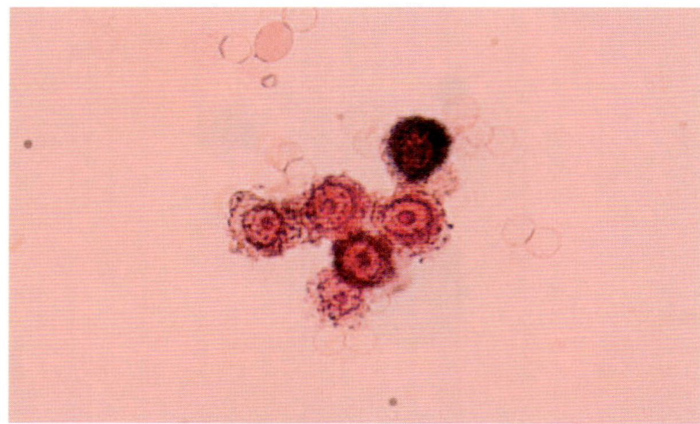

図 8.4.19　異型細胞（悪性黒色腫を疑う細胞）　×400　Samson 染色
悪性黒色腫

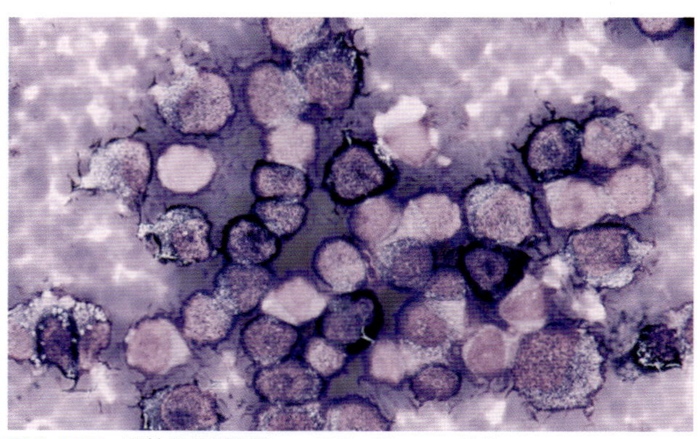

図 8.4.20　悪性黒色腫細胞　×400　Giemsa 染色
悪性黒色腫　図 8.4.19 の同一症例

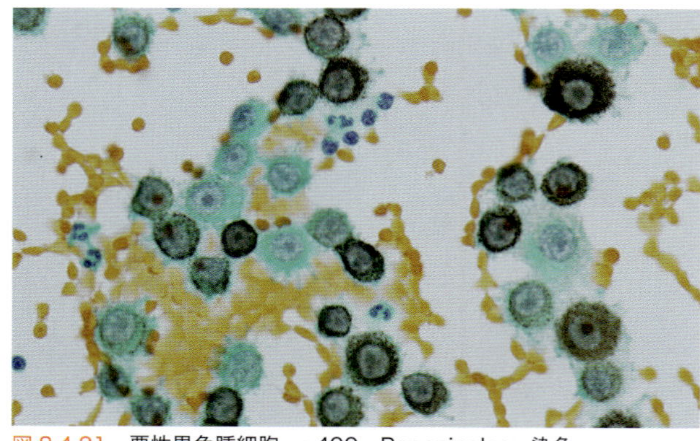

図 8.4.21　悪性黒色腫細胞　×400　Papanicolaou 染色
悪性黒色腫　図 8.4.19 の同一症例

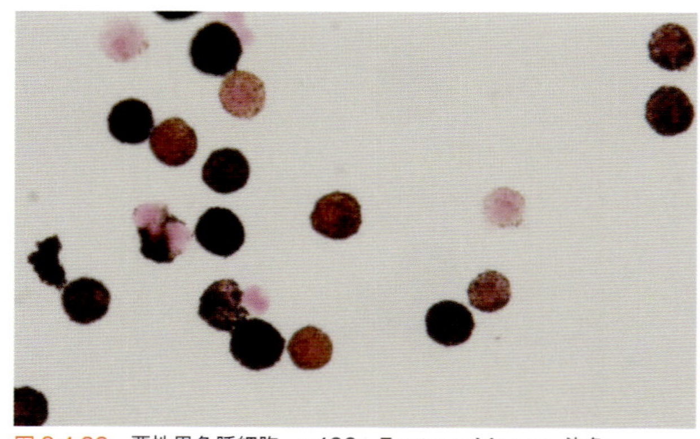

図 8.4.22　悪性黒色腫細胞　×400　Fontana-Masson 染色
悪性黒色腫　図 8.4.19 の同一症例

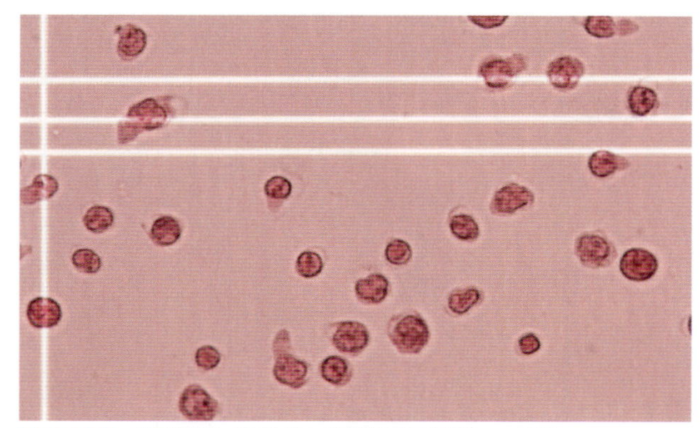

図 8.4.23　異型細胞（悪性リンパ腫を疑う細胞）　×400
Samson 染色

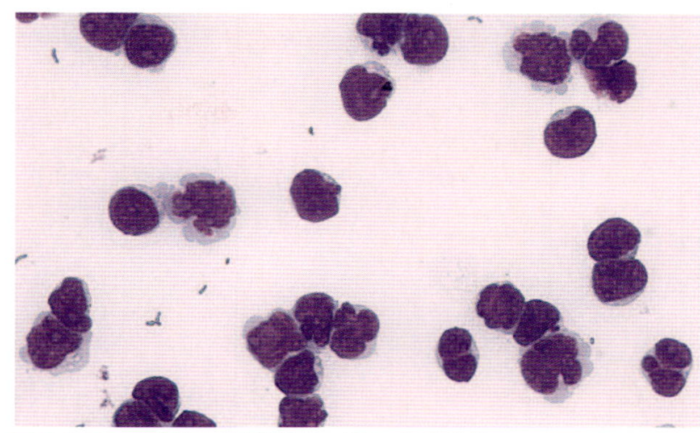

図 8.4.24　悪性リンパ腫細胞　×400　MG 染色
図 8.4.23 の同一症例

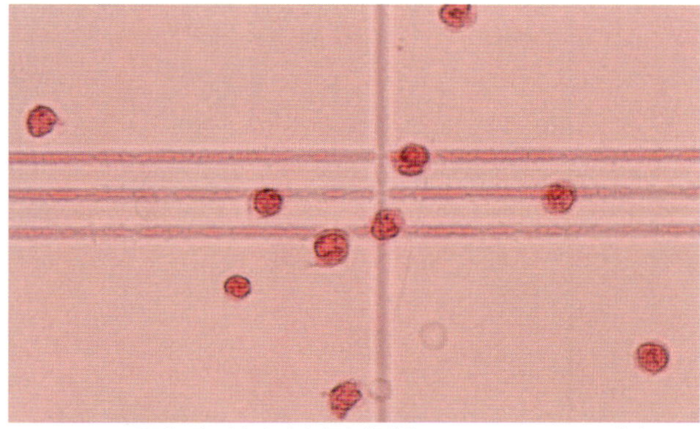

図 8.4.25　異型細胞（白血病を疑う細胞）　×400　Samson 染色
急性リンパ性白血病

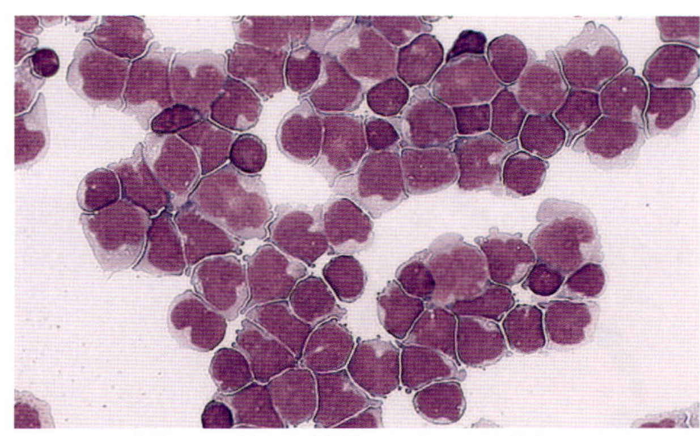

図 8.4.26　急性リンパ性白血病細胞　×400　MG 染色
急性リンパ性白血病　図 8.4.25 の同一症例

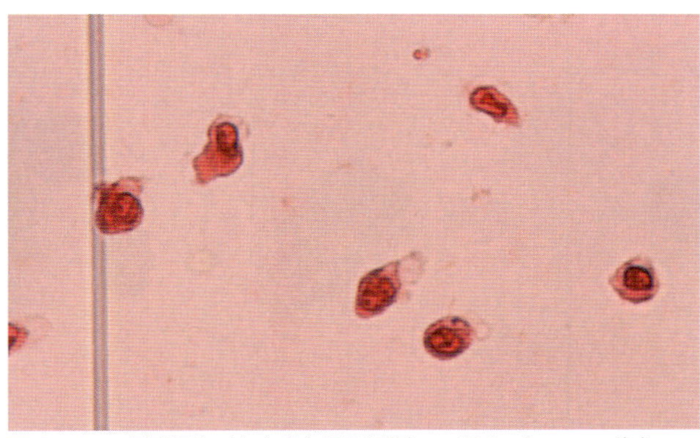

図 8.4.27　異型細胞（白血病を疑う細胞）　×400　Samson 染色
急性前骨髄球性白血病

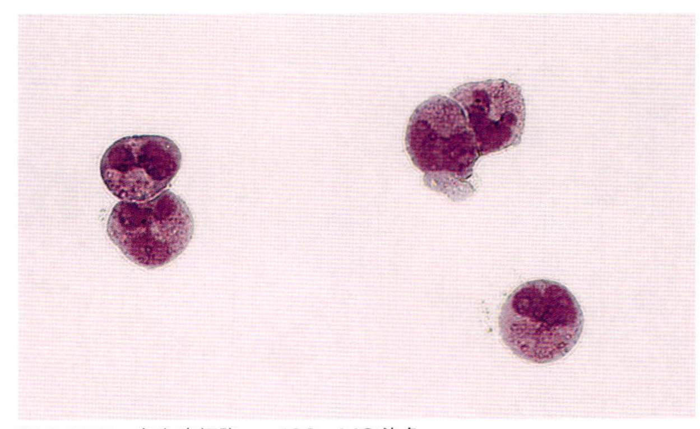

図 8.4.28　白血病細胞　×400　MG 染色
急性前骨髄球性白血病　図 8.4.27 の同一症例

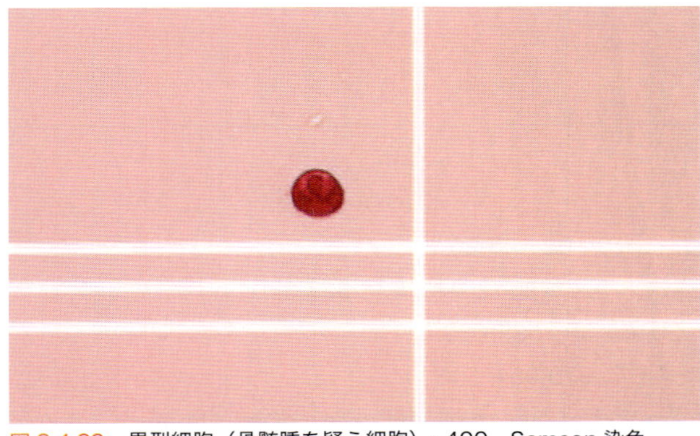

図 8.4.29　異型細胞（骨髄腫を疑う細胞）×400　Samson 染色
多発性骨髄腫

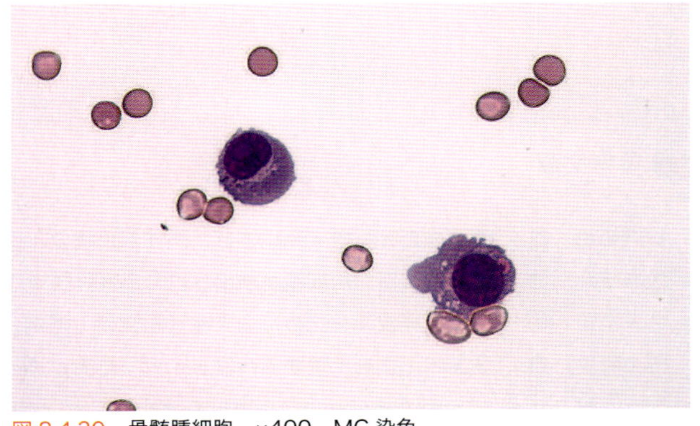

図 8.4.30　骨髄腫細胞　×400　MG 染色
多発性骨髄腫　図 8.4.29 の同一症例

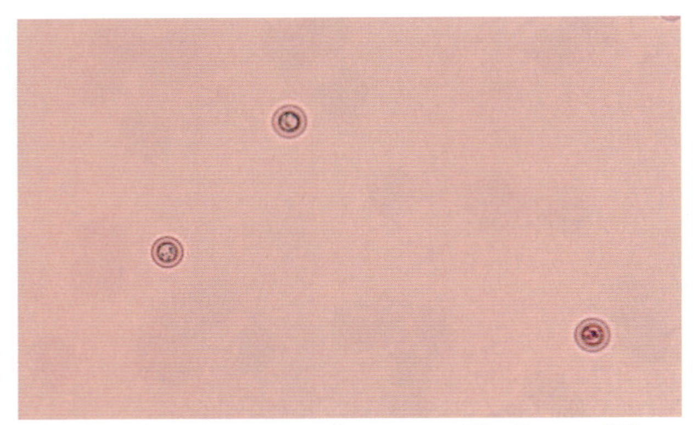

図 8.4.31　*Cryptococcus neoformans*　×400　Samson 染色

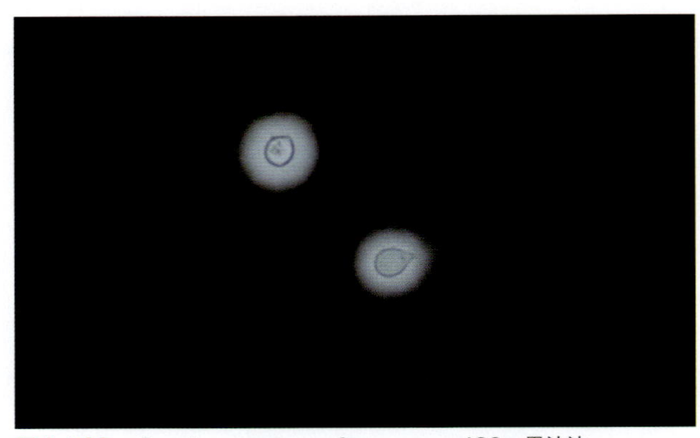

図 8.4.32　*Cryptococcus neoformans*　×400　墨汁法

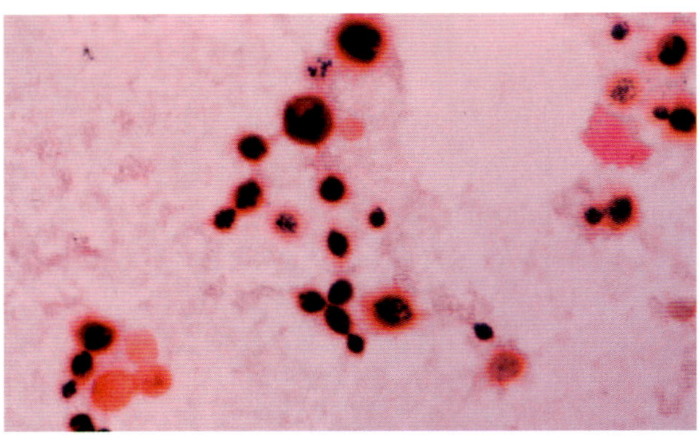

図 8.4.33　*Cryptococcus neoformans*　×1,000　Gram 染色

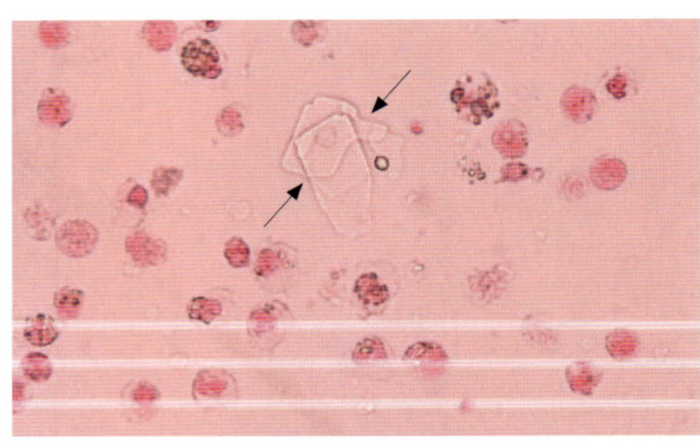

図 8.4.34　コレステロール結晶　×400　Samson 染色

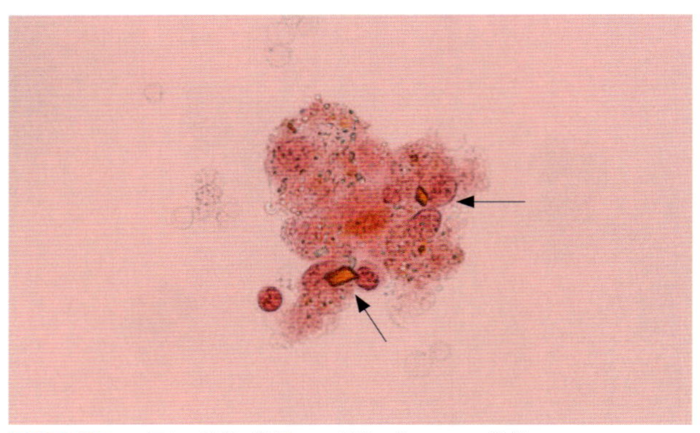

図 8.4.35　ヘマトイジン結晶　×400　Samson 染色

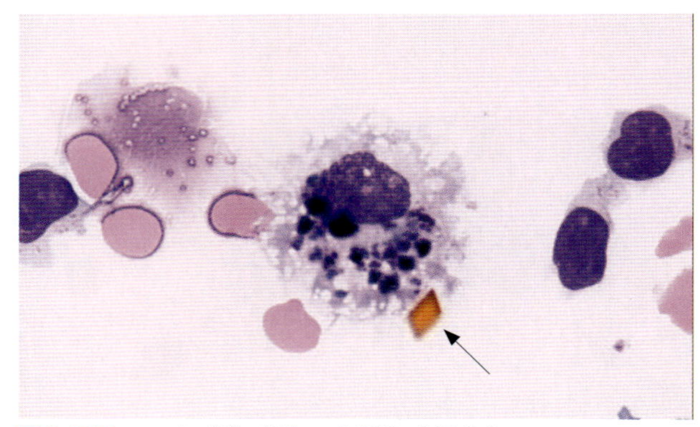

図 8.4.36　ヘマトイジン結晶　×1,000　MG 染色

［石山雅大］

## 参考文献


1） 松岡拓也，他：「髄液検査を契機に発見された悪性黒色腫の 1 例」，医学検査，2013；62：23-26．
2） 大城雄介，他：「髄液中に白血病細胞が検出された急性骨髄単球性白血病の 1 例」，医学検査，2014；63：327-330．
3） 久末崇司，他：「中枢神経浸潤を認めた多発性骨髄腫の 1 症例」，医学検査，2016；65：685-689．
4） 田中雅美，他：「頭蓋内出血を示唆するヘマトイジン結晶」，医学検査，2008；57：979-981．
5） Satoh H, *et al.*：“Spontaneous rupture of craniopharyngioma cysts．A report of five cases and review of the literature”，Surgical Neurology，1993；40：414-419．

## D. 穿刺液検査

# 9章 体腔液検査

章目次



SUMMARY

穿刺液検査は，漏出性（非炎症性）・滲出性（炎症性）に区分される検査として行われている。しかし多くの分野が関わって検査を進めており，採取から詳細な検査法まで示されていない。今回は，採取から検査を進めていけるよう記載した。また緊急性が求められる検査項目も示し，検査の結果からどのように診断や治療に結びつくか必要性を述べた。

# 9.1 | 体腔液検査（胸水，腹水，心囊液）

- 検体は，臨床一般検査，臨床微生物検査，病理細胞検査，臨床化学検査，臨床血液検査など多岐にわたる検査に関わるため，無菌的操作や必要量の確認が重要になる。
- 体腔液は，貯留する原因の究明と治療を目的として採取される。
- 体腔液の滲出性と漏出性の違いを理解し，疾患との関わりも把握する。
- 原因不明（中皮腫，血液腫瘍など）の体腔液貯留は，臨床一般検査に提出される機会が多いため細胞鑑別についても学習する必要がある。膿胸や腹膜炎の鑑別はドレナージ対応，菌薬の選択（投与期間など）のため緊急性が高い。

## 9. 1. 1　基礎知識

### 1. 体腔液とは

体腔液とは左右の胸腔，腹腔，心膜腔の4つの体腔に存在する体液である。体腔に貯留した液を検査することにより，貯留原因や病態を推定する重要な情報となる。

### 2. 解剖生理

#### (1) 体腔の解剖

体腔には左右の胸腔，腹腔（腹膜腔・後腹膜腔・骨盤腔），心膜腔があり，その中にある臓器を漿膜組織が覆っており，体表側を覆う壁側胸膜（腹膜・心膜），臓器側を覆う臓側胸膜（腹膜・心膜）からなる。漿膜組織は単層で扁平な形態を示す中皮細胞と薄い疎性結合組織で構成されている（図9.1.1）。

#### (2) 体腔液の生成および役割

胸腔，腹腔，心膜腔は正常でも胸水5〜10mL[1]，腹水20〜50mL[2]，心囊液25〜50mL[3] と少量存在し，摩擦を防ぐための潤滑油としての役割を担う。漿膜組織は2つの層で構成され，上層は分泌上皮細胞，下層は結合組織で構成されており血管やリンパ管，神経が存在し分泌，吸収などを行っている。血管内圧と腔内圧の変化，血管壁の透過性亢進，膠質浸透圧の低下，リンパ管の閉塞などにより吸収障害が生じると，分泌と吸収の生理的バランスが崩れ，病的な液体が出現し貯留してくる。

### 3. 臨床的意義

体腔液は毛細管の静水圧上昇，膠質浸透圧の減少，リンパ系吸収障害などの要因により貯留する漏出液と炎症性疾患（感染症など）による血管透過性亢進，腫瘍性疾患により貯留する滲出液とに分けられる。体腔液の細胞数，細胞分画，生化学〔蛋白，アルブミン，乳酸脱水素酵素（LD）〕の検査を行うことで漏出液か浸出液かを鑑別し[4] 貯留した原因や病態を推定する。

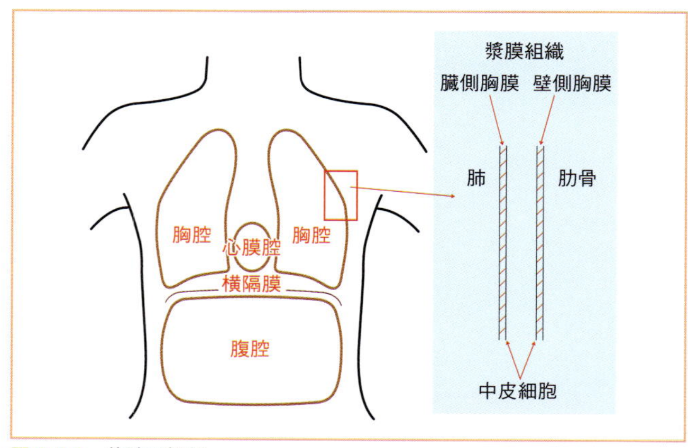


図 9.1.1　体腔の解剖

用語　乳酸脱水素酵素（lactate dehydrogenase；LD）

## 9.1.2 検体の採取法

### 1. 採取法

#### (1) 胸水採取法（図9.1.2）

胸水採取は，胸部X線像にて確認し，超音波で穿刺位置の決定などを行う。胸骨から何cmまで貯留しているかを確認し，それ以上針を刺さなければ気胸を防ぐことができるので，より安全に穿刺できる。患者はベッド側面に腰かけ，机を前にして枕などを支えに前向きに楽な体勢を取る[5)]。麻酔後に，通常は後腋下線上第8または第9肋間を注射器やハッピーキャス（図9.1.3）などで穿刺し，採取する。

#### (2) 腹水採取法

患者を仰臥位とし，穿刺部位は以下の部位（図9.1.2の下図と対応）から貯留腹水の量などを考慮して選択される。

a　モンロー点：臍と左上前腸骨棘を結ぶ線（モンロー・リヒター線）上，外側1/3の点
b　マックバーニー点：逆モンロー点ともよばれる（モンロー点の反対側の点）
c　左右の肋骨弓下
d　肝外側であるため腸を損傷する心配はないが，気胸の危険がある
e　臍下2横指の点（約臍2.5～5cm下）

#### (3) 心嚢採取法

超音波診断装置にて，心嚢水の貯留，心嚢の深度を確認する。剣状突起左縁と左肋骨弓の交差する部位に麻酔をし，穿刺針を左烏口突起の方向に向けて，冠状面に対して35°～45°背側方向へ穿刺する（エコーガイド下が望まれ安全である）。吸引をかけつつ針を進め，通常4～6cmで針先が心嚢に到達する。針先が心嚢を貫くときに抵抗があり，さらに進めると抵抗は消失し，吸引にて心嚢液が逆流し採取できる[6)]。

### 2. 検体の取扱い

体腔液の貯留は，上述のようにさまざまな原因で起こるため，臨床一般検査，臨床化学検査，臨床血液検査，臨床微生物検査，病理細胞検査など，多項目の検査がまとめて依頼されることが多い。そのため，無菌的に採取して速やかに提出することが望まれる。

### 3. 保存方法

急性炎症の場合は，抗菌薬投与やドレナージなどの検査項目結果が診断や治療に直結するため，細胞数・細胞分類と胸水pHは，緊急検査項目としての検査が望まれる。臨床化学検査は，遠心後の上清を冷蔵保存しておけば検査可

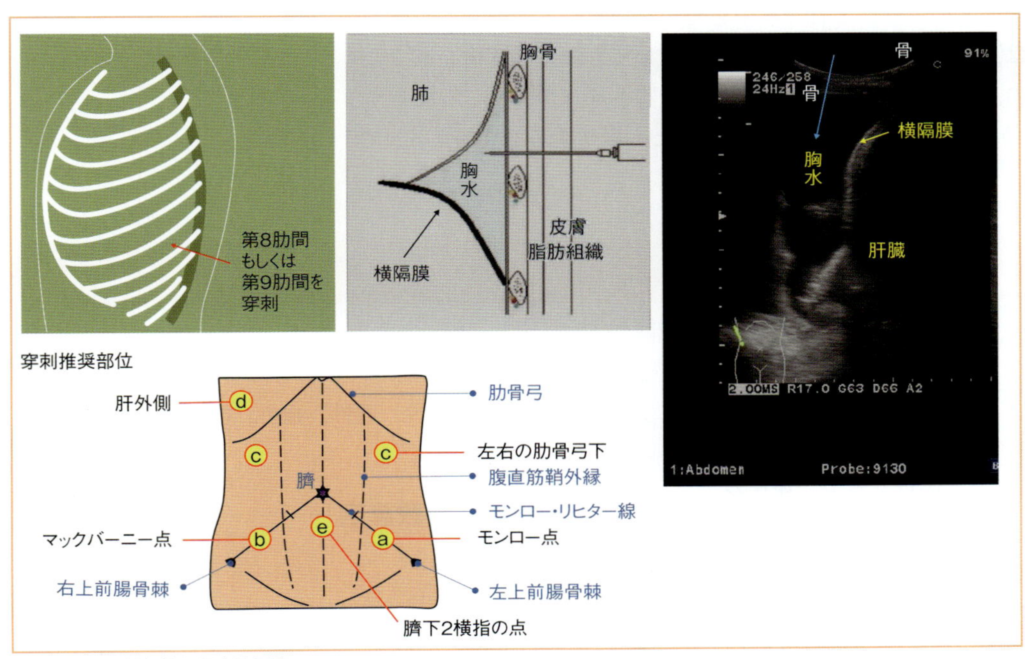


図9.1.2　穿刺部位と超音波画像

〔(下図) 寺島裕夫：「第21回　腹腔穿刺」，レジデント，2011；4：121より作成〕

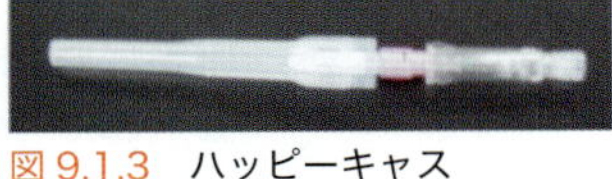

図9.1.3　ハッピーキャス

用語　モンロー（Monro）点，モンロー・リヒター線（Monro-Richter line），マックバーニー点（McBurney point），水素イオン指数（potential of hydrogen；pH）

能である。細胞分類は，塗抹標本作製をしておき，翌日に染色可能である。細胞検査も同様である。細菌培養は，液体培養ボトルに採取しておく。PCRは専用採取容器で凍結保存する。

### 4. 漏出性と滲出性の鑑別

漏出性は，体腔液の生成と吸収のバランスの崩れから漏れ出るものであり，漿膜の炎症は見られない。滲出性は，漿膜の炎症や腫瘍によるものである。それぞれの鑑別項目と疾患を表9.1.1，9.1.2に示した。

表9.1.1　漏出性・滲出性の鑑別項目

| 鑑別項目 | 漏出性 | 滲出性 |
|---|---|---|
| 色調 | 淡黄色，黄色 | 黄色，黄白色，赤色，褐色，白色など |
| 混濁 | (－)(±) | (±)(＋) |
| 性状 | 漿液性 | 膿性，血性，乳びなど |
| フィブリン | 通常見られない | ときに出現 |
| 比重 | 1.015 以下 | 1.018 以上 |
| 蛋白 | 2.5g/dL 以下 | 4.0g/dL 以上 |
| 胸水：Light の基準<br>①胸水蛋白 / 血清蛋白 >0.5<br>②胸水 LD/ 血清 LD >0.6<br>③胸水 LD が血清 LD の正常値上限 2/3 以上 | ①～③とも満たさない | ①～③の少なくとも 1 つを満たす |
| 胸水 SEAG（Alb の濃度勾配）<br>血清 Alb 濃度－胸水 Alb 濃度 | ＞ 1.2g/dL | ≦ 1.2g/dL |
| 腹水 SAAG（Alb の濃度勾配）<br>血清 Alb 濃度－腹水 Alb 濃度 | ≧ 1.1g/dL | ＜ 1.1g/dL |
| 細胞量 | 少ない | 多い |
| おもな出現細胞 | 中皮細胞，組織球 | 好中球，リンパ球 |

表9.1.2　漏出性・滲出性の体腔液貯留が見られる疾患

| | 漏出性 | 滲出性 |
|---|---|---|
| 胸水 | 心不全<br>肝硬変<br>ネフローゼ症候群<br>低 Alb 血症 | 感染症疾患<br>膿胸<br>肺炎随伴性胸水<br>誤嚥性肺炎<br>結核<br>真菌性肺炎<br>悪性疾患<br>膠原病類縁疾患<br>肺塞栓<br>食道破裂<br>血胸<br>乳び胸 |
| 腹水 | 心不全<br>肝硬変<br>ネフローゼ症候群<br>門脈圧亢進<br>Budd-Chiari 症候群<br>低栄養<br>収縮性心膜炎<br>アルコール性肝炎 | 化膿性細菌性腹膜炎<br>特発性細菌性腹膜炎<br>癌性腹膜炎<br>膵炎<br>腹膜偽粘液種 |
| 心嚢液 | 心不全<br>低 Alb 血症 | 外傷<br>悪性疾患<br>炎症（術後） |

#### 検査室ノート　検査室の業務と検体の必要量

検体を採取する医師や携わる看護師には，検査の分野別の業務内容はなかなか知られていないことも多い。検体がどの容器にどれくらい必要かを理解してもらうのが最善であるが，検査に際しては，最低でも滅菌容器に全量採取してもらえれば検査室で区分できる。その旨とともに，フィブリン析出などにより機器トラブルが生じる場合や，pHや細胞数などの結果が正確に出せない場合があることも周知する必要がある。

## 9. 1. 3　検査法

### 1. 肉眼的観察

体腔液の外観の観察は，表9.1.3に示すように，臨床検査値や病態との関連を示唆する重要な所見となる。検体を受け取ったら，まず肉眼で外観（色調，混濁，性状）をよく観察する。検体は十分混和し，遠心することなくそのままの状態で観察，判定する。

1)色調の分類：淡黄色，黄色，橙色，赤色，褐色，白色など
2)混濁の分類：－，±，＋など
3)性状の分類：漿液性，膿性，血性，乳びなど

### 2. 体腔液細胞数算定

#### (1) 器　具

計算盤・マイクロピペット・マイクロチップ・ガーゼ・顕微鏡・数取り器・試験管・試験管立て

用語　ポリメラーゼ連鎖反応（polymerase chain reaction；PCR），ライト（Light）の基準，serum effusion albumin gradient（SEAG），アルブミン（albumin；Alb），serum ascites albumin gradient（SAAG），バッド・キアリ（Budd-Chiari）症候群

表 9.1.3　体腔液の外観的所見

| 色調 | 淡黄色～黄色 | クリーム色～黄緑色 | 橙色～赤色 | 白色 | 茶色～褐色 | 淡灰黄色（腹水） |
|---|---|---|---|---|---|---|
| 外観 | | | | | | |
| 性状 | 漿液性 | 膿性 | 血性 | 乳び | | 粘性～ゼリー状 |
| 推定結果 | | 細胞数高値<br>好中球優位<br>細菌あり<br>pH 低下<br>糖減少 | ヘモグロビン高値<br>ヘマトクリット高値 | 脂質高値<br>細胞分画<br>リンパ球増 | アミラーゼ高値<br>ビリルビン高値<br>リパーゼ高値<br>エラスターゼ1高値 | |
| 推定病態 | | 細菌感染症<br>など | 出血<br>癌性胸<br>結核　など | リンパ管閉塞<br>悪性リンパ腫<br>リンパ管破裂<br>乳び胸　など | 胆汁混入　など | 腹膜偽粘液腫<br>粘液産生腫瘍<br>悪性中皮腫　など |

### 検査室ノート　腹膜炎について

特発性細菌性腹膜炎は，明らかな外科的疾患がない状態で発症する感染源不明の細菌性腹膜炎である。腹水を合併する疾患に見られ，肝硬変が基礎疾患として多く認められる。臨床症状は発熱や腹痛であるが乏しいことが多く，細胞数や細胞分類の検査が重要となる。腹腔内への細菌感染経路は不明で，細菌は単一菌種〔大腸菌（*Escherichia coli*），クレブシエラ属（*Klebsiella*），腸球菌（*Enterococcus*）など〕が多い。細菌培養が陰性であっても腹水中の好中球数が250/$\mu$L以上の場合には外科的感染巣がなくても診断となるため，細胞数算定には高い精度が求められる。腹腔内に外科的感染巣がなく，腹水に多形核球が250/mm$^3$以上認められれば，特発性細菌性腹膜炎が推定される。続発性腹膜炎（二次性腹膜炎）は，原因として腸管破裂，腫瘍性，化膿性炎症などがあげられ，細菌は好気性グラム陰性桿菌やバクテロイデス属（*Bacteroides*）などの各種嫌気性菌で，複数菌種が認められ得ることが特徴である。死亡率が高く，長期間の抗菌薬投与が必要になる。

本症の検査にあたっては，塗抹標本作製時に沈渣を用いてGram染色用の標本を1枚作製しておく。必要量は微量で，集細胞になるため細菌の検出率は高くなる。ただし，コンタミネーションには気を付ける必要がある。好中球に細菌の貪食が認められれば，感染とみなして間違いない。

**1) 計算盤**

Fuchs-Rosenthal計算盤：全区画面積16mm$^2$，
　深さ0.2mm，容積3.2$\mu$L（mm$^3$）
改良Neubauer計算盤：全区画面積9mm$^2$，
　深さ0.1mm，容積0.9$\mu$L（mm$^3$）
Bürker-Türk血球計算盤：全区画面積9mm$^2$，
　深さ0.1mm，容積0.9$\mu$L（mm$^3$）

細胞数算定は，細胞数が多い場合は改良Neubauer計算盤やBürker-Türk血球計算盤を，少ない場合はFuchs-Rosenthal計算盤を使用して算定する（図9.1.4）。最近では血球細胞算定自動分析装置に体腔液の測定モードが搭載されたものもあり，簡便で緊急性に優れていることもあり使用施設も増えているが，機器の原理や特性，結果表示などを熟知し使用することが重要である。

用語　グラム（Gram）染色，フックス・ローゼンタール（Fuchs-Rosenthal）計算盤，改良ノイバウエル（Neubauer）計算盤，ビュルケル・チュルク（Bürker-Türk）計算盤

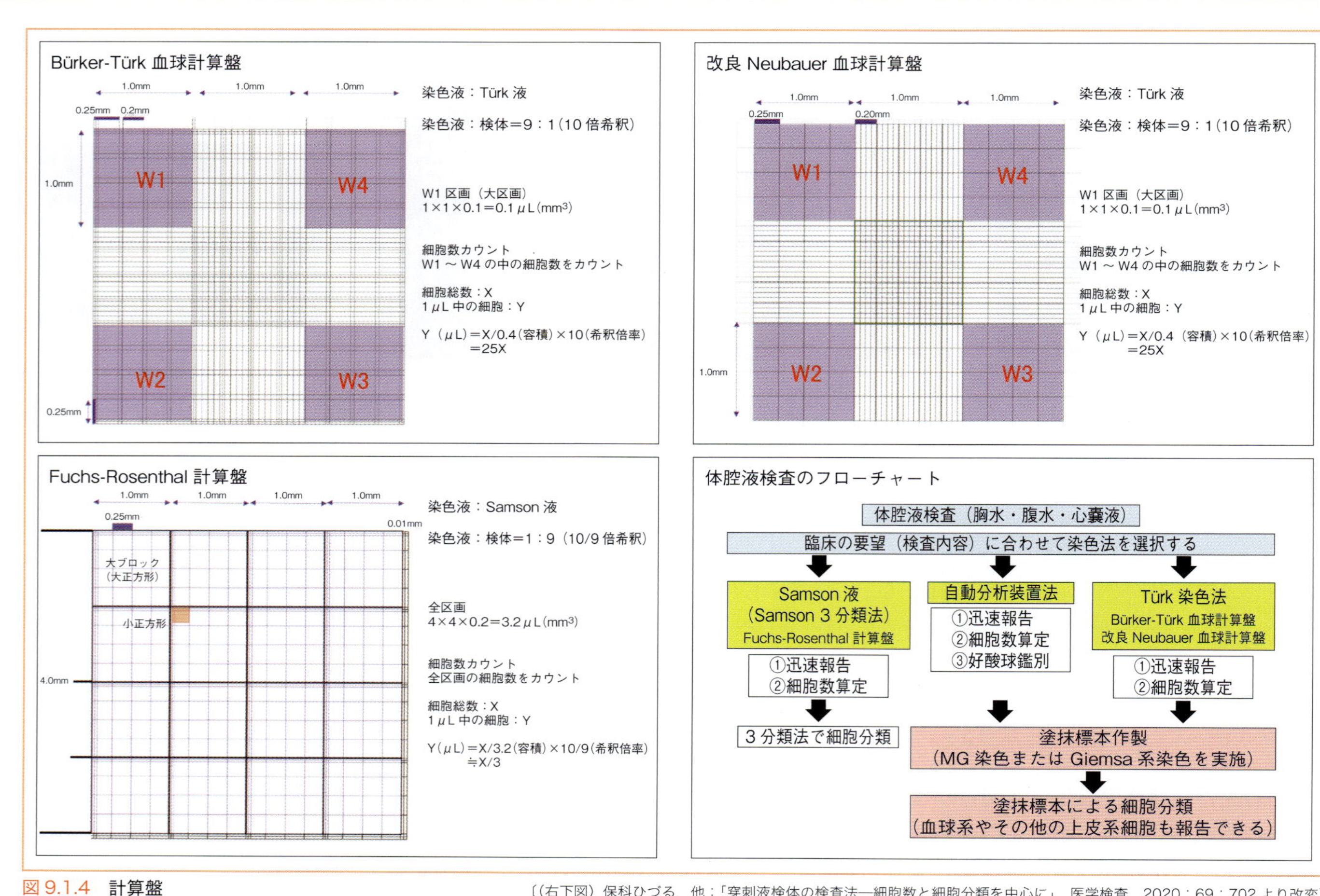


図 9.1.4　計算盤

〔（右下図）保科ひづる，他：「穿刺液検体の検査法─細胞数と細胞分類を中心に」，医学検査，2020；69：702 より改変〕

### (2) 試薬の調整

**1) Samson 液**

10％フクシンアルコール2mL，酢酸30mL，飽和フェノール2mLを加え，精製水で100mLとする。

注) Samson 液調整後，経日的にフクシン色素の色調が劣化するため1年を目安に新調することが望ましい。

**2) Türk 液**

1％ゲンチアナ紫水溶液1ｍLに酢酸1mLを加え精製水で100ｍLとする。

**3) 生理食塩液**

### (3) 算定法

**1) 顕微鏡の調整法**（5.1節「尿沈渣検査の基礎」p.76を参照）

計算盤を使用する場合は絞りを絞りながら調整する。あまり絞り過ぎると正しく細胞判定できない場合があるため注意する。

**2) 検体希釈液**

細胞成分が多い場合はTürk液，細胞成分が少ない場合はSamson液を用いる。

このとき使用する計算盤が異なってくるため注意が必要である。血性の体腔液ではTürk液の10倍希釈は赤血球がほぼ溶血するため細胞カウントがしやすいというメリットもある。

またSamson液を使用する場合は計算盤の特性からあらかじめ検体を3倍希釈して算定する方法も提案されている。3倍希釈法（日本臨床衛生検査技師会穿刺液検査標準化ワーキンググループ），Fuchs-Rosenthal計算盤での算定において3で割る必要がなくなるため計算が簡便となる。

細胞数的には胸水，心嚢液，腹水は3倍希釈，関節液は細胞数が10万を超えることが多いため30倍希釈が望ましい。

### (4) 細胞数の報告

細胞数の報告は整数とし，単位は細胞数表示の標準単位である/μLを用いる。最小値は1/μＬとする。

### (5) 細胞数算定から漏出液・滲出液の推定が可能

胸水中の細胞数1,000/μL以上，腹水中の細胞数100/μL以上の場合は滲出性を考える。

**用語**　サムソン（Samson）液，メイ・グリュンワルド・ギムザ（May-Grünwald Giemsa；MG）染色，チュルク（Türk）液

# 9. 1. 4　細胞分類

## 1. 計算盤上での算定（分類）法

体腔液中の細胞を分類することは臨床的意義が高く，多形核球は急性炎症を，リンパ球は慢性炎症(腫瘍性や結核)を示唆する重要な所見となる。しかし体腔液に出現してくる細胞は血液細胞以外にマクロファージや中皮細胞，悪性細胞など上皮系の細胞も出現することから計算盤上での細胞鑑別が困難な場合が多いため赤血球を除いた細胞数のみの報告が多い。このような状況から日本臨床衛生検査技師会穿刺液検査標準化ワーキンググループではSamson液を用いて染色された体腔液の細胞分類を下記の3分類とし，名称を「3分類法」として推奨している（図9.1.5）。

1) 多形核球（好中球，好酸球，好塩基球）
2) リンパ球（リンパ球，反応性リンパ球，形質細胞）
3) その他の細胞（単球，組織球，（マクロファージ），中皮細胞，悪性細胞，悪性を疑う細胞）

3分類法では赤血球以外の有核細胞を算定後，3分類を行う。細胞分類は多形核球，リンパ球，その他の細胞のうち最も多い細胞を除いた残りの2つを算定し，細胞から減算して，個々に百分率で表すと簡便である。

しかし，塗抹標本を迅速で作製可能な施設であれば細胞分類はMG染色で行うほうが確実である。

## 2. 塗抹標本による方法

詳細な細胞分類はSamson液やTürk液の計算盤上では限界がある。そのため塗抹標本を作製しMG染色またはGiemsa系染色を実施する。

### (1) 塗抹標本作製法

**1）引きガラス法**（図9.1.6，9.1.7）

①検体を回転力2,000$g$で5分間遠心分離をする。
②遠心後，デカンテーションによって上清を除去する。
③有形成分が破壊されない程度に十分混和をする。
④10$\mu$L以下をスライドガラスに積載する。
⑤引きガラスで検体を均等に広げ，引き終わるように塗布する。
⑥ドライヤーの冷風で素早く乾燥させる。
＊塗抹時の蛋白添加は不要である。
＊細胞数が多い場合は体腔液の上清を少量残し，引きやす

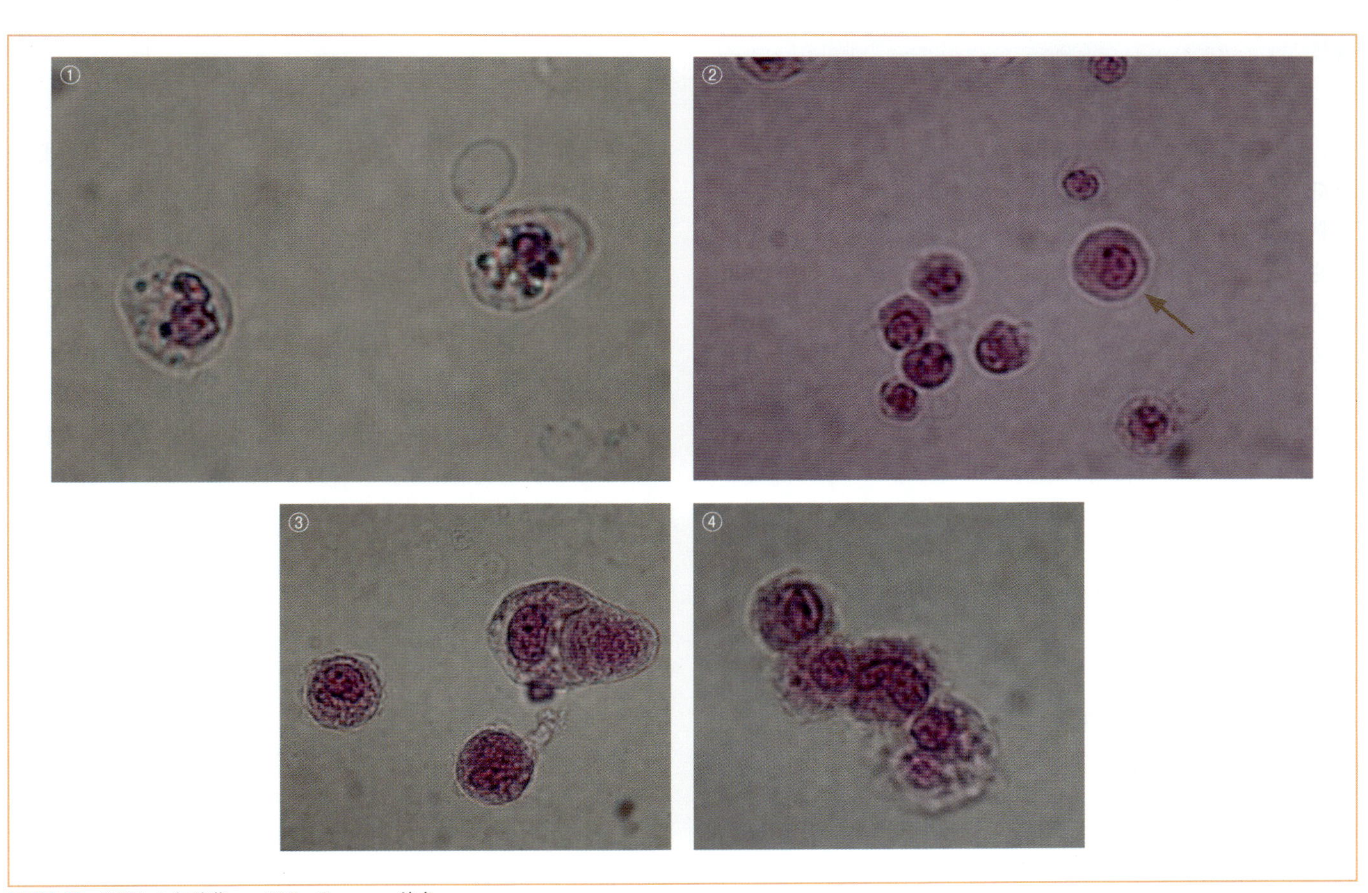


図9.1.5　分類した細胞像　×400　Samson染色
①：多形核球，②：リンパ球（矢印はその他の細胞），③，④：その他の細胞。

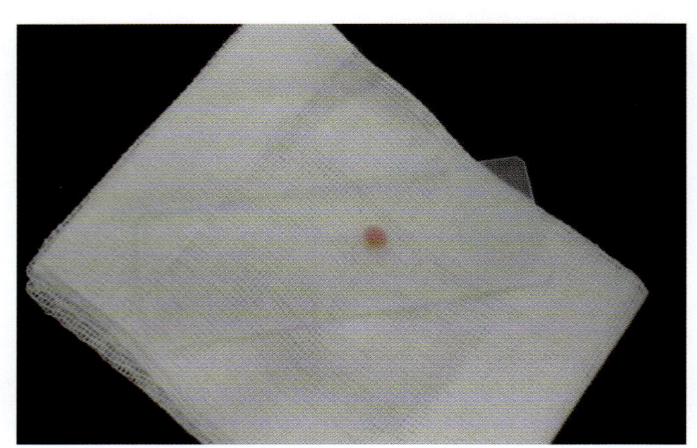
図 9.1.6　スライドガラスへの積載量

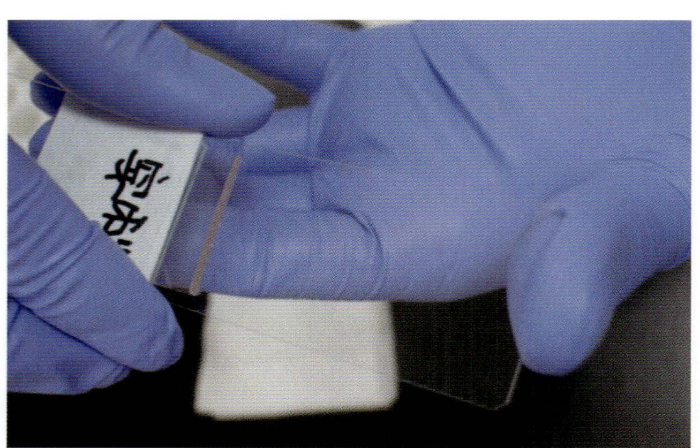
図 9.1.7　塗抹標本の作製

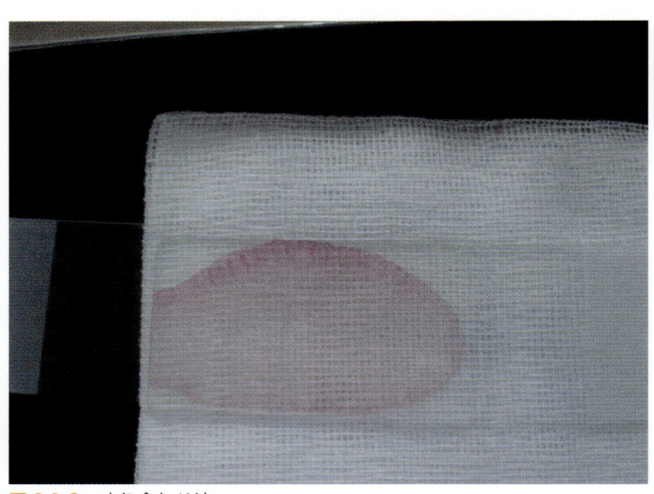
図 9.1.8　すり合わせ法
左右に引く。

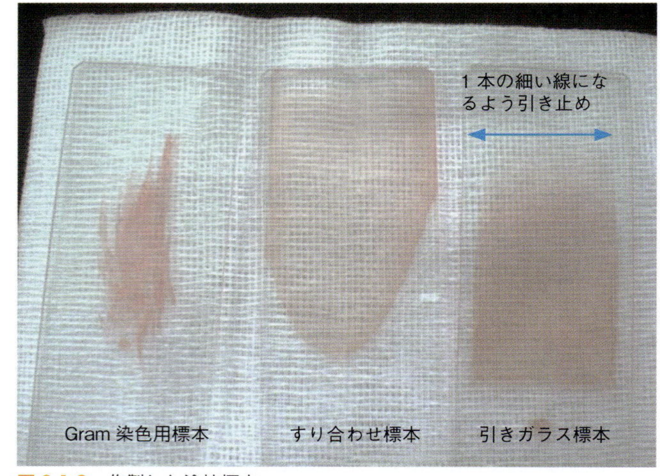

図 9.1.9　作製した塗抹標本

い濃度に調整する。

＊細胞数が少ない場合は十分にデカントを行い，上清で希釈されないようにする。

＊遠心後の上清は臨床化学検査に使用するため，別検査用試験管に移す。

＊沈渣量が多い場合は，引きガラスを倒し，スライドガラスと引きガラスの角度を小さくして引く。

**2）すり合わせ法（図 9.1.8）**

粘性や膿性の検体に用いる

①2枚のスライドガラスの間に検体をはさむ。

②左右にスライドガラスを引き離す。
（このとき，強く圧力をかけると細胞が挫滅状となるため注意する）

③ドライヤーの冷風で素早く乾燥させる。

**3）サイトスピンやフィルター法などで作製する**

それぞれの塗抹標本を図 9.1.9 に示す。

### (2) May-Grünwald Giemsa（MG）染色

**1）染色液について**

①May-Grünwald染色液は細胞の核染よりも細胞質，顆粒をよく染める性質を有する。また，染色と同時に細胞の固定を行う。

②染色液を併用することにより両者の特徴を生かした二重染色法を考案した。

**2）準　備**

①器　具

マイクロピペット，マイクロチップ，駒込ピペット，ゴム帽，噴射びん，乾燥台，染色バット，ガラス棒，有栓メスシリンダー（100mL），ガーゼ，試験管，試験管立て

②試　薬

a. May-Grünwald染色液
b. Giemsa染色液
c. 1/15mol/Lリン酸緩衝液（pH 6.4）
※使用時に精製水で10倍に希釈する。

**3）前準備**

①リン酸緩衝液を精製水で10倍に希釈する。

②Giemsa希釈液を調整する。1/150mol/Lリン酸緩衝液（pH 6.4）1.0mLにGiemsa染色液を1～1.5滴の割合で混合する。

③染色台の上に穿刺液塗抹標本を置く。

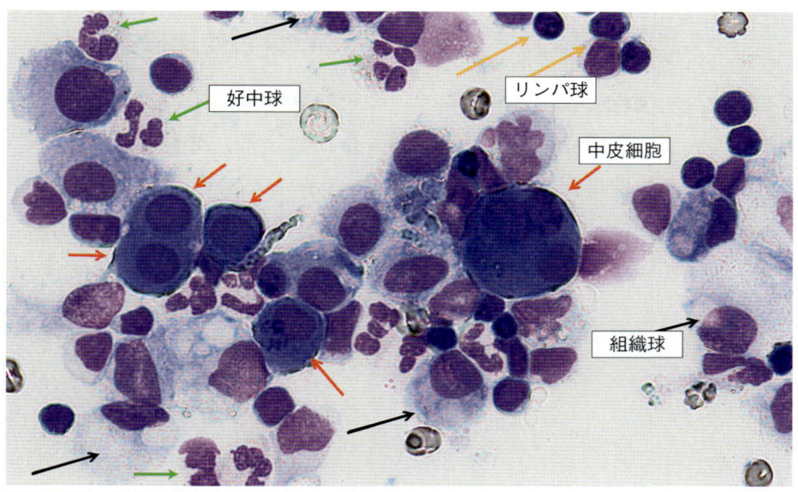


図 9.1.10　MG 染色による細胞像　×400

4）染色手順

①染　色：May-Grünwald染色液2.0mLを標本塗抹面全体に広がるように滴下する。
②放置〈1〉：2〜3分間放置して細胞を固定する。
③緩衝液：リン酸緩衝液約2.0mLを同様に滴下する。
④混　和：液をこぼさないように空気を吹きかけて，よく混和させる。
⑤放置〈2〉：室温で1〜2分間染色する。
⑥洗浄〈1〉・後染色：水洗後，Giemsa染色液を満載する。
⑦放置〈3〉：室温で10〜15分間放置して染色をする。
⑧洗浄〈2〉：塗抹標本の引き終わり部分より精製水で染色液を洗い流す。
⑨洗浄〈3〉：標本の裏から水道水をかけながら標本を水洗する。
⑩拭き取り：裏面をガーゼなどでよくぬぐう。
⑪乾　燥：塗抹標本の引き始めを下にし，裏返しにして立てて乾燥させる。

5）注意事項

①May-Grünwald染色液と緩衝液の混合が十分でないと染色ムラができる。
②水洗時の蒸留水のpHにも気を付ける。
③室温の影響を受けやすいので染色時間を調整する。

## 3. 体腔液中に見られる細胞成分

### (1) 好中球（図 9.1.10）

大きさは12〜15μmで分葉核をもつ。急性炎症（膿胸，肺炎など），悪性腫瘍，術後などに見られる。

### (2) リンパ球（図 9.1.10）

白血球の中で最も小型で7〜10μm。核は類円形核で比較的狭い細胞質をもちN/C比の高い細胞。結核，ウイルス感染症などで優位に出現する。

### (3) 好酸球

大きさは13〜18μmで好中球よりやや大きい。顆粒状の細胞質で分節核を有するが2分節のものが多い。気胸，寄生虫疾患，気管支喘息，アレルギー疾患で見られる。

### (4) 組織球（図 9.1.10）

血球細胞の中では一番大きい細胞で，細胞質は泡沫状やレース状で大小不同の空胞や貪食を認めることがある。核は楕円形，腎形，馬蹄形で偏在傾向，細胞質辺縁は不整形である。

中皮細胞や腺癌細胞と類似し鑑別困難なものまで多彩な形態を示す。リンパ球と同様に正常でも見られるが炎症性疾患で増加する。貪食能を有するためヘモジデリンや細菌類などが細胞質内に貪食されている像が見られることもある。

### (5) 中皮細胞（図 9.1.10）

多辺形で核周囲は厚く，細胞質周辺は薄い細胞である。細胞質表面には約3〜4μmの微絨毛があり，その表面をヒアルロン酸が覆っている。細胞境界は微絨毛が相互に入り組んでいるため，光学顕微鏡では比較的はっきりした線状に見える。中皮細胞は単層扁平上皮細胞で体腔の表面をシート状に覆っている。細胞間には窓形成とよばれる隙間が見られる。腺癌細胞との鑑別が難しい。

用語　核 / 細胞質比（nuclear-cytoplasmic ratio；N / C 比），窓形成（window formation）

### (6) 反応性中皮細胞

体腔内でなんらかの障害が起こると単層扁平であった中皮細胞はその刺激によって立方状，円柱状に変化し，さらに乳頭状，腺管状に増殖する。このような中皮細胞を反応性中皮細胞という。核小体が目立つため腫瘍細胞と鑑別が難しい。

### (7) 腺癌細胞

体腔液中に最も多く見られる腫瘍細胞。大半は他臓器由来で，腺癌が8割以上である。

### (8) 悪性中皮細胞

中皮細胞類似の細胞が孤在性～重積集塊として見られる。細胞集塊として出現しているものは集塊の辺縁に瘤状の突出（ハンプ様細胞質突起）を呈する例が多い。中皮腫細胞の核の大きさはリンパ球の核の約4倍以上であることが多く，類円形で，核形不整に乏しい。大きさは比較的均一で中心性である。 核クロマチンは軽度に増量し，典型例は微細顆粒状である。核小体は明瞭で1～2個認められる。悪性中皮種細胞の大きさは反応性中皮より大きく，N/C比は反応性中皮と比較して小さい場合が多い。

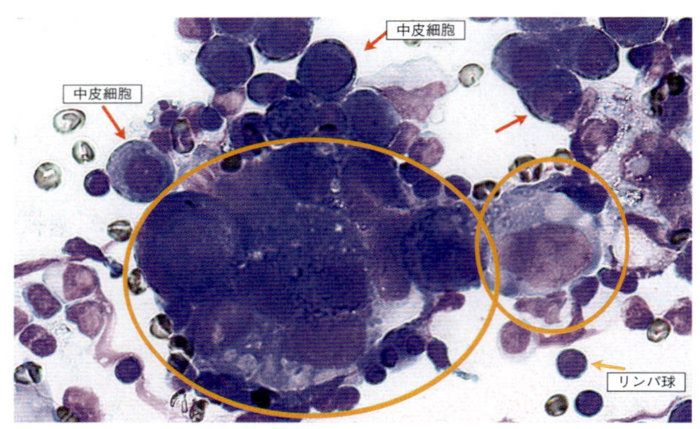

図9.1.11　MG染色による細胞像　×400

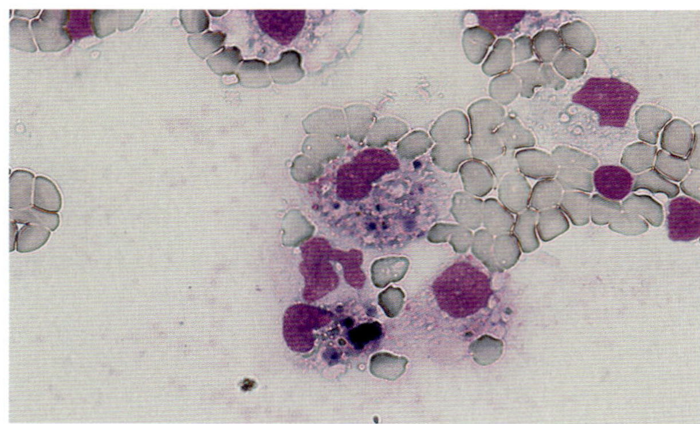
図9.1.12　MG染色による組織球像（ヘモジデリン顆粒あり）　×400

## 4. 染色塗抹標本

### (1) MG染色

1) 細胞分類：標本作製においてサイトスピンなどを使用しない場合は細胞分布に偏りが見られるため少なくとも500個の細胞をカウントする。
2) 標本全体を弱拡大（10×）で観察し，細胞のばらつきや細胞集塊などの確認を行う。
3) 強拡大（40×）にて細胞を分類する。塗抹標本では詳細な細胞分類ができるため，それぞれの細胞成分を分類し百分率（%）で報告する。ただし，細胞分類で判断が困難な場合には，細胞の説明や分類困難な理由を報告するなど無理に鑑別しない。

例)「組織球や中皮細胞と，悪性を疑う細胞が類似しているため，これらの細胞を合わせて○○%です。」など

### (2) MG染色法の染色像

**1) 円形枠内は腫瘍細胞疑い**（図9.1.11）

細胞は集塊で出現し，細胞質は泡沫状，核は円形から楕円形でN/C比が高く核間距離が不均一であることから判断される。組織球と比較し細胞質や核に厚みが見られる。

**2) 組織球**（図9.1.12）

赤血球を背景として，組織球（マクロファージ）内にヘモジデリン顆粒が貪食されている像が見られている。古い出血があったことが示唆される。

**3) 好中球**（図9.1.13）

胸水検体に見られた好中球である。図9.1.13（MG染色像）では細菌の貪食像が見られており膿胸と思われる。図9.1.14は計算盤上での好中球で，Samson染色での細胞質は不染である。

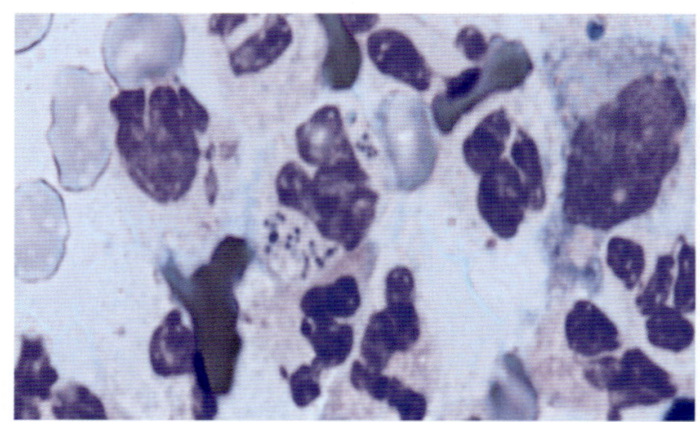
図9.1.13　好中球　胸水　×1,000　MG染色
膿胸検体に見られた好中球である。細胞質内に細菌の貪食像が認められる。

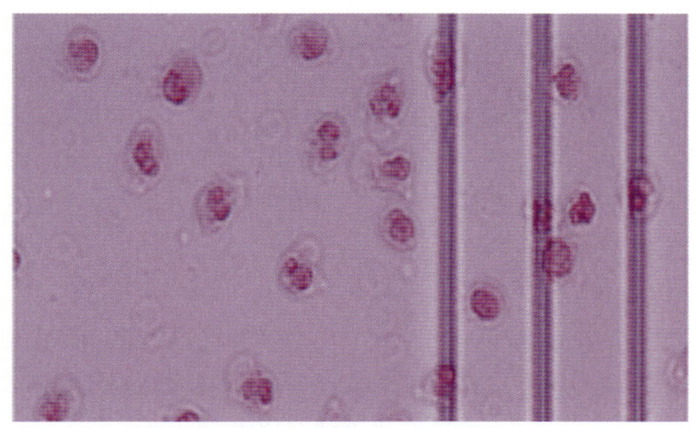

図 9.1.14　多形核球　胸水　×400　Samson 染色
図 9.1.13 と同じ検体の計算盤（Samson 染色）像である。細胞質はほとんど Samson 染色液に染まっていない。

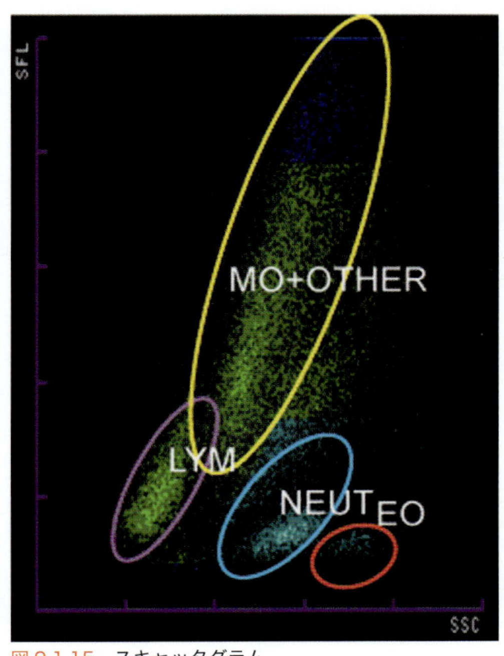


図 9.1.15　スキャッタグラム

### 5. 自動化について

現在，数社において多項目自動血球分析装置に体腔液モードが搭載され，日常検査や日当直時における技師間差や煩雑さの解消に利用されつつある。単核球，多形核球，または全有核細胞数測定などの報告形式は機種により異なるため，どのような形式かを理解しておくことが必要である。血液細胞以外の大型細胞が多く出現した場合は，スキャッタグラムなどの所見（図 9.1.15）を詳細に観察し，Samson 染色による細胞数算定および細胞分類の確認，または塗抹標本による分類を行う必要がある。ただし，研究項目も含まれるため，使用にあたっては注意を払うこと。

## 9. 1. 5　臨床化学検査

遠心後の上清を用いて検査する。一般的な測定項目は穿刺蛋白，穿刺アルブミン，穿刺LD，穿刺グルコースであり，滲出性と漏出性の鑑別に利用されている[1]。

臨床的に結核や腫瘍性胸水が疑われる場合には，穿刺アデノシンデアミナーゼ（穿刺ADA），穿刺腫瘍マーカーなども測定される[6]。

### 1. Light の基準[1]（表 9.1.1）

胸水における滲出性と漏出性の鑑別にはライト（Light）の基準を用いる。

1) 胸水蛋白 / 血清蛋白　＞0.5
2) 胸水LD / 血清LD　＞0.6
3) 胸水LDが血清LDの正常値上限2/3以上

1)～3）の少なくとも1つを満たせば滲出性，1)～3）とも満たさなければ漏出性である。

### 2. アルブミン（Alb）の濃度勾配（差）（表 9.1.1，図 9.1.16）

| 滲出性 | 漏出性 |
|---|---|
| SEAG≦1.2 g/dL | SEAG＞1.2 g/dL |
| SAAG＜1.1 g/dL | SAAG≧1.1 g/dL（門脈圧亢進） |

### 3. 穿刺グルコース

胸水において60 mg/dL以下をきたす場合に，肺炎随伴性胸水，悪性胸膜疾患，結核性胸膜炎，リウマチ性疾患が疑われる。

### 4. 穿刺 ADA

胸水において40 U/L以上で細胞分画がリンパ球優位であれば結核性胸膜炎が疑われ，70 U/L以上であれば結核性胸膜炎が強く疑われる。膿胸も高値を示すが，細胞分画にて好中球が優位になることで判別される。

---

**用語**　単球（monocyte；MO），リンパ球（lymphocyte；LYM），好中球（neutrophil；NEUT），好酸球（eosinophil；EO），アデノシンデアミナーゼ（adenosine deaminase；ADA）

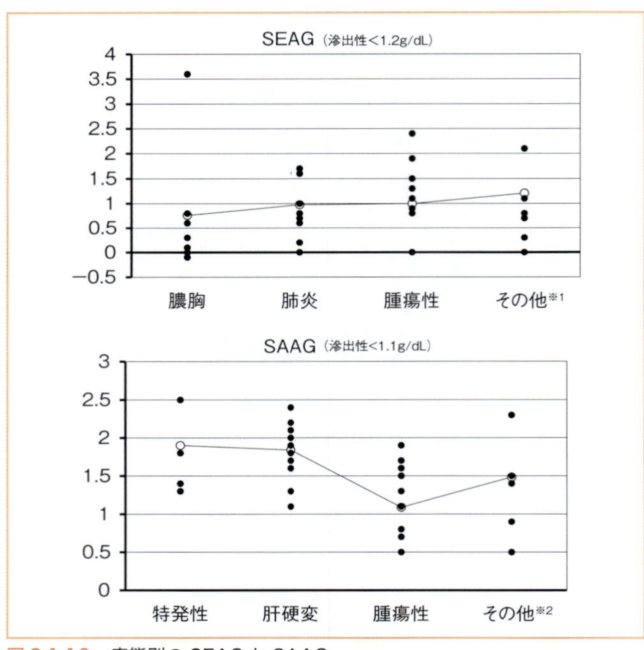


図 9.1.16　病態別の SEAG と SAAG
※1 心不全，肝硬変，低栄養，腎不全
※2 腎不全，Budd-Chiari 症候群

## 5. 穿刺アミラーゼ

膵疾患，悪性腫瘍，食道破裂などでは，血清中よりも胸水中のアミラーゼ値の方が高くなる場合がある。

## 6. 乳び胸

リンパ系の閉塞により，胸管が破綻してリンパ液の流出障害が生じ，乳び（白濁・ミルク状）が胸腔内に漏れ出ること。その他，悪性リンパ腫，腫瘍性疾患，結核感染などでも乳び胸が見られる。

### 1）診　断

①乳び胸：胸水トリグリセリド（TG）値が110mg/dL以上を示す場合。およびコレステロール値の胸水/血清比が1.0以下。エーテルにより清澄化する。

②偽乳び胸：長期にわたる胸水の貯留によって，細胞成分の多い液が長く被包化され変性し，脂肪化，乳状化したもの。TG値が血清と同等または50mg/dL以下の場合。偽乳び胸では胸水の沈渣成分を無染色で観察するとコレステロール結晶が見られる場合がある。コレステロールやレシチン-グロブリン複合体が胸水中に蓄積し，乳び様に見られる。エーテルにより清澄化しないため乳び胸と鑑別可能である。

## 7. 穿刺 pH 測定

胸水のpH測定は，ガス分析器装置による精度の高い方法で行い，pHメーターや試験紙法は用いない[7]。膿胸では，pH値が予後不良や治療法の選択に重要な所見として位置付けられており，pH7.2未満になると予後不良のリス

## Q 胸水や腹水の通常の細胞数はどれくらいか？

**A** 病態別の胸水と腹水の細胞数をグラフに示した（図9.1.17，9.1.18）。胸水における漏出性の細胞数は1,000/μL以下であることが多いため，滲出性との鑑別の指標になる。腹水では100/μL以下であることが多く，胸水での細胞数との間に違いが見られる。

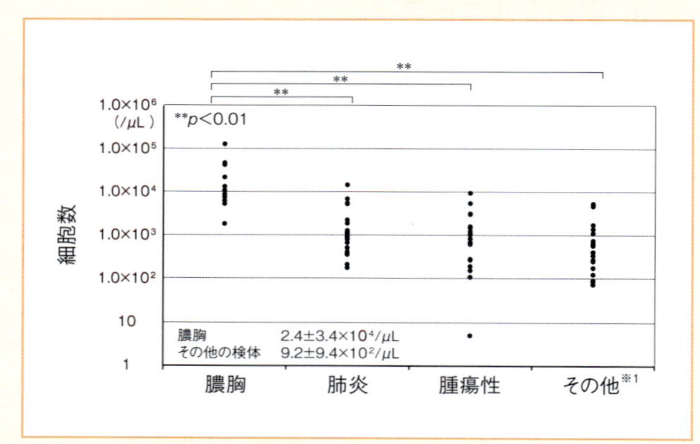


図 9.1.17　病態別胸水細胞数
※1 心不全，肝硬変，低栄養，腎不全

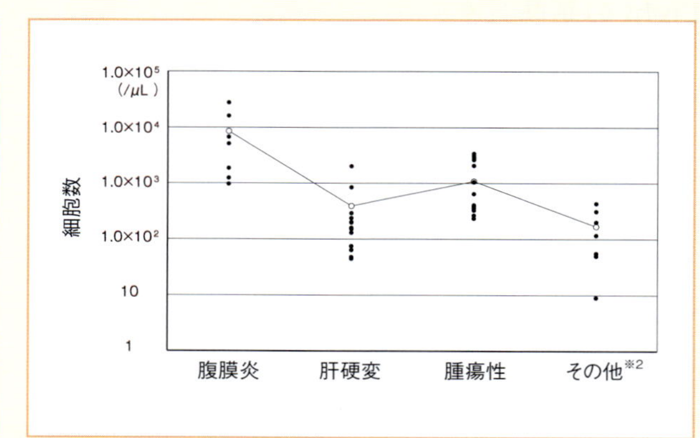


図 9.1.18　病態別腹水細胞数
※2 Budd-Chiari 症候群，腎不全

用語　トリグリセリド（triglyceride；TG）

表 9.1.4　pH 値が 7.2 未満となる病態

| | |
|---|---|
| 複雑性肺炎随伴性胸水 | 血胸 |
| 食道破裂 | 全身性のアシドーシス |
| リウマチ性胸膜炎 | 肺吸虫症 |
| 悪性胸膜疾患 | ループス胸膜炎 |
| 結核性胸膜炎 | 膿胸 |

クが高くなることから[8]，米国胸部専門医学会（ACCP）では，pH 7.2未満はドレナージの適応としている[9]（表9.1.4）。

## 8. 穿刺ヒアルロン酸

胸水100μg/mL以上の場合，悪性胸膜中皮腫が疑われるが，低値の場合でも悪性胸膜中皮腫は否定できないため，ヒアルロン酸のみで判断してはいけない。

### Q　比重やリバルタ反応の検査は必要か？

**A**　尿屈折計は蛋白や糖の含有量が少ない尿検体を検査する目的で設計されているため，穿刺液の比重測定に用いた場合には測定値の補正が必要となり，正確さに欠けることになる[10]。リバルタ反応検査は定性検査であるため，蛋白，LD，Albなどの定量検査と置き換え可能で，漏出性・滲出性の鑑別ができる。詳細な蛋白分画が必要であれば，電気泳動などへ移行する。

### 検査室ノート　血性検体の検査方法

血性胸水は胸水のヘマトクリット値が20%以上，または末梢血ヘマトクリット値の50%を超える場合に“血胸”といわれ，その出血量で治療法が異なる。出血量を確認するには3,000rpm 5分程度遠心し，ヘマトクリット値から推定する。おもに心・大血管損傷，肺損傷，胸壁血管損傷で生じる。穿刺時の出血（医原的）はヘマトクリット1%未満のことが多い。

### 検査室ノート　腹水と尿の判別について

血中尿素窒素（BUN）やクレアチニン（Cr）を測定すればある程度鑑別できる。その値が血中の値と近似していれば，まず腹水を考える。BUN，Cr，アンモニアの値が上昇していれば，膀胱破裂の可能性がある。

膀胱破裂では腹腔内に流出した尿が腹膜を介して再吸収される（逆腹膜透析）ため，血清K，BUN，Crの上昇がしばしば見られ，偽性腎不全の状態を呈することがある。

**用語**　米国胸部専門医学会（American College of Chest Physicians；ACCP），ループス（lupus）胸膜炎，血中尿素窒素（blood urea nitrogen；BUN），クレアチニン（creatinine；Cr），偽性腎不全（pseudo-renal failure）

## 検査室ノート　胸水と腹水のpH測定について

### (1) 胸水のpH測定の時間について

胸水のpHは，空気に触れると二酸化炭素が胸水から拡散するといわれている[11]。実際検討したpH値は時間の経過とともに変動するため（図9.1.19），採取後直ちに測定することが望ましい。胸水のpHが7.2未満は膿胸の診断やドレナージ適応の治療に直結するため重要である（図9.1.20）。

### (2) 腹水のpH測定について

腹水のpH測定の臨床的意義は，少ないと考えられる。過去に腹水中に腸液が漏れて，pH7.8以上のことがあった（図9.1.21）。

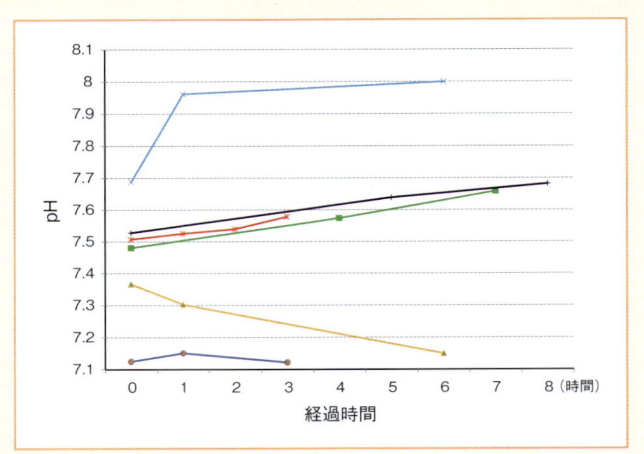


図9.1.19　pH値の経時的変化

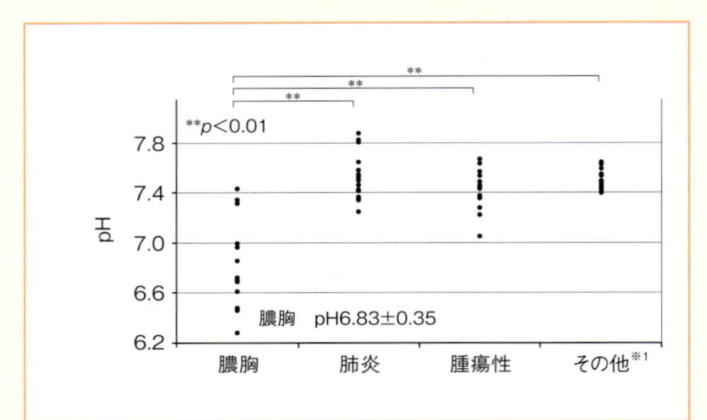


図9.1.20　病態別胸水pH値
※1 心不全，肝硬変，低栄養，腎不全

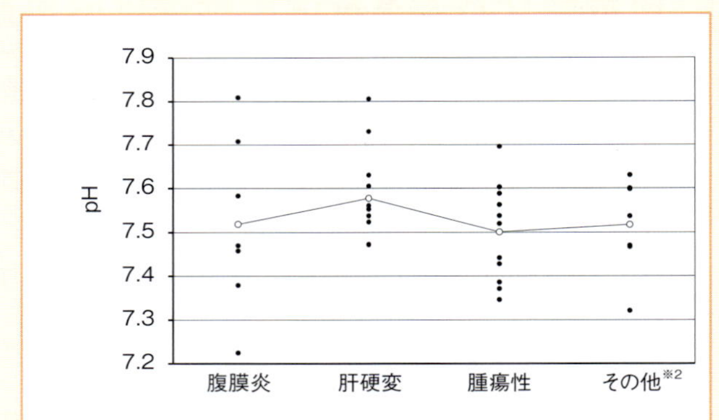


図9.1.21　病態別の腹水pH値
※2 腎不全，Budd-Chiari症候群

## 9.1.6　アトラス

(1) Samson染色，Türk液による細胞像（図9.1.22～9.1.27）

Samson染色，Türk液では好中球や好酸球の分類はできないため多形核球として分類する。

組織球や中皮細胞などは細胞判定できないためその他の細胞として計算盤上では分類する。

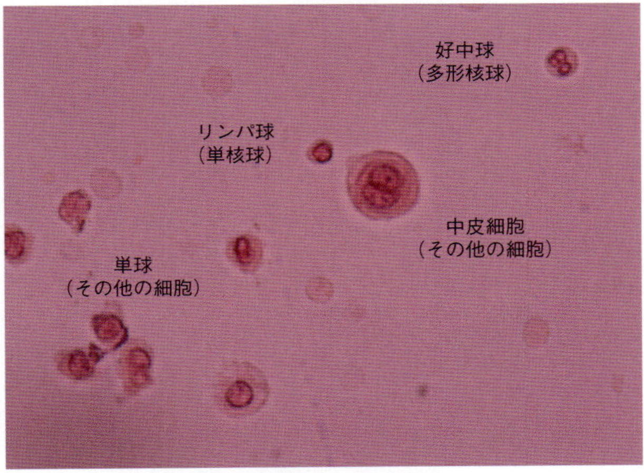


図9.1.22　腹水　計算盤　×400　Samson 染色

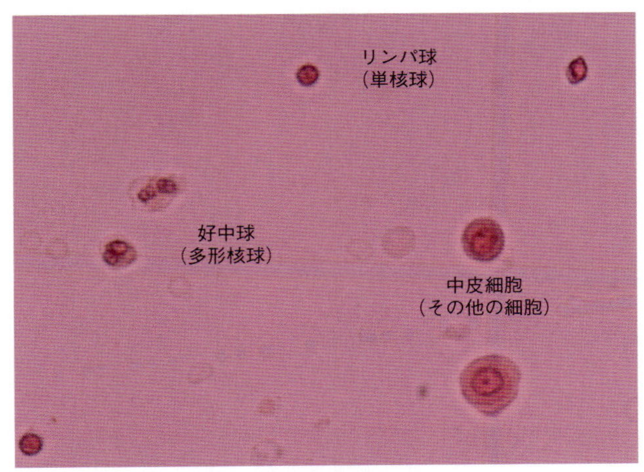


図9.1.23　腹水　計算盤　×400　Samson 染色

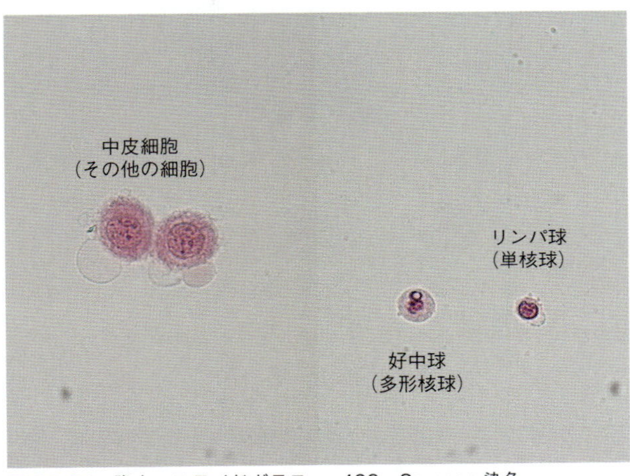


図9.1.24　腹水　スライドガラス　×400　Samson 染色

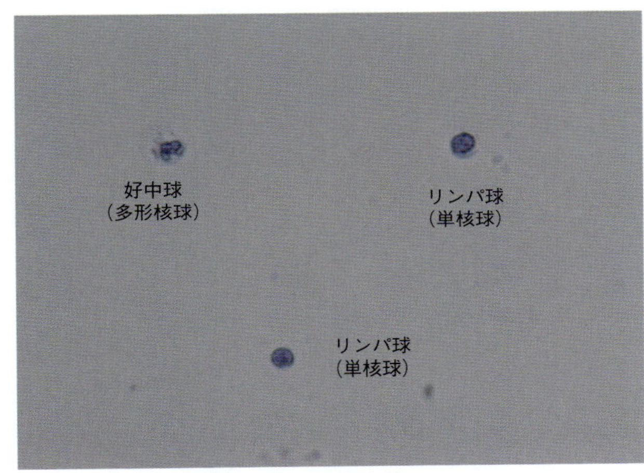


図9.1.25　腹水　計算盤　×400　Türk 液

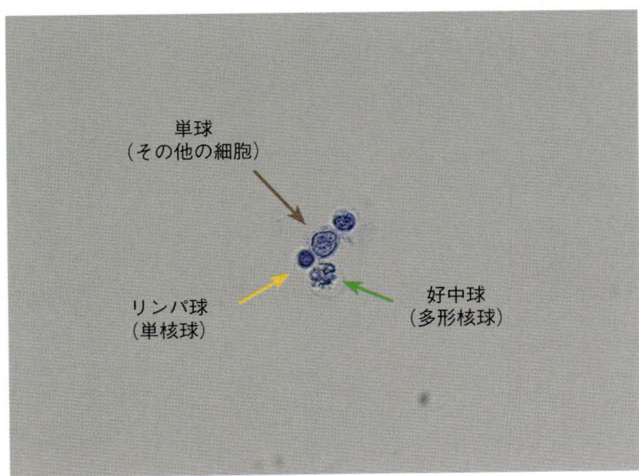


図9.1.26　腹水　スライドガラス　×400　Türk 液

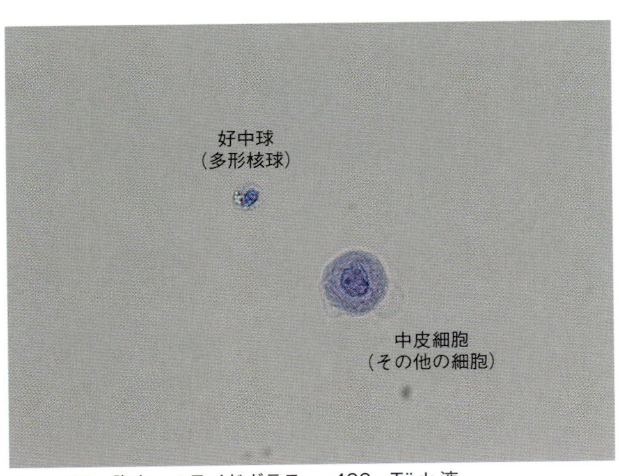


図9.1.27　腹水　スライドガラス　×400　Türk 液

### (2) MG染色による細胞像（図9.1.28〜9.1.33）

MG染色標本では詳細な分類が可能なので，好中球，組織球，中皮細胞として鑑別できる。

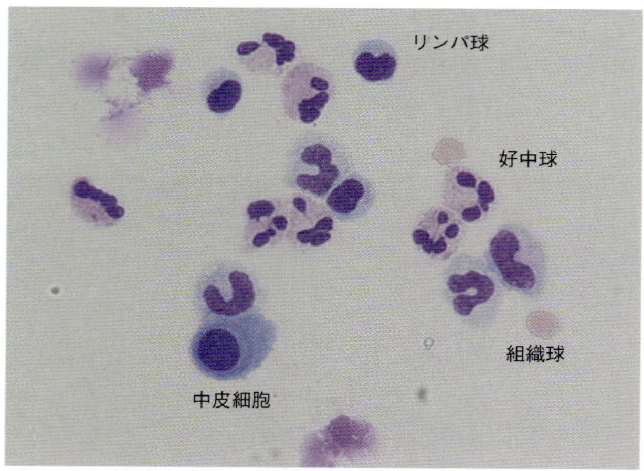


図9.1.28　胸水　×400　MG染色
好中球，リンパ球，組織球，中皮細胞

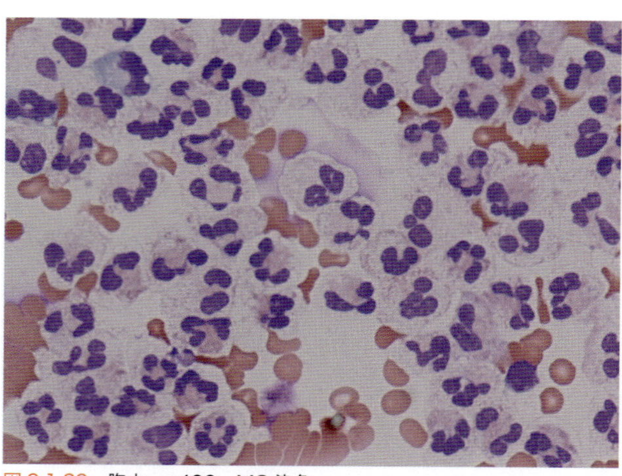

図9.1.29　胸水　×400　MG染色
肺炎に見られた好中球

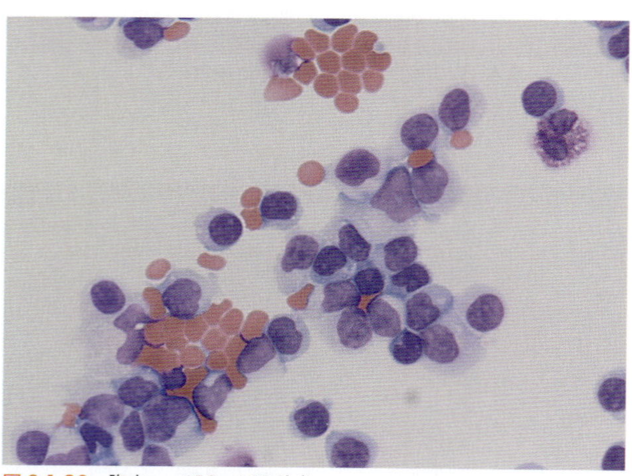

図9.1.30　胸水　×400　MG染色
リンパ球

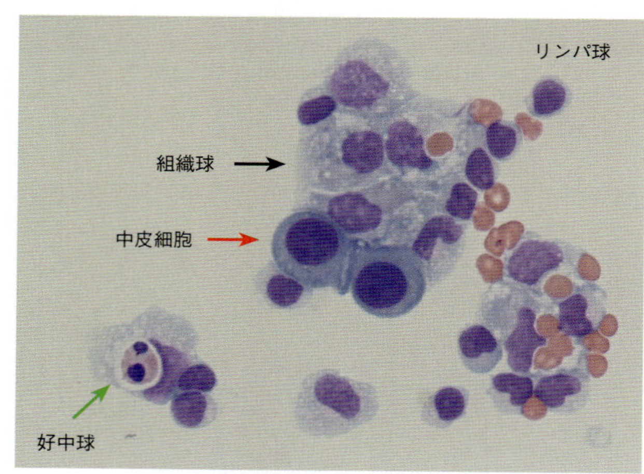


図9.1.31　胸水　×400　MG染色
組織球（→），中皮細胞（→），好中球（→），リンパ球

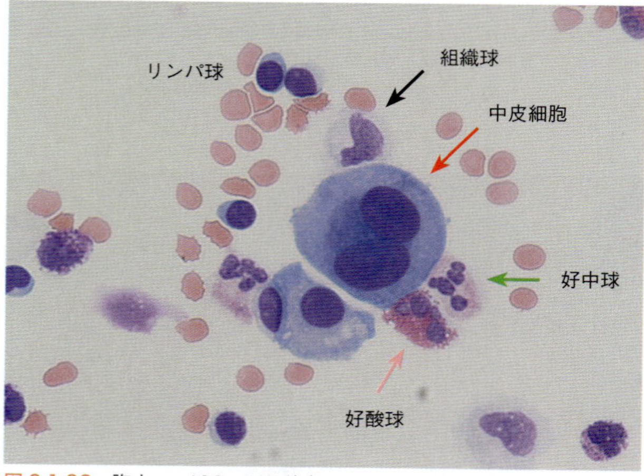


図9.1.32　胸水　×400　MG染色
中皮細胞（→），組織球（→），好中球（→），好酸球（→），リンパ球

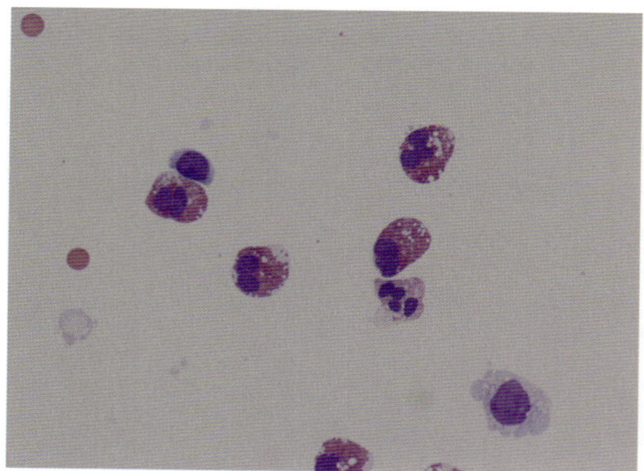

図9.1.33　胸水　×400　MG染色
好酸球

### (3) 各種疾患における細胞像（図9.1.34～9.1.40）

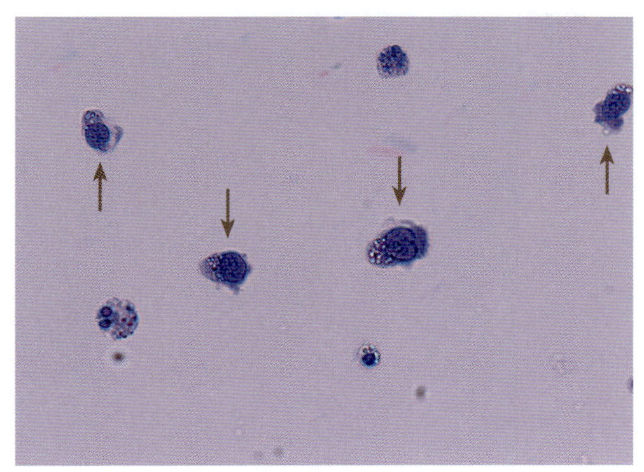

図 9.1.34（a） 腹水 ×400 Türk 液
悪性リンパ腫 ML 細胞（その他の細胞）

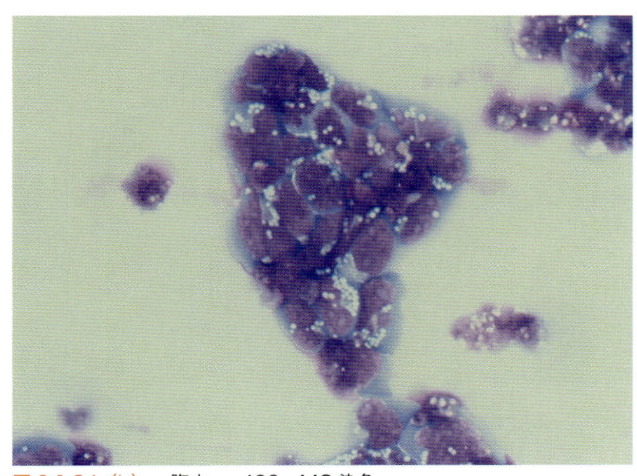

図 9.1.34（b） 腹水 ×400 MG 染色
悪性リンパ腫 ML 細胞（Burkitt リンパ腫）

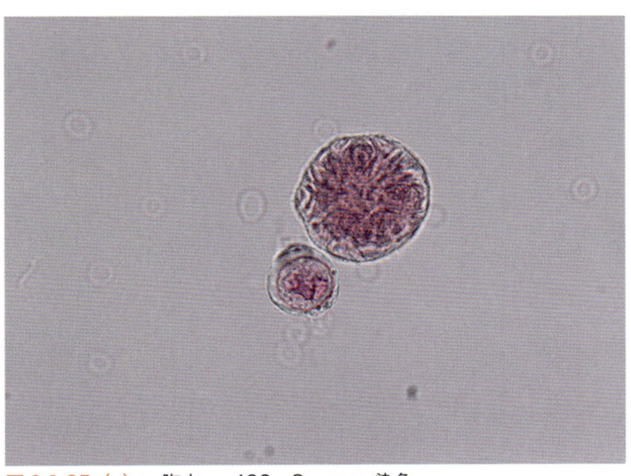

図 9.1.35（a） 胸水 ×400 Samson 染色
多発性骨髄腫 骨髄腫細胞（その他の細胞）

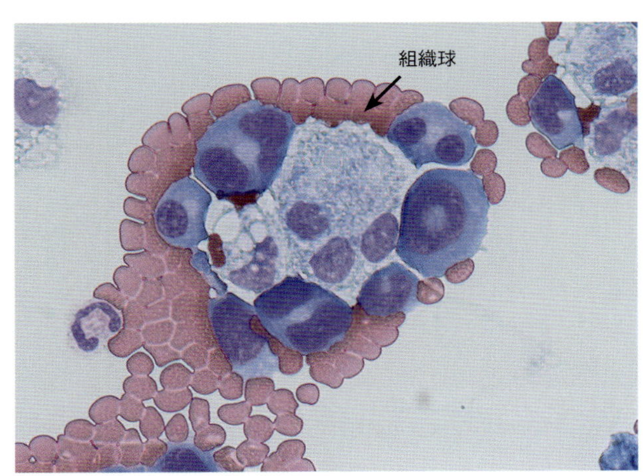


図 9.1.35（b） 胸水 ×400 MG 染色
多発性骨髄腫 骨髄腫細胞

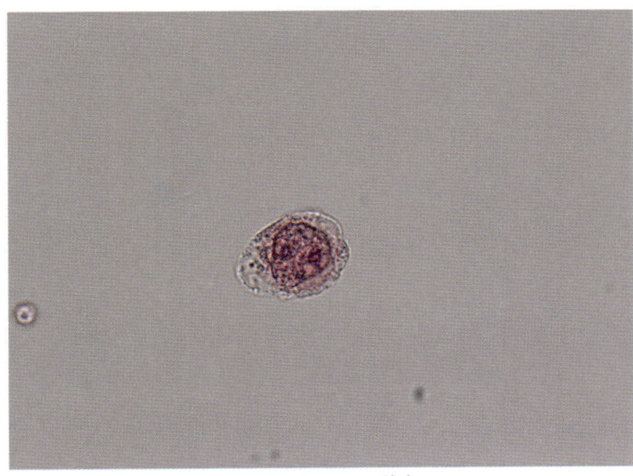

図 9.1.36（a） 胸水 ×400 Samson 染色
多発性骨髄腫 骨髄腫細胞（その他の細胞）

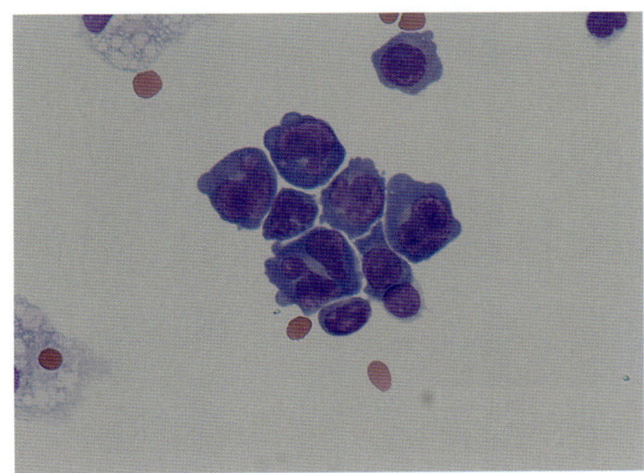

図 9.1.36（b） 胸水 ×400 MG 染色
多発性骨髄腫 骨髄腫細胞

用語 悪性リンパ腫（malignant lymphoma；ML）

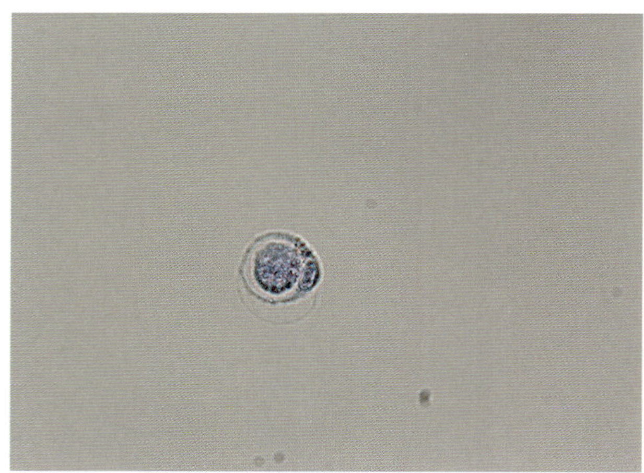

図 9.1.37（a）　胸水　×400　Türk 液
胃がん　腺癌細胞（その他の細胞）

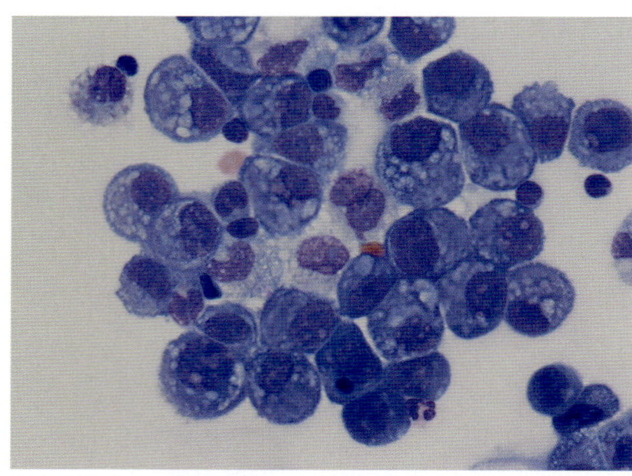

図 9.1.37（b）　胸水　×400　MG 染色
胃がん　腺癌細胞

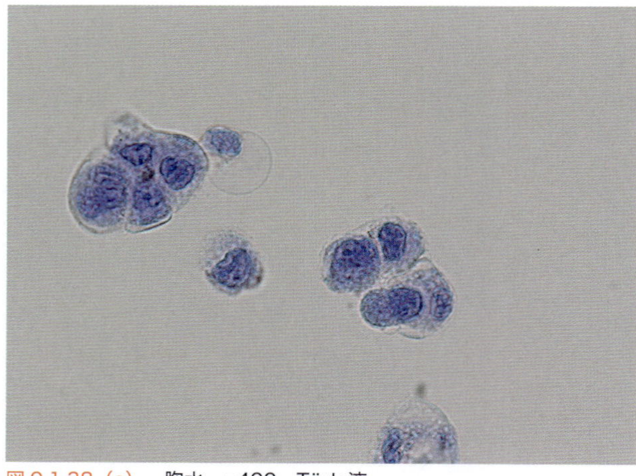

図 9.1.38（a）　胸水　×400　Türk 液
肺がん　腺癌細胞（その他の細胞）

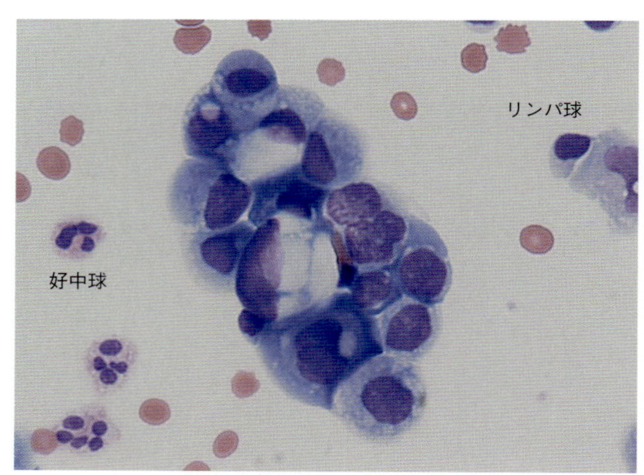


図 9.1.38（b）　胸水　×400　MG 染色
肺がん　腺癌細胞

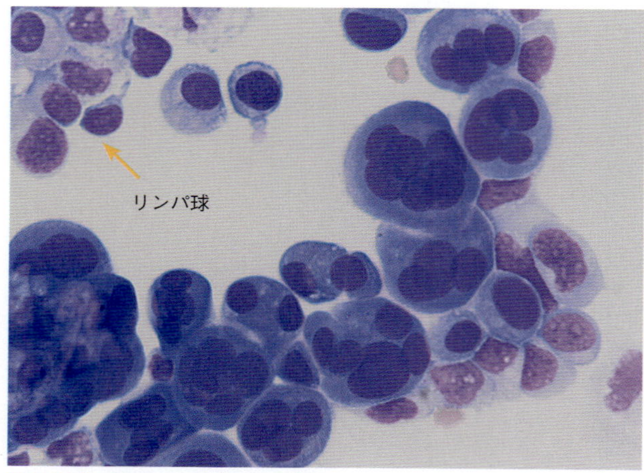


図 9.1.39　胸水　×400　MG 染色
悪性中皮腫細胞　リンパ球（→）

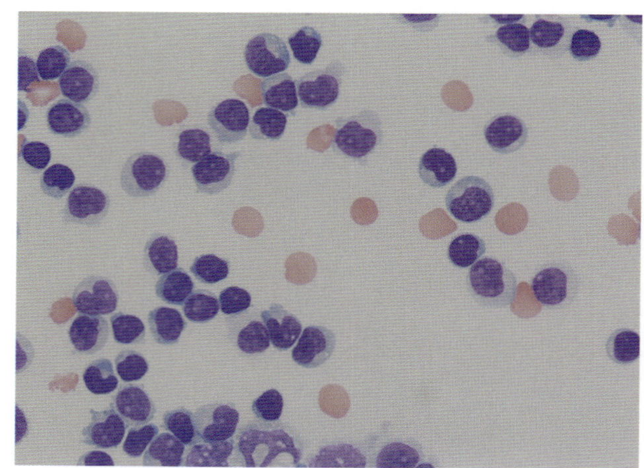

図 9.1.40　胸水　×400　MG 染色
結核　リンパ球

［山下美香・小関紀之］

## 参考文献


1) 本間敏明：「胸水」，臨床雑誌『内科』，2004；93：1469-1470.
2) 池上 正，他：「腹水」，臨床雑誌『内科』，2004；93：1471.
3) 矢野正生，他：「A. 体腔液 3. 臨床化学的検査」，Medical Technology，2005；33：1386-1389.
4) Light RW, *et al.*：“Pleural effusion：the diagnostic separation of transudates and exudates”, Ann Intern Med, 1972；77；507-513.
5) 岡庭 豊：「穿刺・チューブ挿入」，診察と手技がみえる Vol.2 第 1 版，98-127，メディックメディア，2010.
6) 横田順一朗：「第 5 章 胸部外傷」，外傷初期診療ガイドライン JATEC 改訂第 3 版，日本外傷学会・日本救急医学会（監），へるす出版，2011.
7) Cheng DS, *et al.*：“Comparison of pleural fluid pH values obtained using blood gas machine, pH meter, and pH indicator strip”, Chest, 1998 ;114：1368-1372.
8) Light RW, Rodriguez RM：“Management of parapneumonic effusions”, Clin Chest Med, 1998 ;19：373-382.
9) Colice GL, *et al.*：“Medical and surgical treatment of parapneumonic effusions:an evidence-based guideline”, Chest, 2000；118：1158-1171.
10) Light RW：“Falsely hight refractometric readings for the specific gravity of pleural fluid”, Chest, 1979；76：300-301.
11) Chandler TM, *et al.*：“Comparison of the use and accuracy of methods for determining pleural fluid pH”, South Med J, 1999；92：214-217.
12) 保科ひづる，他：「穿刺液検体の検査法―細胞数と細胞分類を中心に」，医学検査，2020；69：701-710.
13) 石山雅大：「胸水・腹水・心嚢液」，臨床検査，2016；60：478-489.

# 9.2 ｜ 関節液検査

- 正常の関節液は少なく，最も大きい膝関節でも4mL以下であるため通常は採取できない。少量でも採取された場合は病的と考えられる。
- 関節液は各種検査結果から関節疾患を鑑別する。
- 関節液を検査する際には，ヒアルロニダーゼ処理を行って粘稠性を除去する。
- ヒアルロニダーゼ処理後の検体を使用すれば，多項目自動血球分析装置（体腔液測定モード）での機器測定も可能である。必要に応じて遠心した沈渣成分から塗抹標本を作製し，MG染色を実施して詳細な細胞分類を行う。
- 関節液中の結晶の確認は診断に有用である。痛風では尿酸ナトリウム（MSU）結晶，偽痛風ではピロリン酸カルシウム（CPPD）結晶が見られる。結晶の鑑別は鋭敏色検板付偏光顕微鏡で行う。

## 1. 臨床的意義

関節液は関節疾患の鑑別診断における重要な情報源であり，その検査結果は治療方針の決定に重要である。関節液は関節穿刺により採取し，炎症性か非炎症性かを判別して結晶の有無を評価する。

## 2. 基礎知識

### (1) 関節液の生成および役割

関節液は関節腔に貯留する粘稠度の高い液体で，血液滑膜関門（BSB）を介して選択的に流入した血漿ろ過成分と，滑膜細胞から分泌されたヒアルロン酸や糖蛋白などにより構成される。電解質や低分子量の物質は血中とほぼ同濃度であるが，高分子量の物質は血中より低濃度である。フィブリノゲンはほとんど存在しない。

関節液は関節軟骨表面を覆っており，歩行などの緩やかな動きの場合には粘性が優位に作用して潤滑作用をもたらし，走行などの速い動きの場合には弾性が優位に作用して衝撃緩衝作用をもたらしている。また，関節軟骨の栄養も担っている。

膝関節の構造を図9.2.1に示す。正常の関節液は少なく，最も大きい膝関節でも4mL以下であるため通常は採取できない。少量でも採取された場合は病的と考えられる。

### (2) 検体の採取法

膝関節穿刺が最も多く行われるが，肩関節，肘関節，手関節，足関節，股関節の穿刺も行われることがある。膝関節穿刺には一般的に18G針を使用し，外側膝蓋骨上方からの刺入法を用いる[1]。患者を仰臥位とし，膝関節を伸展位として大腿四頭筋の緊張を取る。穿刺部位の少なくとも10cm四方をポピドンヨードなどで十分に消毒し，関節の部位によっては18〜23Gの針を使い，X線透視下で穿刺する。穿刺時の痛みを軽減する必要がある場合には，刺入部の皮膚・皮下組織に塩酸リドカイン1〜2mLによる局所麻酔を行う。

### (3) 検体の取扱い

採取後にはまず，量と外観を観察する。それから臨床微生物検査用として滅菌スピッツに分注し，残りを細胞数の算定や臨床化学検査に使用する。

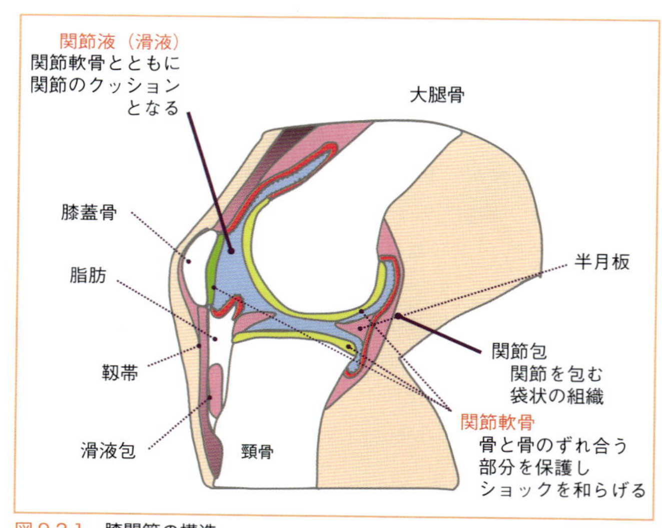


図9.2.1　膝関節の構造
〔横山　貴，谷口敦夫：「第8章 体腔液検査」，一般検査技術教本，132，日本臨床衛生検査技師会（編），2012より〕

**用語**　血液滑膜関門（blood-synovial barrier；BSB）

**1）前処理**

関節液は粘稠度が高いため，検査を実施するにあたってはヒアルロニダーゼ処理を行う[2]。

①ヒアルロニダーゼ10 mgを生理食塩水6 mLに溶解し，100 μLずつに小分け分注して-20℃で凍結保存しておく。

②このヒアルロニダーゼ調製液100 μLを検査開始の直前に検体に添加し，数回の転倒混和を行って検体の粘稠性を除去する。

**2）検　査**

①検体量が少ない場合には，添加したヒアルロニダーゼ調製液による希釈倍率を考慮して細胞数を算定する。

注1）ヘパリンはSamson液と反応して細胞数算定の障害となるため，抗凝固剤は使用しない。

注2）EDTAを使用するとカルシウム塩がEDTAと錯体を形成し，検体にピロリン酸カルシウム（CPPD）結晶が含まれている場合には溶解してしまう。

②時間の経過とともに細胞の数の減少・崩壊が進むため，細胞数算定および細胞分類は速やかに行う。

注1）保存検体での検査は原則として行わない。

注2）結晶の同定についても，時間の経過とともに結晶成分の析出が起こって鑑別が困難になることがあるため，速やかに検査する。

注3）化学的検査を行うために関節液検体を保存する場合は，細胞代謝や細胞崩壊による変化を防ぐため速やかに遠心分離を行い，-20℃で凍結保存する。

注4）補体や特殊な酵素などを検査する検体は，無処理のまま-70℃で凍結保存する。

## 3. 一般性状検査

### (1) 関節液の分類

関節液の分類と関節疾患の鑑別診断について表9.2.1に示す。正常の関節液は粘稠度が高く，無色～淡黄色で透明であり，白血球数は$0.2 \times 10^3/\mu L$未満，細胞分類における多形核球は25%未満である。

### (2) 色　調（図9.2.2）

変形性関節症では透明な淡黄色を呈する。関節リウマチでは一般的に黄色を呈する。痛風および偽痛風では淡黄色～黄色を呈する。細菌感染ではクリーム状の黄色～白色，ときに血性を呈する。赤色を呈する血性関節液の場合には外傷，関節内骨折，靱帯損傷，感染，血液疾患，腫瘍などが考えられる。血性かつ脂肪滴を含む場合には関節内骨折の存在が示唆される[3]。

### (3) 混　濁

混濁の程度は関節液中の白血球数に比例する[4]。炎症性関節液では，透明度が低下して混濁が強まる。透明度は高いものの軟骨細片の浮遊を認める場合には，変形性関節症が考えられる。混濁がとくに強い関節液は血性もしくは膿性であり，細菌検査が必要である。関節リウマチでは半透明～混濁を呈する。

### (4) 粘稠度

図9.2.2　関節液の色調と分類

表9.2.1　関節液の分類と関節疾患の鑑別診断

| | 正　常 | 非炎症性 | 炎症性 | 化膿性 | 血　性 |
|---|---|---|---|---|---|
| 色調 | 無色～淡黄色 | 淡黄色 | 淡黄色～黄色 | 黄色～白色 | 赤色 |
| 透明度 | 透明 | 透明 | 透明～混濁 | 混濁 | 混濁 |
| 粘稠度 | 高い | 高い | 不定 | 低い | 不定 |
| 白血球数（$\times 10^3/\mu L$） | 0.2 未満 | 2.0 未満 | 5.0 以上 | 50.0 以上 | 不定 |
| 多形核球 | 25%未満 | 25%未満 | 50%以上 | 75%以上 | 不定 |
| 培養 | 陰性 | 陰性 | 陰性 | 陽性 | 不定 |
| 疾患 | | 変形性関節炎<br>外傷性関節炎<br>神経痛関節炎<br>骨軟骨腫瘍 | 関節リウマチ<br>SLE<br>痛風・偽痛風<br>血管炎症候群<br>サルコイドーシス<br>リウマチ性多発筋炎<br>Reiter 症候群<br>乾癬性関節炎 | 感染性関節炎<br>細菌性<br>結核性<br>真菌性 | 血友病<br>外傷性関節炎<br>結核<br>腫瘍<br>色素性絨毛結節性滑膜炎<br>凝固障害<br>Charcot 関節炎 |

〔三浦裕正：「第13章 検査」，標準整形外科学 第14版，154，井樋栄二，他（編），医学書院，2020 より改変〕

**用語**　エチレンジアミン四酢酸（ethylenediaminetetraacetic acid；EDTA），ピロリン酸カルシウム（calcium pyrophosphate dehydrate；CPPD），シャルコー（Charcot）関節炎

採取したシリンジからゆっくりと関節液を滴下し，糸を引くかどうかを観察する（ドリップテスト）。粘稠性は関節液中のプロテオグリカンとヒアルロン酸のはたらきによって維持されており，正常，変形性関節症，外傷性関節炎，全身性エリテマトーデス（SLE）などでは粘稠度が高く，糸を引くように落下する。関節リウマチ，痛風，化膿性関節炎などでは粘稠度が低く，水滴のように落下する。

## ● 4. 顕微鏡学的検査

### (1) 細胞数算定および細胞分類

#### 1) 前処理

関節液に細胞数算定用のTürk液やSamson液を添加すると，酢酸が関節液中のフィブリンやヒアルロン酸と反応して白血球の集塊を生じさせるため，検査には前述のヒアルロニダーゼ処理を行った検体を用いる。

#### 2) 検査法

関節液の細胞数算定と細胞分類は，体腔液に準じる（p.188，9.1.3項「●2. 体腔液細胞数算定」を参照）。ヒアルロニダーゼ処理後の検体であれば，多項目自動血球分析装置の体腔液測定モードを用いた機器測定も可能である。

正常関節液の細胞数（白血球）は，平均$0.06 \times 10^3/\mu L$程度で$0.2 \times 10^3/\mu L$未満である。非炎症性では$2.0 \times 10^3/\mu L$未満，炎症性では$5.0 \times 10^3/\mu L$以上，化膿性では$50.0 \times 10^3/\mu L$以上となる（表9.2.1）。

細胞分類もSamson染色で実施可能であるが，分類が困難な細胞を認める場合やより詳細な鑑別が必要な場合は，塗抹標本を作製して，MG染色を実施することが望ましい。正常関節液では単球および組織球（マクロファージ）が60%，リンパ球が30%，好中球が10%である[5]。多形核球の割合は正常および非炎症性では25%未満，炎症性では50%以上，化膿性では75%以上である（表9.2.1）。

好中球が95%以上を占める場合は，白血球数にかかわらず化膿性関節炎が疑われる。濃縮核をもつ好中球は関節リウマチ，痛風・偽痛風で認められることが多い。好酸球はアレルギー反応，寄生虫感染，ライム（Lyme）病などで2%以上を占めることがある。リンパ球は早期の関節リウマチ，SLE，ウイルス性関節炎，非炎症性関節炎で認められる。組織球は，炎症性疾患で白血球数が多いときに認められることが多い。そのほか，結晶を貪食した好中球や組織球，LE小体を貪食したLE細胞，好中球を貪食した単球〔ライター（Reiter）細胞〕が見られた場合は臨床上重要な所見であるため，コメントを付記して報告する（図9.2.3，9.2.4）。

### (2) 結晶の分類

結晶誘発性関節炎の緊急的な治療は鎮痛剤による対症療法となるが，結晶の鑑別は後の長期治療に必須となるため，臨床上重要である。X線検査では尿酸結晶は写らないので，顕微鏡による結晶検査の臨床的意義は高い。結晶誘発性関節炎を引き起こすものとして，尿酸ナトリウム（MSU）結晶とCPPD結晶がある。これらの結晶の同定にはアナライザ（検出板），ポラライザ（偏光板），および鋭敏色板からなる鋭敏色偏光顕微鏡による観察が有効である（図9.2.5，9.2.6）。

スライドガラスに検体の原液を約15$\mu$L積載し，カバーガラスをかけて鏡検する。好中球や組織球の結晶貪食像を認めれば確実である。結晶が見つからない場合や判断に困る場合は，遠心（約2,000$g$，3～5分間）後の沈渣を再度鏡検する。結晶の鑑別にあたっては，ゴミやガラス片なども偏光をもつため注意する。結晶の長軸方向が偏光板Z'（$\gamma$）軸（アナライザに記載してある矢印）と同方向，または垂直方向のときの色により判定する。痛風で認められるMSU結晶はおもに長い針状・棒状で，Z'（$\gamma$）軸と同方

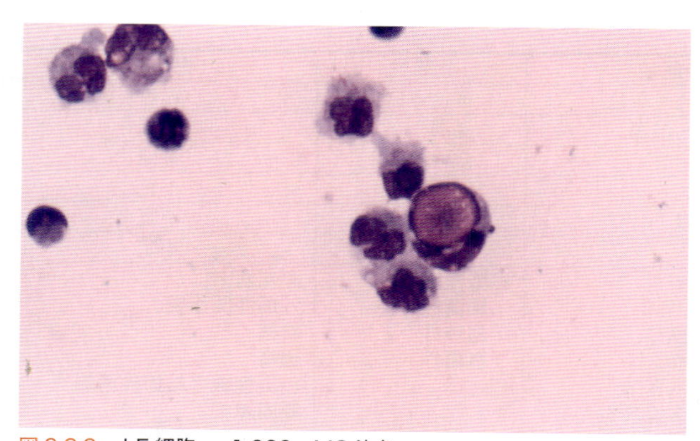
図9.2.3　LE細胞　×1,000　MG染色
〔横山　貴，谷口敦夫：「第8章 体腔液検査」，一般検査技術教本，139，日本臨床衛生検査技師会（編），2012より〕

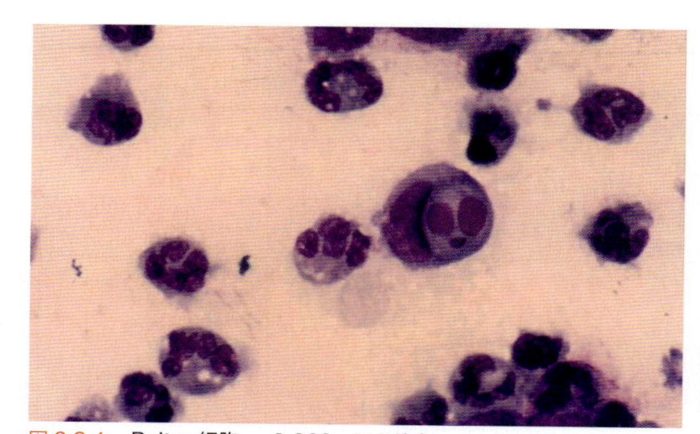
図9.2.4　Reiter細胞　×1,000　MG染色
〔横山　貴，谷口敦夫：「第8章 体腔液検査」，一般検査技術教本，139，日本臨床衛生検査技師会（編），2012より〕

用語　ドリップテスト（drip test），全身性エリテマトーデス（systemic lupus erythematosus；SLE），濃縮核（pyknotic nuclei），ライム（Lyme）病，lupus erythematosus（LE），ライター（Reiter）症候群／細胞，尿酸ナトリウム（monosodium urete；MSU）

図 9.2.5　アナライザ（検出板）

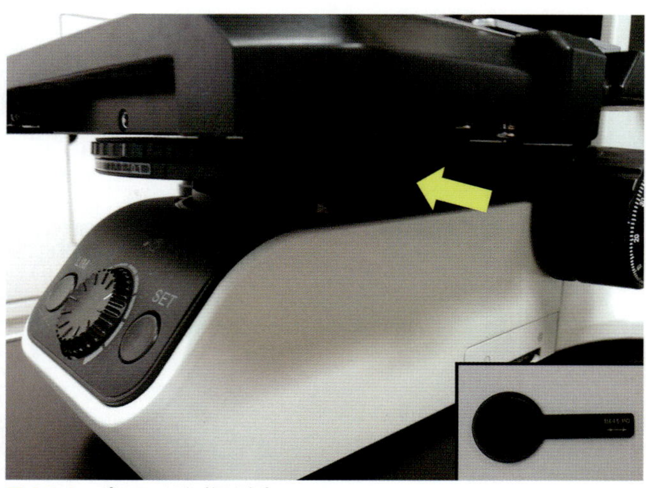

図 9.2.6　ポラライザ（偏光板）

向のときには黄色，Z'（γ）軸と垂直方向のときには青色（負の屈折性）を呈する（図 9.2.7）。偽痛風で認められるCPPD結晶はおおむね平行四辺形・三斜状の結晶で，Z'（γ）軸と同方向のときには青色，Z'（γ）軸と垂直方向のときには黄～橙色（正の屈折性）を呈する（図 9.2.8）。また，両結晶が混在する場合もあるので注意して観察する。

その他，関節リウマチや変形性関節症ではハイドロキシアパタイト結晶，慢性に貯留した関節液ではコレステロール結晶を認めることがある。白血球の結晶貪食像が認められた場合には，関節炎の原因が結晶の析出であることが考えられる。

## 5. 臨床化学検査

### (1) 臨床化学検査

関節液については，関節蛋白量や関節グルコース量などが測定されることがある。おもに炎症の程度を反映するが，関節液量や希釈倍率が影響することもあって疾患特異性には乏しく，診断上の価値が高いとはいえない[6]。

関節蛋白は血清の1/4～1/3程度であり，その大部分を関節アルブミンが占めている。炎症性関節炎では関節$\alpha_2$-グロブリンや関節γ-グロブリンが増加する。関節リウマチでは関節γ-グロブリンが増加する。関節液中の関節グルコース量の値は血糖値に類似するが，化膿性関節炎や関節リウマチなどで炎症が強い場合には関節内で消費されるため低下する。

### (2) 臨床免疫検査

関節リウマチでは関節液中の補体が減少するが，血清中の補体は正常である。リウマトイド因子は高値を示す。一方，SLEの補体は血清中および関節液中ともに低値を示す。

### (3) 関節マーカー検査（表 9.2.2）

関節マーカーはおもに軟骨基質の合成や分解の指標となる軟骨マーカーと，滑膜の炎症を反映する関節炎マーカーに分類される。軟骨マーカーとしては，軟骨基質を構成するII型コラーゲン，プロテオグリカン，その他の軟骨基質がある。関節炎マーカーとしては，軟骨基質の分解作用を有する蛋白分解酵素およびその阻害蛋白，炎症性サイトカイン，成長因子，滑膜から産生されるヒアルロン酸やコンドロイチン硫酸異性体などがある。

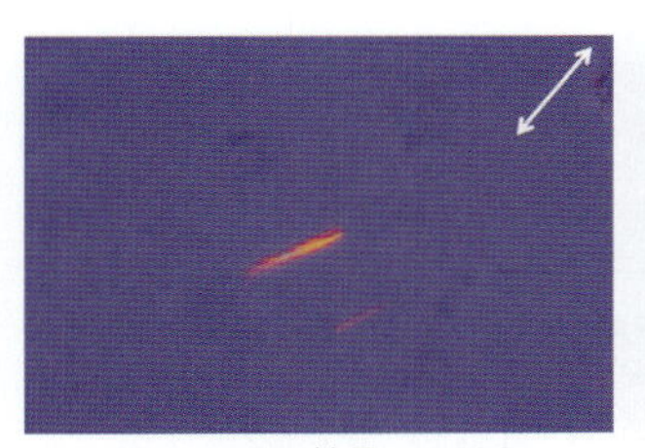
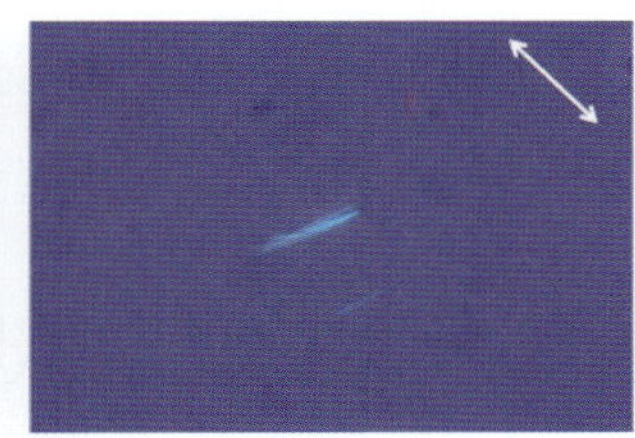
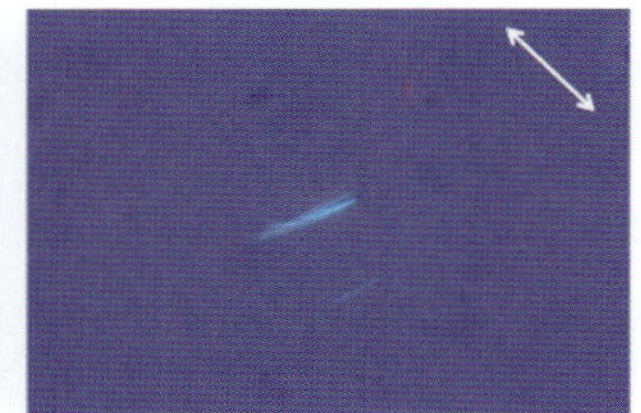
図 9.2.7　MSU 結晶　×400
矢印は Z'(γ) 軸の向きを示す。

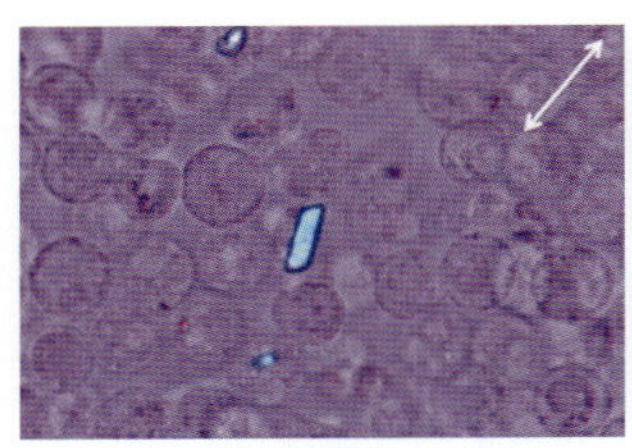
図 9.2.8　CPPD 結晶　×400
矢印は Z'(γ) 軸の向きを示す。

表 9.2.2　関節マーカー

| | | |
|---|---|---|
| 軟骨マーカー | Ⅱ型コラーゲン | N，C 末端プロペプチド<br>C 末端テロペプチド<br>ピリジノリン，デオキシピリジノリン |
| | プロテオグリカン | コア蛋白<br>コンドロイチン硫酸異性体<br>ケラタン硫酸 |
| | その他の軟骨基質 | cartilage oligomeric matrix protein (COMP)<br>cartilage-derived retinoic acid sensitive protein (CD-RAP)<br>糖蛋白 39（YKL-40），糖蛋白 40（YKL-39） |
| 関節炎マーカー | 蛋白分解酵素およびその阻害蛋白 | マトリックスメタロプロテアーゼ (MMP) -1，-2，-3<br>メタロプロテアーゼ阻害蛋白 (TIMP) -1，-2<br>セリンプロテアーゼ<br>(好中球エステラーゼ，カテプシン G，プラスミノゲンアクチベータ)<br>プラスミノゲンアクチベータ阻害蛋白 |
| | 炎症性サイトカイン | インターロイキン (IL) -1，-6，-8<br>腫瘍壊死因子 (TNF) -α |
| | 滑膜由来因子 | ヒアルロン酸<br>コンドロイチン硫酸異性体 |

〔丸毛啓史：「B. 関節液 2. 臨床化学的検査」，Medical Technology，2005；33：1413 より改変〕

［小関紀之］

用語　cartilage oligomeric matrix protein（COMP），cartilage-derived retinoic acid sensitive protein（CD-RAP），マトリックスメタロプロテアーゼ（matrix metalloproteinase；MMP），メタロプロテアーゼ阻害蛋白（tissue inhibitors of metalloproteinases；TIMP），インターロイキン（interleukin；IL），腫瘍壊死因子（tumor necrosis factor；TNF）

参考文献


1）越智隆弘，越智光夫(編)：「関節液検査」，最新整形外科学大系 17 膝関節・大腿，91-93，中山書店，2006.

2）保科ひづる：「穿刺液検査(胸水・腹水，関節液)」，検査と技術，2014；42：1318-1326.

3）井樋栄二，他(編)：「第 13 章 検査」，標準整形外科学 第 14 版，130-164，医学書院，2020.

4）井村裕夫，他(編)：「関節疾患の診断 一般診断法」，最新内科学大系 74 骨・関節疾患 2 関節疾患，47-56，中山書店，1995.

5）Brunzel NA(著)，池本正生，他(監訳)：「滑液検査」，ブルンツェル 尿・体液検査―基礎と臨床，247-255，西村書店，2007.

6）丸毛啓史：「B. 関節液 2. 臨床化学的検査」，Medical Technology，2005；33：1411-1418.

# 9.3 ｜ CAPD 排液検査

- 連続携行式腹膜透析（CAPD）は，腹腔内にカテーテルを介して透析液を注入し，一定時間貯留させる間に腹膜を通して血液中の老廃物や余分な水分を除去する透析療法であり，1日4回程度透析液を交換する。
- CAPD排液は，腹腔内の炎症や出血などによりさまざまな色調を呈する。
- CAPD排液の細胞数算定と細胞分類は，体腔液に準じる。
- CAPD排液中の好中球は，その数や割合が腹膜炎の診断における重要な指標となる。
- CAPD排液中の中皮細胞は，球状・乳頭状の集塊形成，細胞の著明な大型化・多核化などを示すことがあり，注意が必要である。

## 1. 概　要

連続携行式腹膜透析（CAPD）は，腹腔内に腹膜灌流用カテーテルを介して透析液を注入し，一定時間貯留させる間に腹膜を通して血液中の老廃物や余分な水分を除去する透析療法である（図9.3.1）。腹腔内に注入した透析液は1日に4回程度交換し，24時間連続して透析が行われる（図9.3.2）。

CAPDには，血液透析と比べ，体液や血圧の変動が少なく体への負担が軽い，食事制限が緩和される，透析を開始してからも腎機能が保持される，時間的拘束が少ない，などの有用性があげられる一方，透析液バッグ交換時などに細菌の混入によってカテーテルの出口・トンネル感染や腹膜炎などが引き起こされ得る。これらはCAPDの重大な合併症であり，治療継続の阻害要因になるため，注意が必要である。また，透析膜の役割を果たす腹膜は，CAPD開始から5〜7年ほど経過すると機能が著しく低下し，長期施行例の一部には被嚢性腹膜硬化症が生じる場合もあるため，慎重な対応が求められる[1]。

## 2. 検体の採取方法

検査室に提出された排液バッグは，まず十分に混和する。細胞数算定や細胞分類の検査は，排液バッグに付いているチューブの一部を切断して検体をいったんカップなどに移し，試験管やスピッツ管に必要量を移し替えてから行う。

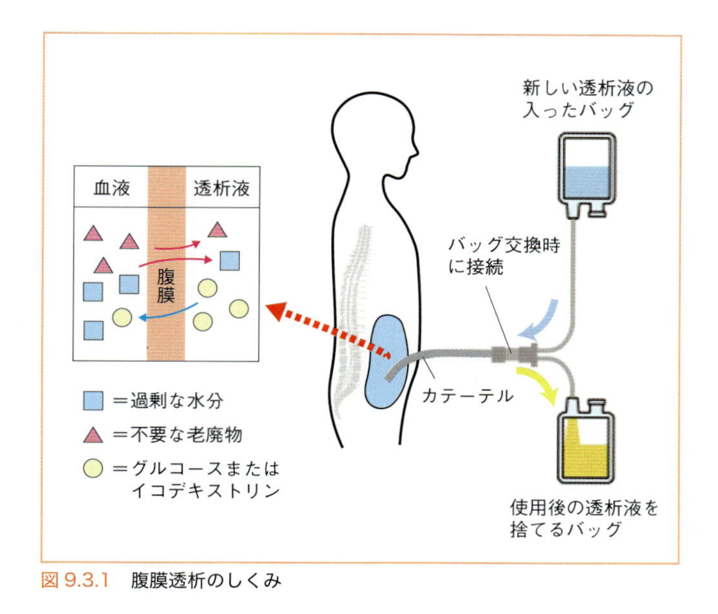


図 9.3.1　腹膜透析のしくみ

図 9.3.2　CAPD 患者の生活における透析液の交換
（Baxter 社より許可を得て転載）

**用語**　連続携行式腹膜透析（continuous ambulatory peritoneal dialysis；CAPD）

細菌検査を行う場合は，バッグの表面を消毒してから検体を注射器で無菌的に採取する。

## ● 3. 色　調

CAPD排液は腹腔内の炎症や出血などによりさまざまな色調を呈するため，肉眼的な観察は病態を把握するうえで極めて重要である。正常であれば無色透明～淡黄色を示すが（図9.3.3①），腹膜炎が生じると白血球が増加するため白濁し（図9.3.3②），ときにフィブリンの析出を伴う（図9.3.3③円内）。血性となることも稀ではなく（図9.3.3④），留置カテーテルによる腹腔内損傷，被囊性腹膜硬化症，女性では月経，排卵，子宮内膜症などで認められる場合がある。カテーテルによる腹腔内リンパ管損傷，塩酸マニジピン服用後，高脂肪食摂取後では，稀に乳びにより白濁するため（図9.3.3⑤），臨床所見やCAPD液中の細胞数などを参考に腹膜炎との鑑別を行う必要がある。

## ● 4. 細胞数算定と細胞分類

CAPD排液の細胞数算定と細胞分類は，体腔液に準じる（p.188，9.1.3項「● 2. 体腔液細胞数算定」参照）。

腹膜透析ガイドライン2019[2]では，腹膜透析施行患者において，①腹痛あるいは透析排液混濁，②透析排液中の白血球が100/μL以上または，$0.1 \times 10^9$/L以上（最低2時間貯留後）で多核白血球が50%以上，③透析排液培養陽性のうち少なくとも2つを満たす場合に腹膜炎と診断される。また，透析排液の細菌培養には血液ボトルを使うことが推奨されている。

自動腹膜透析（APD）の患者では好中球の比率が50%以上であれば白血球数が100/μL以下であっても腹膜炎と診断する。したがって，腹膜炎の診断を目的として検査を行う場合には，MG染色にて詳細な細胞分類を行う。なお，MG染色を行う場合には，沈渣に少量のアルブミンを加えて標本を作製すると，より良好な染色性が得られる。

## ● 5. 各種細胞の形態学的特徴と臨床的意義

### (1) 好中球（図9.3.4）

塗抹乾燥標本における長径は12～15μmで，桿状・分葉状の核をもつ。細胞質はSamson染色では染まりにくいが，MG染色では淡いベージュ色に染色され，小型の顆粒が認められる。CAPD排液中の好中球の数や割合は，腹膜炎を疑う重要な情報となる[2]。

### (2) 好酸球（図9.3.5）

塗抹乾燥標本における長径は13～15μmで，核は2分葉のものが多い。細胞質内の顆粒の観察にはSamson染色よりMG染色の方が有効であり，桃色に染まる大型の好酸性顆粒が充満しているのが認められる。腹膜灌流用カテーテル留置後には，比較的早期からCAPD排液中に多数の好酸球が認められることがある[3]。好酸球性腹膜炎は，血液混入のない透析排液中に好酸球が全白血球の10%以上を占める場合，もしくは100/μL 以上存在する場合に診断される。細菌感染による腹膜炎と同様に，排液の混濁を伴う場合があるため，カテーテル留置時期などの臨床所見を把握するとともに，MG染色で好中球と鑑別することが重要である。

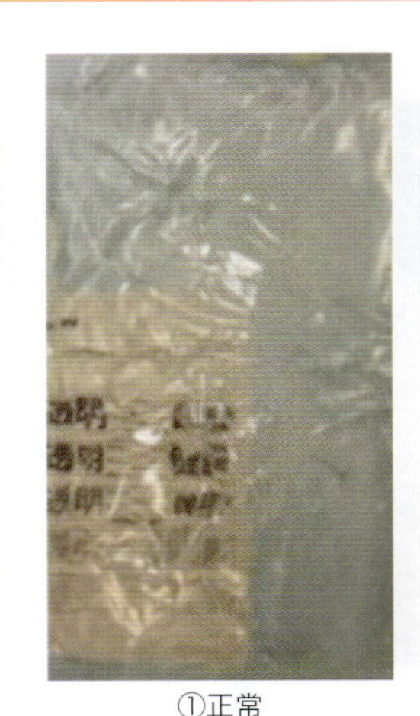
①正常

②白濁

③フィブリンの析出

④血性

⑤乳び

図 9.3.3　CAPD 排液の色調と分類

（①は陽正会寺岡記念病院，②～④は Baxter 社より許可を得て転載）

用語　自動腹膜透析（automated peritoneal dialysis；APD）

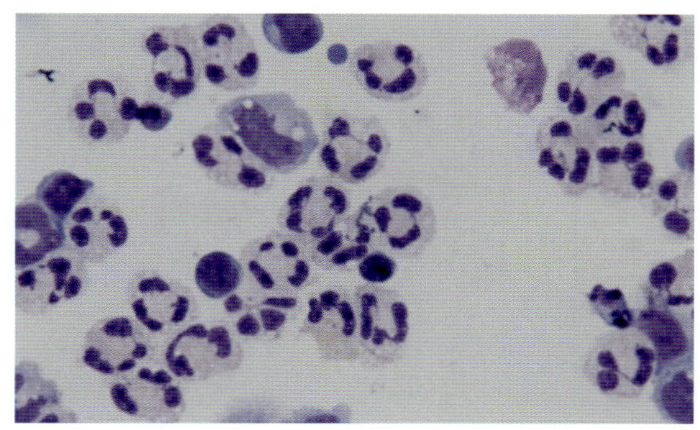
図 9.3.4 好中球 ×1,000 MG 染色

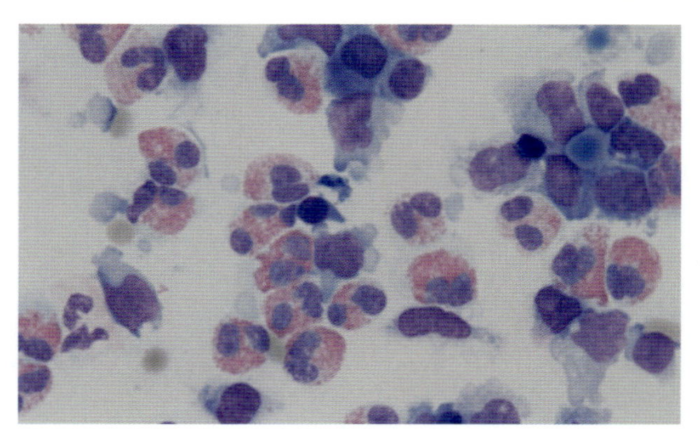
図 9.3.5 好酸球 ×1,000 MG 染色

### (3) リンパ球

塗抹乾燥標本における長径は8〜16 μmで，類円形の核をもつ。細胞における核の占める割合（N/C比）が高いため，細胞質は好中球や好酸球に比べ狭小である。海外では，多発性関節炎症例のCAPD排液から多数のリンパ球が認められたとする報告[4]があるが，リンパ球の数や割合と病態との関連性については，十分な検討はなされていない。

### (4) 組織球（マクロファージ）（図9.3.6）

塗抹乾燥標本における長径は15〜25 μmで，核の形状が特徴的であり，円形，類円形，腎臓形，馬蹄形など多彩な像を呈する。細胞質は豊富で，しばしば大小の空胞が見られ，MG染色では淡く染色され泡沫状を示す。基本的に孤立散在性に出現するが，ときに集塊状に見られる場合もあるため，注意が必要である。組織球はCAPD排液中にさまざまな割合で出現するが，病態との関連性については明らかになっていない。

### (5) 中皮細胞（図9.3.7〜9.3.11）

腹膜を覆っている中皮細胞はCAPD排液中に出現するのが通常であるが，循環障害や炎症など，さまざまな要因で貯留した体腔液に見られる場合に比べると，その数は概して多くない。塗抹乾燥標本においては長径が12 μmから50 μmを超えるものまで認められ，白血球に比べ大小不同が著しい。ほとんどが孤立散在性〜平面的な小集塊で出現するが，ときに球状・乳頭状集塊が見られることもある。これらの集塊の中には細胞相互の結合を示す像がしばしば見られ，細胞がもう1つの細胞を包含するもの（細胞相互封入像），細胞と細胞が直線状に結合するもの（細胞相接像），細胞と細胞が結合した部分に境界明瞭な空隙が認められるもの（窓形成）など，特徴的な所見を呈する。細胞や核の形状は円形〜類円形で，多形性はない。核は単核が主体であるが，2核のものも少なくない。MG染色では，細胞質は好塩基性に染色され，核クロマチンは細顆粒状〜顆粒状を呈する。

CAPD排液中の中皮細胞は，体腔液で見られる細胞と比較して，球状・乳頭状の細胞集塊，大型細胞，多核細胞，核分裂像の出現する頻度が高い[5]。これらの所見により腺癌細胞や悪性中皮腫細胞との鑑別が困難になる場合があるため，事前に臨床情報や検体の種類を十分に確認しておくことが重要である。

腹膜透析が長期にわたると腹膜が劣化し，重篤な合併症である被嚢性腹膜硬化症が生じることがある。CAPD排液中に出現する中皮細胞の面積は透析期間と正の相関があるため，その測定値は腹膜劣化の程度を判断する指標の1つとして考えられている[6]。

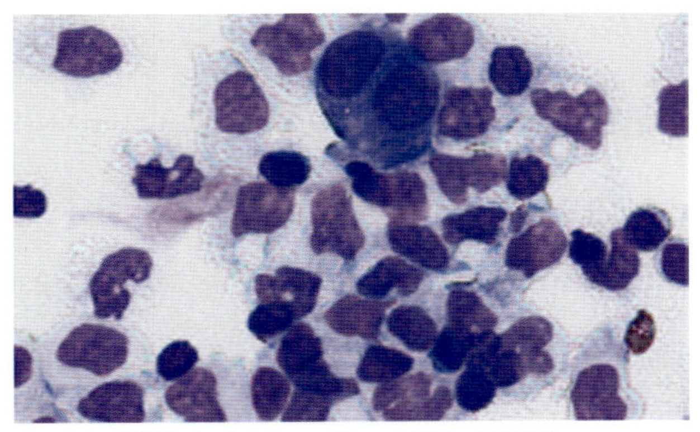
図 9.3.6 組織球（マクロファージ） ×1,000 MG 染色

## 6. 臨床化学検査

### (1) Kt/V

蛋白代謝の最終産物である尿素を測定し，腹膜透析による老廃物除去の程度を把握する検査である。Kは尿素の除去効率，tは透析時間，Vは体液量を表す。腹膜透析のKt/Vと残存腎のKt/Vを合わせて総Kt/Vとし，最低限確保すべき値として1.7が世界的に推奨されている。

### (2) 腹膜平衡試験

Twardowski[7]により提唱された，腹膜透過性を客観的に評価する検査である。2.5%ダイアニール®（あるいはこれに準じる液）2.0 Lを4時間貯留させ，注液後直ちに2時

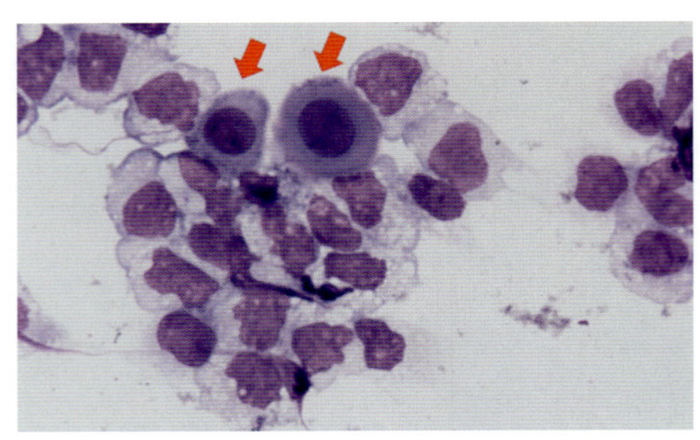

図 9.3.7　中皮細胞　×1,000　MG 染色
単核である（矢印）。

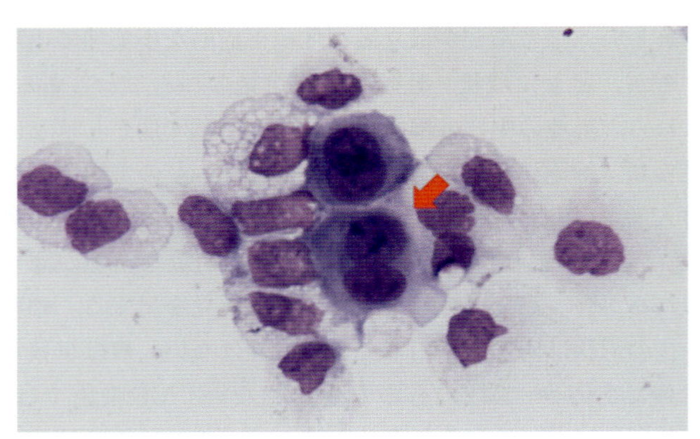

図 9.3.8　中皮細胞　×1,000　MG 染色
2 核である（矢印）。

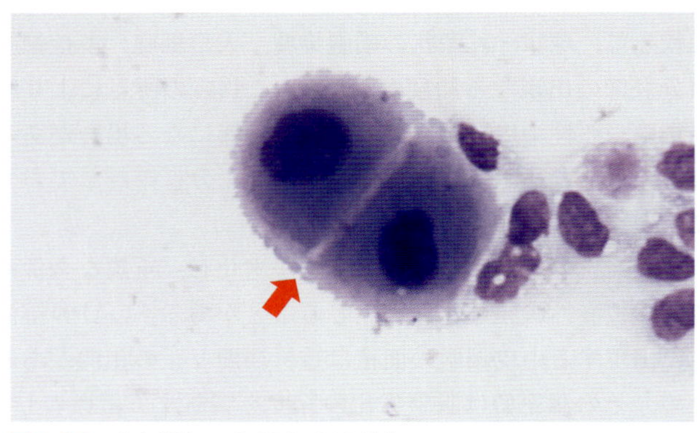

図 9.3.9　中皮細胞　×1,000　MG 染色
大型で，細胞と細胞が結合した部分に境界明瞭な空隙（矢印）が認められる。

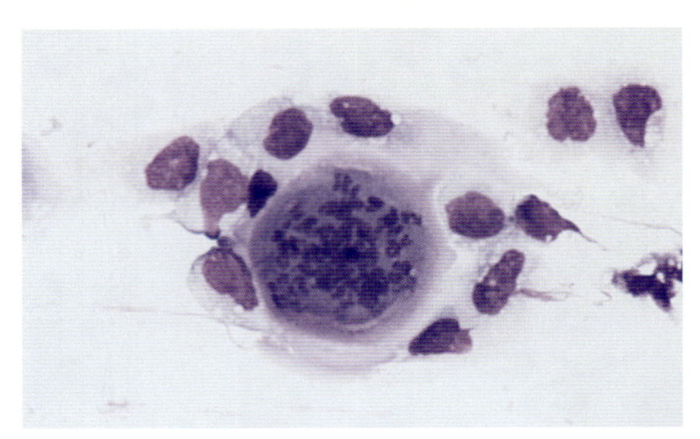

図 9.3.10　中皮細胞　×1,000　MG 染色
大型で，核分裂を示している。

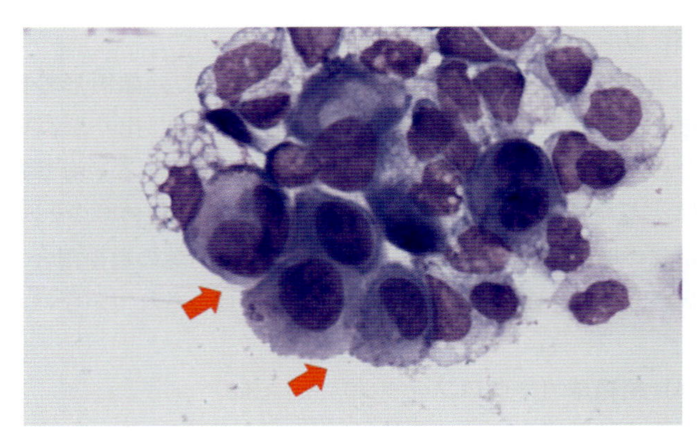

図 9.3.11　中皮細胞　×1,000　MG 染色
平面的な配列を示す小集塊である（矢印）。

間目と4時間目の透析液中Cr濃度と血中Cr濃度との比，および透析液中グルコース濃度とその初期濃度との比を測定し，前者で小分子物質の除去効率，後者で除水効率を評価する。透過性の高い方から順に，「high」，「high average」，「low average」，「low」の4段階に分類し評価する。

［小関紀之］

## 参考文献


1） Kawanishi H, *et al.*：“Encapsulating peritoneal sclerosis in Japan：a prospective, controlled, multicenter study”, Am J Kidney Dis, 2004；44：729-737.
2） 日本透析ガイドライン改訂ワーキンググループ（編）：腹膜透析ガイドライン 2019，医学図書出版，2019.
3） Se YO, *et al.*：“Eosinophilic peritonitis in a patient with continuous ambulatory peritoneal dialysis (CAPD)”, Korean J Intern Med, 2004；19：121-123.
4） Wen YK, *et al.*：“An unusual cause of non-infectious peritonitis in a peritoneal dialysis patient”, Int Urol Nephrol, 2014；46：265-268.
5） 羽原利幸，他：「各種疾患群に出現する腹腔内反応性中皮の細胞学的および細胞形態計測解析」，日本臨床細胞学会雑誌，2010；49：330-336.
6） Izumotani T, *et al.*：“Correlation between peritoneal mesothelial cell cytology and peritoneal histopathology with respect to prognosis in patients on continuous ambulatory peritoneal dialysis”, Nephron, 2001；89：43-49.
7） Twardowski ZJ：“Peritoneal equilibration test”, Perit Dial Bull, 1987；7：138-147.

## E. 精液検査

# 10章 精液検査

章目次



SUMMARY

近年の晩婚化による出産年齢の高齢化により，不妊の検査や治療経験のある夫婦の割合は上昇傾向にある。不妊症は女性だけに問題があるわけではなく，男性も不妊症の原因の約半数を占めている。男性の不妊症のおもな原因は造精機能障害が80%以上を占め，他には，精路通過障害，副性機能障害，性機能障害があげられる。精液検査は男性不妊症の診断・治療において重要な検査である。検査に携わる技師として，男性生殖器の構造，精子の生成，移送などの基礎知識も必要である。精液検査の結果により，治療方針が決定されるため正しい操作手技を解説する。精液検査は採取の仕方や検体の取扱いによって結果に影響を及ぼすため，患者への検査説明も重要である。

# 10.1 精液検査の基礎

- 男性不妊症における精液検査の意義を正しく理解する。
- 精液の一般性状を理解する。
- 精液の採取法と検体の取扱い方について理解する。

## 10.1.1 臨床的意義

### 1. 不妊症について

不妊症は「正常な夫婦生活があって，1年以内に妊娠しないこと」と定義されている。これは「通常，80%が1年以内，90%が2年以内に妊娠する」という事実にもとづいている。挙児希望で1年以内に妊娠しない場合には，なんらかの原因があると考えられる。過去に妊娠の経験がないものを原発不妊，妊娠したことはあるがその後，妊娠しない場合を続発不妊という。いずれにせよ，子供が欲しい夫婦にとって不妊症は切実な問題である。

不妊症は女性側だけに問題があるわけではない。原因の比率は，おおまかにいえば男性40%，女性40%で，男女の原因重複や原因不明も20%に上る。妊娠は卵子に精子が受精してスタートするのであるから，男性に不妊の原因があっても何ら不思議なことではない。

よって，不妊症の治療は夫婦で検査を受けることが前提であり，男性が精液検査を受けない限り先には進めず，子供を授かるのは難しいということを忘れてはいけない。

男性の不妊原因で多いのは，精液中の精子の数が少ない場合と，精子の数は十分でも運動性が不良な場合である。そうした精液所見の有無をまず知るために行うのが精液検査であり，精液所見が不良の場合は改善を目標とした治療を行うとともに，女性の年齢や女性の不妊原因も考慮し，早期に並行して人工授精や体外受精を検討する必要がある(表10.1.1)。

このほか，精液中に精子がまったく認められない無精子症があり，その原因は染色体異常，抗がん剤治療などであるが，原因不明の場合もある。無精子症に対しては，精巣内精子回収法を行ったうえで体外受精（顕微授精）を行う。がん患者においては，抗がん剤使用前に精子凍結を行い（この場合も顕微授精が適応），妊娠を目指す。

表10.1.1　精子が放出されるまでの流れと異常

| | 異　常 |
|---|---|
| ②精巣 | 精子が形成されない（非閉塞性無精子症・乏精子症）<br>停留精巣 |
| ④精索 | 精索静脈瘤 |
| ⑤精管 | 精子の通過障害（閉塞性無精子症）<br>生まれつき精管が備わっていない（先天性精管欠損） |
| ⑥⑧精嚢・前立腺 | 炎症（無精液症・膿精液症）<br>精液がつくられない（無精液症） |
| 膀胱 | 逆行性射精 |
| ⑨陰茎・亀頭 | 勃起できない（勃起不全）<br>射精できない（射精障害） |

②④⑤⑥⑧⑨は図10.1.1と対応。

## 10.1.2 基礎知識

### 1. 男性生殖器の構造と精子の生成

精液は，精巣（睾丸）ならびにその他の付属男性性器に由来する分泌液の混合物である。基本的には液体部分の精漿に精子が浮遊した体液であり，精漿は精子が子宮頸部粘膜に到達するまで適切な栄養分と生存に必要な場を提供する。精漿の大部分は，精子が精管から射出される際に左右の精嚢から射出されるが，前立腺や副睾丸などからの分泌

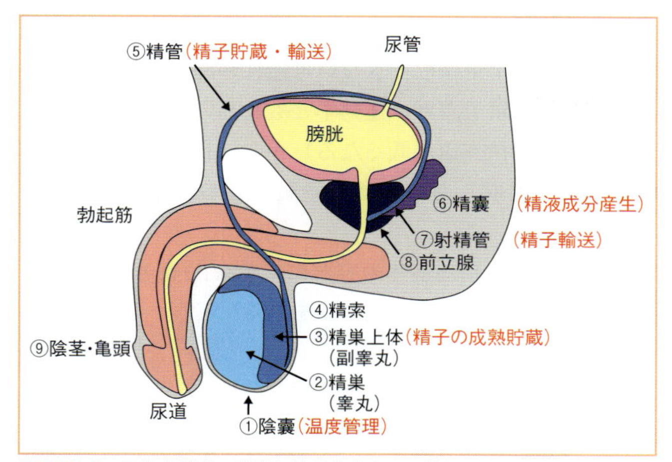


図 10.1.1 男性生殖器の構造と精子放出までの流れ

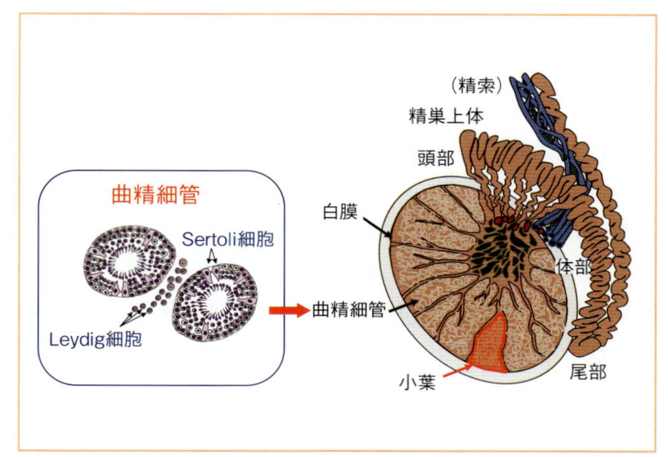


図 10.1.3 精巣(=精子のできる場所)の構造
精巣は重さ約10gで，白膜とよばれる強靭な膜に包まれている。約250個の小葉に分かれており，この小葉内には曲がりくねった精細管（曲精細管）が存在する。精細管の内側にはSertoli細胞と精細胞，間質にはテストステロンの生合成・分泌に関わるLeydig細胞が存在する。

物も混ざっている（図10.1.1）。

精子は性ホルモンの刺激により，精巣内部の精細管の内壁で複雑な細胞分裂を繰り返してつくられる（図10.1.2〜10.1.4）。

精子は人体の中で運動能力をもつ最も小さい細胞である。長さは50〜70 μmで，先体（頭部）は卵子に突入するための組織であり，核（23個の染色体）をもち，父親の遺伝情報を含んでいる。中片部には活動するための栄養分が詰まっており，ミトコンドリアがらせん状に巻き付いている。尾部は泳ぐために使われる（図10.2.5参照）。

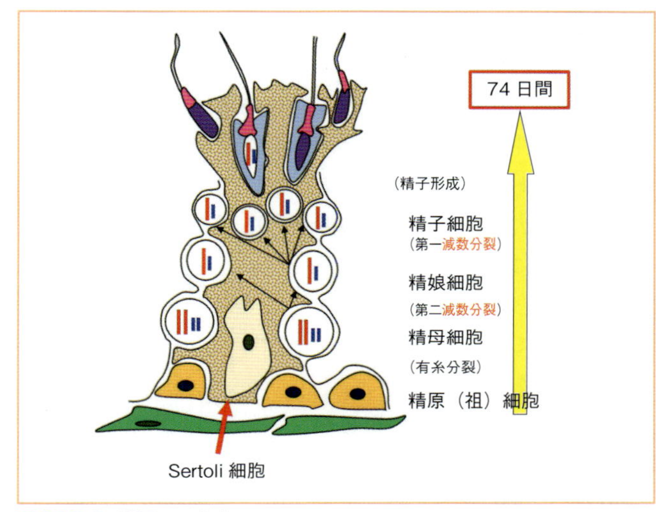


図 10.1.4 精子のでき方

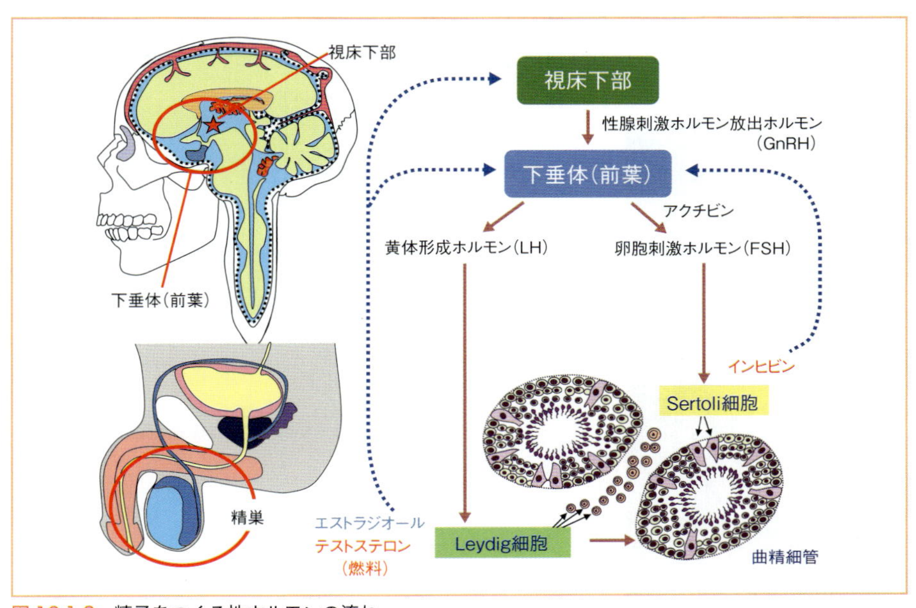


図 10.1.2 精子をつくる性ホルモンの流れ

用語 性腺刺激ホルモン放出ホルモン（gonadotropin-releasing hormone；GnRH），黄体形成ホルモン（luteinizing hormone；LH），卵胞刺激ホルモン（follicle-stimulating hormone；FSH），セルトリ（Sertoli）細胞，ライディッヒ（Leydig）細胞

## 2. 精液採取

### (1) 精液採取・運搬に関する説明

事前に書面あるいは口頭で行う。説明内容を以下の1)～7)に示す。

1) 禁欲期間：2日（48時間）以上7日以内とし，精液検査記録用紙に禁欲期間を記載する。
2) 採取回数：3カ月以内に少なくとも2回採取する。2回の各検査項目の結果に大きな相違がある場合には，さらに検査を行う。2回の場合は平均値，3回以上の場合は中央値を採用する。
3) 採取場所：被検者が1時間以内に検査施設へ持参可能なところで採取する。1時間以内に持参できない場合は2時間まで許容されるが，施設内で採取する方が望ましい。施設内採取を行う場合はプライバシーの尊重に努め，精液採取室を整備してその環境条件を整えておくことが望ましい。
4) 採取容器（図10.1.5）：ガラスあるいはプラスチック製で，下記の条件をより多く満たすものが望ましい。
   ①清潔である（不純物の混入がない・滅菌）。
   ②口径が広い（容器外への漏失を防ぐ）。
   ③携帯性に優れている。
   ④蓋がしっかり閉まる。
   ⑤安定して自立する。
   ⑥透明である。
   ⑦容器材質の精子への影響がない。
5) 採取方法：マスターベーションによる採取を原則とする。採取前に排尿を済ませ，手を洗い，全量を採取する（精液の一部を失った場合には必ず報告する）。コンドームには精子運動性に干渉する薬剤が含まれるため，コンドームを用いた採取は行わない。また，性交中断射精による採取は，パートナーの協力が必要で時間的制約が生じることや，全量採取できない可能性が高いこと（とくに初期射精は精子濃度・運動率ともに高いため，前半を採りこぼすと検査値が低くなる）から，行ってはならない。
6) 搬送法：採取した検体は，室温～37℃に保温した状態で搬送する。
7) 記録法：採取した検体の容器に氏名，ID番号，採取日，採取時刻が記載されたラベルを貼る。

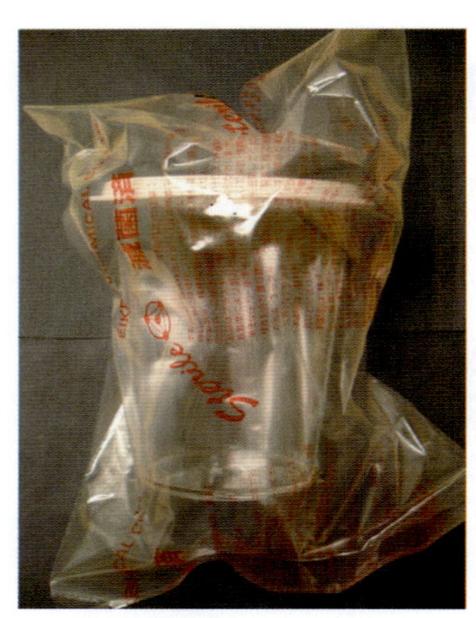

図10.1.5 採取容器

### (2) 採取記録に記載されるべき項目

氏名，生年月日，個人識別番号（ID番号など），禁欲期間，採取日と採取時刻（分単位まで記載），精液は全量か否か，精液検査時刻。

検査時刻以外は，被検者自身に記入してもらうのが望ましい。

## 3. 精液検査の基準範囲（表10.1.2，10.1.3）

表10.1.2 精液検査の基準範囲

| 検査項目 | 精液検査標準化ガイドライン（基準範囲） | WHO・ラボマニュアル第6版（下限基準値） |
|---|---|---|
| 精液量 | 2.0mL 以上 | 1.4mL |
| pH | 7.2 以上 | 7.2 以上 |
| 精子濃度 | $20 \times 10^6$/mL 以上 | $16 \times 10^6$/mL |
| 総精子数 | $40 \times 10^6$ 以上 | $39 \times 10^6$（精液中） |
| 精子運動率 | 50%以上 | 42% |
| 精子正常形態率 | 15%以上 | 4% |
| 精子生存率 | 75%以上 | 54% |
| 白血球数 | $1 \times 10^6$/mL 未満 | $1 \times 10^6$/mL 未満 |

〔日本泌尿器科学会（監修）：精液検査標準化ガイドライン，16，金原出版，2003 および WHO（編）：「ヒト精液検査と手技」，WHO・ラボマニュアル第6版，213，2021 より作成〕

表10.1.3 精液の検査所見による分類

| | |
|---|---|
| 正常<br>normozoospermia | 精液検査の正常値を満たす |
| 乏精子症<br>oligozoospermia | 精子濃度 $20 \times 10^6$/mL 未満 |
| 精子無力症<br>asthenozoospermia | 運動率 50%未満 |
| 奇形精子症<br>teratozoospermia | 精子正常形態率 15%未満 |
| 乏精子－精子無力－奇形精子症<br>oligoasthenoteratozoospermia | 精子の濃度，運動率，正常形態率のすべてが異常 |
| 無精子症<br>azoospermia | 精液中に精子が存在しない |
| 無精液症<br>aspermia | 精液が射出されない |

〔日本泌尿器科学会（監修）：精液検査標準化ガイドライン，17，金原出版，2003 より改変〕

用語 identification（ID），世界保健機関（World Health Organization；WHO），水素イオン指数（potential of hydrogen；pH）

## 4. 顕微鏡（位相差顕微鏡）の調整法

顕微鏡は使用しているうちに調整が少しずつずれて像が見えにくくなるので，正しく調整する。

### (1) 光軸調整

1)開口絞り（コンデンサ絞り），視野絞りを全開にする。
2)コンデンサ上下動ハンドルを回して，コンデンサを最上部にセットする。
3)対物レンズは10×とし，標本をセットして粗動ハンドルでピントを合わせる。
4)視野絞りを絞る。
5)コンデンサを上下動ハンドルで少しずつ下げていくと，視野絞り像がくっきりと見えてくる。コンデンサの芯出しつまみを両手で操作して，視野絞り像を視野の中心にもってくる。視野内に見えない程度まで視野絞りを開く。

### (2) 視度調整

1)右眼で右側の視野を見て，粗動ハンドルでピントを合わせる。
2)次に左眼で左の視野を見て，左側の視度調整環を回してピントを合わせる。

### (3) 眼幅調整

両眼で視野が1つに見えるように，接眼レンズの光軸の間隔を自分の両眼の間隔に合わせる。

### (4) リングスリットの芯出し調整

1)光軸調整をきちんと行った後で，片方の接眼レンズを鏡筒から抜き，位相差対物レンズの瞳面を合わせる。
2)対物レンズの一方を芯出し望遠鏡に交換して覗き，対物レンズの瞳面がはっきり見えるようフォーカスを合わせる。
3)瞳面上に見えている位相板の中心と，リングスリットの明るい開口部が同心になるよう，コンデンサに付属している「リングスリット芯出しつまみ」でリングスリット開口部の位置を調整する。
4)対物レンズとコンデンサターレットを順次取り換えて，同じ調整を行う。
5)芯出し望遠鏡を外し，接眼レンズを戻す。

［小関紀之］

# 10.2 精液検査法

- 精液検査法の基礎的操作手技（運動率・生存率・精子数などの測定法）を習得する。
- WHO・ラボマニュアルによる精子の正常形態の定義を理解する。

WHO・ラボマニュアルにもとづく精液検査標準化ガイドライン[1]に準拠して記述する。

なお，感染防止の観点から，検査時には必ず手袋を着用する。

## 1. 準　備

### (1) 器　具

目盛り付きスピッツ，試験管立て，5mLディスポーザブル注射器，pH試験紙〔ブロモチモール青（BTB）：pH6.2～7.8〕，マイクロピペット（50μL，1mL，5mL），マイクロピペットチップ，改良Neubauer計算盤（ディスポーザブル血球計算盤），電子上皿天秤（秤量単位0.1g），スライドガラス，カバーガラス（22×22mm），ガーゼ。

### (2) 試　薬

1) 精子数計測用の希釈液の組成：
　①0.1%トリトンX-100液
　　・トリトンX-100　1mL
　　・生理食塩水1Lに溶解する
　②1%ホルマリン液
　　・炭酸水素ナトリウム　50g
　　・35%ホルマリン　10mL
　　・精製水1Lに溶解する
2) 位相差顕微鏡を用いないとき：
　　・上記②の組成にトリパン青0.25g/L（またはゲンチアナ紫5mL/L）を加える

## 2. 肉眼的所見（図10.2.1）

1) 正常精液：乳白色で，粘稠性があり，栗の花様の臭いをもつ。
2) 血性精液：
　・新鮮な出血の場合にはピンク色～赤色。
　・古い出血の場合には暗赤色。
　・顕微鏡観察で赤血球を認める。
3) 膿性精液：黄色みを帯び，混濁しており，顕微鏡観察で白血球を認める。

## 3. 採取量（図10.2.2）

1) 空の精液採取容器を用意し，数個の重量を測定して偏差が小さいことを確認する。
2) 天秤で空容器重量の風袋を消去する。
3) 精液の入った容器の重量を測定する。
4) 比重1を1.0g＝1.0mLとして精液量を換算する。

図10.2.1　精液の肉眼的所見

用語　ブロモチモール青（bromothymol blue；BTB）

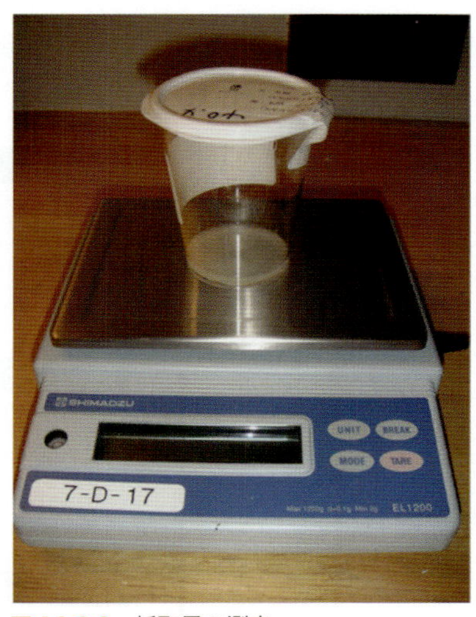


図 10.2.2　採取量の測定

## 4. pH

1) 精液の基準範囲であるpH7.2以上が確認できる試験紙を準備する。
2) 射精後1時間以内に測定する。
3) pH試験紙に精液を1滴落とす。
4) 30秒後に判定する。

## 5. 運動率

1) マイクロピペットでよく混和し〔ただし精液は泡立つため静かに混ぜる（ボルテックス不可）〕，均一化させた精液を10$\mu$L採量する。
2) スライドガラス上に滴下する。
3) カバーガラス（22×22mm）を真上から載せる（気泡を入れないように）。
4) 少し時間を置く（60秒以内。検体の流れが止まるのを待つ）。
5) 鏡検は10×で，粘液糸，精子凝集の有無，精子の分散状態を確認する。
6) 鏡検は40×で，精子の運動性を以下の4つに分類する（WHO・ラボマニュアル[2] に準拠）。
   A：速度が速く，直進する
   B：速度が遅い，あるいは直進性が不良
   C：頭部あるいは尾部の動きは認められるが，前進運動はしていない
   D：非運動
7) 5箇所以上の視野で200個以上の精子を分類する。
8) 分類は原則として3回行い，平均値を算出する。
9) 運動率は上記のA＋Bの割合（PR：前進運動精子）（%）で示す（小数点以下は四捨五入する）。

なお，顕微鏡での観察には，位相差顕微鏡および顕微鏡ステージ保温盤（37℃）の使用を推奨する。

## 6. 精子数（図 10.2.3，10.2.4）

### (1) 希　釈

希釈は測定結果に影響を及ぼすため，正しく行うことが重要である。

1) 希釈倍率の決定：運動率の測定に使用した標本を用い，鏡検は40×で1視野に見える精子の数によって決める。
   - 14以下　5倍希釈
   - 15～39　10倍希釈
   - 40～199　20倍希釈
   - 200以上　50倍希釈

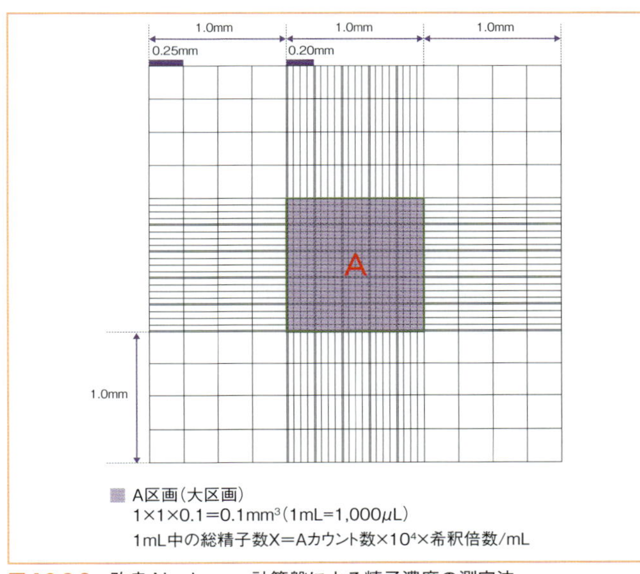


図 10.2.3　改良 Neubauer 計算盤による精子濃度の測定法

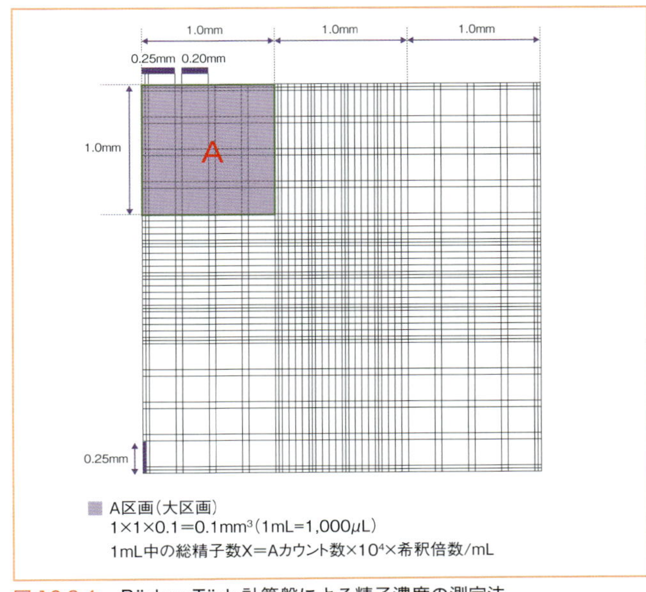


図 10.2.4　Bürker-Türk 計算盤による精子濃度の測定法

用語　前進運動精子（progressive motile；PR）

2)希釈操作：

①希釈する精液は100$\mu$Lとする。

②希釈後十分に混和する。

③精子を認めない場合は，精液全量の遠心沈殿を鏡検して精子の有無を確認する。

### (2) 計測法

1)ディスポーザブル血球計算盤（改良Neubauer計算盤，またはBürker-Türk計算盤）を準備する。

2)希釈して不動化させた精液10～15$\mu$Lを計算室に流し込む。

3)計算盤を湿潤室に入れて，約5分間静置する。

4)鏡検は20×あるいは40×で計測する（位相差顕微鏡が望ましい）。

5)頭部および尾部をもつ精子のみを計測する。

6)精子濃度測定は，使用する計算盤に合わせて実施する。

### (3) 無精子症の診断法

1)精液全量を500$g$で15分間遠心する。

2)沈殿を鏡検して精子を認めなければ，無精子症と判定する。ただし，精液の検査結果はばらつきが大きいので，結果不良の場合には複数回の検査結果で判定する。

## 7. 精子正常形態率（図10.2.5，表10.2.1）

### (1) 塗抹標本の作製

1)血液塗抹標本作製法の手技で行う。

2)均一化させた精液をマイクロピペットでスライドガラス上に約10$\mu$L滴下し，塗抹する。

3)冷風で速やかに乾燥させる。

4)染色前の固定は，使用する染色法に応じて行う。

### (2) 染色法の選択

1)Papanicolaou染色（永久標本）

2)Diff-Quick染色

### (3) 鏡　検

染色した標本の観察には，油浸レンズ100×が望ましい。

## 8. 白血球数

$1\times10^6$/mL以上の白血球を有する場合を膿精液症と定義している。白血球と未熟な精子細胞との鑑別は困難であるため，ペルオキシダーゼ染色を行って白血球数を判定する（図10.2.6）。

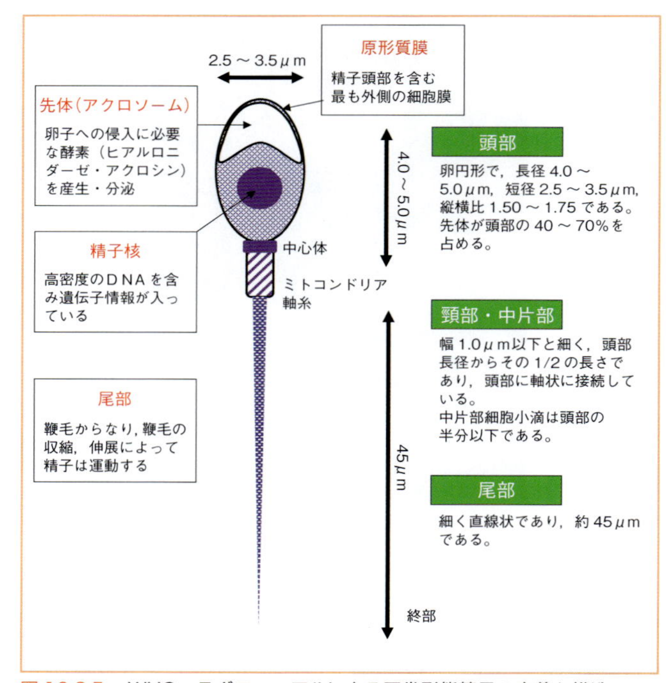


図10.2.5　WHO・ラボマニュアルによる正常形態精子の定義と構造
〔WHO（編）：「ヒト精液検査と手技」WHO・ラボマニュアル第5版，75-76，2010より作成（イラスト：山下美香）〕

### (1) 試　薬

1)塩化アンモニウム

2)EDTA-2Na

3) $o$-トルイジン

4)30% $H_2O_2$

### (2) 反応液の調製

1)A液：塩化アンモニウム2.5gを精製水に溶かして10mLとする。

2)B液：EDTA-2Na 0.5gをリン酸緩衝生理食塩水（PBS）（pH6.0）に溶かして10mLとする。

3)C液：$o$-トルイジン2.5mgをジメチルスルホキシド（DMSO）または95%エタノールに溶かして1mLとし，次に精製水で10mLとする。

表10.2.1　異常形態精子の分類

| | |
|---|---|
| 頭部 | large head，small head，tapered head（先細頭），pyriform head（洋梨形頭），amorphous head（無定形頭），vacuolated head（空胞が頭部の20%以上を占める），double head |
| 頸部<br>中片部 | absent tail（free or loose head），non-inserted or benttail（尾部が頭部の長軸に対し約90°で結合），distended（膨張した）/irregular/bent midpiece，abnormally thin midpiece |
| 尾部 | short tail，multiple tail，hairpin tail，broken tail（90°以上に屈曲），irregular width tail，coiled tail，tail with terminal droplet（尾部末端に滴が付いたような形態） |

〔WHO（編）：「ヒト精液検査と手技」，WHO・ラボマニュアル第5版，76-80，2010より作成〕

用語　パパニコロウ（Papanicolaou）染色，ディフ・クイック（Diff-Quick）染色，ペルオキシダーゼ（peroxidase）染色，エチレンジアミン四酢酸（ethylenediaminetetraacetic acid；EDTA），リン酸緩衝生理食塩水（phosphate-buffered saline；PBS），ジメチルスルホキシド（dimethyl sulfoxide；DMSO）

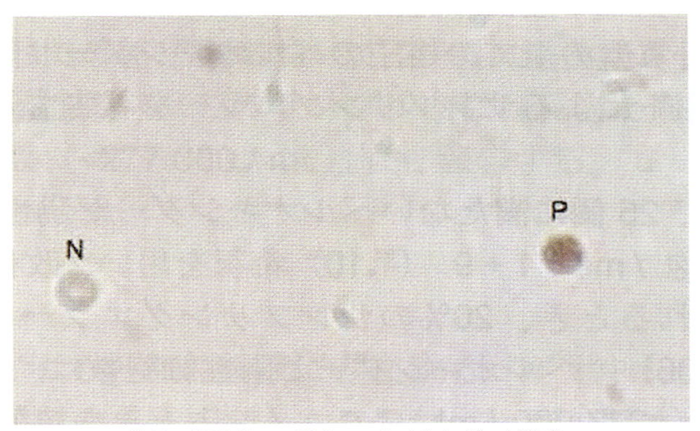


図 10.2.6 精子の鏡検像 ×200 ペルオキシダーゼ染色
N：ペルオキシダーゼ陰性円形細胞，P：ペルオキシダーゼ陽性顆粒細胞。
〔提供：Cooper TG〕

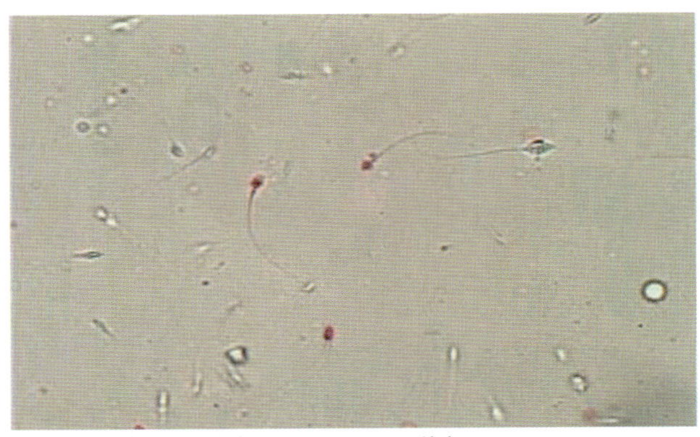

図 10.2.7 精子の鏡検像 ×400 eosin 染色

A 液：B 液：C 液：30% $H_2O_2$ = 1 mL：1 mL：9 mL：1 滴の割合で混合し，調製後24時間以内に使用する。

(3) 手 順

1) 精液100 μL を反応液900 μL と混合する。
2) 2分間振とうする。
3) 20〜30分間室温で放置する。
4) 再度振とうする。
5) 500 *g* で5分間遠心する。
6) アスピレーターで上清を除去する。
7) 残沈渣を撹拌する。
8) マイクロピペットで素早く血球計算盤に流す。
9) 鏡検は20 × で行う。
10) 精子以外の円形細胞を200個以上観察する。
11) 茶染したペルオキシダーゼ陽性細胞（顆粒球）および陰性細胞（精細胞，とくに円形精子細胞）の比率を算出する。

## 9. 生存率

前進運動精子の割合が40%未満の場合は，原則として eosin 染色により精子生存率を測定する（図 10.2.7）。

1) 精液50 μL と eosin Y 溶液50 μL をスライドガラス上で混和する。
2) カバーガラスを載せる。
3) 30秒後に40 × で鏡検する。
4) 無染（無色）のものを生存精子，赤染のものを死滅精子と判定し，精子生存率（%）を算出する。

## 10. 精子の質を調べる検査

精子の形態や運動率に異常がないにもかかわらず妊娠に至らない例が認められている。これらについては加齢や生活習慣の悪化が原因となり，精子が酸化ストレスなどのダメージを受けることで，精子の DNA が損傷していることが証明されている。精子の DNA 損傷がひどくなると，受精率や妊娠率が低下，流産率が上昇する可能性がある。精子 DNA 断片化指数（精子 DFI）検査は DNA が損傷している精子の割合や未熟な精子の割合を測定する。DFI の割合が高いと，一般不妊治療よりも体外受精，体外受精よりも顕微授精の方がより良い結果が得られるとの報告があり，治療方針の検討材料となる。

精子の DNA 損傷を引き起こす原因を調べる検査としては，精液中の酸化還元電位（ORP）検査がある。酸化ストレスが高い場合は酸化ストレスを下げるように生活習慣の改善や，抗酸化作用があるサプリメントの摂取などが有効である。

［小関紀之］

**用語** エオジン（eosin）染色，精子 DNA 断片化指数（sperm DNA fragmentation index；sperm DFI），酸化還元電位（oxidation-reduction potential；ORP）

**参考文献**

1) WHO（編）：WHO ガイドライン 精液検査標準化ガイドライン 2003，WHO，2003.
2) WHO（編）：「ヒト精液検査と手技」，WHO・ラボマニュアル第 5 版，2010.
3) 滝 賢一，他：「液状検体の取り扱い方と基本的検査法」，Medical Technology，2002；30：317-324.
4) 落合慈之（監修），渋谷祐子，志賀淑之（編）：腎・泌尿器疾患ビジュアルブック 第 2 版，学研メディカル秀潤社，2017.

# 10.3　アトラス

・精液検査における精子の形態所見について理解する。
・精子の各部分での正常形態，異常形態を理解する。
・実際の染色写真を見て，正常形態精子，異常形態精子を正しく判別する。

## 10.3.1　精子の異常形態（図 10.3.1）

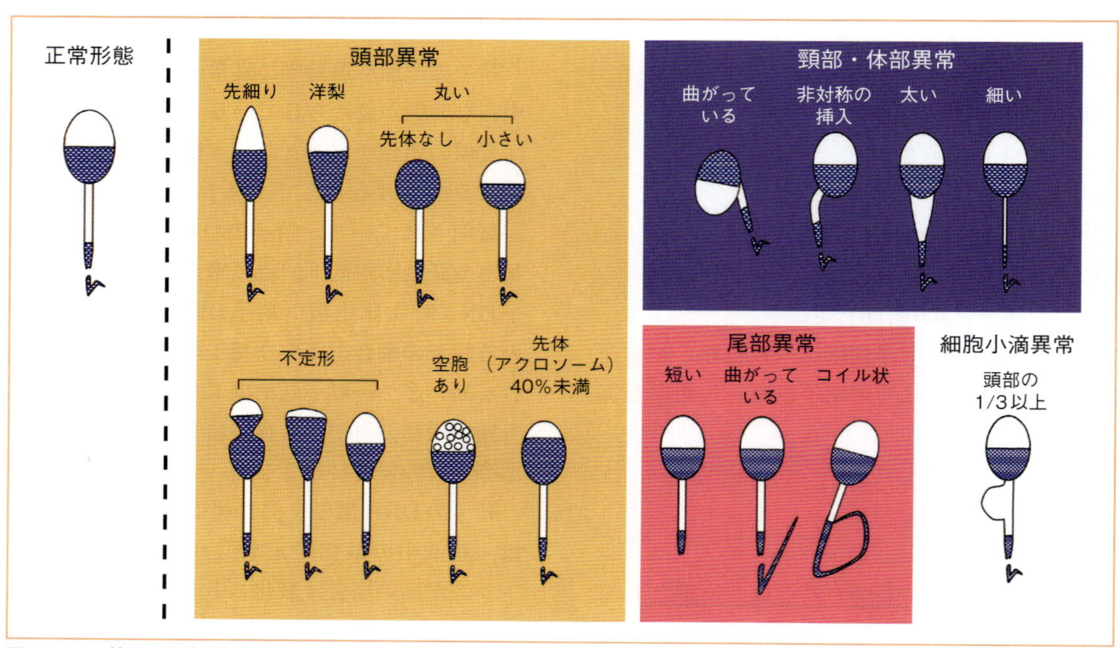


図 10.3.1　精子の異常形態

〔WHO（編）:「ヒト精液検査と手技」，WHO・ラボマニュアル 第5版，78，2010より改変〕

## 10.3.2　精子の鏡検像

精子の鏡検像を図 10.3.2～10.3.15 に示す〔すべて×1,000（油浸レンズ100×を使用）。MG染色〕。

---

用語　メイ・グリュンワルド・ギムザ（May-Grünwald Giemsa；MG）染色

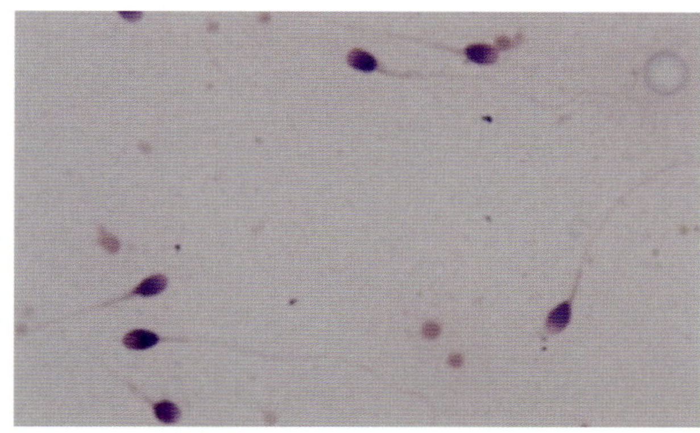

図 10.3.2　正常形態（normal）

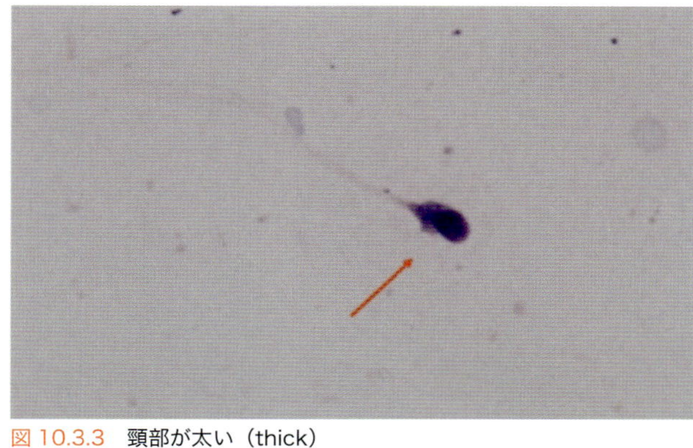

図 10.3.3　頸部が太い（thick）

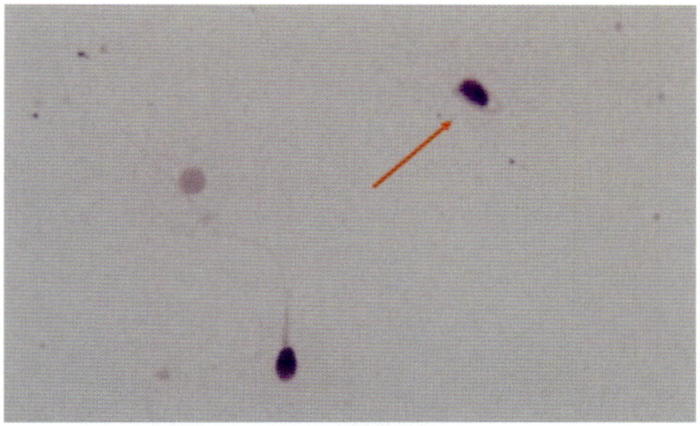

図 10.3.4　尾部がコイル状（coiled tail）

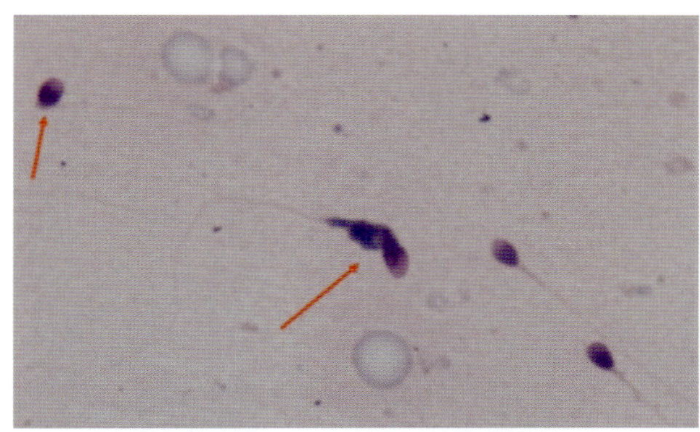

図 10.3.5　左：頸部彎曲（bent neck），右：頸部が太い（thick）

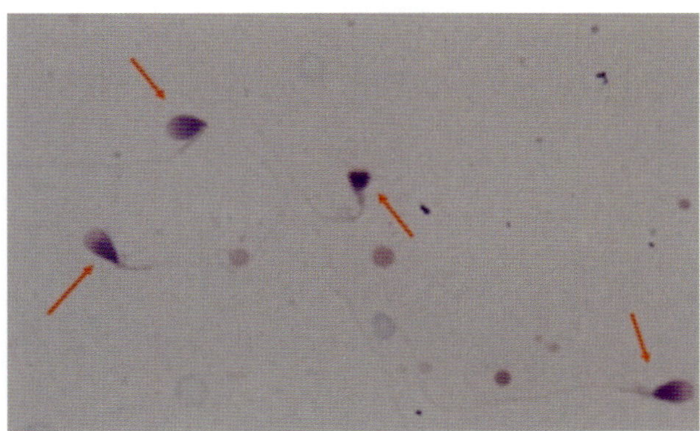

図 10.3.6　左：洋梨形頭（pyriform head），中央：頸部彎曲（bent neck），右：頭部が小さい（small head），右下：正常形態

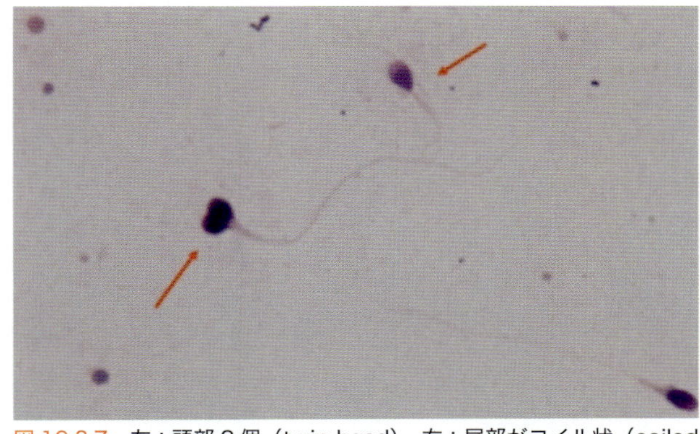

図 10.3.7　左：頭部２個（twin head），右：尾部がコイル状（coiled tail）

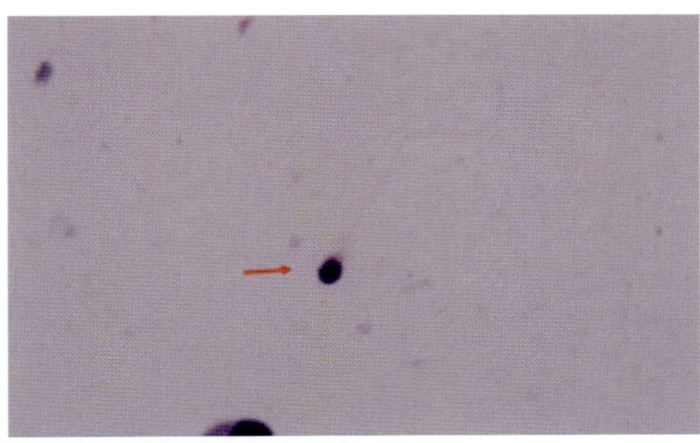

図 10.3.8　頭部が小さい（small head）

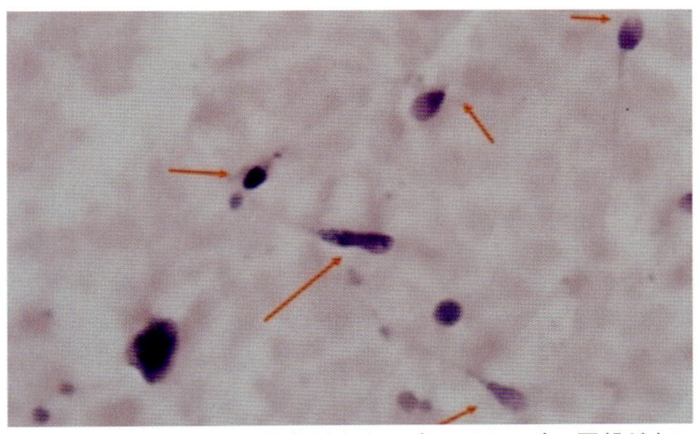

図 10.3.9　左から順に：頭部が小さい（small head），頸部が太い（thick），頸部彎曲（bent neck），洋梨形頭（pyriform head），空胞（vacuolated）

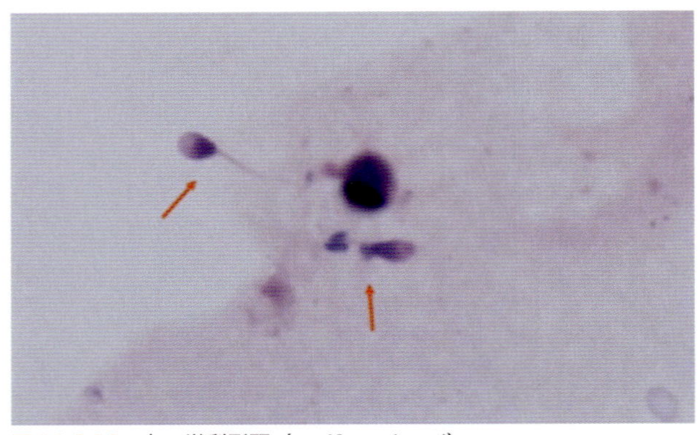

図 10.3.10　左：洋梨形頭（pyriform head），
右：頸部が太い（thick）

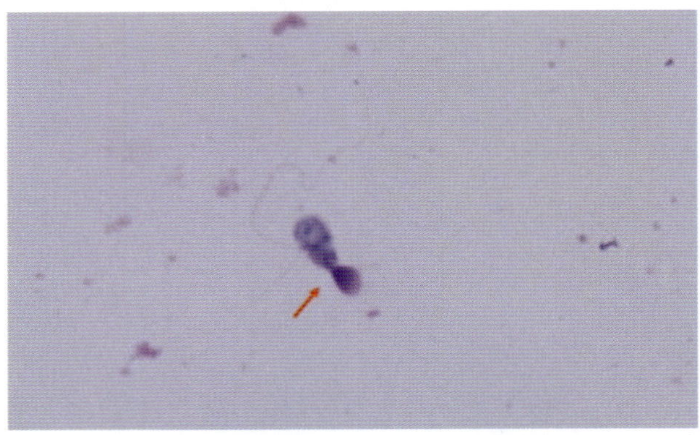

図 10.3.11　洋梨形頭（pyriform head）かつ頸部弯曲（bent neck）かつ細胞小滴異常（頸部にあり。頭部の 1/3 以上の大きさ）

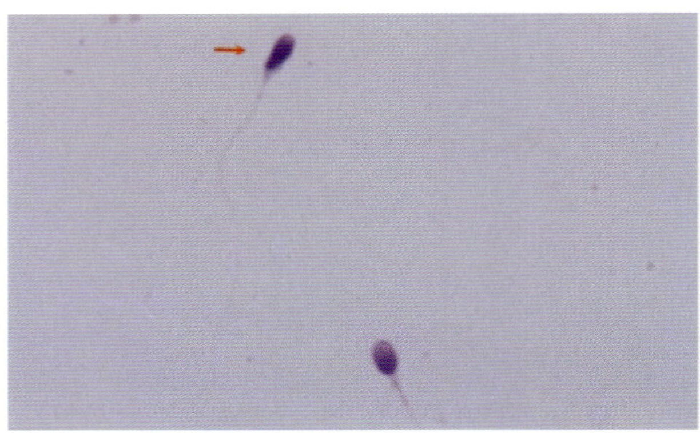

図 10.3.12　洋梨形頭（pyriform head）

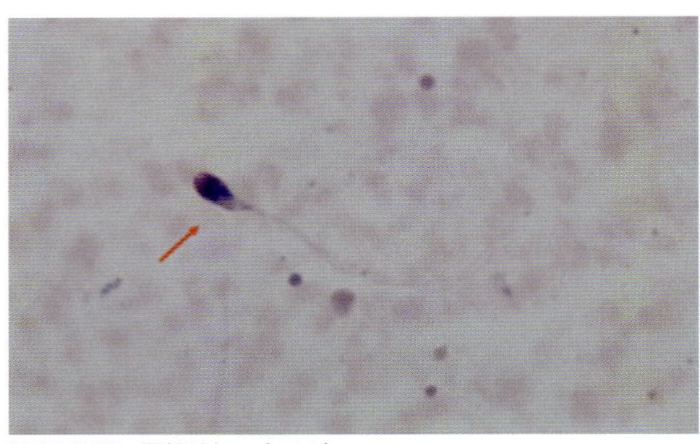

図 10.3.13　頸部が太い（thick）

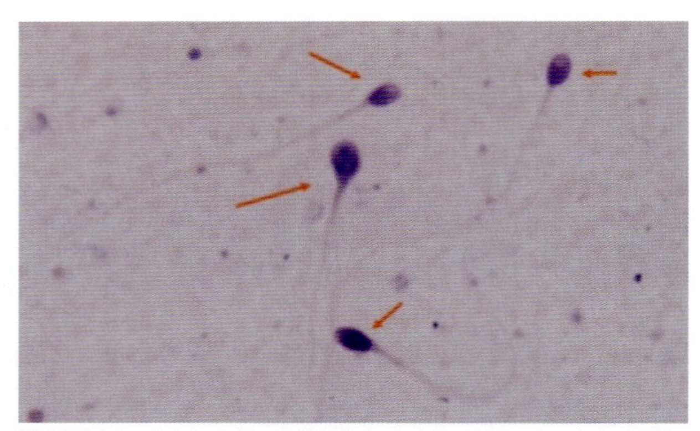

図 10.3.14　上から 2 個：空胞が大きい（vacuolated），中央：頭部巨大かつ先体（アクロソーム）がない（large & no acrosome），下：頭部が細い（tapered head）

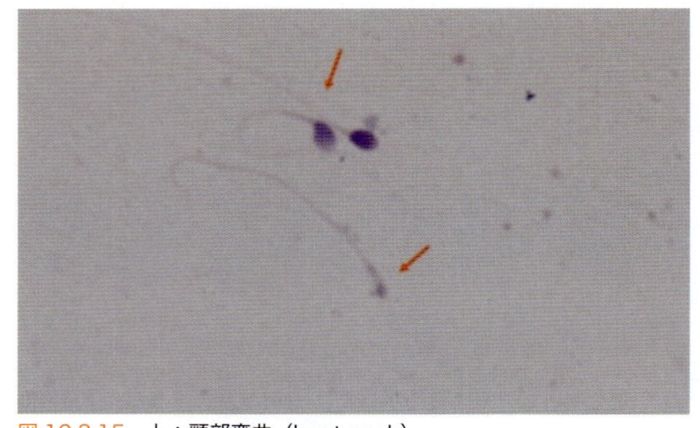

図 10.3.15　上：頸部弯曲（bent neck），
下：頭部なし〔ピン状頭部（pin-shaped head）〕

［小関紀之］

F. 寄生虫検査

# 11章 寄生虫検査

## 章目次



## SUMMARY

現在のわが国では，寄生虫感染症は減り，寄生虫検査を臨床検査業務の中で実施することは，ほとんどなくなった。しかし，海外においては今もなお身近な感染症であることを忘れてはならない。国内で重要となる寄生虫疾患としては，アメーバ赤痢や腟トリコモナス症などの性感染症（STI），ツツガムシ病や重症熱性血小板減少症候群（SFTS）のようなダニ媒介感染症，そしてペットブームに起因する人獣共通感染症，生食や輸入生鮮食品を感染源とする感染症があげられる。本章ではこれらの重要な寄生虫に加え，国内での発生が少なくなった寄生虫の要点を容易に確認できるよう一覧表にまとめた。検査法については，寄生虫感染症を疑う検体が提出されたときに本書を開けば，適した検査法が理解でき検査に取りかかれるように，イラストを多用し検査法の充実を図った。

# 11.1 | 寄生虫検査の基礎

- 寄生虫の検査について知ると同時に，寄生虫の分類と生活史（ライフサイクル）を理解する。
- 寄生虫の生活史を知ることで的確な検査が可能となり，感染の拡大と予防にも役立つ。
- 寄生虫の分類を理解することで，成虫や幼虫，さらに虫卵などが鑑別しやすくなる。

## 11.1.1 臨床的意義

寄生虫検査はヒトに身体的に害を及ぼす寄生虫を各種検体から検出し，寄生虫感染症の診断・治療に役立てることを意義としている。また，寄生虫の検出は，確定診断へ直結することが多く，意義が高い。

## 11.1.2 日本における寄生虫感染症

第二次世界大戦後をピークに，公衆衛生やインフラの整備により，現在，日本における寄生虫感染症の患者はほとんどいないかのように扱われている。しかし，日本食文化である生食であったり，増加傾向にある性感染症，海外渡航者，在留外国人，ペット愛好家，輸入生鮮品など，多岐にわたる感染経路がある。そのため，虫卵検査だけでなく，原虫検査や幼虫移行症検査，遺伝子検査などの幅広い検査も熟知する必要がある。また，日本だけでなく，海外の寄生虫感染症についても知識として身につけたい。

## 11.1.3 寄生虫の基礎知識

寄生虫感染症や寄生虫検査を理解するためにも，寄生虫学（医動物学）の基礎知識を習得する必要がある。

### 1. 寄生虫の分類

寄生虫を分類することは，寄生虫の生活史（ライフサイクル）や形態的特徴を理解することにつながる。寄生虫の分類を図11.1.1に示す。

### 2. 寄生虫に関する用語

寄生虫学を理解するために，特有の用語を理解することが重要である。

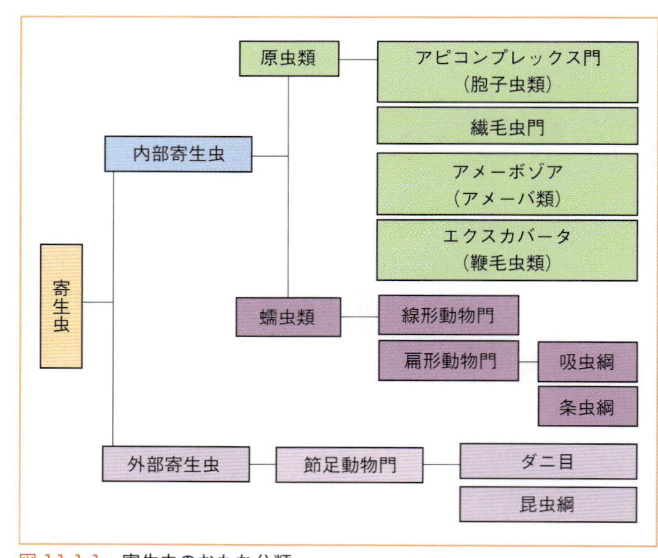


図11.1.1　寄生虫のおもな分類

**(1) 生殖に関する用語**

・無性生殖の方法：「二分裂」，「多数分裂」，「出芽」があり，原虫類の生殖で見られる。

・有性生殖の方法：「両性生殖」があり，雌雄の性細胞が合体（受精）する生殖方法である。蠕虫類すべてで見られる。原虫類ではアピコンプレックス門の原虫が有性生殖と無性生殖の両方を行うことができる（マラリア原虫やトキソプラズマなど）。

また，特異な方法として「単為生殖」（糞線虫，3倍体のウエステルマン肺吸虫），「幼生生殖」（吸虫類の幼生期の増殖）もある。

**(2) 感染経路に関する用語**

・経口感染：寄生虫の感染型が経口摂取されることによって感染する。

・経皮感染：寄生虫の感染型が皮膚から侵入して感染する場合と，吸血昆虫や輸血などで感染型が注入されて感染する場合がある。

・経胎盤感染：寄生虫が胎盤を通過し，胎児に垂直感染する（トキソプラズマやクルーズトリパノソーマなど）。

・性行為感染：感染者と非感染者が性行為することで，寄生虫の感染型が感染する。接触感染に位置付けられることもある（腟トリコモナス，ケジラミなど）。

・接触感染：寄生虫の感染型が粘膜に接触することによって感染する。コンタクトレンズを介したアカントアメーバの感染など。

・自家感染：固有宿主に寄生する成虫から産出された幼虫や虫卵が同一宿主体内で感染型に発育し，さらに成虫になる感染様式。蠕虫類では糞線虫，フィリピン毛細線虫，小形条虫，有鉤条虫があげられ，原虫類ではクリプトスポリジウムも該当する。

**(3) 生活史に関する用語**

・固有宿主（終宿主）：寄生虫が成虫まで発育し，次世代を産生できる宿主。

・非固有宿主：寄生虫が宿主に侵入できないか，侵入しても成虫まで発育できない宿主。

・中間宿主：固有宿主の前の宿主を指す。中間宿主2種の場合には，寄生虫の発育する順番に第1中間宿主，第2中間宿主とよぶ。

・待機宿主（延長中間宿主）：中間宿主と固有宿主の間に存在する宿主。待機宿主内では寄生虫は次のステージに発育できないが，生存はできる。寄生虫伝播の重要な役割を果たしている。

・媒介動物：病原体を体内に取り込み，一定の発育をとげさせた後，ヒトに生物学的伝播を行う動物（吸血昆虫やダニ類）。

・保虫宿主：ヒト以外の動物にも寄生し得る場合の宿主。

・保虫者（キャリア）：寄生虫に感染しているが無症状であるヒトや動物。

・感染型：ヒトに感染させる能力をもつ各寄生虫の形態を意味する。

**(4) 宿主・寄生虫相互関係に関する用語**

・宿主特異性：寄生虫は特定の宿主に寄生し，発育して生殖する。

・寄生部位特異性：多くの寄生虫は特定の臓器や組織に定着することで発育や成熟，生殖する。

・異所寄生：本来の寄生部位に到達できず，ほかの部位で成虫に発育すること（ウエステルマン肺吸虫）。

・迷入：本来の寄生部位を離れてほかの臓器に移動すること（回虫，蟯虫）。

・転移：ある種の寄生虫の一部が血行性またはリンパ行性に他所に運ばれ定着，増殖すること（赤痢アメーバ，単包虫，多包虫）。

・幼虫移行症：ヒトを固有宿主としない寄生虫の幼虫がヒトに侵入し体内を移行することにより，さまざまな症状を引き起こす症候群。内臓幼虫移行症と皮膚幼虫移行症に大別される。

・人獣共通感染症：ヒトにも動物にも感染する病気。ヒトだけを対象とした予防策では，対象の病原体の根絶は困難である。

・日和見感染症：宿主の免疫機能が正常のときには無害で不顕性に感染する病原体が，宿主の免疫機能が低下もしくは不全状態になったときに，病原性が顕在化し，発症する感染症。

・性感染症（STI）：性行為で感染する病気。性器の接触のみならず，肛門を介した糞口感染による感染症も含まれる。

## 3. 定められている寄生虫

特定の寄生虫感染症は法律や研究機関などで定められている。臨床業務に関連するものや世界規模で重要視されているものを理解することが重要である。

**(1) 感染症の予防及び感染症の患者に対する医療に関する法律（感染症法）：厚生労働省**

・4類感染症

エキノコックス症（単包条虫，多包条虫）

用語　性感染症（sexually transmitted infection；STI）

マラリア（各種マラリア原虫）
・5類感染症（全数届出）
アメーバ赤痢（赤痢アメーバ）
クリプトスポリジウム症（クリプトスポリジウム）
ジアルジア症（ランブル鞭毛虫）
診断後，7日以内に保健所に届け出なければならない。

**(2) 食中毒と寄生虫：厚生労働省**
・アニサキス(アニサキス属およびシュードテラノーバ属)
・クドア（クドア・セプテンプンクタータ）
・サルコシスティス（サルコシスティス・フェアリー）
・その他の寄生虫（飲食に関わる寄生虫）
原虫：クリプトスポリジウム，サイクロスポーラなど
線虫：旋尾線虫，旋毛虫，顎口虫など
吸虫：肺吸虫，横川吸虫など
条虫：裂頭条虫，無鉤・有鉤・アジア条虫など

**(3) AIDS指標疾患と寄生虫：厚生労働省**
・イソスポーラ症
・クリプトスポリジウム症
・トキソプラズマ脳症

**(4) 発がん性分類と寄生虫：国際がん研究機関（IARC）**
・グループ1群（発がん性がある）
肝吸虫：胆管がん
タイ肝吸虫：胆管がん
ビルハルツ住血吸虫：膀胱がん
・グループ2B群（発がん性の恐れがある）
日本住血吸虫：肝臓がん
・グループ3群（発がん性を分類できない）
マンソン住血吸虫：肝臓がん
ネコ肝吸虫：胆管がん

**(5) 顧みられない熱帯病（NTDs）と寄生虫：世界保健機関（WHO）**
「人類の中で制圧しなければならない熱帯病」と定義している20の疾患のうち，12の疾患が寄生虫関連の疾患である。
・アフリカ睡眠病（アフリカトリパノソーマ）
・エキノコックス症（単包虫，多包虫）
・オンコセルカ症（回旋糸状虫）
・外部寄生虫症（ヒゼンダニ，シラミなど）
・シャーガス病（クルーズトリパノソーマ）
・住血吸虫症（日本住血吸虫，ビルハルツ住血吸虫など）
・条虫症および嚢虫症（裂頭条虫，有鉤条虫など）
・食物媒介吸虫類感染症（肺吸虫，肝吸虫など）
・土壌伝播線虫感染症（回虫，鉤虫，鞭虫，糞線虫など）
・メジナ虫病（メジナ虫）
・リーシュマニア症（各種リーシュマニア）
・リンパ系フィラリア症（バンクロフト糸状虫など）

## 11.1.4　分類ごとの寄生虫の総論

各寄生虫の総論を理解することは，各論をより理解するうえで重要である。

### 1. 線虫類（図11.1.2）

**(1) 形態学的特徴**
・雌雄異体
・ミミズ様または糸状
・横断面は左右対称
・体表は角皮
・1本の管状の消化管（口，食道，腸，肛門）
・一般に大きさは雄より雌の方が大きい
・雄の尾部は特徴的（交接刺，交接嚢など）

**(2) 感染型について**
線虫類の感染症は基本「3期幼虫」である。
・中間宿主を要しない
幼虫包蔵卵：回虫，鞭虫，蟯虫など
3期幼虫：鉤虫，東洋毛様線虫，糞線虫
〔フィラリア型幼虫（F型幼虫ともよぶ）〕

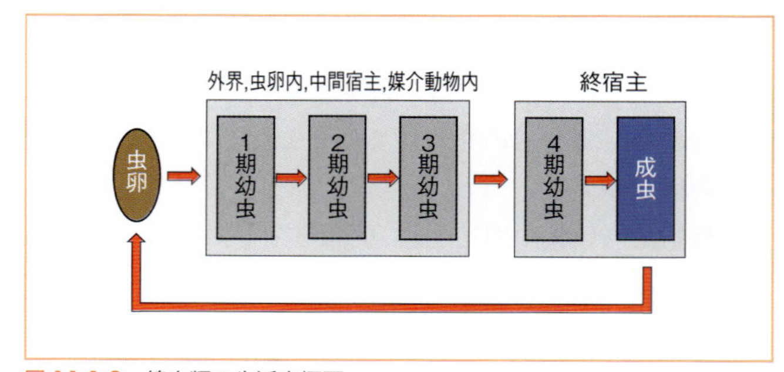

図11.1.2　線虫類の生活史概要

用語　後天性免疫不全症候群（acquired immunodeficiency syndrome；AIDS），国際がん研究機関（International Agency for Research on Cancer），顧みられない熱帯病（neglected tropical diseases；NTDs），世界保健機関（World Health Organization；WHO），フィラリア型（filariform；F型）

・中間宿主が必要
3期幼虫：顎口虫，糸状虫，旋尾線虫，旋毛虫，広東住血線虫，アニサキスなど
・媒介節足動物が必要
3期幼虫：糸状虫，メジナ虫
例外：鞭虫の感染型は幼虫包蔵卵で内容は1期幼虫である。
例外：糸状虫類は卵胎生であるため，虫卵の産出はなく，ミクロフィラリアを産出する。
例外：旋毛虫は卵胎生であるため，虫卵の産出はなく，幼虫を産出する。また，終宿主が中間宿主となる。

## 2. 吸虫類（図 11.1.3，表 11.1.1）

吸虫類は「住血吸虫」と「その他吸虫」に分けて考えると理解しやすい。

### (1) 形態学的特徴

・口吸盤と腹吸盤をもつ
・口を有するが肛門をもたない
（口，咽頭，食道，腸，盲管）
・老廃物は炎細胞が吸収し，排泄孔から排泄
・住血吸虫は雌雄異体，その他吸虫は雌雄同体

## 3. 条虫類（図 11.1.4，表 11.1.2）

条虫類は「擬葉類」と「円葉類」に大別される。

### (1) 形態学的特徴

・雌雄同体
・頭節に片節が数個～数千個連なる扁平な紐状
・各成熟片節に雌雄1対の生殖器が存在
・消化管はない

円葉類では中間宿主体内における幼虫の形態と名称が種によって異なるが，嚢虫と総称されることが多い。

## 4. 原虫類

単細胞の真核生物で，基本，ヒトに寄生して病害を与えるものを中心として扱う。

### (1) 原虫類の基本用語

・栄養型：増殖時の形態。外界への抵抗性は低い。感染力も弱い。一般的に動いているものが多く，アメーバ類やランブル鞭毛虫，トリコモナス，バランチジウムで使用されやすい用語。
・シスト（嚢子）：無性生殖の過程で被膜をかぶり，外界に抵抗性をもった形態。感染力が強い。例外としてトリコモナス類，トリパノソーマ属，リーシュマニア属ではシストの形態をとらない。
・オーシスト（卵嚢子）：終宿主の体内で雌雄の融合（有性生殖）により形成され，被膜をかぶった外界に抵抗性をもった形態。感染力が強い。胞子虫類に特有の形態。クリプトスポリジウム，戦争シストイソスポーラ，サイクロスポーラ，トキソプラズマの感染型として使用され

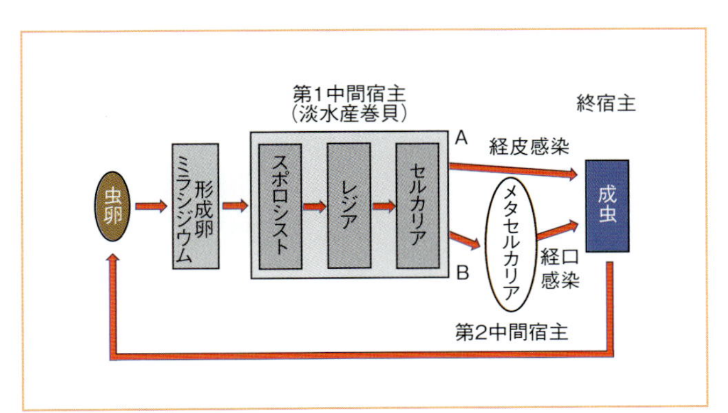


図 11.1.3 吸虫類の生活史概要
A：住血吸虫，B：その他吸虫
例外：肝蛭は第2中間宿主の代わりに水草にセルカリアが付着し，メタセルカリアに発育する。

表 11.1.1 住血吸虫とその他吸虫の生活史の違い

| | 住血吸虫 | その他吸虫 |
|---|---|---|
| 中間宿主 | 1つ | 2つ |
| 感染型 | セルカリア | メタセルカリア |
| 感染経路 | 経皮感染 | 経口感染 |

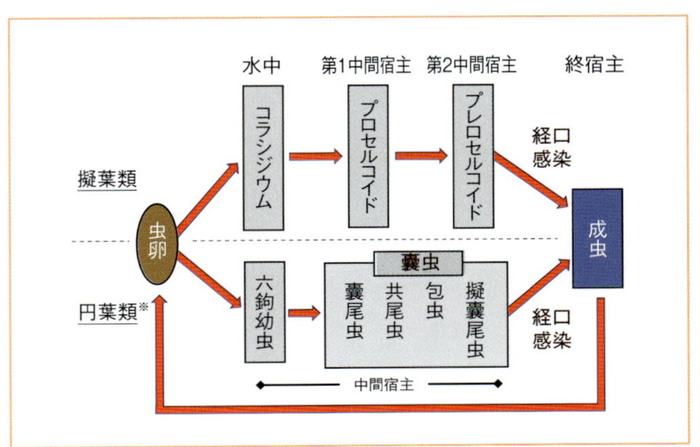


図 11.1.4 条虫の生活史概要
※ 円葉類では中間宿主体内における幼虫の形態と名称が種によって異なる。

表 11.1.2 擬葉類と円葉類の違い

| | 擬葉類 | 円葉類 |
|---|---|---|
| 虫卵の内容 | 卵細胞と卵黄細胞 | 六鉤幼虫 |
| 頭節 | 吸溝のみ | 吸盤，鉤，嘴 |
| 子宮孔 | あり | なし |
| 生殖孔 | 腹面に開口 | 側面に開口 |
| 中間宿主 | 1つ | 2つ |
| 感染型 | プレロセルコイド | 嚢虫 |

やすい用語。

**(2)　アピコンプレックス門（胞子虫類）**

終宿主体内では有性生殖を行ってオーシストを形成。

無性生殖世代には，基本的に栄養型とシストの形態をとるが，多様である。

マラリア原虫類，トキソプラズマ，クリプトスポリジウムなど医学的に重要な種を多く含む。

**(3)　繊毛虫門（繊毛虫類）**

体周囲に繊毛をもつ。

有性生殖は行わない。

栄養型とシストの形態をとる。

ヒトで問題となるのは大腸バランチジウムのみ。

**(4)　アメーボゾア（アメーバ類）**

偽足を出して運動。

有性生殖は行わない。

基本，栄養型とシストの形態をとる。

赤痢アメーバ，アカントアメーバなど。

**(5)　エクスカバータ（鞭毛虫類）**

鞭毛とその運動器官であるキネトプラストをもつ。

有性生殖は行わない。

栄養型のみ：トリコモナス類，トリパノソーマ属，リーシュマニア属など

栄養型とシストを形成：ランブル鞭毛虫など

**(6)　その他**

原虫に分類されるか不明であるが，原虫として扱われる微生物が存在する。

・微胞子虫

・ブラストシスティス

・クドア・セプテンプンクタータ

消化器症状を引き起こすことがある。

## 11. 1. 5　寄生虫の駆虫薬

寄生虫症と診断された場合，駆虫薬は虫種や病状，病期などに応じて異なるため，臨床から対応を求められる場合は必要となる知識である（表11.1.3）。

本書では簡易的に提示する。詳細は熱帯病治療薬研究班が発刊している「寄生虫症薬物治療の手引き」[1] を参照していただきたい。ウェブサイトからダウンロードし，検査室に常備しておくことを推奨する。

表 11.1.3 各種寄生虫症と駆虫薬

| 線 虫 | 駆虫薬 |
|---|---|
| 回虫症<br>鉤虫症 | ①ピランテルパモ酸塩<br>②メベンダゾール<br>③アルベンダゾール |
| 鞭虫症<br>フィリピン毛細虫症 | ①メベンダゾール<br>②アルベンダゾール |
| 蟯虫症 | ①ピランテルパモ酸塩<br>②メベンダゾール |
| 糞線虫症<br>オンコセルカ症 | ①イベルメクチン |
| 旋毛虫症 | ①アルベンダゾール<br>②メベンダゾール |
| 動物由来回虫症<br>顎口虫症 | ①アルベンダゾール |
| バンクロフト糸状虫症 | ①ジエチルカルバマジン |

| 吸 虫 | 駆虫薬 |
|---|---|
| 住血吸虫症<br>肝吸虫症<br>横川吸虫症<br>肺吸虫症 | ①プラジカンテル |
| 肝蛭症 | ①トリクラベンダゾール※1 |

| 条 虫 | 駆虫薬 |
|---|---|
| 有鉤条虫症 | ①プラジカンテル<br>②ガストログラフイン |
| 有鉤嚢虫症<br>エキノコックス症 | ①アルベンダゾール |
| その他腸管寄生条虫症 | ①プラジカンテル<br>②ガストログラフイン |
| マンソン孤虫症 | ①プラジカンテル |

| その他 | 駆虫薬 |
|---|---|
| 疥癬 | ①フェノトリン（ローション）<br>②イオウ薬<br>③クロタミトン<br>④安息香酸ベンジル<br>⑤イベルメクチン |
| ハエ症 | ①イベルメクチン |

| 原 虫 | 駆虫薬 |
|---|---|
| 合併症のない熱帯熱マラリア | ①アルテメテル／ルメファントリン<br>②アトバコン・プログアニル塩酸塩<br>③メフロキン塩酸塩<br>④キニーネ塩酸塩水和物 |
| 重症マラリア | ①グルコン酸キニーネ注射薬※1 |
| 非熱帯熱マラリア（急性期） | ①アルテメテル／ルメファントリン<br>②アトバコン・プログアニル塩酸塩<br>③メフロキン塩酸塩 |
| 三日熱・卵形マラリア根治療法 | ①プリマキンリン酸塩 |
| 赤痢アメーバ症 無症候キャリア | ①パロモマイシン |
| 腸管アメーバ症<br>アメーバ性肝膿瘍 | ①メトロニダゾール内服錠<br>②チニダゾール錠<br>③メトロニダゾール注 |
| ジアルジア症 | ①メトロニダゾール内服錠<br>②チニダゾール錠<br>③アルベンダゾール<br>④パロモマイシン<br>⑤ニタゾキサニド※3 |
| クリプトスポリジウム症 | ①ニタゾキサニド※3<br>②パロモマイシン<br>※免疫不全時の効果は不明 |
| サイクロスポーラ症<br>戦争シストイソスポーラ症 | ①ST 合剤 |
| 腟トリコモナス症 | ①メトロニダゾール内服錠<br>②メトロニダゾール腟錠<br>③チニダゾール錠 |
| ガンビアトリパノソーマⅠ期 | ①ペンタミジンイセチオン酸塩 |
| ガンビアトリパノソーマⅡ期 | ①エフロルニチン※2 |
| ローデンシアトリパノソーマⅠ期 | ①スラミン※2 |
| ローデンシアトリパノソーマⅡ期 | ①メラルソプロール※2 |
| シャーガス病 | ①ニフルチモックス※2<br>②ベンズニダゾール※2 |
| トキソプラズマ症<br>妊婦初感染<br>（胎児感染なし） | ①スピラマイシン |
| トキソプラズマ症<br>妊婦初感染<br>（胎児感染あり） | ピリメタミン※1<br>スルファジアジン※1<br>ロイコボリン<br>（併用） |
| 先天性トキソプラズマ症（出生児）<br>眼トキソプラズマ症（成人） | ピリメタミン※1<br>スルファジアジン※1<br>ロイコボリン<br>プレドニゾロン<br>（併用） |
| トキソプラズマ脳炎（AIDS 患者） | ピリメタミン※1<br>ロイコボリン<br>スルファジアジン※1<br>（併用） |

表中の①は第一選択薬を示している。
※1 熱帯病治療薬研究班が臨床試験用として管理する薬剤
※2 治療薬として WHO から供与される薬剤
※3 治療用として個人輸入できる薬剤

［松村隆弘］

## 参考文献


1）日本医療研究開発機構：寄生虫症薬物治療の手引き 改訂 10.2 版，丸山治彦，他（編），2020．https://jsparasitol.org/wp-content/uploads/2022/01/tebiki_2020ver10.2.pdf
2）吉田幸雄：図説 人体寄生虫学 改訂 10 版，日本寄生虫学会「図説人体寄生虫学」編集委員会（編），南山堂，2021．
3）上村 清，他：寄生虫学テキスト 第 4 版，文光堂，2019．
4）World Health Organization 2020：Ending the neglect to attain the Sustainable Development Goals: a road map for neglected tropical diseases 2021-2030.

# 11.2　寄生虫検査法

- ホルマリン・エーテル法（MGL法）は，優れた集卵・集シスト（オーシスト）に有用である。
- ショ糖浮遊法は，クリプトスポリジウム属を検出するうえで極めて有用である。
- ホルマリンはDNAを断片化するので，遺伝子検査を行う検査材料には使用しない。
- 虫卵は大きさ，色調，形，卵内容，卵殻の状態，卵蓋の有無などを観察して鑑別する。

寄生虫検査では，糞便などの検体に存在する虫卵，幼虫，原虫類などを的確に検出して病態の原因を究明することが重要である。検出率の高い方法で，見逃しや誤同定がないように適切に実施する。また，検査で一度陰性であっても，寄生虫感染を疑う場合は，日を変えて3回検査することが望ましい。

検体を採取する容器は保存液なしで，乾燥や汚染を防止するためネジ蓋のあるものがよい。糞便は親指1本分程度を採取する。

## 11.2.1　塗抹法

生鮮標本を顕微鏡で直接観察する方法であり，運動性も確認できる。

### 1. 直接薄層塗抹法

最も基本的な方法である。使用する糞便の量は少ない。夾雑物（糞便成分）が鏡検の妨げとなり，検査対象を見落としてしまうことがある。

#### (1) 標本作製法（図11.2.1）と観察方法

1) 糞便の性状を観察する。
2) 粘血便以外：スライドガラス上に生理食塩液（生食）とヨード液[*1]を1滴ずつ置き，竹串などで適量の糞便と混ぜてから，カバーガラスをかけて観察する。

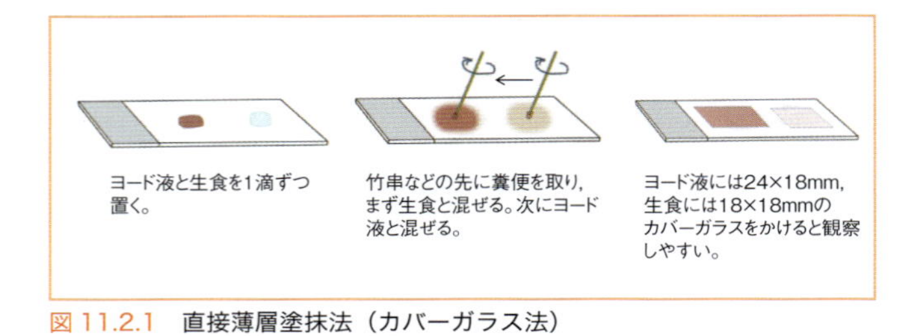


図11.2.1　直接薄層塗抹法（カバーガラス法）

3) 粘液血性便：赤痢アメーバの栄養型が検出されることがあるので，適量の新鮮便をスライドガラスに置き，カバーガラスをかけて鏡検する。検体採取直後ではない場合には，シャーレなどで湿潤室をつくり，37℃で10分間以上保温してから鏡検する。肝膿瘍液も同様に行う。
4) 生食と糞便を混和した標本：ランブル鞭毛虫などの栄養型，糞線虫のラブジチス型（R型）幼虫などの運動している状態が観察できる。
5) ヨード液で染色した標本：赤痢アメーバのシスト（嚢子）のグリコーゲン胞が淡黄色～赤褐色に染色され，核やカリオソーム（核小体）[*2]も明瞭に判別できる。大腸アメーバやランブル鞭毛虫のシストも染色され検出しやすくなるが，原虫は死滅する。

#### (2) 顕微鏡観察時の注意事項

1) 弱拡大×100（対物レンズ10×）～強拡大×400（対物レンズ40×）で鏡検する際には，コンデンサを少し下げてコントラストを調整し，微動ハンドルを動かしながら観察する。
2) 顕微鏡は適正に調整して使用する。とくに，コンデンサと絞りの調整は重要である。
3) 接眼および対物レンズの汚れは，純エタノールとエチル

用語　ラブジチス型（rhabditiform；R型），シスト（嚢子）（cyst），カリオソーム（Karyosome）

エーテルの等量混合液などを使用して清掃する。キシレンは使用しない。

4) 虫卵やシストなどの大きさは，マイクロメーターで測定する。機器の購入が困難であれば，既知の虫卵やシスト，スギ花粉，赤血球などの大きさと比較する。

5) 虫卵は大きさ，色調，形，卵の内容，卵殻の状態，卵蓋の有無などを観察して鑑別する。

#### (3) 保存方法

検出された原虫類，虫卵および幼虫を長期保存するには，固定液の酢酸ナトリウム・酢酸・ホルマリン（SAF）液*3を用いる。糞便の10倍量程度を加えて撹拌し密栓しておけば，後述のホルマリン・エーテル法（MGL法），ショ糖遠心浮遊法（ショ糖浮遊法），Kohn染色変法などが可能である。簡易的な保存として，5〜10％ホルマリンを加えて保存することも可能である。

**参考情報**

**＊1 ヨード液の調製法**
褐色ビンに精製水50mLとヨウ化カリウム2gを入れ，完全に溶解する。次にヨウ素1gを入れて溶解する。褐色ビンにて室温で保存し，ビンから取り出したヨード液は当日中に使用する。

**＊2 カリオソーム**
核小体ともいう。DNAを含み，赤痢アメーバでは核の中心部に存在するが，大腸アメーバでは中心から少し外れている。

**＊3 SAF液の調製法**
褐色ビンに精製水92mLと酢酸ナトリウム1.5gを入れ溶解する。次に，氷酢酸2mLとホルマリン4mLを入れて混和する。

### 2. セロファン厚層塗抹法

カバーガラスの代わりに，マラカイト緑・グリセリン液浸漬したセロファンを使用する方法である。操作が簡単であり，集団検診の塗抹法に用いられてきたが，加圧やグリセリンの影響による虫卵の変形が生じ得るため同定には熟練が必要である。

1) スライドガラスの中央に，小豆の半分程度の糞便を置く。
2) 浸漬セロファン（26×28mm，厚さ23〜37μm）を糞便にかぶせ，親指やゴム栓などで便を薄く均一に伸ばす。
3) 30分程度放置してから観察する。
4) 1時間以上放置すると虫卵の変形や破壊が起こり，特徴が不明瞭になる場合がある。
5) 原虫の栄養型の検出には適さない。

### 3. セロファンテープ法

蟯（ぎょう）虫の雌成虫は夜間にヒトが睡眠中に肛門から這い出し，肛門周囲の皮膚に約1万個の卵を産み付けてから死ぬ習性がある。それらの虫卵を粘着テープで回収して鏡検する肛囲検査法である。

注）専用の「ウスイ式ぎょう虫検査セロファン2回採卵法」の製品（図11.2.2左）が広く使用されてきたが，製造中止になったため，類似の製品または文房具のセロファンテープで代用する。

#### (1) 採取方法

専用の製品を使用できない場合は，起床直後の排便前に，肛門周囲にセロファンテープを押し付けて虫卵を付着させ，このテープをスライドガラスに貼り付けて鏡検する。

#### (2) 顕微鏡観察

1) 鏡検は対物レンズ4〜10×を用いて，粗動ダイヤルを動かしながら観察する。
2) 鏡検の倍率を上げ，卵殻内部の幼虫を確認する（図11.2.2右）。

#### (3) 注意事項

1) 本法により無鉤条虫，有鉤条虫などの円葉類の卵が検出されることもある。
2) 蟯虫卵は産卵後数時間で幼虫包蔵卵に発育し，感染能力を有するので留意する。
3) 蟯虫の雌成虫は毎日出てきて産卵するとは限らないので，2〜4日間検査する。

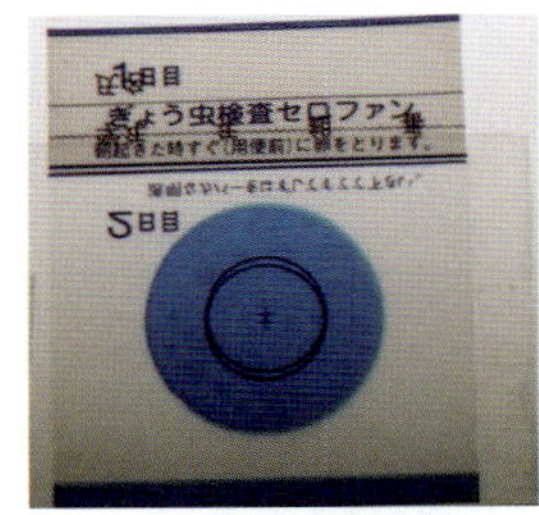


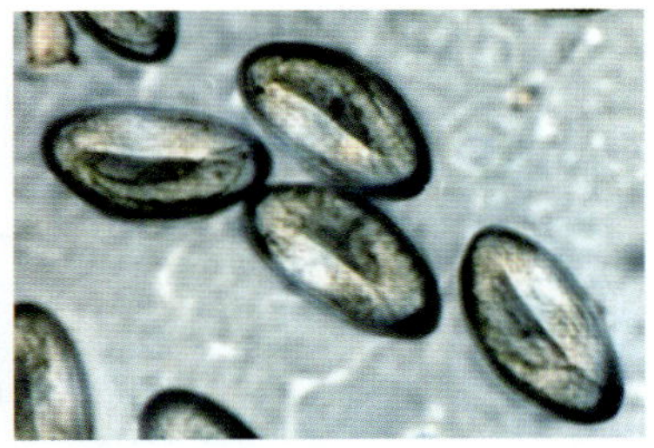

図11.2.2 蟯虫検査用セロファン（左）と蟯虫卵（右） ×400
左：大きいスライドガラス2枚にはさんで鏡検する。着色された円の全体を鏡検することが望ましい。
右：蟯虫卵の内部には，折れ曲がった状態の幼虫が観察できる。

**用語** 酢酸ナトリウム・酢酸・ホルマリン（sodium acetate, acetic acid, formalin；SAF）液，ホルマリン・エーテル法〔formalin-ether sedimentation method（一般略称として medical general laboratory method；MGL法）〕，ショ糖遠心浮遊法（ショ糖浮遊法）（sucrose centrifugal flotation method），コーン（Kohn）染色変法（modified Kohn's chlorazol black E staining）

## 11. 2. 2　集卵・集シスト法

産卵数が少ない寄生虫では，約1gの糞便から虫卵，シスト，オーシスト，糞線虫の幼虫を集める検査法を行う。遠心沈殿法と浮遊法がある。

### 1. 遠心沈殿法（表 11.2.1）

糞便溶液に有機溶媒や界面活性剤を添加して虫卵などを分離し，遠心沈殿して集める方法である。虫卵の比重の高低にかかわらず適用できる。

いくつかの方法があるが，日常検査では直接薄層塗抹法とMGL法を併用することが推奨される。

#### (1) ホルマリン・エーテル（MGL）法（図 11.2.3）

本法は約1gの糞便を濃縮して用いるので，虫卵，シスト，オーシスト，糞線虫のR型幼虫を効率よく検出できる。引火性の強いエーテルの代わりに酢酸エチルが用いられる傾向になってきているが，エーテルを使用する方が観察しやすい。なお，酢酸エチルを使用する場合はホルマリン・酢酸エチル法という。

1) 寄生虫学の専門書[1, 2]では，最初に糞便を生食に溶解すると記載されているが，感染防止のため，約8mLの10%ホルマリン液（35～38%ホルムアルデヒド水溶液1容：精製水9容）に直接入れて固定する。
2) 有形便を用いる際は，外側の端や中央部など数箇所から採取する。
3) ネジ蓋付きスピッツは，縦方向より横方向に振る方が効率よく混和できる。
4) 糞便層を竹串の尖った部分でゆっくり剥がし，デカント後，脱脂綿で糞便層の残った汚れを拭うと沈渣に余分な夾雑物の混入を防ぐことができる。
5) 本法による沈渣の約半量を約5mLのショ糖液（比重1.20）に加えて撹拌後遠心することにより，効率的に後述のショ糖遠心浮遊法が行える[3]。
6) 沈渣を遺伝子検査に使用する場合には，糞便は生食で溶解し，10%ホルマリン液は使用しない。ネジ蓋付きスピッツを用いるなど，感染防止に留意する。

表 11.2.1　各種遠心沈殿法の特徴

| 検査方法 | 特　徴 |
|---|---|
| MGL法<br>ホルマリン・酢酸エチル法 | 寄生虫卵全般，および原虫のシストやオーシストも検出できる。<br>エーテルまたは酢酸エチルで糞便成分を溶解して分離するので，沈渣量が少ない。<br>エーテルは引火性が強いので，酢酸エチルが用いられる傾向にある。 |
| Tween80・クエン酸緩衝液法（大島法） | 線虫卵，吸虫卵，条虫卵の検出に適する。<br>糞便層がゼリー状になって管壁に残るので，それをぬぐう必要がある。<br>マーゾニン（チメロサール）という水銀剤を使用する。 |
| AMS Ⅲ法 | 住血吸虫卵の検出のために開発された方法であり，原虫の検出には不適である。<br>高濃度の塩酸を使用する。 |

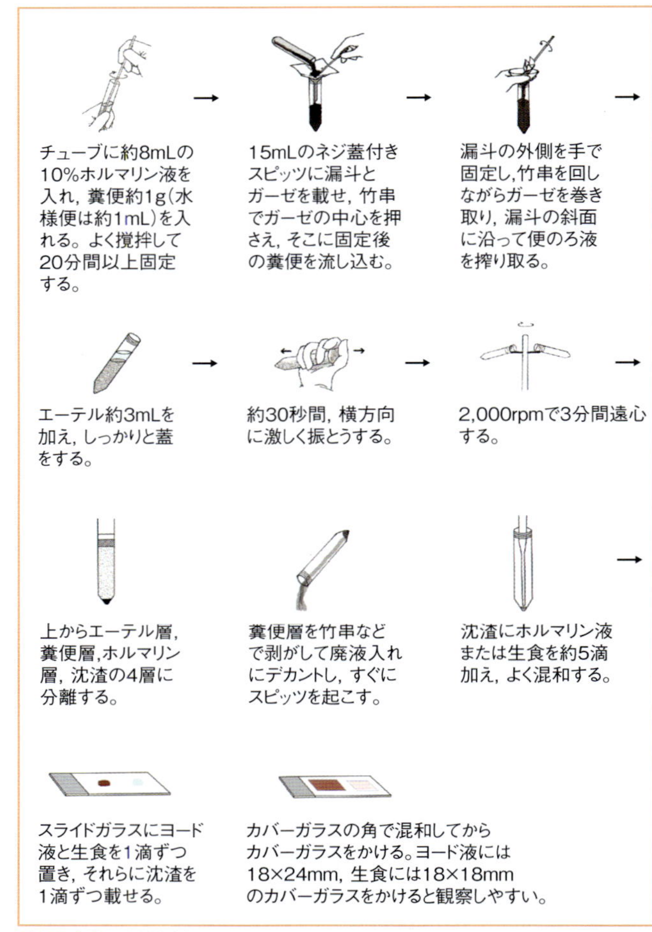


図 11.2.3　MGL 法

**参考情報**

スピッツはポリプロピレン素材の使用を推奨する。エーテルや酢酸エチルでの溶解を防ぐためである。

竹串の尖っていない方に脱脂綿を巻き付けておくと4）の操作を素早く実施できる。

### 2. 浮遊法（表 11.2.2）

高比重液を使用することにより，低比重の虫卵やシストを浮かせて検出する方法である。鉤虫，回虫，鞭虫，横川吸虫，肝吸虫などの虫卵を検出できるが，検出率には差が

用語　オーシスト（oocyst），AMS Ⅲ（American Military Service Ⅲ）法

表 11.2.2　各種浮遊法の特徴

| 検査方法 | 比重 | 特　徴 |
|---|---|---|
| ショ糖遠心浮遊法 | 1.20 | 赤痢アメーバなどのシストも検出できる。クリプトスポリジウムのオーシストの検出には最適である。 |
| 硫酸亜鉛遠心浮遊法 | 1.18 | 赤痢アメーバなどのシストも検出できる。比重の高い吸虫卵や条虫卵は検出できない。 |
| 飽和食塩水浮遊法 | 1.20 | シストは検出できない。30分以内の静置では虫卵は完全には浮遊せず，1時間以上では沈下する。 |
| 硫苦・食塩水浮遊法 | 1.23 | シストは検出できない。硫酸マグネシウムを増量すれば比重を高くできるが，夾雑物が多く浮遊するようになる。 |

ある。

### (1) ショ糖遠心浮遊法（図 11.2.4）

ショ糖液[*4]を用いて，クリプトスポリジウム属，サイクロスポーラおよび戦争シストイソスポーラのオーシストを検出する方法である。比較的低比重の虫卵も検出できる。

1) カバーガラスをかけて5分間，静置する。
2) 対物レンズ10×でカバーガラス直下にピントを合わせた後対物レンズ40×で鏡検する。
3) オーシストは，カバーガラスの下に付着した状態で浮遊している（図 11.2.5）。
4) MGL法の沈渣は夾雑物が少ないので，効率的に検査ができる。
5) ループ状のエーゼ（白金耳）をスライドガラスに押し付ける際には，膜のショ糖液が飛び散ることがあるので，汚染とキャリーオーバーに留意する。
6) オーシストは浸透圧によって萎縮するので，30分以内に観察する。

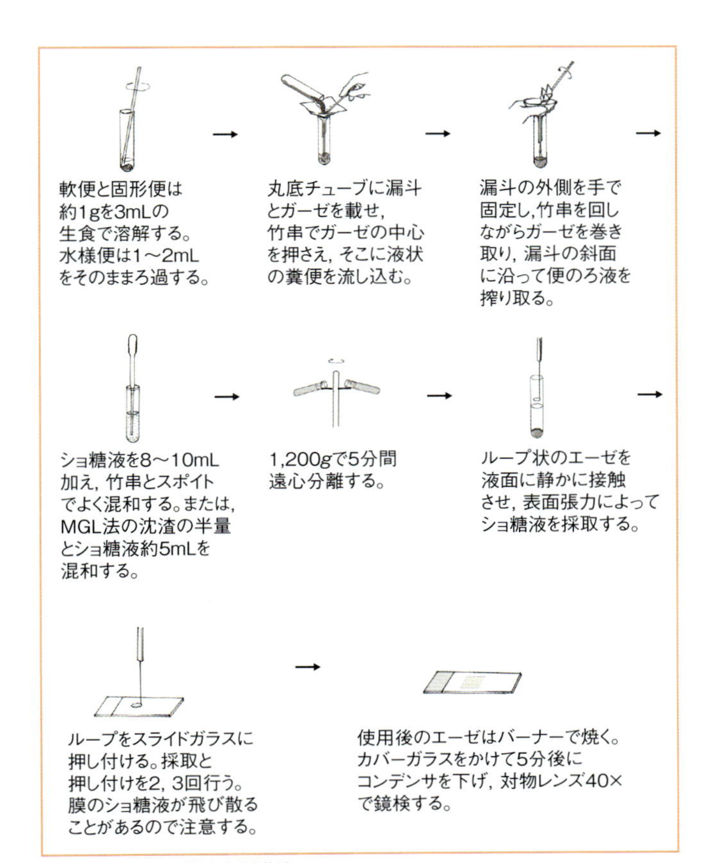

図 11.2.4　ショ糖遠心浮遊法

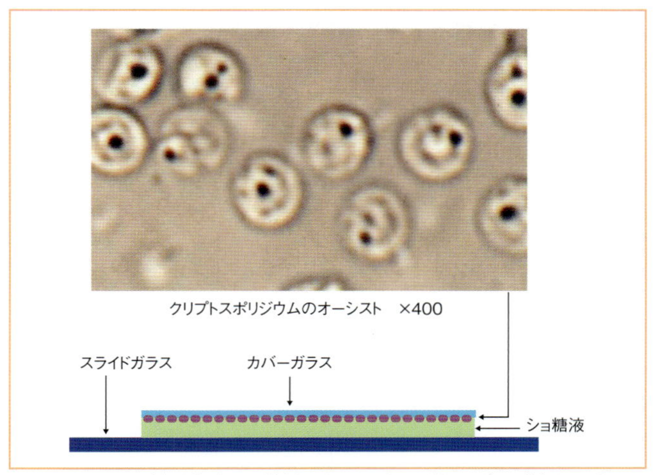

図 11.2.5　ショ糖浮遊法での鏡検においてクリプトスポリジウムのオーシストを見付けるコツ

①鏡検には対物レンズ 40× を用いる。コンデンサを下げ，コントラストを付ける。
②カバーガラスをかけて 5 分後に，夾雑物（雑菌など）にまず焦点を合わせる。
③微動ハンドルを回し，徐々にステージを下げる。
④完全にぼやけて何も見えなくなったら，少しだけハンドルを戻すとオーシストが浮かんでいる 。そこはカバーガラスの真下である（下の図）。
⑤クリプトスポリジウムのオーシストは，残体とよばれる黒い点が見えるのが特徴である（上の写真）。

**参考情報**

**＊4 ショ糖液の調製法**

表 11.2.3の割合で混ぜ，繰り返し何度も振れば溶ける。アジ化ナトリウムを添加すれば室温でも長期間保存できるが，短期間に使い切るならば添加は不要である。

表 11.2.3　ショ糖液の調製

| 組　成 | 比重 1.20 | 比重 1.30 |
|---|---|---|
| ショ糖（g） | 50 | 50 |
| 精製水（mL） | 65 | 32 |
| アジ化ナトリウム（g） | 0.1 | 0.05 |

（注：毒劇物取締法では，アジ化ナトリウムおよびアジ化ナトリウムの濃度が0.1％を超える試薬は毒物に指定されている）

### (2) 簡易迅速ショ糖浮遊法

スライドガラス上で下痢便とショ糖液を混和して観察する方法である。

1) スライドガラス上にショ糖液（比重1.3）を2滴置く。
2) 下痢便またはMGL法の沈渣を1滴加え，よく混和してからカバーガラスをかける。
3) 5分後には観察可能となる。
4) 下痢便では夾雑物が多いため，オーシストが少ないと検出は困難である。
5) ショ糖液を2滴使用すると標本が厚くなるため，レンズの倍率を上げる際にはカバーガラスとの接触に留意する。

**※応用編　ショ糖浮遊法・抗酸染色複合法**（図 11.2.6）

回復期の患者で，クリプトスポリジウムのオーシストが極めて少ない場合に有効な方法である[4]。抗酸染色については，後出の図 11.2.10を参照されたい。

1) MGL法の沈渣でショ糖浮遊法を行うと，オーシストはかなり精製される。
2) オーシストは，ホルマリン固定されていなければ遺伝子検査にも使用できる。
3) 沈渣が剥がれてしまう場合は，スライドガラスに血清を1滴置き，キムワイプでふき取る。

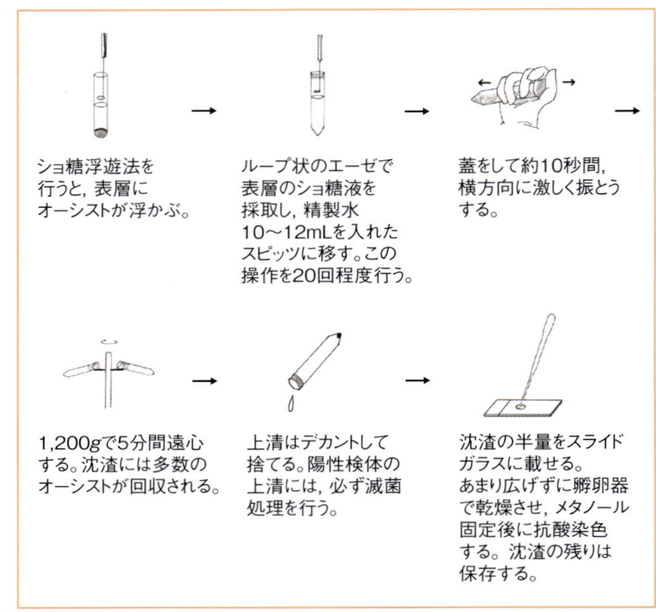


図 11.2.6　ショ糖浮遊法・抗酸染色複合法

## 11. 2. 3　糞便培養法

糞便を培養し，鉤虫卵，東洋毛様線虫卵，糞線虫のR型幼虫をフィラリア型（F型）幼虫にまで発育させて種を鑑別する方法である。生きた寄生虫を扱うため，細菌検査室などのBSL2の部屋で実施することが望ましい。

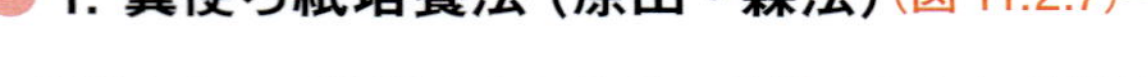

### 1. 糞便ろ紙培養法（原田・森法）（図 11.2.7）

培養するので時間はかかるが，手間はかからず簡便な方法である。

1) ろ紙は下端が試験管の管底に届くように入れるが，糞便塗抹部が水に浸ってはいけない。
2) 培養温度は25〜28℃とする。
3) 幼虫は発育すると水中に移動し，管底にたまる。
4) 幼虫の運動が活発な場合は，スライドガラスを加熱固定する。
5) 糞便のほか，十二指腸液や胆汁でも糞線虫のR型幼虫が検出されることがある。
6) F型幼虫は感染力をもつので留意する。
7) 培養検査に用いる糞便は，冷蔵保存してはならない。

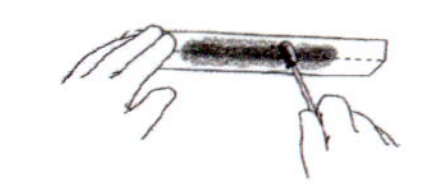


図 11.2.7　糞便ろ紙培養法

### 2. 普通寒天平板培地法（図 11.2.8）

普通寒天培地を入れたシャーレの中央に便を2〜3g載せて放置し，寒天表面に形成された蛇行状の形跡を調べて糞線虫を検出する方法である。ろ紙培養法より検出率が高い。

1) 大小シャーレの間に水道水を入れると，蓋に付着した水滴に虫体が集まるので危険である。
2) 生物顕微鏡の標本押さえを外し，対物レンズ4×で虫が動いた形跡を観察する。
3) 寒天培地平板上には，糞線虫のR型やF型の幼虫，成虫などが検出される。
4) 糞便検体は新鮮なものを用いる。培養前に冷蔵保存しない。高温を避けて輸送し，速やかに培養する。

用語　bio safety level；BSL

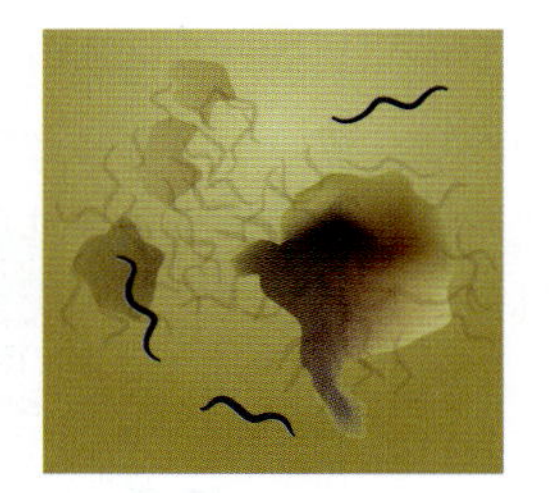


図 11.2.8　普通寒天平板培地法

表 11.2.4　原虫類の培養法

| 原　虫 | おもな培地 |
|---|---|
| 腟トリコモナス | トリコモナス培地（市販），浅見培地（システインブイヨン血清培地） |
| ブラストシスチス | 田辺・千葉培地改変液体培地 |
| アカントアメーバ | 滅菌大腸菌塗布 1.5% 寒天平板培地 |
| 赤痢アメーバ | 田辺・千葉培地，Balamuth 培地，Diamond 無菌培地 |
| リーシュマニア属<br>トリパノソーマ属 | Novy-MacNeal-Nicolle（NNN）培地 |

### 3. 原虫類の培養法（表 11.2.4）

臨床材料を培養し，原虫類を検出する。

原虫類の培養では，腟トリコモナスの培養は市販培地があるため，実施しやすい。37℃で1～7日間培養する。

アカントアメーバを含む自由生活性アメーバの培養には，滅菌した大腸菌を塗布した無栄養寒天培地での培養方法がある。26～30℃で1週間培養する。Bacto-agarが推奨されているがアガロースや寒天でも培養は可能である。

## 11. 2. 4　染色方法

蠕虫類の成虫や原虫類は，それぞれに適した染色を行い，細部の構造を観察して同定する。

### 1. Kohn 染色変法（図 11.2.9）

アメーバ類および鞭毛虫類の永久染色標本を作製して観察する方法である。核などの細部構造を観察できる。Kohn染色液はエタノールを主成分とする固定液とクロラゾール・ブラックE染色液の試薬であり，固定と染色を同時に行うことができる。染色液は自家調製できるが，市販品もある。

1) 粘血便，水様便，および肝膿瘍液は塗抹後，冷風で素早く半乾きにしてから染色液に入れる。
2) 栄養型では過染する傾向があるので，染色時間を短くする。
3) 厚く塗抹すると，観察が困難になる。
4) ドーゼから取り出したスライドガラスの裏側はろ紙で拭き，トントンと叩いて敷いた紙に染色液を落とす。
5) 使用後の染色液はろ紙でろ過し，褐色びんに移して密栓しておけば，何度でも使用できる。

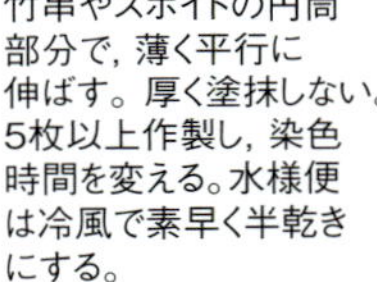
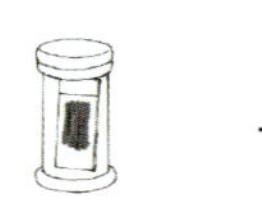
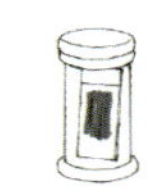


図 11.2.9　Kohn 染色変法

用語　バラムス（Balamuth）培地，ダイアモンド（Diamond）無菌培地，Novy-MacNeal-Nicolle（NNN）培地，コーン（Kohn）染色

## 2. Kinyoun 抗酸染色（図11.2.10）

クリプトスポリジウム，サイクロスポーラ，および戦争シストイソスポーラのオーシストは抗酸染色ができる。

1) 脱色時間は短めにし，赤味がある程度残る状態までにとどめる。
2) カバーガラス上の余剰の封入剤は，乾いてからキシレンで周囲をぬぐう。
3) クリプトスポリジウムのオーシストは，スポロゾイトがピンク～赤色に染色され（図11.2.11），明瞭に染まるものから，薄いかほとんど染まらないものまでが混在する。
4) オーシスト壁は染色されないので，赤いスポロゾイトの外側部分を計測して，大きさを確認する。

図11.2.10 Kinyoun 抗酸染色

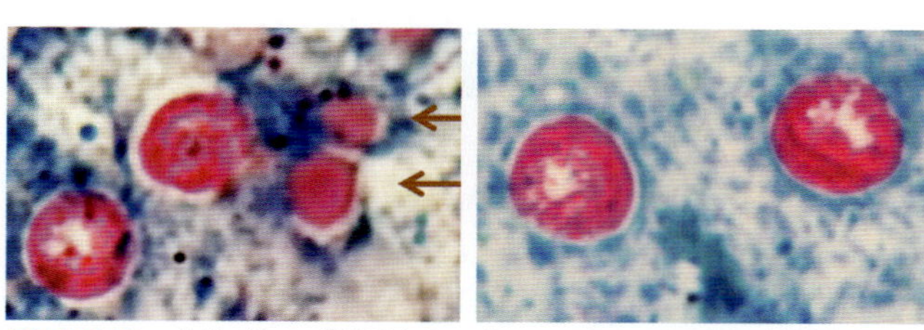

図11.2.11 クリプトスポリジウムのオーシスト ×1,000 抗酸染色
左：ピンクのすりガラス様の大きな構造物2つがオーシストである。大小不同の無構造なもの（矢印）は異物である。さらに大きいものもあるので，オーシストと間違わないことが重要である。
右：ほかの患者の便におけるオーシスト。

## 3. Giemsa 染色

臨床材料を染色し，マラリア原虫，腟トリコモナスやランブル鞭毛虫の栄養型，糸状虫のミクロフィラリア，トリパノソーマなどを検出する。

### (1) マラリア原虫のGiemsa染色法

マラリアが疑われる場合には，血液薄層塗抹標本（図11.2.12）を作製し，Giemsa染色を行う。感染率が低い場合は血液厚層塗抹標本（図11.2.13）を併用することもある。

1) スライドガラスの一端に血球計算板用カバーガラス22×22mmを貼り付けて，引きガラスとする。
2) 引きガラスは70%エタノール消毒綿でよく拭き，さらに紙やガーゼで拭く。

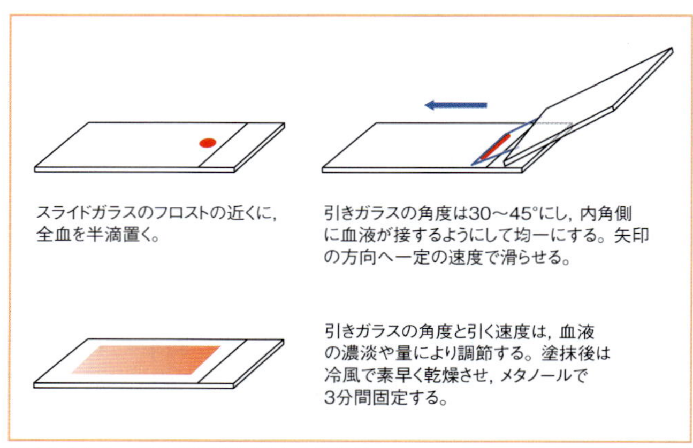


図11.2.12 血液薄層塗抹標本の作製法

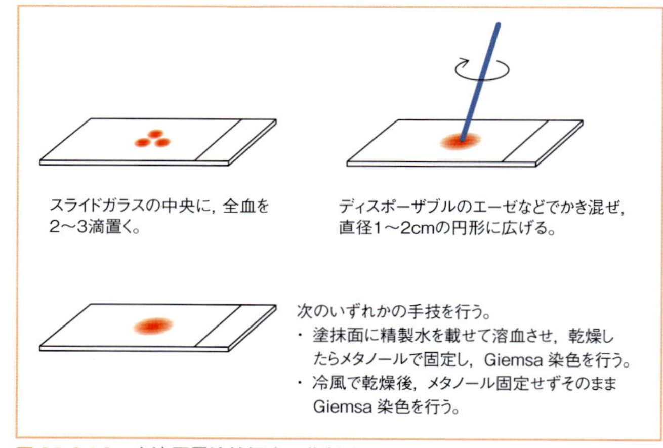


図11.2.13 血液厚層塗抹標本の作製法

用語 キニヨン（Kinyoun）抗酸染色，スポロゾイト（sporozoite），ギムザ（Giemsa）染色

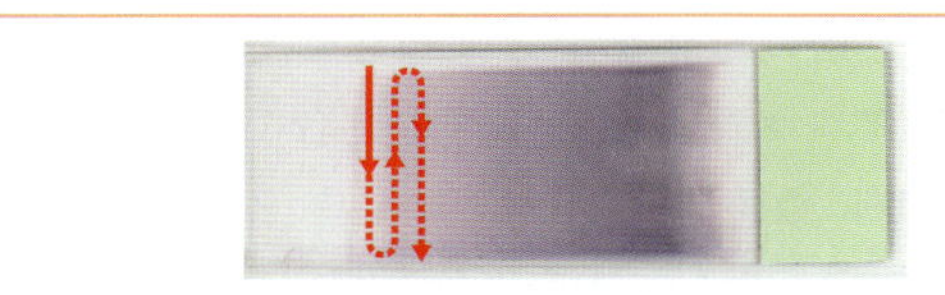

図 11.2.14　Giemsa染色を行った血液薄層塗抹標本の鏡検
赤血球が重ならない部位を矢印のように観察する。

3) Giemsa染色液は，使用直前にリン酸緩衝液（1/50 mol/L, pH7.2）で20倍に希釈する。
4) Giemsa染色液は塗抹標本の上に数mL載せるか，ドーゼの中で約40分間染色する。
5) フロスト（すりガラス部分）側から流水で水洗し，裏側はろ紙で拭いてからよく乾燥させる。
6) 赤血球がほぼ一層に見える終端部分を選び，対物レンズ20×～40×で観察し，油浸レンズ100×で構造を確認する（図11.2.14）。
7) 形態の特徴からマラリア原虫の種の鑑別を行う。とくに，熱帯熱マラリア原虫であるか否かの鑑別は重要である。
8) 白血球が300～400個出現する視野数を観察し，原虫が見られなければ一応陰性と判断する。
9) 血液厚層塗抹標本では種の鑑別は困難であるが，熱帯熱マラリア原虫の半月状の生殖母体の検出は容易になる。
10) 通常，薄層塗抹標本のみで検査は十分可能であり，厚層塗抹標本での検査はほとんど実施されない。

### (2) 塗抹標本作製のポイント

塗抹標本の作製が適正でないと，観察が困難になる。以下にポイントを示す。

1) 抗凝固剤はEDTA-2Kを用いる（ヘパリンは染色性に影響がある）。
2) 塗抹標本は，速やかに乾燥させる。
3) 古いメタノールで固定すると，赤血球に多数の穴があく。
4) Giemsa染色液をpH7.2～7.4のリン酸緩衝液で希釈すると，赤血球は青みを帯びるが，原虫の原形質やSchüffner斑点が鮮明に染まる。

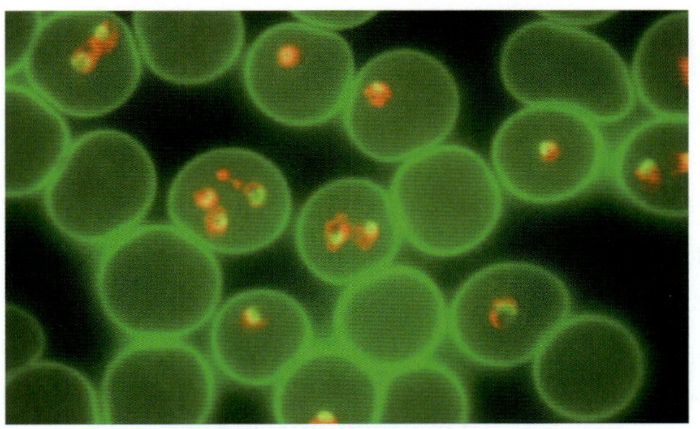

図 11.2.15　血液薄層塗抹標本　×400　Acridine orange染色
熱帯熱マラリア原虫の輪状体が観察できる。

### 4. Acridine orange染色

マラリアが疑われる場合には，Giemsa染色とAcridine orange染色を併用することも可能である。Acridine orange染色液*5は自家調製できる。市販品はそのまま使用できる。

1) ペーパータオルの上にカバーガラス（24×24mmまたは32×24mm）を置き，Acridine orange染色液を1～2滴置いて棒状に伸ばす。
2) メタノール固定した薄層塗抹標本を下側に向けて，引き終わり部位をカバーガラスの上に軽く押し付ける。
3) 余分な染色液はろ紙に吸収させる。
4) 蛍光顕微鏡のB励起で，直ちに鏡検できる。
5) 細胞の核（DNA）は緑～黄白色，細胞質（RNAを含む）は赤～橙色に染まる（図11.2.15）。
6) 対物レンズ20×～40×で検出可能である。
7) 数時間後に観察する場合は，乾燥を避けて冷暗所に保存しておく。
8) 観察後の標本をGiemsa染色することもできる。

**参考情報**

＊5 Acridine orange染色液の調製法
原液は，Acridine orange 130mgとリン酸緩衝液（pH7.2）100mLを混和し分注する。遮光して冷蔵または冷凍保存する。
使用液は，原液1mLに対して，グリセリンを5%添加したリン酸緩衝液9mLを混和し遮光する。

## 11.2.5 虫体検査

自然に排出された条虫の片節や，駆虫薬の投与により排出された成虫なども，保存や染色が必要となる。通常，線虫類は染色しないが，条虫類や吸虫類は圧平固定してから染色標本を作製する。

用語　エチレンジアミン四酢酸（ethylenediaminetetraacetic acid；EDTA），シュフナー（Schüffner）斑点，アクリジンオレンジ（Acridine orange）染色，デオキシリボ核酸（deoxyribonucleic acid；DNA），リボ核酸（ribonucleic acid；RNA）

## 1. アニサキス科線虫の検査法

### (1) 同定の手順

胃アニサキス症では，内視鏡で胃から虫体を摘出する。アニサキス科線虫の第3期幼虫は，以下の手順で同定する。

1) 虫体は生理食塩水で洗う。
2) 70～80℃に加温した70%エタノールを虫体に注ぐと，虫体は伸長し固定される。
   注）常温のエタノールで固定すると，虫体が丸まった状態となり，計測や観察が困難になる。
3) 注いだエタノールをグリセリン・アルコール液（グリセリン3容：70%エタノール7容）に入れ替える。
4) 蓋をせずに孵卵器の中で1晩放置すると，エタノールが蒸発するにつれてグリセリンによって透化が進み，内部構造の観察が容易になる。
5) 虫体をスライドガラスにすくい上げ，そのグリセリンを2～3滴載せ，カバーガラスをかけて観察する。
6) 観察を終えたら，70%以上のエタノールの中で保存する。
7) 遺伝子検査まで行う場合は，ホルマリン固定液は使用しない。

### (2) 虫体取扱いのポイント

虫体を傷付けると同定が困難になる。以下にポイントを示す。

1) 幼虫の頭部，胃，尾部の特徴で同定するので，これらの部位をつまんではいけない。
2) 虫ピンを竹串に接着し，その先端部を5mm程度折り曲げて虫体をすくい上げる。
3) スポイトの先端を切り，口径を大きくして虫体を吸い上げてもよい。

## 2. Carmine 染色

条虫類や吸虫類の成虫は，洗浄し圧平固定してから，染色してプレパラート標本を作製する。

### (1) 駆虫虫体の回収

条虫類は頭節の排出が治癒判定の根拠となるので，回収して確認する。成虫の駆虫にはプラジカンテル錠の投与，ガストログラフィンをカテーテルで小腸上部へ注入する方法が用いられる。

1) 排泄された糞便と虫体は，大量の水道水で数分おきに上清を捨てながら洗浄する。
2) 50メッシュ(穴の大きさが0.3mm）程度のふるいで，頭節を確認しながら虫体を回収する。
3) 条虫類は固定前に虫体を十分弛緩させておく。水道水500mLにクロロホルムを2～3滴の割合で加え，虫体を浸して冷蔵庫に数時間置く。
4) 虫体が十分弛緩したら，主要部分を測定する。

### (2) 固定液

70%エタノールで固定する。

注）Schaudinn固定液とGilson固定液は，昇汞（塩化第二水銀）を成分としているので使用しない。

### (3) 染色液

Carmineまたはヘマトキシリンを主成分とする各種染色液がある。ここではセミコン酢酸Carmine液*6による染色法を示す。

> **参考情報**
> ＊6 セミコン酢酸Carmine液の調製法
> 氷酢酸50mLと精製水50mLを混和し，これにCarmineを溶けるだけ溶かす（約5g)。95～100℃で15分間加熱し，1晩放置した上清をろ紙でろ過して保存する。使用に際しては，等量の70%エタノールで希釈する。

### (4) 圧平染色標本の作製（図11.2.16）

1) 固定前の虫体を2～3cmの長さに切り取る。
2) スライドガラスに紙でつくった枠を置き，その中に虫体を置く。
3) 別のスライドガラスを重ね，両端を糸で縛る。
4) 70%エタノールで1晩固定する。
5) セミコン酢酸Carmine液に標本を1晩浸し，染色する。
6) 70%エタノールで2回洗浄し，染色液を除く。
7) 1%塩酸アルコール（70%エタノール液に12mol/L塩酸を1%の割合で加える）で脱色する。
8) 70%エタノールで数回洗浄し，塩酸を除く。
9) 80%エタノール，90%エタノール，95%エタノール，純エタノールにそれぞれ1時間ずつ浸して脱水する。
10) キシレンに1時間ずつ2回浸して透徹し，プレパラー

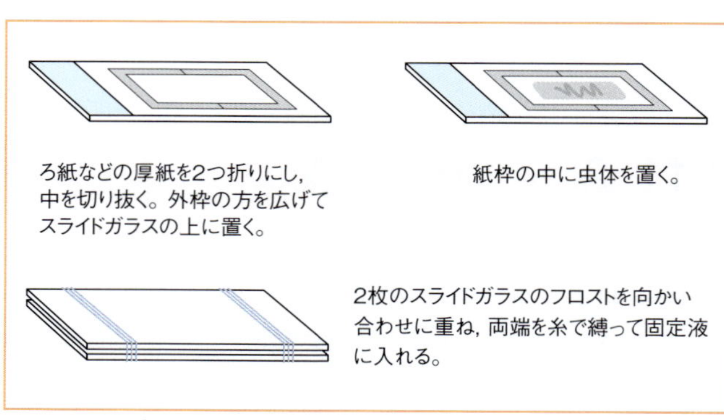


図11.2.16　条虫などの成虫の固定法

用語　カルミン（Carmine）染色，シャウジン（Schaudinn）固定液，ギルソン（Gilson）固定液

ト封入剤で封入する。

### 3. 墨汁染色（図 11.2.17）

糞便に含まれる有鉤条虫卵をヒトが摂取すると，有鉤嚢虫症が生じ重篤な障害を起こすので，有鉤条虫と無鉤条虫は確実に鑑別する。

染色時には手袋やマスクを着用し，感染防止に留意する。

1) 成虫の片節が自然排出されたら，固定前に26ゲージ針を装着した注射器を用いて生殖孔より子宮内に墨汁を注入する。
2) スライドガラス2枚にはさみ，黒く染め出された子宮側枝の数を数える。
3) 有鉤条虫の子宮側枝は7〜10本，無鉤条虫では20〜30本である。

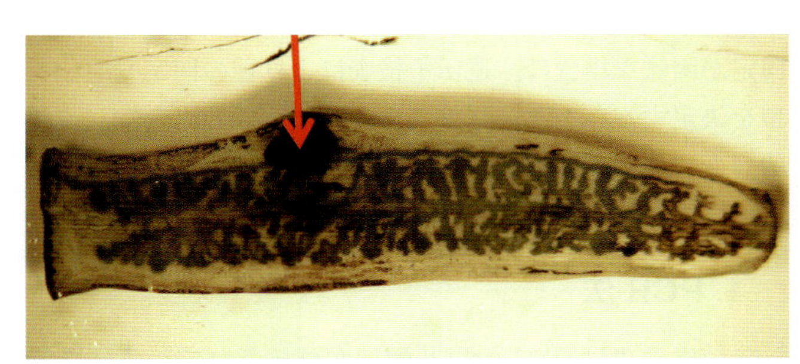

図 11.2.17　無鉤条虫の片節　×4　墨汁染色
生殖孔（矢印）より墨汁を注入した状態。

## 11. 2. 6　免疫診断法

抗寄生虫抗体価の測定は，①幼虫移行症が疑われる場合，②血液中や組織中に好酸球増加が認められる場合，③病態に対して細菌・ウイルス感染が否定され，寄生虫症の可能性が考えられる場合，などに実施される。

抗体の検出法にはラテックス凝集反応，酵素結合免疫吸着測定法（ELISA），蛍光抗体法，ゲル内沈降反応などがある。

抗原の検出法にはイムノクロマト法，ELISA法，蛍光抗体法，ディップスティック法などがある。

寄生虫症の血清抗体スクリーニング検査は，一部の検査センターで実施されている。検査項目は，食品由来の人獣共通寄生虫症を中心とした線虫6種類（イヌ糸状虫症，イヌ回虫症，ブタ回虫症，アニサキス症，顎口虫症，糞線虫症），吸虫4種類（ウエステルマン肺吸虫症，宮崎肺吸虫症，肝蛭症，肝吸虫症），条虫2種類（マンソン孤虫症，有鉤嚢虫症）である。

通常，幼虫移行症や異所寄生により臓器内に強い炎症反応を起こす寄生虫では抗体の産生量が多いが，腸管内の成虫感染では抗体の検出は困難である。

#### (1) 蛍光抗体法

赤痢アメーバの血清抗体価の測定には，市販の蛍光抗体法キットを用いる。

ランブル鞭毛虫のシスト壁やクリプトスポリジウムのオーシスト壁は，市販のキットで特異的に染色できる。さらに，DAPI染色液*7による二重染色を行えば，原虫の核を確認できる。新鮮なオーシストは，加熱処理やメタノール固定などの前処理が必要である。これらの試薬は水試料（水道水や河川水など）の検査で使用するが，糞便検査にも応用できる。ただし，診断用ではなく研究用の試薬である。

#### (2) イムノクロマト法

マラリアの補助的診断法として，研究用試薬であるがイムノクロマト法による迅速抗原検出キットがある。マラリア原虫特異的HRP2や，マラリア原虫特異的乳酸脱水素酵素（pLDH）を検出するもので，熱帯熱と非熱帯熱を鑑別できるものもある。製品にはNow ICT Malaria P.f/P.v（B社），OptiMAL（F社）などがある。

赤痢アメーバ症の診断法として，アドヘシンという赤痢アメーバの栄養型に特異的な抗原を検出する迅速抗原検出キットがある。検体は糞便であり，膿瘍検体は推奨されていない。また栄養型の検出感度は高いが，シストの検出感度が低いため，栄養型が出現しやすい下痢症状を有する患者で有用である。

**参考情報**

**＊7 DAPI染色液の調製法**

メタノール1mLにDAPI 2mgを溶解し，DAPI保存液とする。密閉容器に入れ，遮光して冷蔵庫に保管する。使用に際しては，DAPI保存液10μLをリン酸緩衝生理食塩水（PBS）50mLに加えて混和する。

**用語**　イムノクロマト法（immunochromatographic assay；ICA），酵素結合免疫吸着測定法（enzyme-linked immunosorbent assay；ELISA），4,6-diamidino-2-phenylindole（DAPI）染色液，histidine-rich protein 2（HRP2），マラリア原虫特異的乳酸脱水素酵素（Plasmodium lactate dehydrogenase；pLDH），リン酸緩衝生理食塩水（phosphate-buffered saline；PBS）

## 11. 2. 7　遺伝子検査

原虫類や蠕虫類の成虫，幼虫，および虫卵の形態による同定が困難な場合は，遺伝子検査により種の同定や遺伝子型を決定する。また，原虫による集団感染の場合は，疫学的調査で遺伝子解析を行う。

### 1. PCR法

各種寄生虫はDNAの塩基配列が解読されている。さらに，多様な領域の遺伝子を標的として設計されたプライマーが報告されており，ポリメラーゼ連鎖反応（PCR）を用いた診断が実用化されている。

#### (1) シストおよびオーシストの濃縮と保存

糞便検体から赤痢アメーバのシストやクリプトスポリジウムのオーシストを集めるには，MGL法が適している（図11.2.3）。ただし，ホルマリンを含有する固定液はDNAを断片化させるので，生食で糞便を溶き，感染に留意しながら濃縮する。クリプトスポリジウムのオーシストの沈渣は，ショ糖遠心浮遊法でさらに精製する（図11.2.4）。

集めたシストやオーシストの沈渣は冷蔵または凍結保存するか，70〜100%エタノールを加えて保存する。

#### (2) DNA抽出

**1）シスト，オーシストから**

赤痢アメーバのシストやクリプトスポリジウムのオーシストは，固い壁を有するので凍結融解によって破壊処理する。濃縮した沈渣を-80℃で約20分間凍結し，60℃で3分間融解する[5]。この操作を3回以上繰り返す。それから，市販のキットでDNAを抽出する。

**2）血液から**

マラリア患者では，治療前のEDTA加血液100〜200μLからDNAを抽出する。血液成分はPCRを阻害するので，市販のキットを用いる。

**3）蠕虫類の虫体から**

虫体の一部を切断し，マイクロチューブに落とし込む。DNA抽出は，市販のキットを用いてプロテイナーゼK処理を56℃で1晩行うと完全に溶解する。

**4）病理組織から**

組織に寄生虫の断片が検出された場合，形態学的に同定することが困難な場合がある。その際は病理切片を複数枚，マイクロチューブに入れ，市販のパラフィン包埋組織用DNA抽出キットでDNAを抽出することができる。

#### (3) PCR法の適用

**1）赤痢アメーバ**

形態のみでは病原性の赤痢アメーバと鑑別が困難な，非病原性アメーバが存在する。両シストの鑑別は，増幅産物のサイズが異なる2組のプライマーペアを用いるマルチプレックスPCRで行う。また外部委託施設でも実施されているため，診断の補助に活用できる。

**2）クリプトスポリジウム**

クリプトスポリジウムにおけるPCR法では，小サブユニットリボソームRNA（SSUrRNA）をコードする遺伝子を増幅するなど，少なくとも6領域の遺伝子を標的として設計されたプライマーがある。種同定にはPCR産物を制限酵素で切断して鑑別する制限断片長多型PCR（PCR-RFLP），あるいはダイレクトシークエンス法を行う。

**3）マラリア原虫**

ヒトに感染するマラリア原虫は4種類が知られているが，サルマラリア原虫の1種*Plasmodium knowlesi*も感染する。四日熱マラリア原虫に類似するので，遺伝子解析で鑑別する。原虫の寄生率が非常に低い場合や，原虫種の明らかな特徴が不明な場合にもPCR法を行う。

**4）条虫類**

広節裂頭条虫と日本海裂頭条虫は，ミトコンドリアゲノムでコードされるチトクローム*c*酸化酵素サブユニット1（*cox1*）遺伝子の塩基配列により鑑別できる。

アジア条虫は2010年に，国内で感染事例が相次いで確認された。形態学的には無鉤条虫に酷似しており鑑別困難であるため，*cox1*，あるいは核DNAの伸長因子-1-α（*ef1α*）遺伝子などの塩基配列により鑑別する。

**5）病理組織中の寄生虫**

ホルマリン固定されているため，DNAが断片化しており，PCR法では200塩基未満の短鎖領域を標的としてDNAを増幅させる。

---

**用語**　ポリメラーゼ連鎖反応（polymerase chain reaction；PCR），マルチプレックスPCR（multiplex-polymerase chain reaction；multiplex-PCR），小サブユニットリボソームRNA（small subunit of ribosomal ribonucleic acid；SSUrRNA），制限断片長多型PCR（polymerase chain reaction-restriction fragment-length polymorphism；PCR-RFLP），チトクローム*c*酸化酵素サブユニット1（cytochrome *c* oxidase subunit 1；*cox1*），伸長因子-1-α（elongation factor-1-α；*ef1α*）

## Q 寄生虫の糞便検査はどこまでやればいいの？

**A** 検査室で準備可能な検査方法は実施していただきたい。

寄生虫検査は標準化が進んでいない領域である。現状，自施設ではアレはできるが，コレはできないという施設も少なくない。糞便検査の標準化に取り組まれている組織として愛知県臨床検査標準化協議会があげられる[6]。MGL法やショ糖遠心浮遊法，飽和食塩水浮遊法があげられており，試薬も高価なものはなく，長期保存できるものが多い。自施設で糞便検査を実施する際は，準備していただきたい。

表11.2.5および図11.2.18に糞便検査の進め方を示す。

表11.2.5　ブリストル便形状スケール

| タイプ | 形　態 |
|---|---|
| ① | コロコロ便<br>硬くてコロコロの兎糞状の便 |
| ② | 硬い便<br>ソーセージ状であるが硬い便 |
| ③ | やや硬い便<br>表面にヒビのあるソーセージ状の便 |
| ④ | 普通便<br>表面が滑らかで柔らかいソーセージ状の便 |
| ⑤ | 軟便<br>はっきりとしたしわのある柔らかい半固形の便 |
| ⑥ | 泥状便<br>境界がほぐれてふにゃふにゃの不定形の便，泥状の便 |
| ⑦ | 水様便<br>水様で固形物を含まない液状の便 |

糞便の形状を7段階に分類することによって，客観的に糞便の状態を判断することができる。

〔O'Donnell LJ, et al.："Detection of pseudodiarrhoea by simple clinical assessment of intestinal transit rate", BMJ, 1990；300：439-440より作成〕

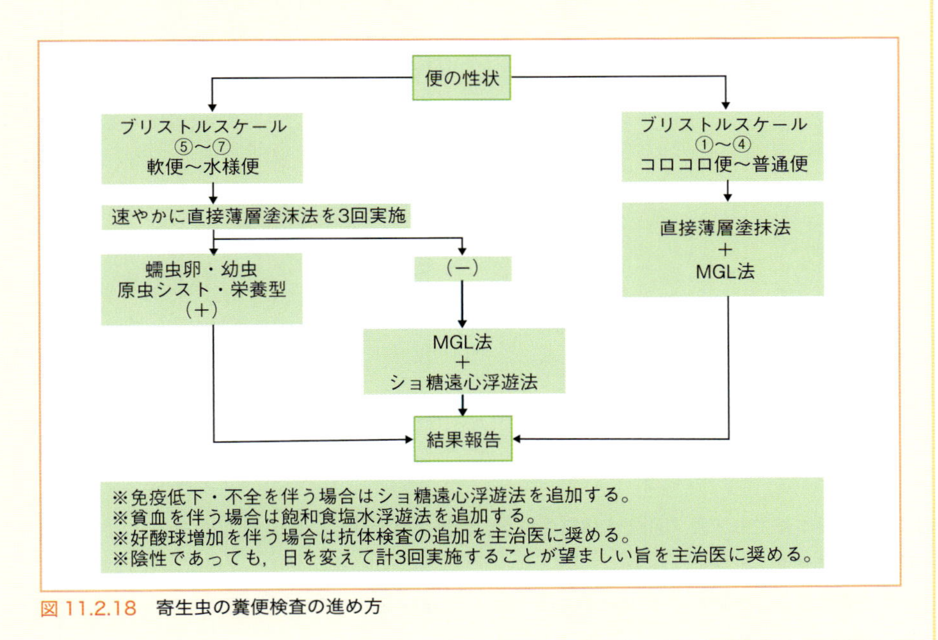


図11.2.18　寄生虫の糞便検査の進め方

### 検査室ノート　寄生虫検査相談窓口

寄生虫検査は依頼数や経験数の減少から，検査に自信をもてない臨床検査技師も少なくない。各施設で相談できる場所を準備しておく必要がある。相談できる場所を一部，紹介する。

申し込み方法は各施設のウェブサイトを参照すること（2023年現在）。

・国立感染症研究所　寄生動物部[7)]
・宮崎大学医学部感染症学講座寄生虫学分野[8)]（おもに寄生虫感染の抗体検査）
・金沢大学医薬保健学域医学類国際感染症制御学（おもに遺伝子検査）[9)]
・日本寄生虫学会　医療関係者向けコンサルテーション[10)]

その他，寄生虫関係の専門家

［松村隆弘］

### 参考文献

1）吉田幸雄：図説 人体寄生虫学 改訂10版，日本寄生虫学会「図説 人体寄生虫学」編集委員会（編），南山堂，2021.
2）上村　清，他：寄生虫学テキスト 第4版，文光堂，2019.
3）山本徳栄：「寄生虫卵，幼虫および消化管寄生原虫の検査法」，臨床と微生物，2013；40：275-284.
4）山本徳栄：「腸管寄生性の原虫類」，Medical Technology，2011；39：1173-1182.
5）山本徳栄：「病原体と遺伝子検査 原虫類，条虫類」，臨床と微生物，2012；39：563-569.
6）愛知県臨床検査標準化協議会：「寄生虫検査─糞便検査の手引き」，愛知県臨床検査標準化情報，2016；5(1).
7）国立感染症研究所寄生動物部第一室：https://www.niid.go.jp/niid/ja/from-lab-e/473-para/1461-2012-02-14-05-57-31.html
8）宮崎大学医学部感染症学講座寄生虫学分野：「寄生虫症の検査と診断」http://www.med.miyazaki-u.ac.jp/parasitology/
9）金沢大学医薬保健学域医学類国際感染症制御学：「寄生虫検査について」https://www.parasitology.jp/exam.html
10）日本寄生虫学会：「医療関係者向けコンサルテーション」https://jsparasitol.org/academic/consultation/

# 11.3 ｜ 寄生虫各論

## 1. 線虫類

虫卵や幼虫を顕微鏡検査などで検出できる線虫を図11.3.1～11.3.7に示す。

### 回　虫

**基礎知識**

終宿主：ヒト
中間宿主：なし
感染経路：経口感染
感染型：成熟卵（幼虫包蔵卵）
寄生部位：小腸→肝臓→心臓→肺→咽頭→小腸
その他：迷入（胆管）

**生活史**

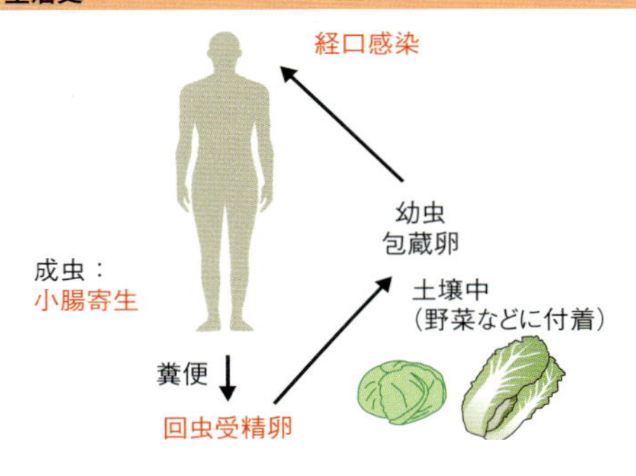


**虫卵などの形態と特徴**

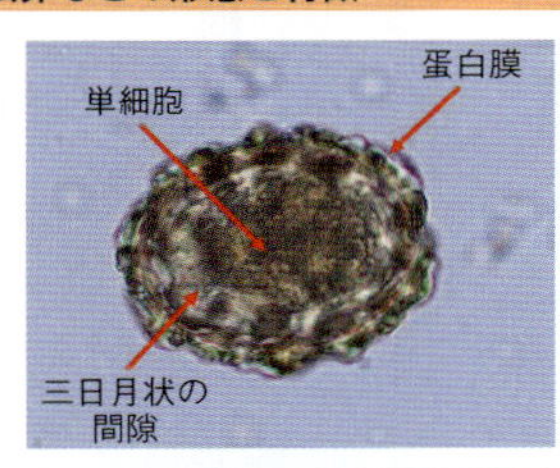


受精卵　×400
色調：黄褐色
内容：単細胞
長径：50～70μm
特徴：蛋白膜厚い
　卵殻と卵細胞の間に
　三日月状間隙あり

不受精卵　×400
色調：黄褐色
内容：油滴状顆粒
長径：60～100μm
特徴：蛋白膜薄い

**検査法**

直接薄層塗抹法，ホルマリン・エーテル法（MGL法）

**症状・特徴など**

レフラー症候群（肺胞移行期），腹痛，下痢，急性腹痛

図11.3.1　回虫（*Ascaris lumbricoides*）

### 鞭　虫

**基礎知識**

終宿主：ヒト
中間宿主：なし
感染経路：経口感染
感染型：成熟卵（幼虫包蔵卵）
寄生部位：小腸→盲腸

**生活史**

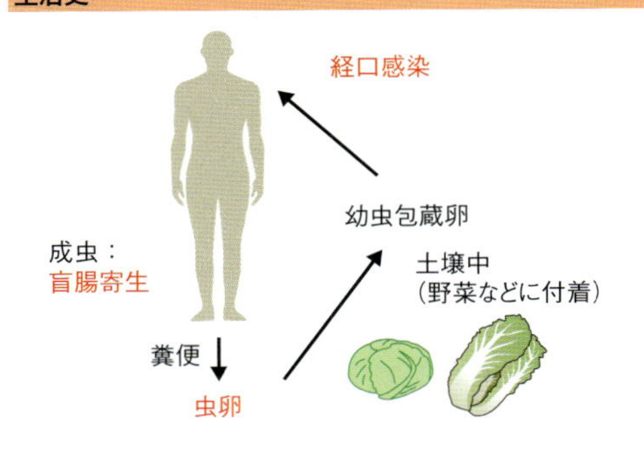


**虫卵などの形態と特徴**

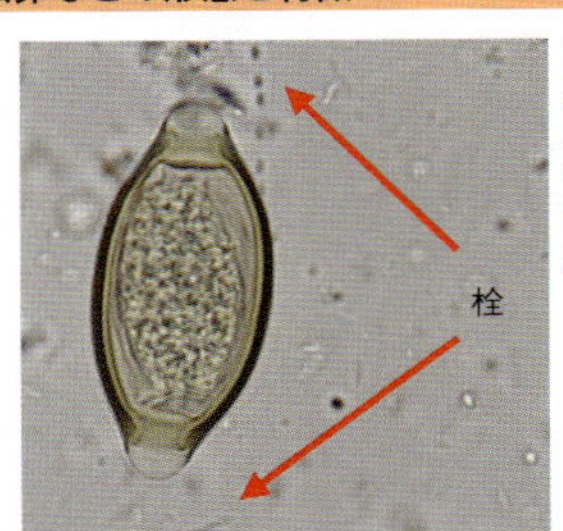


虫卵　×400
色調：褐色
内容：単細胞
長径：40～50μm
特徴：岐阜提灯またはレモン型
　両端に栓を有する

**検査法**

直接薄層塗抹法，ホルマリン・エーテル法（MGL法）

**症状・特徴など**

多数寄生時：腹痛，下痢，粘血便，貧血

図11.3.2　鞭虫（*Trichuris trichiura*）

## 糞線虫

**基礎知識**

終宿主：ヒト
中間宿主：なし
感染経路：経皮感染，自家感染
感染型：３期幼虫（フィラリア型幼虫）
寄生部位：小腸
　　　　　全身（播種性時）
その他：寄生世代では雌のみ

**生活史**

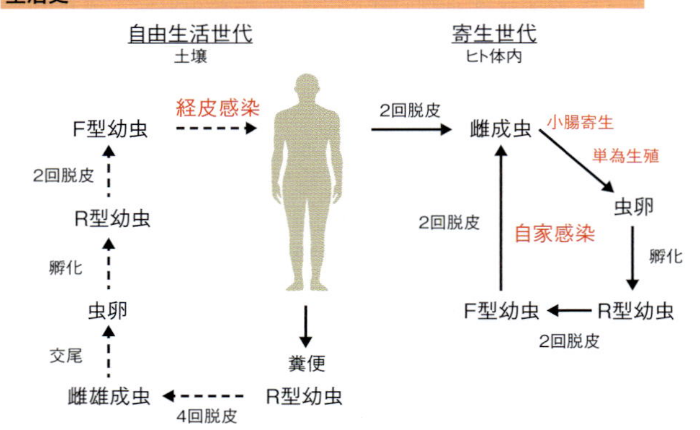


**虫卵などの形態と特徴**

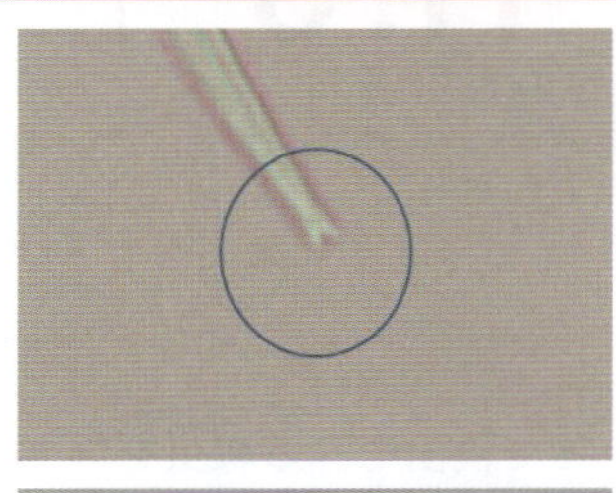

フィラリア型幼虫　×400
体長：420～620$\mu$m
特徴：尾端の逆V字の切れ込み（写真の丸囲み部分）

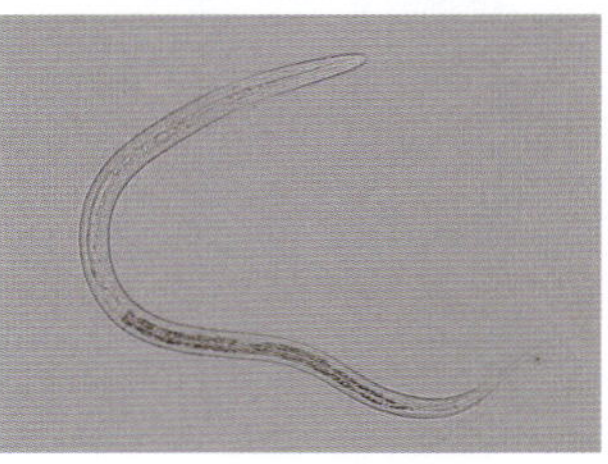

フィラリア型幼虫　×100

**検査法**

直接薄層塗抹による幼虫の検出，ろ紙培養法や普通寒天平板培養法による虫種鑑別
※検査中の感染に注意

**症状・特徴など**

不顕性感染，レフラー症候群，免疫不全などによる過剰感染にて播種性糞線虫症（全身性）

図 11.3.3　糞線虫（*Strongyloides stercoralis*）

## 蟯　虫

**基礎知識**

終宿主：ヒト
中間宿主：なし
感染経路：経口感染
感染型：成熟卵（幼虫包蔵卵）
寄生部位：小腸→盲腸
その他：迷入（腟，尿道）

**生活史**

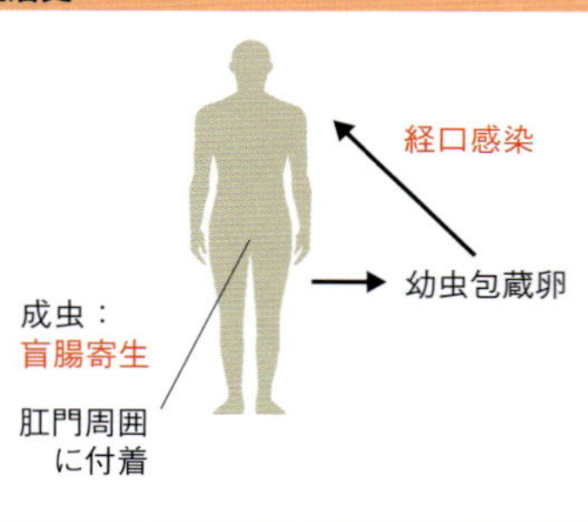


**虫卵などの形態と特徴**

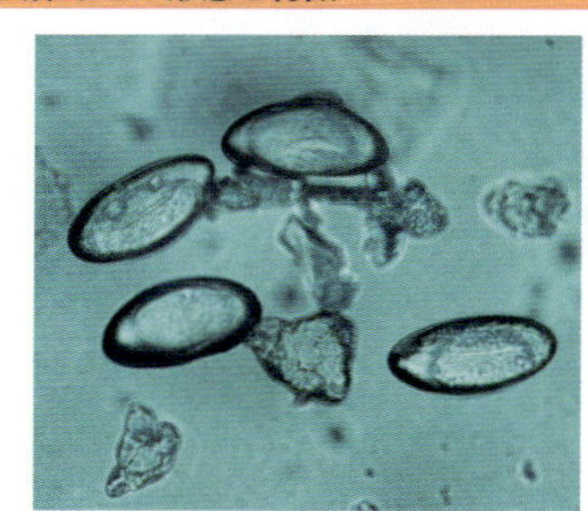

虫卵　×400
色調：無色
内容：2つに折れた幼虫
長径：50～60$\mu$m
特徴：左右非対称
　　　柿の種状

**検査法**

肛門周囲検査（セロファンテープ法）
※検査中の感染に注意

**症状・特徴など**

肛門周囲の掻痒感，睡眠障害など，稀に虫垂炎

図 11.3.4　蟯虫（*Enterobius vermicularis*）

## ズビニ鉤虫・アメリカ鉤虫

### 基礎知識

終宿主：ヒト
中間宿主：なし
待機宿主：ニワトリ（ズビニ）
感染経路：経口感染（主）
（ズビニ）　経皮感染（副）
感染経路：経口感染（副）
（アメリカ）経皮感染（主）
感染型：フィラリア型幼虫
寄生部位：小腸→心臓→肺→咽頭→小腸
　　　　　皮膚→心臓→肺→咽頭→小腸

### 生活史

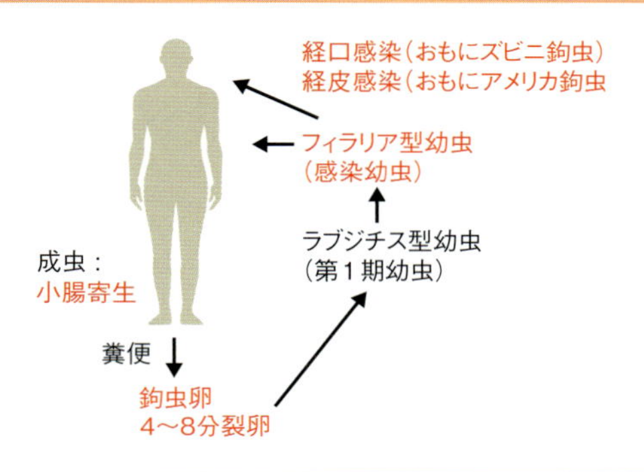


### 虫卵などの形態と特徴

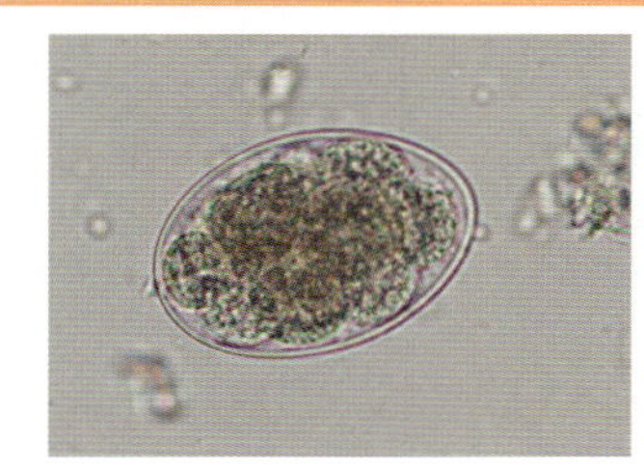

虫卵　×400
色調：無色
内容：4〜8細胞期
長径：60〜70μm
特徴：卵殻が薄い
その他：虫卵で種の鑑別は不可（ズビニとアメリカなど）

### 検査法

直接薄層塗抹法，飽和食塩水浮遊法，ホルマリン・エーテル法（MGL法），ろ紙培養による虫種の鑑別
※検査中の感染に注意

### 症状・特徴など

レフラー症候群（肺胞移行期），腹痛，下痢，フィラリア型幼虫侵入部の点状皮膚炎，貧血（ズビニ鉤虫の方が吸血量が多い），異食症

図 11.3.5　ズビニ鉤虫・アメリカ鉤虫（*Ancylostoma duodenale*・*Necator americanus*）

## バンクロフト糸状虫

### 基礎知識

終宿主：ヒト
中間宿主：なし
感染経路：経皮感染（蚊の刺咬）
感染型：3期幼虫
寄生部位：血管→リンパ管
その他：卵胎生（ミクロフィラリアを含む）

### 生活史

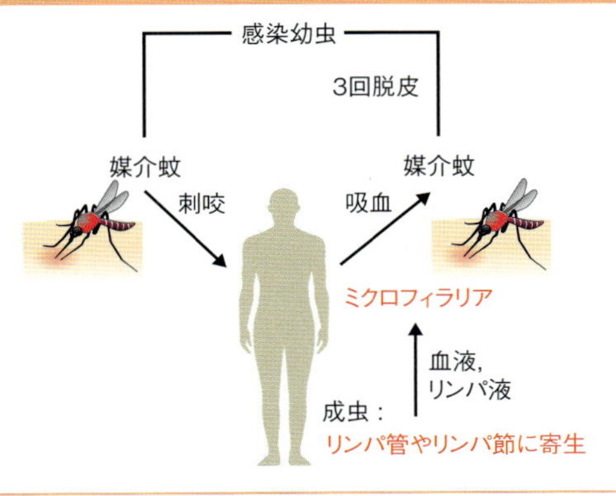


### 虫卵などの形態と特徴

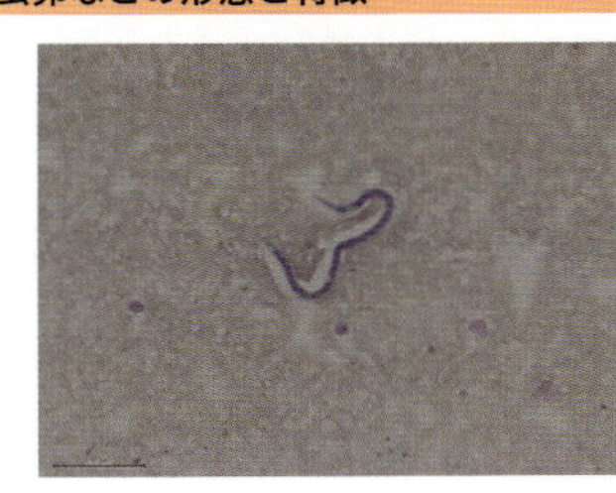

ミクロフィラリア　×100
末梢血塗抹標本Giemsa染色
長径：250〜300μm
特徴：有鞘

### 検査法

末梢血塗抹標本（Giemsa染色），夜間採血が有効（午後10時〜午前4時に末梢血に出現）。イムノクロマト法。
※針刺し事故に注意

### 症状・特徴など

熱発作，陰嚢水腫，乳び尿，象皮病など。夜間定期出現性。

図 11.3.6　バンクロフト糸状虫（*Wuchereria bancrofti*）

## アニサキス

### 基礎知識

終宿主：クジラ，イルカなどの海棲哺乳類
中間宿主：オキアミ
待機宿主：サバなどの海産魚
　　　　　スルメイカ
感染経路：経口感染
感染型：３期幼虫
寄生部位：胃や小腸

### 生活史

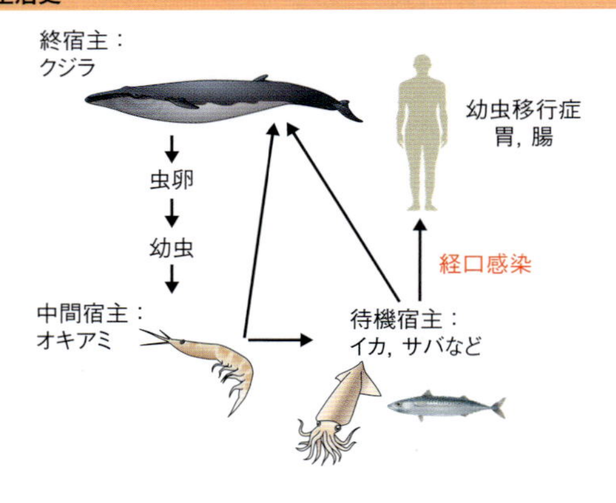


### 虫卵などの形態と特徴

幼虫　実体顕微鏡
長径：20〜30mm
特徴：頭端に穿歯
　　　太い胃部
　　　尾部に小棘

### 検査法

内視鏡検査，問診（食歴）

### 症状・特徴など

胃・腸アニサキス症，劇症型は即時型過敏反応による。
急性腹症（幼虫移行症）

図 11.3.7　アニサキス（*Anisakis* spp.・*Pseudoterranova decipiens*）

表 11.3.1　その他ヒト体内で成虫に発育できる線虫

| 寄生虫 | 感染経路 | 検出対象 | 特徴的な症状 |
|---|---|---|---|
| マレー糸状虫 | 感染幼虫の経皮感染（蚊の刺咬） | ミクロフィラリア（血液） | 熱発作，リンパ浮腫，象皮病 |
| 回旋糸状虫 | 感染幼虫の経皮感染（ブユの刺咬） | ミクロフィラリア（皮膚片） | 皮下結節，河川盲目症，皮膚炎 |
| メジナ虫 | ケンミジンコ内の感染幼虫の経口感染 | 成虫 | 掻痒感→丘疹→硬結→水疱→潰瘍 |
| 東洋眼虫 | メマトイが感染幼虫を媒介 | 成虫 | 結膜炎 |
| 肝毛細線虫 | 幼虫包蔵卵の経口感染 | 成虫（生検） | 肝腫大，肝機能障害 |
| フィリピン毛細線虫 | 淡水魚内の感染幼虫の経口感染，自家感染 | 虫卵，幼虫（糞便） | 下痢，吸収不良 |
| 東洋毛様線虫 | フィラリア型幼虫の経口感染（稀に経皮感染） | 虫卵，幼虫（培養） | 腹痛，下痢，貧血 |
| セイロン鉤虫 | フィラリア型幼虫の経口感染 | 虫卵，幼虫（培養） | 腹痛，下痢，好酸球増加 |
| 旋毛虫 | クマやブタなどの中間宿主内の感染幼虫の経口感染 | 被嚢幼虫（生検） | 発熱，筋肉痛 |

表 11.3.2　幼虫移行症を起こす線虫

| 寄生虫 | 感染経路 | 検出対象 | 特徴的な症状 |
|---|---|---|---|
| イヌ回虫，ネコ回虫 | 幼虫包蔵卵，鶏や牛レバー内の幼虫の経口感染 | 抗体 | 眼トキソカラ症，内臓トキソカラ症 |
| ブタ回虫（成虫に発育することもある） | 幼虫包蔵卵，鶏や牛レバー内の幼虫の経口感染 | 抗体 | 肝障害，肺の結節性病変，中枢神経障害 |
| アライグマ回虫 | 幼虫包蔵卵の経口感染 | 抗体 | 好酸球性髄膜炎，眼幼虫移行症 |
| ブラジル鉤虫，イヌ鉤虫 | フィラリア型幼虫の経皮感染 | 幼虫（生検），抗体 | 皮膚爬行症 |
| 日本顎口虫 | ドジョウ，ナマズ，コイ，ブラックバス，カエル，ヘビなどの生食 | 幼虫（生検），抗体 | 皮膚爬行症 |
| 剛棘顎口虫 | ドジョウ | 幼虫（生検），抗体 | 皮膚爬行症 |
| ドロレス顎口虫 | 淡水魚，カエル，ヘビなどの生食 | 幼虫（生検），抗体 | 皮膚爬行症 |
| 有棘顎口虫 | ライギョ，ヤマメ，ヘビなどの生食 | 幼虫（生検），抗体 | 移動性皮膚腫脹，皮膚爬行症，失明，脳神経障害 |
| アニサキス類 | 海産魚類やイカの生食 | 幼虫（生検），抗体 | 激しい腹部症状（胃や小腸の粘膜に侵入） |
| 広東住血線虫 | カタツムリやナメクジなどの生食 | 抗体 | 好酸球性髄膜炎 |
| イヌ糸状虫 | 蚊の刺咬 | 抗体 | 肺の銭形陰影 |
| その他動物寄生の糸状虫 | 媒介昆虫 | 幼虫（生検） | 皮下結節 |
| 旋尾線虫　Type X | ホタルイカやタラなどの生食 | 幼虫（生検），抗体 | 皮膚爬行症，腸閉塞 |

## 2. 吸虫類

虫卵を顕微鏡検査などで検出できる吸虫を図11.3.8〜11.3.14に示す。

### 日本住血吸虫

**基礎知識**

固有宿主：ヒト，イヌ，ネコ，ウシ
　　　　　ウマ，ネズミ，ブタなど
中間宿主：ミヤイリガイ
感染経路：経皮感染
感染型：セルカリア
寄生部位：門脈系静脈叢
その他：日本では撲滅

**生活史**

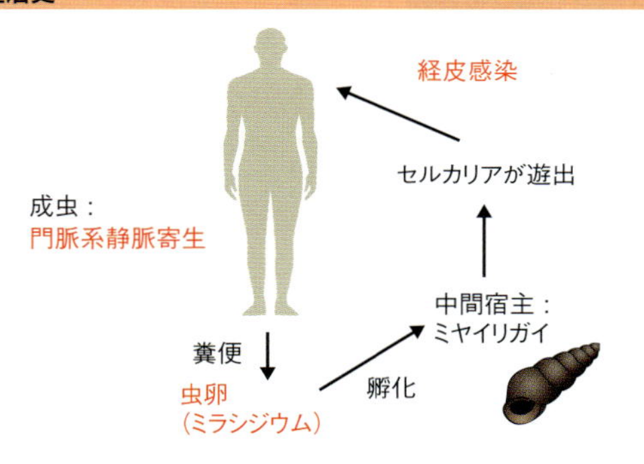


**虫卵などの形態と特徴**

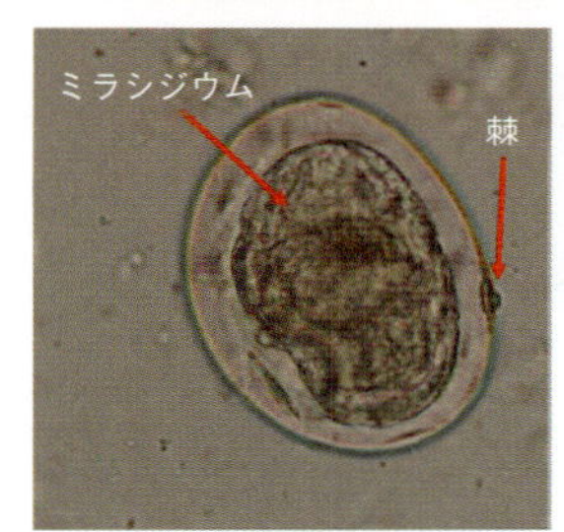


虫卵　×400
色調：無色〜淡黄色
内容：ミラシジウム
長径：70〜100μm
小蓋：なし
形態：楕円・側面に棘

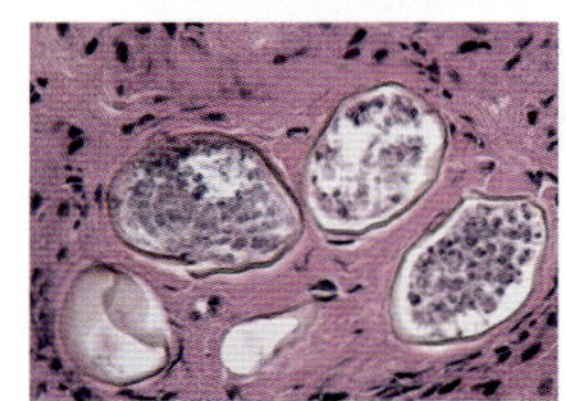

肝組織中の虫卵　×400
肝生検で陳旧性として
見られることもある

**検査法**

直接薄層塗抹法，遠心沈殿集卵法（MGL法，AMS Ⅲ法），免疫学的診断法（ELISA法，虫卵周囲沈降テストなど）
超音波検査，生検

**症状・特徴など**

初期：皮膚炎，急性期：発熱，粘血便
慢性期：肝硬変，腹水貯留，神経症状など

図11.3.8　日本住血吸虫（*Schistosoma japonicum*）

### マンソン住血吸虫

**基礎知識**

固有宿主：ヒト，霊長類
中間宿主：Biomphalaria属のヒラマキガイ
感染経路：経皮感染
感染型：セルカリア
寄生部位：門脈系静脈叢
その他：エジプト，サハラ以南のアフリカ，ブラジル，
　　　　カリブ海などに分布

**生活史**

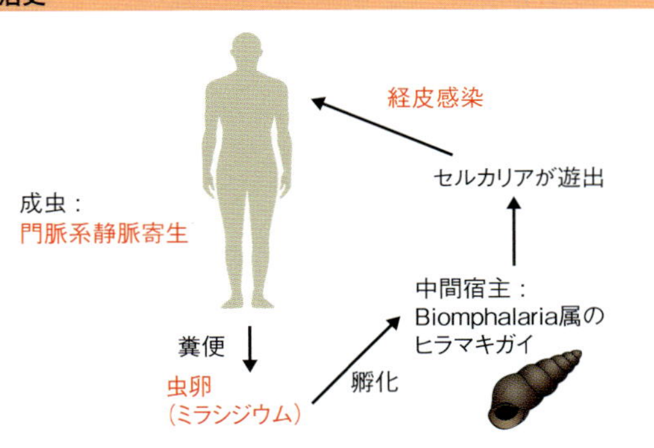


**虫卵などの形態と特徴**

虫卵　×400
色調：無色〜淡黄色
内容：ミラシジウム
長径：114〜175μm
小蓋：なし
形態：長楕円
特徴：側方に大きな棘

**検査法**

直接薄層塗抹法，遠心沈殿集卵法（MGL法，AMS Ⅲ法）

**症状・特徴など**

初期：皮膚炎，急性期：発熱，粘血便
慢性期：肝硬変，腹水貯留，神経症状など
※日本住血吸虫症と比べると軽症

図11.3.9　マンソン住血吸虫（*Schistosoma mansoni*）

## ビルハルツ住血吸虫

### 基礎知識

固有宿主：ヒト，チンパンジー，ヒヒなど
中間宿主：Bulinus属の巻貝
感染経路：経皮感染
感染型：セルカリア
寄生部位：膀胱および肛門静脈叢
その他：アフリカのほぼ全域，中近東，
　　　　マダガスカル島などに分布

### 生活史

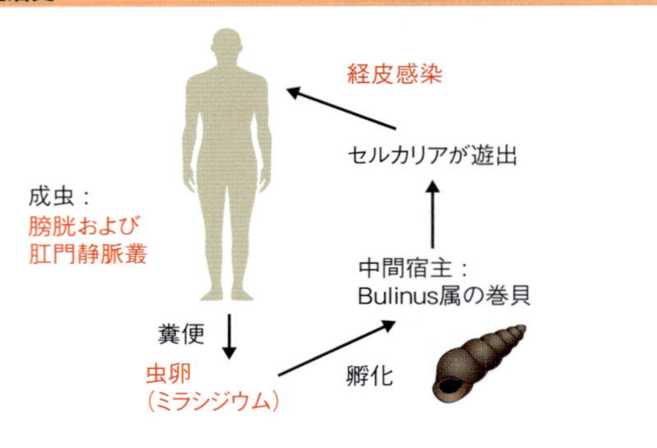


### 虫卵などの形態と特徴

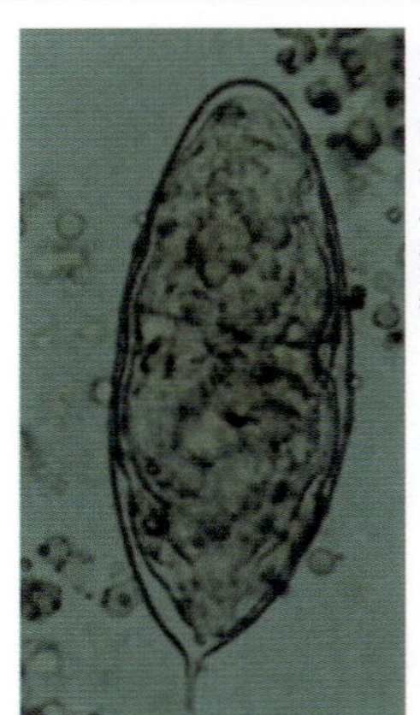

虫卵　×400
色調：無色～淡黄色
内容：ミラシジウム
長径：112～170μm
小蓋：なし
形態：長楕円
特徴：後方に大きな棘

### 検査法

尿沈渣検査（正午前後の採尿が好ましい），膀胱鏡

### 症状・特徴など

血尿，排尿痛，膀胱がん（慢性感染）

図 11.3.10　ビルハルツ住血吸虫（*Schistosoma haematobium*）

## 横川吸虫

### 基礎知識

固有宿主：ヒト，イヌ，ネコなど
第1中間宿主：カワニナ
第2中間宿主：アユ，シラウオなど
感染経路：経口感染
感染型：メタセルカリア
寄生部位：小腸

### 生活史

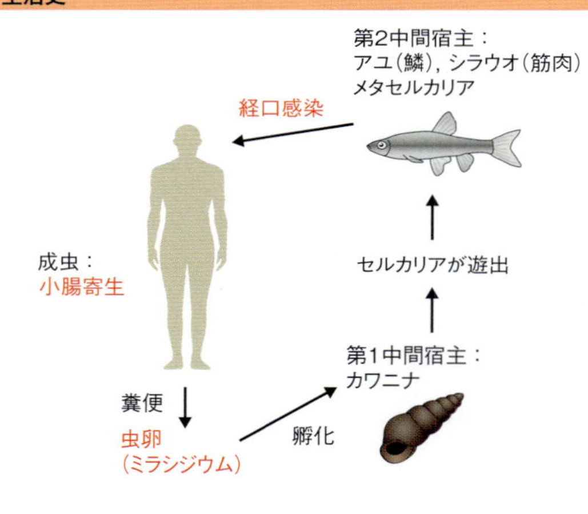


### 虫卵などの形態と特徴

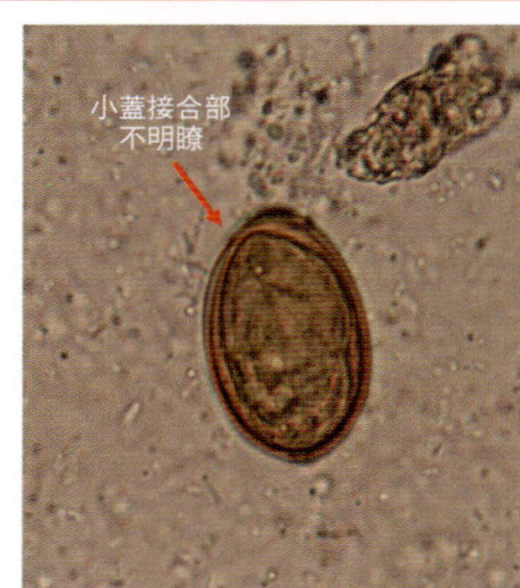


虫卵　×400
色調：黄褐色
内容：ミラシジウム
長径：約 30μm（最小級）
小蓋：接合部不明瞭
形態：楕円形
特徴：表面滑らか

### 検査法

直接薄層塗抹法，遠心沈殿集卵法（MGL法，AMS Ⅲ法），問診（食歴）

### 症状・特徴など

ほぼ無症状，多数寄生で下痢，虫の寿命は数カ月

図 11.3.11　横川吸虫（*Metagonimus yokogawai*）

## 肝吸虫

### 基礎知識

固有宿主：ヒト，イヌ，ネコなど
第1中間宿主：マメタニシ
第2中間宿主：モツゴ，モロコなどのコイ科の淡水魚
感染経路：経口感染
感染型：メタセルカリア
寄生部位：小腸→肝内胆管

### 生活史

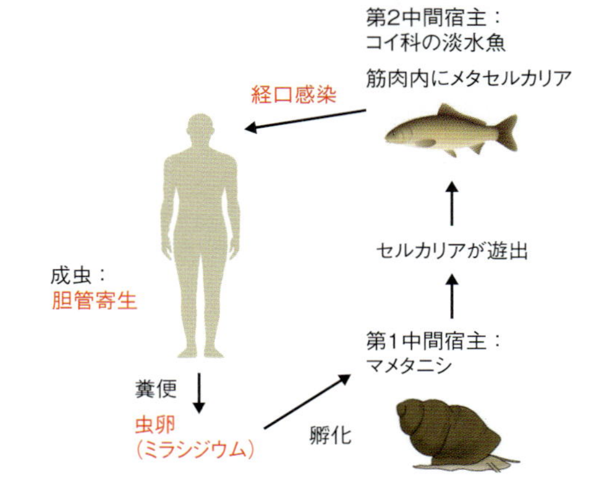


### 虫卵などの形態と特徴

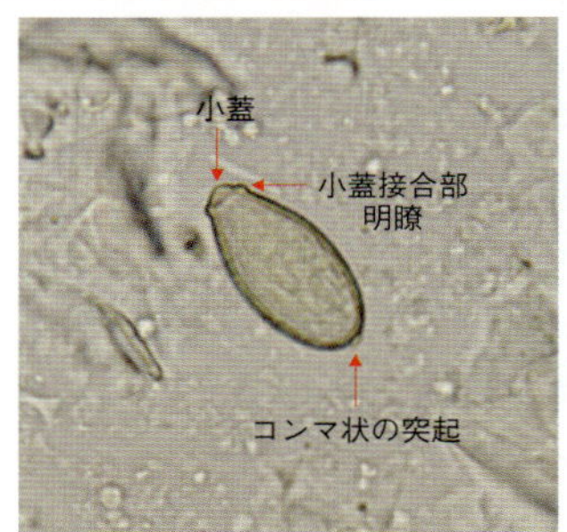


虫卵 ×400
色調：淡黄色
内容：ミラシジウム
長径：約 30μm (最小級)
小蓋：接合部明瞭（陣笠様突起）
形態：なすび型
特徴：表面にメロン網目状の模様

### 検査法

直接薄層塗抹法，遠心沈殿集卵法（MGL法，AMS Ⅲ法），問診（食歴）

### 症状・特徴など

胆汁うっ滞，胆管肥厚，肝障害，胆管がん（慢性感染）
虫の寿命は10年以上

図 11.3.12 肝吸虫（*Clonorchis sinensis*）

## 肝 蛭

### 基礎知識

固有宿主：ヒト，イヌ，ネコなど
第1中間宿主：ヒメモノアラガイ
第2中間宿主：セリ，クレソン，ミョウガなどの水草
感染経路：経口感染
感染型：メタセルカリア
寄生部位：小腸→腹腔→肝臓→胆管

### 生活史

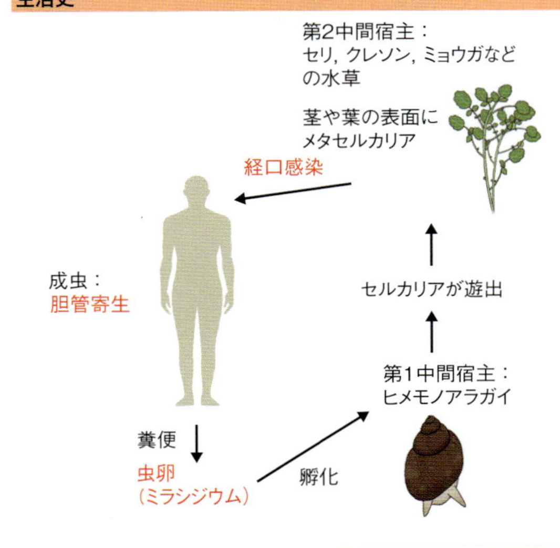


### 虫卵などの形態と特徴

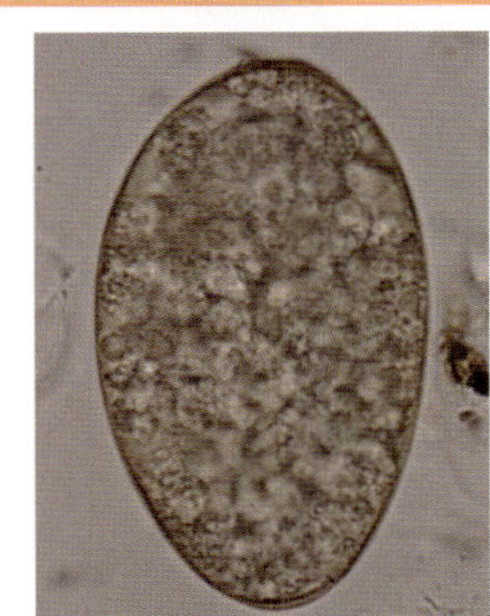

虫卵 ×400
色調：黄褐色
内容：1個の卵細胞と多数の卵黄細胞
長径：肝蛭 125〜150μm
巨大肝蛭 150〜190μm
(最大級)
小蓋：あり
形態：長楕円形

### 検査法

直接薄層塗抹法，遠心沈殿集卵法（MGL法，AMS Ⅲ法），問診（食歴）

### 症状・特徴など

胆石様発作，肝障害，高度の好酸球増加

図 11.3.13 肝蛭（*Fasciola hepatica*）

## ウエステルマン肺吸虫

### 基礎知識

固有宿主：ヒト，イヌ，ネコ
第１中間宿主：カワニナ
第２中間宿主：モクズガニ（3倍体）
　　　　　　　ザリガニ（3倍体）
　　　　　　　サワガニ（2倍体）
　　　　　※ヒト寄生は3倍体
感染経路：経口感染
感染型：メタセルカリア
寄生部位：小腸→腹腔→横隔膜→肺

### 生活史

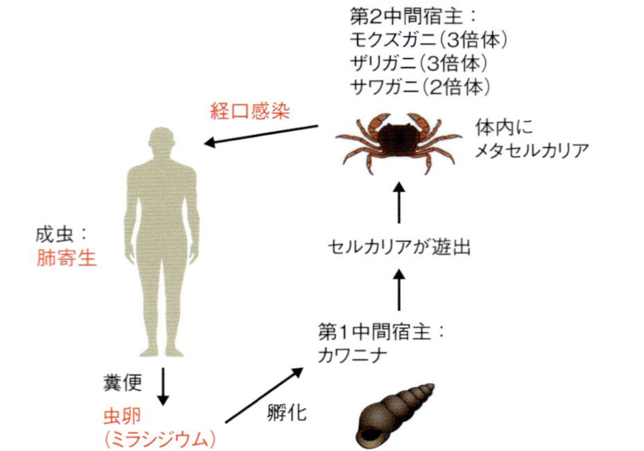


### 虫卵などの形態と特徴

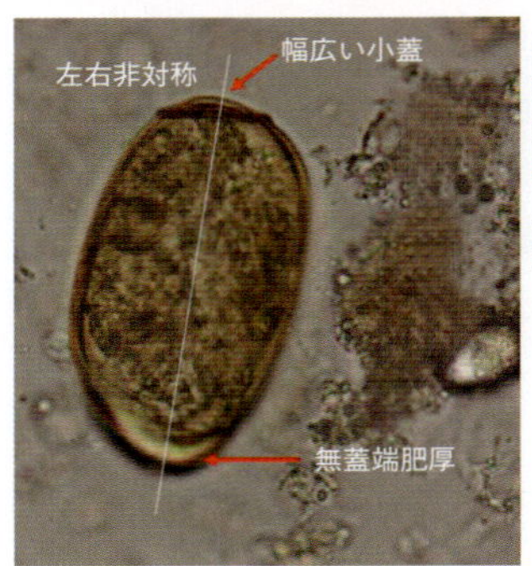


虫卵　×400
色調：濃い褐色
内容：卵細胞と卵黄細胞
長径：80〜90μm
小蓋：幅広い
形態：楕円形であるが，バリエーションに富む
　　　左右非対称
　　　小蓋反対側の卵殻肥厚

### 検査法

喀痰の直接薄層塗抹法，喀痰や糞便で遠心沈殿集卵法（MGL法，AMS Ⅲ法），免疫学的検査，画像診断，問診（食歴）

### 症状・特徴など

血痰，胸痛，胸水貯留，好酸球増加，脳肺吸虫症（異所寄生）

図 11.3.14　ウエステルマン肺吸虫（*Paragonimus westermanii*）

表 11.3.3　その他吸虫

| 寄生虫 | 感染経路 | 検出対象 | 特徴的な症状 |
|---|---|---|---|
| メコン住血吸虫 | セルカリアの経皮感染 | 虫卵（日本住血吸虫と類似） | 発熱，下痢，血便，肝腫大 |
| インターカラーツム住血吸虫 | セルカリアの経皮感染 | 虫卵（ビルハルツ住血吸虫と類似） | 発熱，下痢，血便，肝腫大 |
| ムクドリ住血吸虫 | セルカリアの経皮感染 | | 丘疹，水疱，膿疱などの皮膚症状 |
| 肥大吸虫 | 水生植物に付着したメタセルカリアの経口感染 | 虫卵（肝蛭と類似） | 腹痛，下痢，嘔吐 |
| 浅田棘口吸虫 | ドジョウ，カエル内のメタセルカリアの経口感染 | 虫卵 | 腹痛，下痢，悪心 |
| クリノストマム | フナやコイ内のメタセルカリアの経口感染 | 成虫 | 咽頭炎 |
| 宮崎肺吸虫（成虫は稀） | サワガニ内のメタセルカリアの経口感染 | 抗体，稀に虫卵 | 胸水貯留，気胸，脳や皮下，心嚢，眼など異所寄生（幼虫移行症） |
| その他肺吸虫 | ザリガニや淡水ガニのメタセルカリアの経口感染 | 虫卵，抗体，虫嚢（CT） | 胸膜炎，胸水貯留，気胸，血痰など |

**用語**　コンピュータ断層撮影（computed tomography；CT）

## 3. 条虫類

虫卵や成虫を顕微鏡や肉眼的に検出できる条虫を図 11.3.15〜11.3.20 に示す。

### 日本海裂頭条虫

**基礎知識**

固有宿主：ヒト，クマ
第１中間宿主：ケンミジンコ
第２中間宿主：サケ，サクラマス
感染経路：経口感染
感染型：プレロセルコイド
寄生部位：小腸

**生活史**

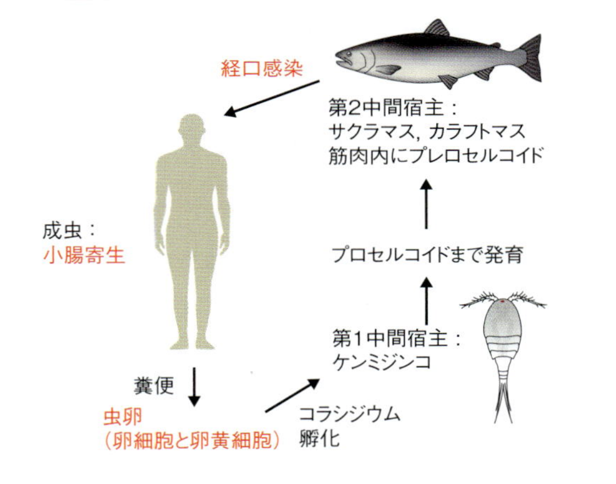


**虫卵などの形態と特徴**

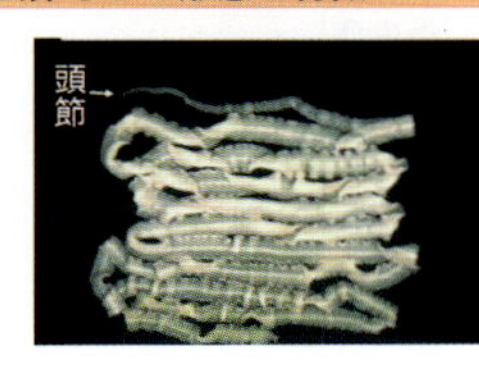


成虫
色調：乳白色
長径：5〜10m
形態：扁平な片節が連なっている
成熟片節に１対の雌雄の生殖器
頭節は棍棒状

虫卵　×400
色調：淡褐色
内容：卵細胞と卵黄細胞
長径：60〜70μm
小蓋：あり
形態：短楕円形
その他：クジラ複殖門条虫や広節裂頭条虫の虫卵と鑑別困難

**検査法**

直接薄層塗抹法，虫体検査，問診（食歴）

**症状・特徴など**

軽度の腹部不快感，下痢，食欲不振を自覚する程度。排便時に長い虫体が肛門より排出されることで気付くことが多い。

図 11.3.15　日本海裂頭条虫（*Dibothriocephalus nihonkaiensis*）

### クジラ複殖門条虫

**基礎知識**

固有宿主：クジラ，（ヒト）
ヒトは好適宿主ではない
第１中間宿主：海洋性橈脚類
第２中間宿主：イワシ（シラスも含む）（推定）
感染経路：経口感染
感染型：プレロセルコイド
寄生部位：小腸

**生活史**

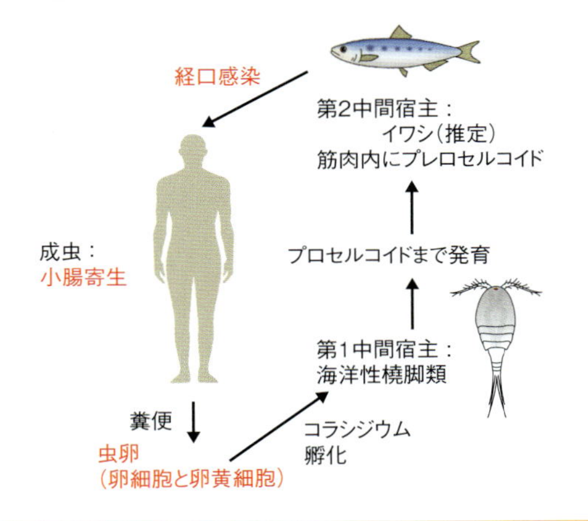


**虫卵などの形態と特徴**

成虫
色調：乳白色
長径：3〜6m
形態：扁平な片節が連なっている
成熟片節に２対の雌雄の生殖器
片節の丈は日本海裂頭条虫よりも短い
頭節はホウズキ状
未成熟のことが多い

虫卵　×400
色調：淡褐色
内容：卵細胞と卵黄細胞
長径：60〜70μm
小蓋：あり
形態：短楕円形
その他：日本海裂頭条虫や広節裂頭条虫の虫卵と鑑別困難

**検査法**

直接薄層塗抹法，虫体検査，圧平標本，問診（食歴）

**症状・特徴など**

軽度の腹部不快感，下痢，食欲不振を自覚する程度。排便時に長い虫体が肛門より排出されることで気付くことが多い。

図 11.3.16　クジラ複殖門条虫（*Diphyllobothrium balaenopterae*）

## 有鉤条虫

### 基礎知識

固有宿主：ヒト
中間宿主：ブタ
感染経路：経口感染（自家感染）
感染型：嚢尾虫（条虫症）
　　　　虫卵（嚢虫症）
寄生部位：小腸（条虫症）
　　　　　皮下，筋，脳，眼，脊髄（嚢虫症）

### 生活史

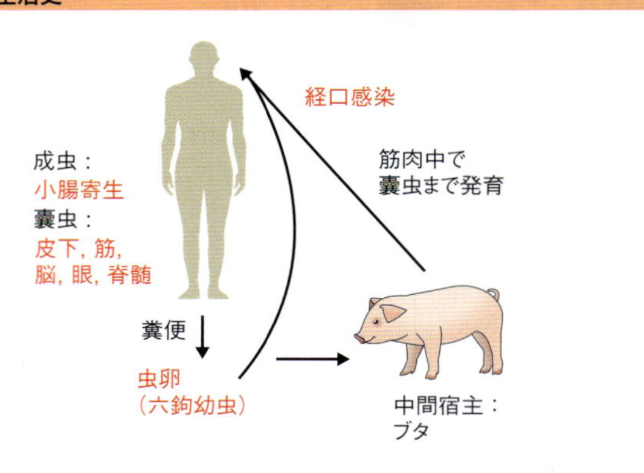


### 虫卵などの形態と特徴

成虫（頭節）
色調：透明感のある乳白色
長径：2～5m
受胎片節：菲薄で運動性に乏しい
　　　　　子宮分枝は10本程度
頭節：4つの吸盤，額嘴と小鉤

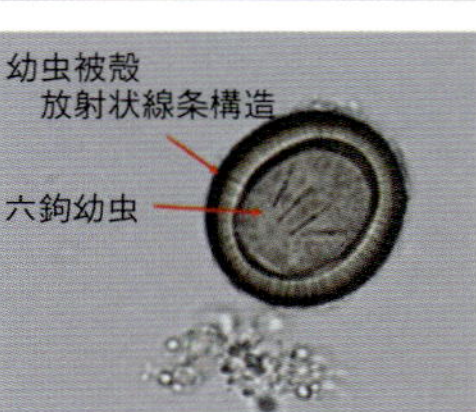


幼虫被殻　×400
色調：濃い褐色
内容：六鉤幼虫
長径：30～40μm
形態：短楕円形で放射状線条構造
その他：無鉤条虫やアジア条虫の
　　　　虫卵と鑑別困難

### 検査法

肛門周囲検査（セロファンテープ法）　※検査中の感染に注意
虫体検査，免疫学的検査，問診（食歴，渡航歴）

### 症状・特徴など

条虫症は自覚症状が少ない。
嚢虫症は皮下や筋組織への寄生の場合，腫瘤形成にとどまる。
神経系への寄生では種々の神経症状を呈する。
受胎片節は1つずつ分離して排出される。

図 11.3.17　有鉤条虫（*Taenia solium*）

## 無鉤条虫

### 基礎知識

固有宿主：ヒト
中間宿主：ウシ
感染経路：経口感染
感染型：嚢尾虫（嚢虫）
寄生部位：小腸

### 生活史

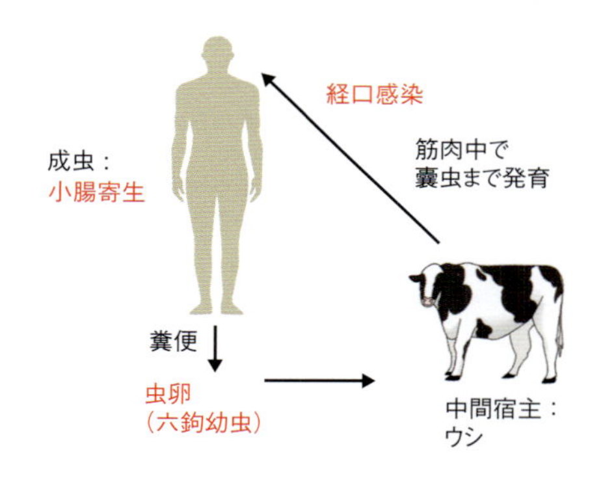


### 虫卵などの形態と特徴

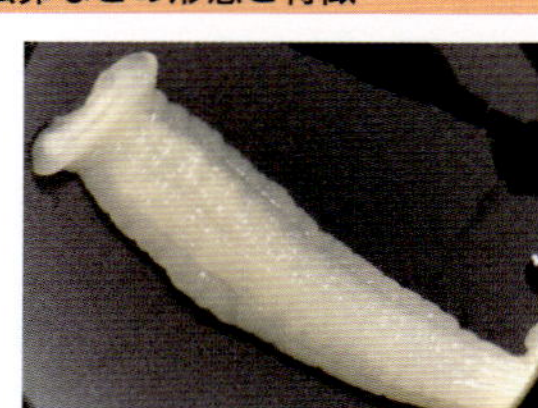

成虫（片節）
色調：不透明な乳白色
長径：3～7m
受胎片節：肉厚で運動性に富む
　　　　　子宮分枝は20～30
　　　　　本程度
頭節：4つの吸盤，鉤なし

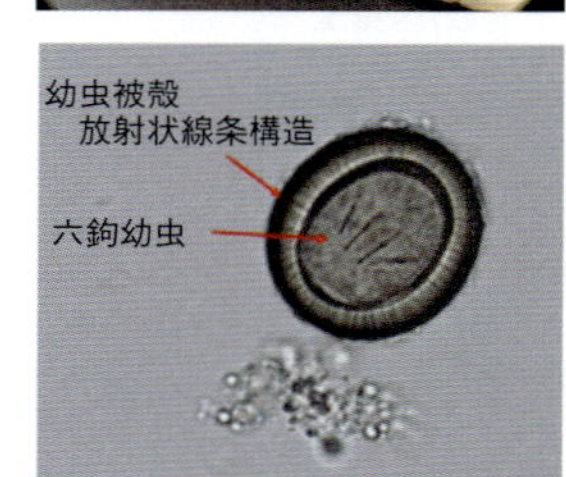


幼虫被殻　×400
色調：濃い褐色
内容：六鉤幼虫
長径：30～40μm
形態：短楕円形で放射状線条構造
その他：有鉤条虫やアジア条虫
　　　　の虫卵と鑑別困難

### 検査法

肛門周囲検査（セロファンテープ法），虫体検査，問診（食歴，渡航歴）

### 症状・特徴など

自覚症状が少ない。
受胎片節は1つずつ分離して排出される。

図 11.3.18　無鉤条虫（*Taenia saginata*）

## 小形条虫

**基礎知識**

固有宿主：ネズミ，ヒト
（中間宿主）：ネズミノミなどの昆虫
感染経路：経口感染，自家感染
感染型：虫卵または擬嚢尾虫（嚢虫）
寄生部位：小腸

**生活史**

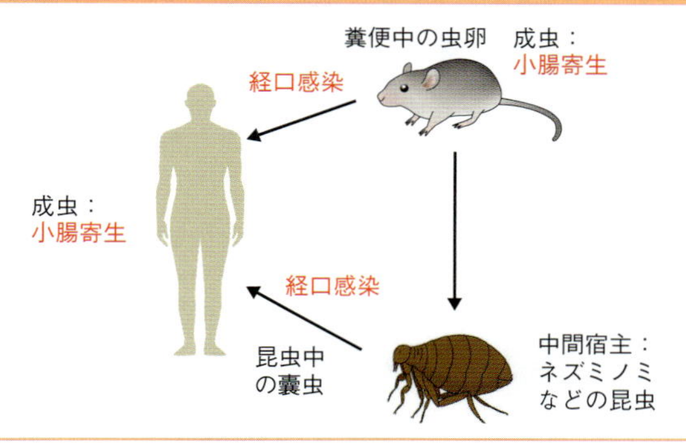


**虫卵などの形態と特徴**

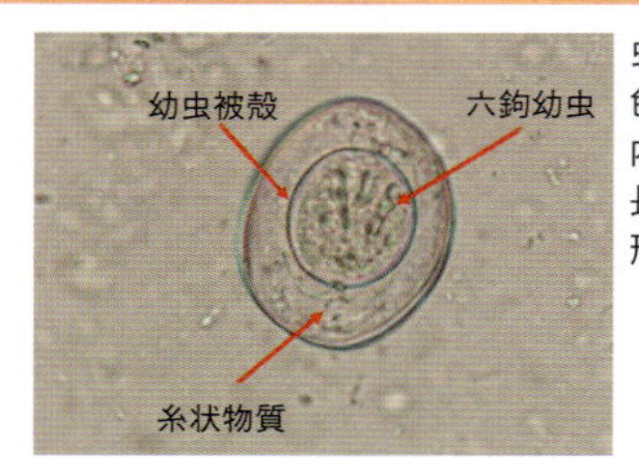


虫卵　×400
色調：淡黄色
内容：六鉤幼虫
長径：45〜55μm
形態：楕円型
レモン型の幼虫被殻
卵殻と幼虫被殻の間に糸状物質

**検査法**

直接薄層塗抹法，ホルマリン・エーテル法（MGL 法）
※検査中の感染に注意

**症状・特徴など**

自覚症状が少ない。自家感染による虫体増加で下痢，腹痛，栄養障害

図 11.3.19　小形条虫（*Rodentolepis nana*）

## 縮小条虫

**基礎知識**

固有宿主：ネズミ，ヒト
中間宿主：ノミや甲虫などの昆虫
感染経路：経口感染
感染型：擬嚢尾虫（嚢虫）
寄生部位：小腸

**生活史**

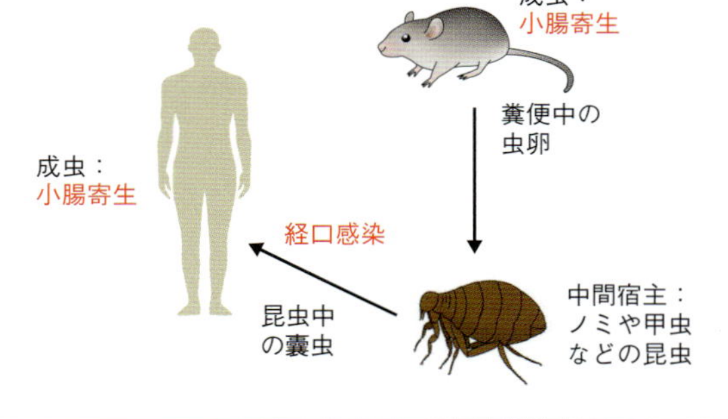


**虫卵などの形態と特徴**

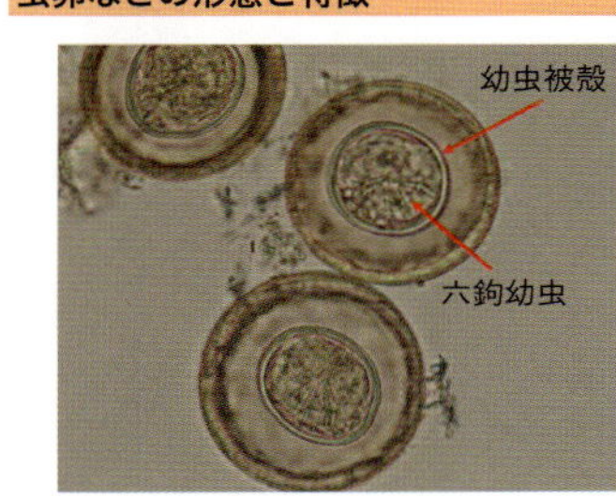


虫卵　×400
色調：黄褐色
内容：六鉤幼虫
長径：60〜80μm
形態：球形

**検査法**

直接薄層塗抹法，ホルマリン・エーテル法（MGL 法）

**症状・特徴など**

自覚症状が少ない。

図 11.3.20　縮小条虫（*Hymenolepis diminuta*）

表 11.3.4　その他条虫

| 寄生虫 | 感染経路 | 検出対象 | 特徴的な症状 |
|---|---|---|---|
| 広節裂頭条虫 | プレロセルコイドの経口感染<br>湖に生息する淡水魚 | 虫卵，成虫<br>（日本海裂頭条虫と類似） | 腹部不快感，下痢，貧血 |
| マンソン裂頭条虫<br>（成虫は稀） | プレロセルコイドの経口感染<br>ヘビ，ニワトリ，イノシシ<br>プロセルコイドの経口感染<br>ケンミジンコ | 幼虫（生検），抗体 | マンソン孤虫症：移動性腫瘤（幼虫移行症）<br>好酸球増加 |
| 芽殖孤虫 | 不明 | 虫体<br>（マンソン孤虫と類似） | 皮膚症状（小結節，掻痒感，疼痛）<br>あらゆる組織に転移，好酸球増加 |
| サル条虫 | 嚢虫の経口感染<br>ササラダニ類が保有 | 虫卵，成虫 | 無症状多数，稀に腹痛や下痢 |
| 単包虫<br>（エキノコックス） | 虫卵の経口感染 | 嚢胞（CT），原頭節（穿刺液），抗体 | 症状を呈するまで数年以上<br>肝腫大，黄疸，門脈圧亢進症，アナフィラキシー症状<br>肺，脳，脾，腎にも転移（幼虫移行症）<br>（4 類感染症） |
| 多包虫<br>（エキノコックス） | 虫卵の経口感染 | 嚢胞（CT），嚢胞壁（生検），抗体 | 症状を呈するまで 10 年程度要する<br>肝腫大，黄疸，門脈圧亢進症，アナフィラキシー症状<br>その他，肺，脳，脾，腎にも転移（幼虫移行症）<br>（4 類感染症） |

## 4. 原虫類

栄養型やシストなどの顕微鏡検査で検出できる原虫を図11.3.21〜11.3.31に示す。

### 赤痢アメーバ

**基礎知識**

固有宿主：ヒト
保虫宿主：サル
感染経路：経口感染
感染型：成熟シスト
寄生部位：小腸→大腸（腸アメーバ症）
　　　　　大腸→肝，肺，脳（腸管外アメーバ症）

**生活史**

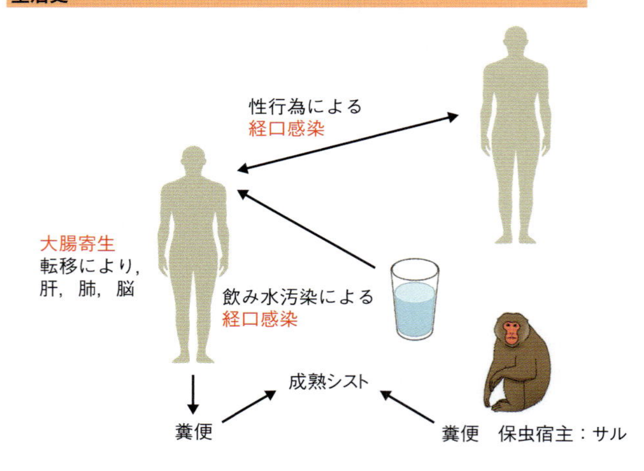


**虫卵などの形態と特徴**

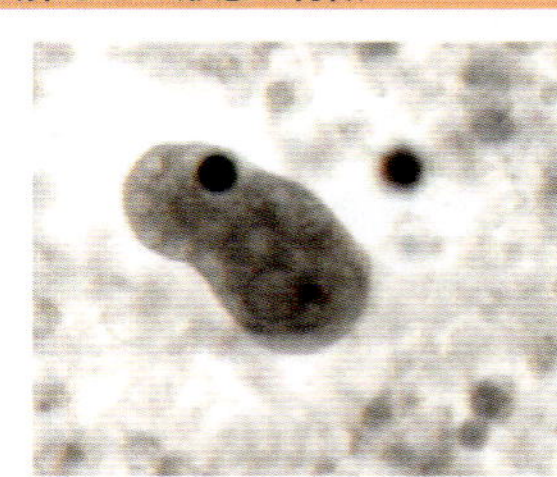

栄養型　×1,000
色調：無色
長径：15〜45μm
形態：アメーバ状（不規則）
核：1つ
運動：偽足を伸ばして動く
特徴：赤血球の貪食像が見られる
その他：粘血便や下痢便，膿瘍液から検出

シスト　×1,000
色調：無色
長径：12〜15μm
形態：球状
核：4つ（成熟シスト）
その他：偽赤痢アメーバとの鑑別困難
　　　　有形便から検出

**検査法**

栄養型：粘血便（粘血部位）・膿瘍液の生鮮標本を採取後直ちに鏡検
　　　（37℃で保温し，1時間以内に）
シスト：直接薄層塗抹法，ホルマリン・エーテル法（MGL法），ヨード・ヨードカリ染色，永久標本：iron hematoxylin染色，Kohn染色
　　　※検査中の感染に注意
その他：PCR法，特異抗原検出法

**症状・特徴など**

腸アメーバ症：イチゴゼリー状粘血便，水様性下痢，しぶり腹
腸管外アメーバ症：膿瘍の形成
5類感染症，性感染症（STI）
不顕性感染も多く，キャリアが多く存在する。

図11.3.21　赤痢アメーバ（*Entamoeba histolytica*）

### アカントアメーバ

**基礎知識**

宿主：ヒト（偶然）
感染経路：偶発感染（接触感染）
感染型：シスト，栄養型
寄生部位：角膜，脳

**生活史**

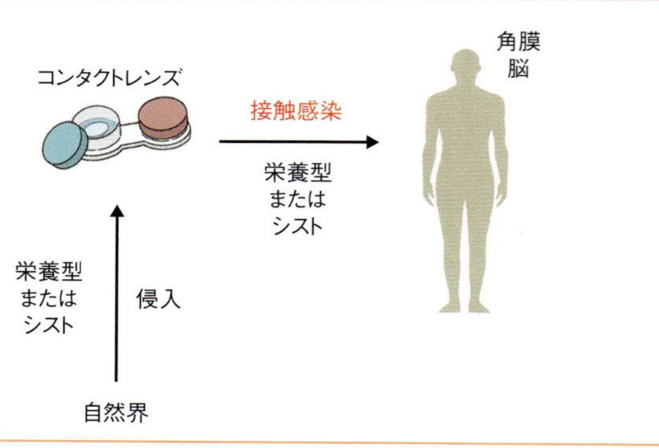


**虫卵などの形態と特徴**

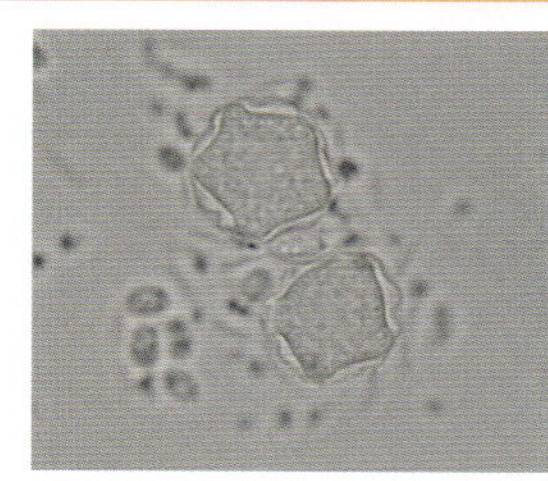

シスト　×1,000
色調：無色
直径：11〜20μm
形態：球形，多角形，星形
核：1つ
特徴：二重のシスト壁

**検査法**

角膜擦過物の塗抹検査，大腸菌塗布無栄養寒天培地での培養，PCR法

**症状・特徴など**

眼寄生：眼痛，角膜炎
脳寄生：頭痛，発熱，中枢神経障害，てんかん，昏睡

図11.3.22　アカントアメーバ（*Acanthamoeba* sp.）

## ランブル鞭毛虫

### 基礎知識

固有宿主：ヒト
保虫宿主：多くの哺乳類
感染経路：経口感染
感染型：成熟シスト
寄生部位：小腸や胆管，胆嚢
その他：ヒトへの感染性が高い
　　　　遺伝子型はA1，A2，B3，B4

### 生活史

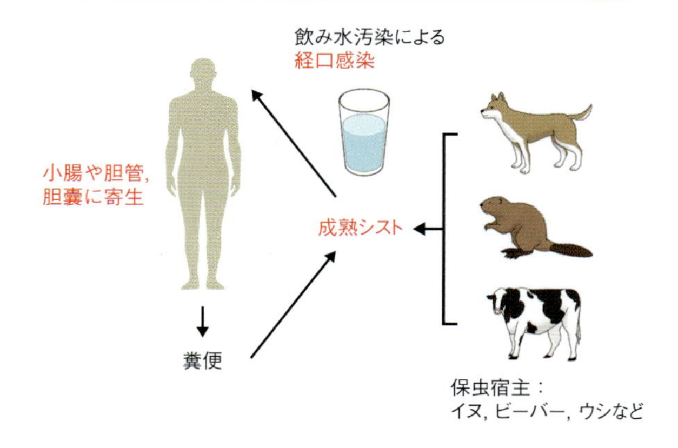


### 虫卵などの形態と特徴

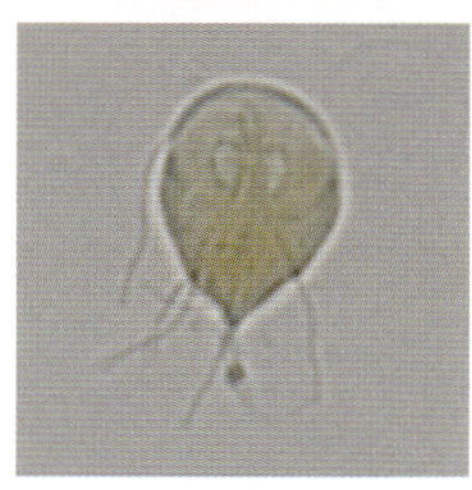

栄養型　×1,000
色調：無色
長径：10〜15μm
形態：洋梨型（不規則）
核：2つ
特徴：吸着円盤，鞭毛8本
運動：ヒラヒラ泳ぐ
その他：下痢便や胆汁，十二指腸液から検出

シスト　×1,000
色調：無色
長径：12〜15μm
形態：楕円形
核：4つ（成熟シスト）
特徴：軸索，中央小体
その他：有形便から検出
　　　　通常濃度の塩素に耐性

### 検査法

栄養型：下痢便・胆汁の生鮮標本を鏡検
シスト：直接薄層塗抹法，ホルマリン・エーテル法（MGL法），ヨード・ヨードカリ染色
※検査中の感染に注意

### 症状・特徴など

水様下痢，脂肪性下痢，吸収不良症候群，胆管・胆嚢炎
5類感染症，性感染症（STI）
不顕性感染も多く，キャリアが多く存在する。

図 11.3.23　ランブル鞭毛虫（*Giardia intestinalis*）

## クリプトスポリジウム

### 基礎知識

固有宿主：ヒト
保虫宿主：多くの脊椎動物
感染経路：経口感染，自家感染
感染型：オーシスト
寄生部位：小腸
無性生殖と有性生殖により増殖

### 生活史

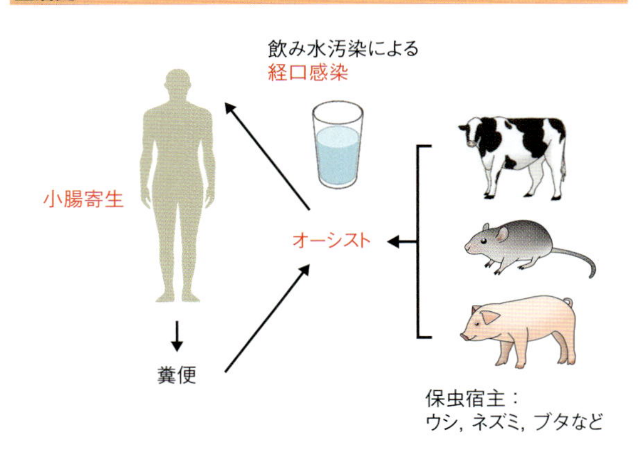


### 虫卵などの形態と特徴

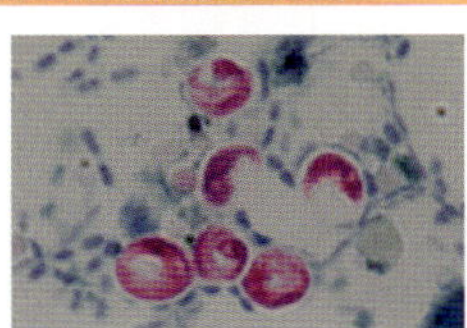

オーシスト　×1,000　抗酸染色
色調：無色
長径：4〜5μm
形態：楕円形
内容：スポロゾイトが4つ，残体
特徴：通常濃度の塩素に耐性

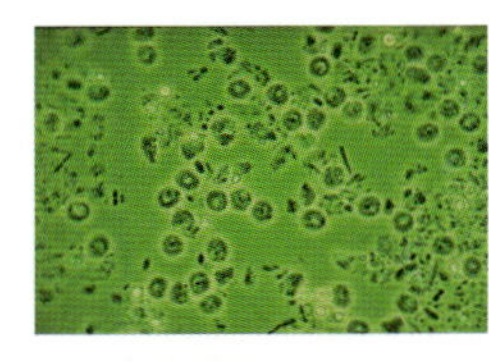

オーシスト　×400　位相差顕微鏡

### 検査法

簡易迅速ショ糖浮遊法やショ糖遠心浮遊法，抗酸染色（Kinyoun染色），PCR 法，直接抗体蛍光法
※検査中の感染に注意

### 症状・特徴など

激しい水様下痢，腹痛，脱水症状
5類感染症，AIDSの指標疾患，性感染症（STI），水を介した集団感染が起きやすい

図 11.3.24　クリプトスポリジウム（*Cryptosporidium* spp.）

## サイクロスポーラ，戦争シストイソスポーラ

### 基礎知識

固有宿主：ヒト
感染経路：経口感染
感染型：成熟オーシスト
寄生部位：小腸

### 生活史

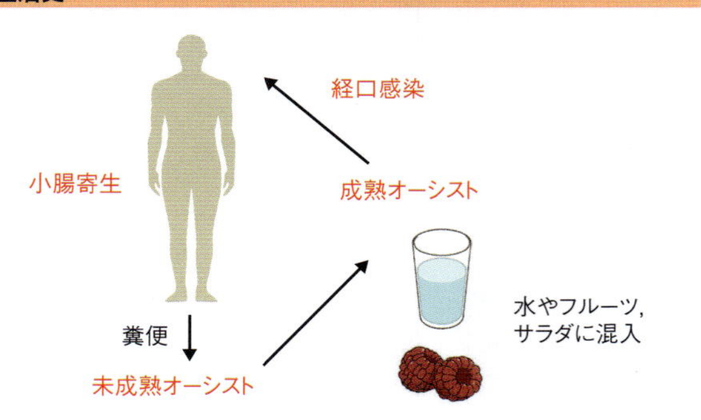


### 虫卵などの形態と特徴

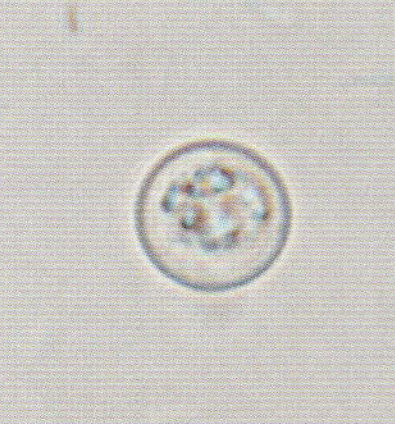

サイクロスポーラ
オーシスト　×400
色調：無色
直径：8〜10$\mu$m
形態：球形
内容：融合体
特徴：自家蛍光（U-励起光）
　　　成熟に約1週間かかる

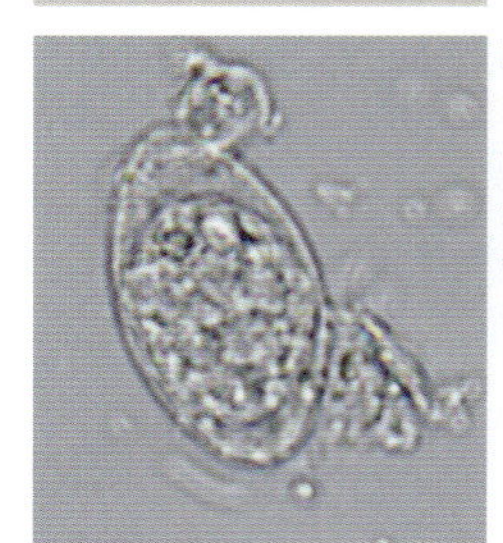

戦争シストイソスポーラ
オーシスト　×400
色調：無色
長径：20〜33$\mu$m
形態：楕円形
内容：融合体
その他：自家蛍光（U-励起光）
　　　　成熟に数日かかる

### 検査法

直接薄層塗抹法，簡易迅速ショ糖浮遊法やショ糖遠心浮遊法，抗酸染色（Kinyoun 染色），PCR 法，U-励起光による蛍光観察

### 症状・特徴など

サイクロスポーラ症：頑固な下痢，腹部不快感
戦争シストイソスポーラ症：頑固な下痢，腹部不快感，AIDSの指標疾患

図 11.3.25　サイクロスポーラ，戦争シストイソスポーラ（*Cyclospora cayetanensis*，*Cystoisospora belli*）

## トキソプラズマ

### 基礎知識

固有宿主：ネコ科の動物
中間宿主：ネズミ，ヒト，ブタ
　　　　　その他哺乳類
感染経路：経口感染
　　　　　経胎盤感染（妊娠時に初感染）
感染型：筋肉内のシスト
　　　　オーシスト
寄生部位：小腸→リンパ節，肝，肺，脳，筋，マクロファージ（ヒト）

### 生活史

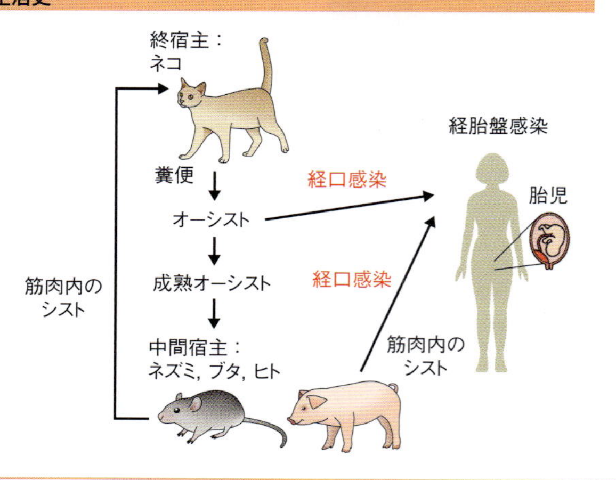


### 虫卵などの形態と特徴

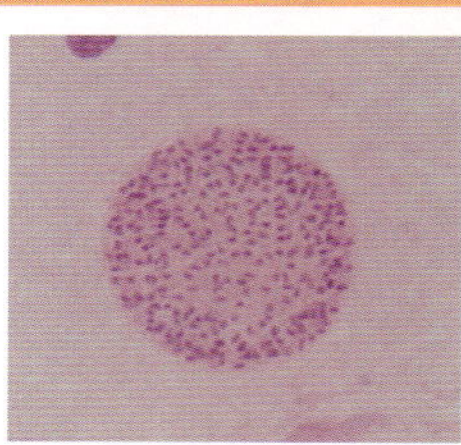

シスト　×100
直径：20〜100$\mu$m
形態：円形
内容：緩増虫体が多数
その他：組織内に形成

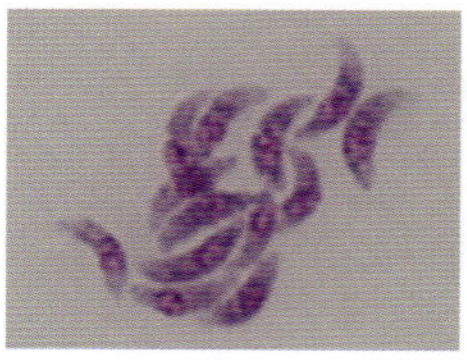

タキゾイト　×1,000　位相差顕微鏡
長径：4〜7$\mu$m
形態：半月状
核：1つ
その他：急性期の形態

### 検査法

脳脊髄液・リンパ節からのタキゾイト検出（稀），血清検査としての色素試験やラテックス凝集反応，PCR法，妊婦のトキソプラズマ免疫グロブリン（IgM，IgG）抗体測定，IgGアビディティ

### 症状・特徴など

後天性感染：不顕性感染が多い，脈絡網膜炎，脳炎（AIDSの指標疾患）
先天性感染：脈絡網膜炎，水頭症，精神・運動障害，脳内石灰化，早産・死産

図 11.3.26　トキソプラズマ（*Toxoplasma gondii*）

 **用語**　免疫グロブリン（immunoglobulin；Ig）

## 腟トリコモナス

### 基礎知識

固有宿主：ヒト
感染経路：性行為感染（接触感染）
感染型：栄養型
寄生部位：泌尿器，生殖器
その他：シストの形態は無い

### 生活史

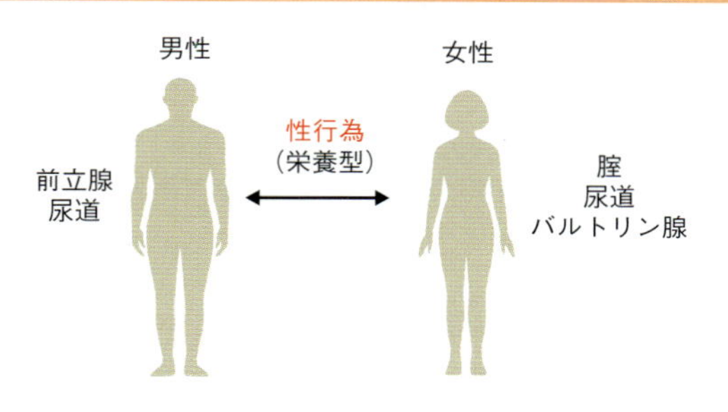


### 虫卵などの形態と特徴

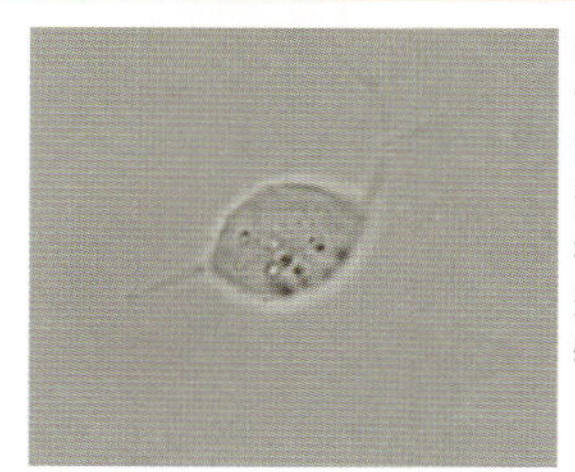

栄養型　×1,000
色調：無色
直径：10〜15μm
形態：洋梨型
核：1つ
運動：回転するように動く
特徴：軸索，波動膜，鞭毛5本

### 検査法

尿沈渣検査，腟・尿道分泌物，塗抹標本：Giemsa染色，培養検査（市販培地あり），PCR法

### 症状・特徴など

男性：尿道炎，無症状のことが多い
女性：腟炎，外陰炎，掻痒感，子宮頸管炎
性感染症（STI），パートナーの検査・治療も必要

図 11.3.27　腟トリコモナス（*Trichomonas vaginalis*）

## アフリカトリパノソーマ

### 基礎知識

固有宿主：ヒト
媒介動物：ツェツェバエ（雌雄）
感染経路：経皮感染（刺咬）
感染型：錐鞭毛型
寄生部位：血液，リンパ節，中枢神経
その他：ガンビアトリパノソーマ，
　　　　ローデンシアトリパノソーマの
　　　　2種が存在

### 生活史

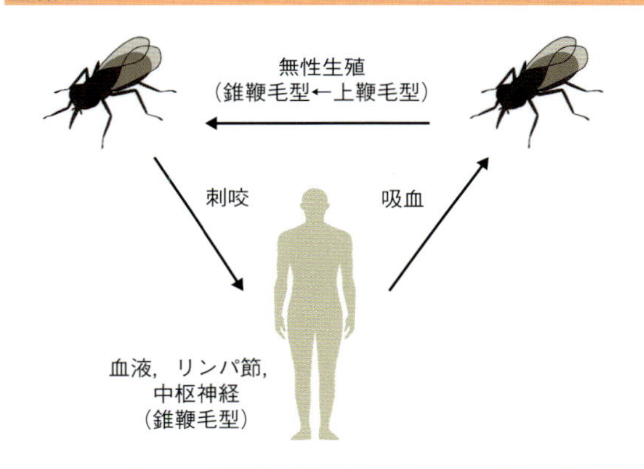


### 虫卵などの形態と特徴

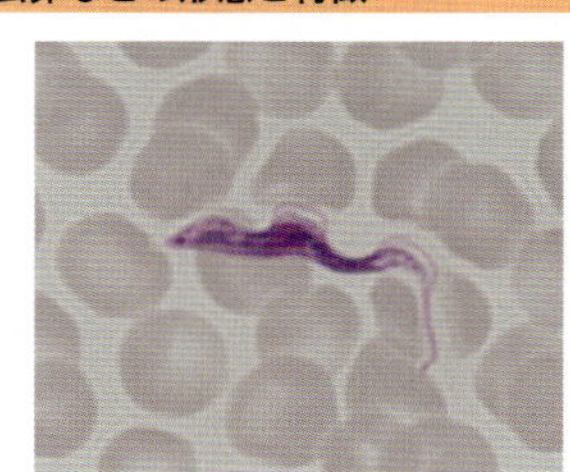

錐鞭毛型　×1,000
長さ：14〜33μm
形態：S字状
核：1つ
特徴：波動膜，鞭毛
　　　キネトプラストをもつ
その他：二分裂で増殖
　　　　ガンビアとローデンシアとの鑑別不可

### 検査法

末梢血・髄液・リンパ節穿刺液の塗抹標本：Giemsa 染色，ELISA法，PCR法，問診（渡航歴）
※針刺し事故に注意

### 症状・特徴など

急性期：発熱，リンパ節腫脹（ウィンターボトム徴候）
慢性期：精神障害，意識低下，昏睡

図 11.3.28　アフリカトリパノソーマ（*Trypanosoma brucei gambiense*, *Trypanosoma brucei rhodesiense*）

## クルーズトリパノソーマ

**基礎知識**

宿主：ヒト，イヌ，ネコ，ネズミ
媒介動物：サシガメ
感染経路：経皮感染，経胎盤感染，（経口感染）
感染型：錐鞭毛型
寄生部位：マクロファージ，心筋細胞，神経細胞

**生活史**

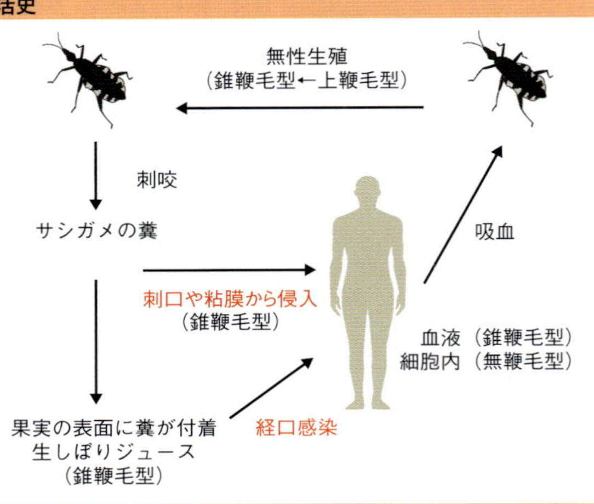


**虫卵などの形態と特徴**

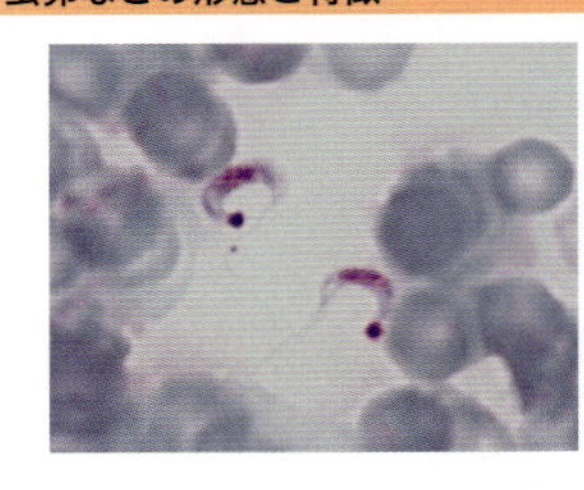

錐鞭毛型　×1,000
長さ：18～22μm
形態：C字状
核：1つ
特徴：波動膜，鞭毛
　　　キネトプラストをもつ

**検査法**

末梢血・リンパ節穿刺液の塗抹標本：Giemsa染色，イムノクロマト法，PCR法，NNN培地による培養，媒介体診断法，問診（渡航歴）
※針刺し事故に注意

**症状・特徴など**

急性期：おもに小児で高熱，発疹，リンパ節炎，肝脾腫大，眼瞼浮腫（ロマーニャ徴候），急性心不全
慢性期：心臓障害，心肥大，巨大食道，巨大結腸，生涯発症しない人もいる

図 11.3.29　クルーズトリパノソーマ（*Trypanosoma cruzi*）

## リーシュマニア属

**基礎知識**

固有宿主：ヒト
媒介動物：サシチョウバエ
感染経路：経皮感染（刺咬）
感染型：錐鞭毛型
寄生部位：細網内系細胞，マクロファージ
その他：種が多い（20種ほど）

**生活史**

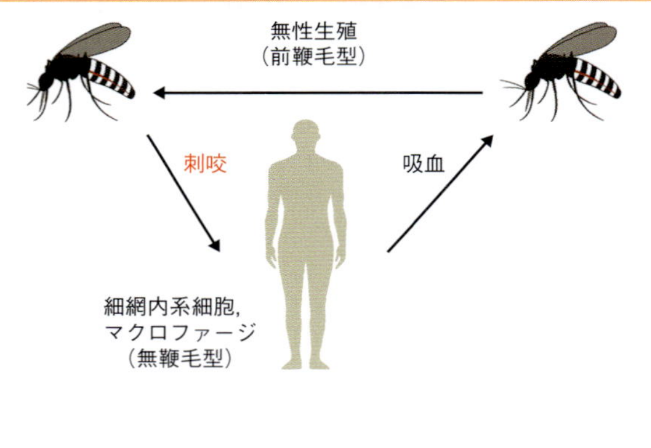


**虫卵などの形態と特徴**

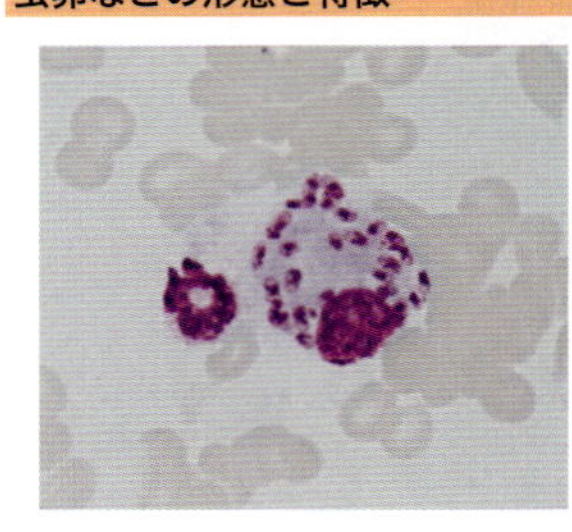

無鞭毛型　×400
マクロファージ寄生
直径：2～4μm
形態：短楕円形
核：1つ
特徴：キネトプラストをもつ
　　　細胞内で増殖

**検査法**

病変部位の穿刺液塗抹標本や生検組織：Giemsa染色，ELISA法，PCR法，
NNN培地による培養，皮内反応などの免疫学的検査法，問診（渡航歴）

**症状・特徴など**

内臓リーシュマニア症：発熱，リンパ節腫大，貧血，肝脾腫などの全身性の病型，結節性皮疹，別名カラアザール
皮膚リーシュマニア症：無痛性の発赤，硬結，丘疹，潰瘍を形成
粘膜皮膚リーシュマニア症：鼻中隔・口唇部欠損，咽頭・喉頭軟部組織の破壊

図 11.3.30　リーシュマニア属（*Leishmania* spp.）

## マラリア原虫

### 基礎知識

固有宿主：ハマダラカ（雌）
中間宿主：ヒト
感染経路：経皮感染（刺咬）
感染型：スポロゾイト
寄生部位：赤血球
赤内発育は表11.3.5参照

### 生活史

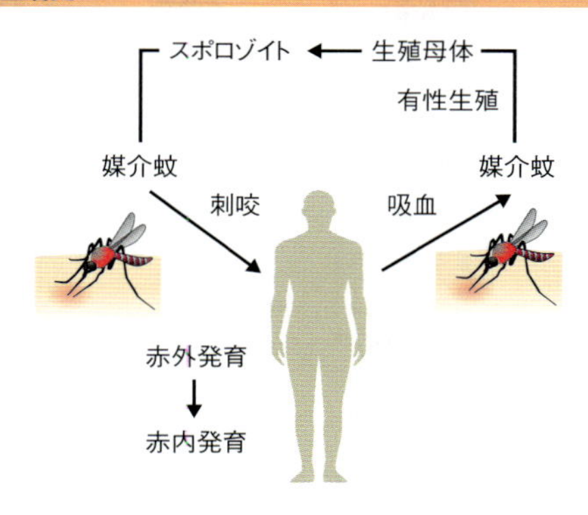


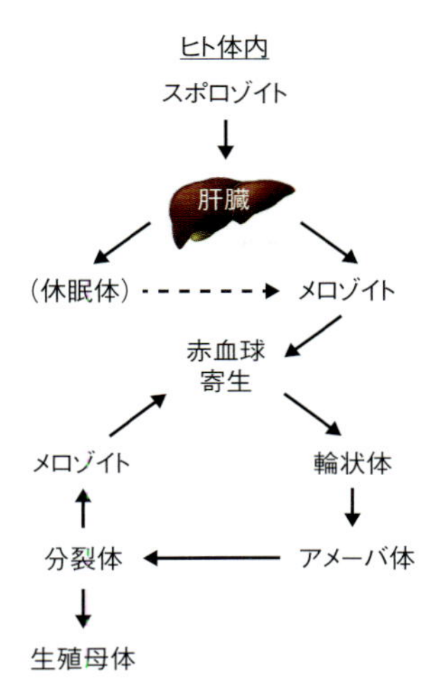


### 虫卵などの形態と特徴

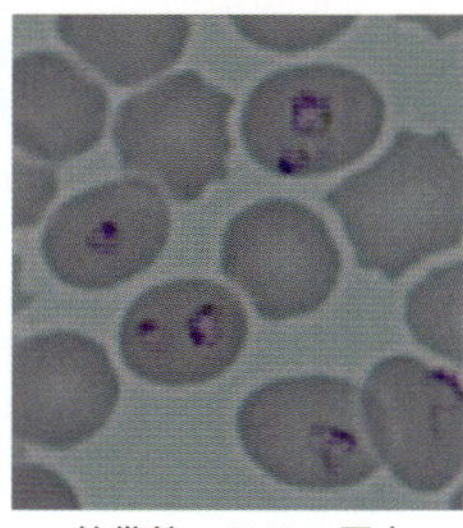
熱帯熱マラリア原虫
輪状体　×1,000

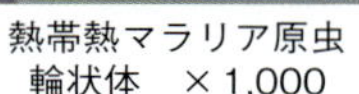

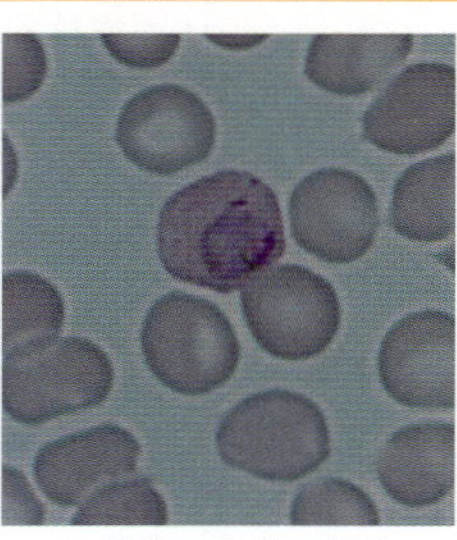
三日熱マラリア原虫
アメーバ体　×1,000

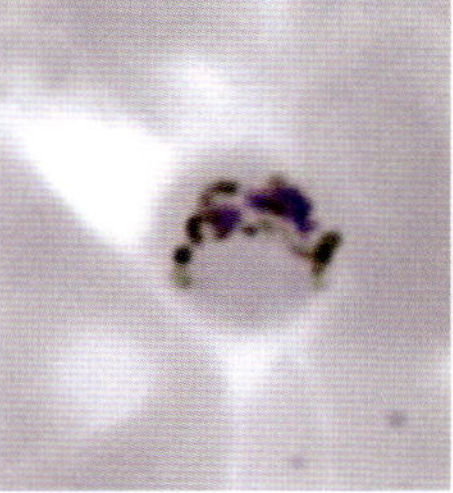
四日熱マラリア原虫
アメーバ体　×1,000

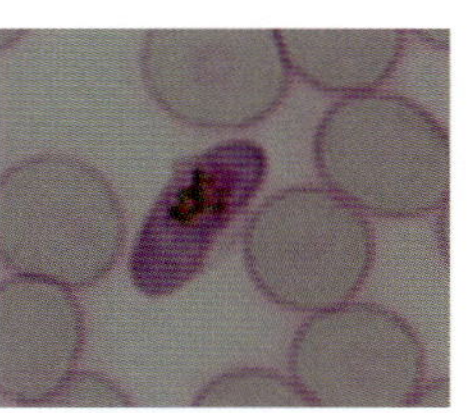
熱帯熱マラリア原虫
生殖母体　×1,000

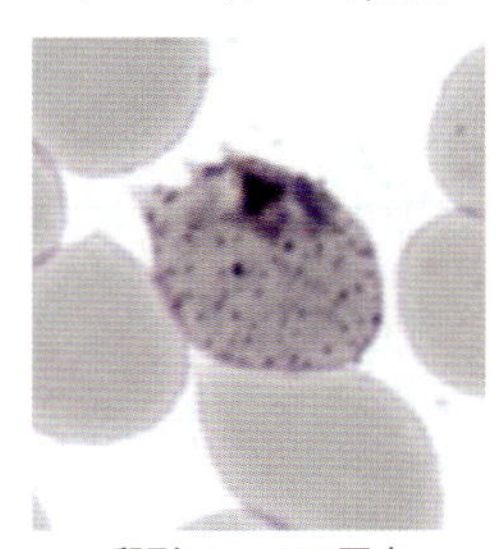
卵形マラリア原虫
アメーバ体　×1,000

### 検査法

末梢血塗抹標本：Giemsa染色（pH7.2～7.4推奨），Acridine orange染色後，蛍光顕微鏡で観察，PCR法，マラリア抗原検出法（イムノクロマト法），フローサイトメトリー法，問診（渡航歴）
※針刺し事故に注意

### 症状・特徴など

共通：発熱，貧血，脾腫
熱帯熱マラリア：致死率が高い，合併症として急性脳症，急性腎不全，播種性血管内凝固（DIC）などさまざまな臓器障害が起こる薬剤耐性の原虫も存在，早期の診断・治療が必須，再燃の可能性もある。
三日熱マラリア：薬剤耐性の原虫も存在，根治療法が必須，再発・再燃の可能性もある。
卵形マラリア　：根治療法が必須，再発・再燃の可能性もある。
四日熱マラリア：慢性不顕性感染が多い。合併症としてネフローゼ症候群を呈する。
二日熱マラリア・サルマラリア：非特異的な症状を呈する。四日熱マラリア原虫と形態学的に鑑別困難。
4類感染症

図11.3.31　マラリア原虫（*Plasmodium* spp.）

**用語**　播種性血管内凝固（disseminated intravascular coagulation；DIC）

表 11.3.5　ヒト寄生マラリア原虫 5 種の赤内発育の形態的特徴

| | 熱発作周期 | 特徴 | 輪状体 | アメーバ体（栄養体） | 分裂体 | 生殖母体 雌性 | 生殖母体 雄性 |
|---|---|---|---|---|---|---|---|
| 三日熱マラリア原虫 | 48 時間ごと | ・赤血球膨化<br>・Schüffner 斑点<br>・休眠体（肝細胞内）による再発 |  | 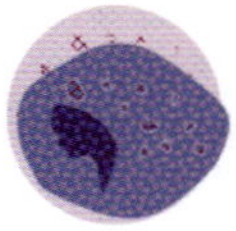 | メロゾイト 12 ～ 18 個 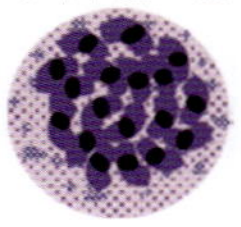 | 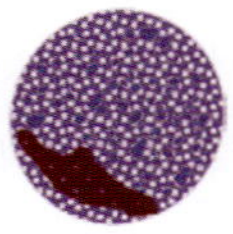 | 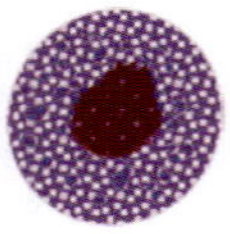 |
| 熱帯熱マラリア原虫 | 約 48 時間ごと（不規則） | ・Maurer 斑点（Schüffner 斑点より大きく，数は少ない）<br>・通常，アメーバ体，分裂体は見られない | 虫体の複数寄生あり 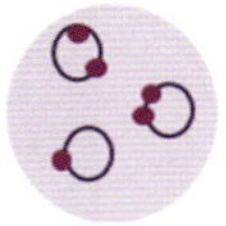 | 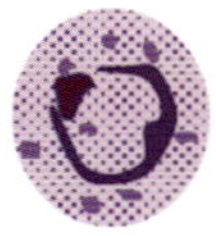 | メロゾイト 12 ～ 18 個 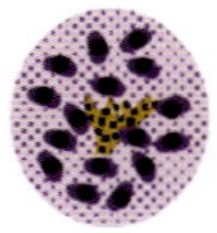 |  | 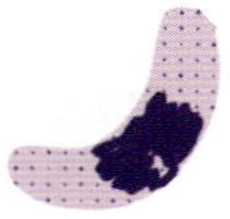 |
| 四日熱マラリア原虫 | 72 時間ごと | ・アメーバ体は帯状体ともよばれる |  | 帯状体 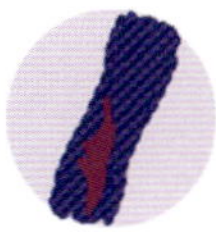 | メロゾイト 8 ～ 10 個<br>菊花状 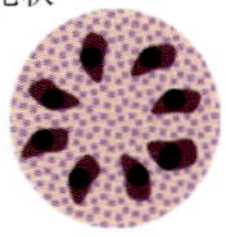 | 三日熱に似る | 三日熱に似る |
| 二日熱マラリア原虫 | 24 時間ごと | | | | | | |
| 卵　形マラリア原虫 | 48 時間ごと | ・赤血球やや膨化，卵形を示すものが多い<br>・Schüffner 斑点<br>・休眠体（肝細胞内）による再発 | 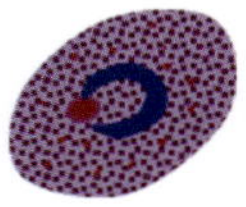 | 赤血球の一端は鋸歯状 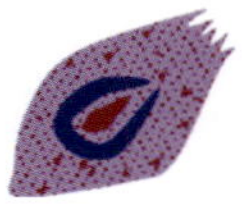 | メロゾイト 6 ～ 12 個 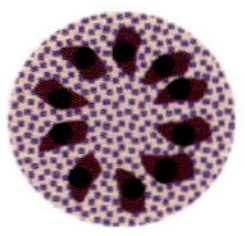 | 三日熱に似る | 三日熱に似る |

〔作成：山下美香〕

表 11.3.6　その他原虫について

| 寄生虫 | 感染経路 | 検出対象 | 症状・その他 |
|---|---|---|---|
| 偽赤痢アメーバ（ディスパアメーバ） | シストの経口感染 | シスト，栄養型（赤痢アメーバと類似） | 非病原性 |
| モシュコブスキーアメーバ | シストの経口感染 | シスト，栄養型（赤痢アメーバと類似） | ほとんどが無症状，稀に下痢 |
| 大腸アメーバ | シストの経口感染 | シスト，栄養型 | 非病原性，成熟シストの核は 8 つで大きさが直径 15 ～ 25 μm |
| フォーラー・ネグレリア（ネグレリア） | 栄養型の嗅神経からの感染 | 栄養型（稀） | 原発性アメーバ性髄膜脳炎，致死率 95% 以上 |
| バラムチア | 呼吸器や傷口から感染 | 栄養型（稀） | アメーバ性肉芽腫性脳炎 |
| 大腸バランチジウム | シストの経口感染 | シスト，栄養型 | 下痢，血便，原虫の中では最大級の大きさ |
| ヒト肉胞子虫 | 肉胞嚢やスポロシストの経口感染 | スポロゾイト | 下痢，腹痛 |
| サルコシスティス・フェアリー（肉胞子虫） | 肉胞嚢の経口感染 | 馬肉内の肉胞嚢 | 一過性の嘔吐や下痢（食中毒） |
| 腸トリコモナス | 栄養型の経口感染 | 栄養型 | ほとんどが無症状，稀に下痢 |
| ブラストシスチス | シストまたは胞子の経口感染 | 栄養型 | 下痢，非病原性ともいわれている |
| クドア・セプテンプンクタータ（ナナホシクドア） | 胞子の経口感染 | ヒラメ内の胞子 | 一過性の嘔吐や下痢（食中毒） |
| 微胞子虫 | 胞子の経口感染 | 胞子 | 下痢 |

用語　モーラー（Maurer）斑点

## 5. 虫卵・原虫などの大きさの比較
（図 11.3.32，11.3.33，表 11.3.7，11.3.8）

寄生虫を検出するために，各種大きさを念頭に置いて検査することが重要である。

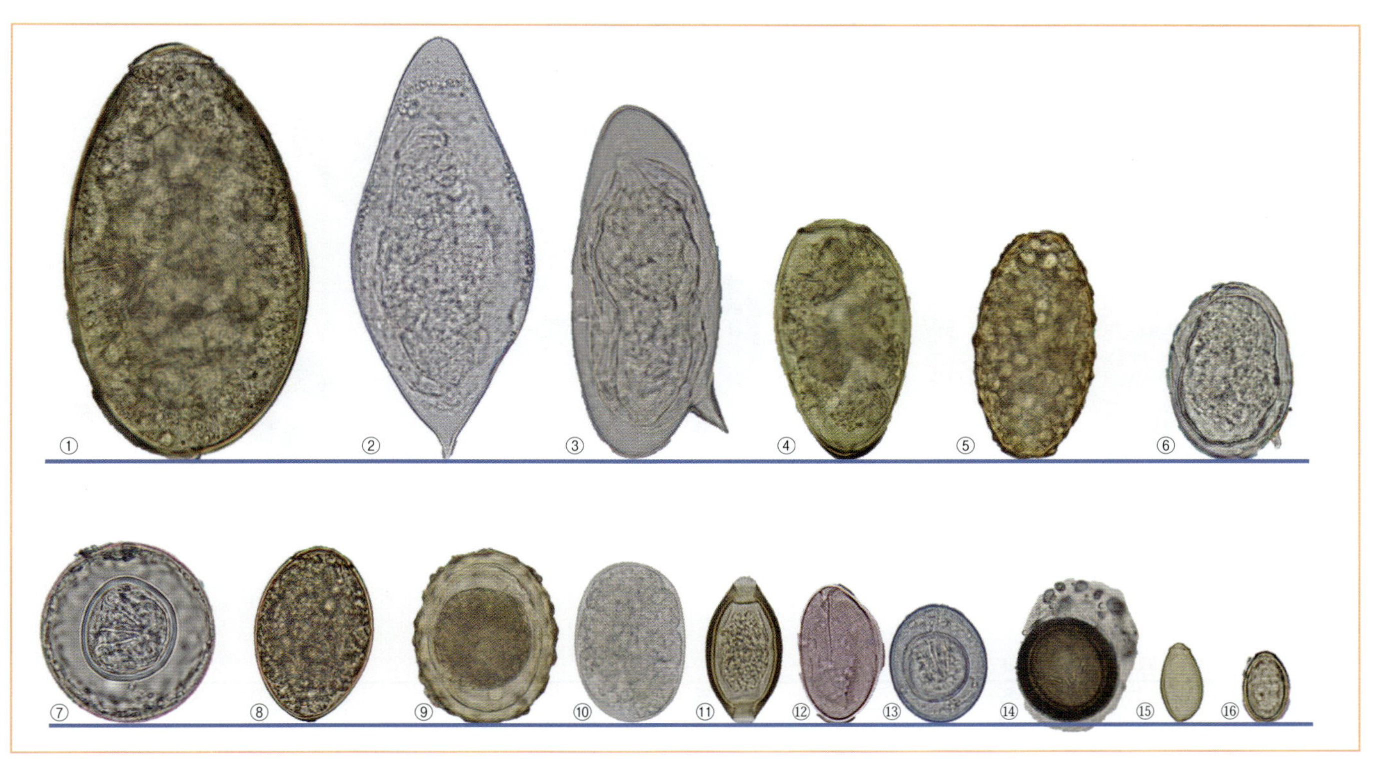


図 11.3.32　虫卵の大きさ
番号は表 11.3.7 に対応している。

表 11.3.7　虫卵の大きさ

| 番　号 | 名　前 | おおよそのサイズ |
|---|---|---|
| ① | 巨大肝蛭虫卵 | 80 × 170μm |
| ② | ビルハルツ住血吸虫卵 | 55 × 150μm |
| ③ | マンソン住血吸虫卵 | 50 × 140μm |
| ④ | ウエステルマン肺吸虫卵 | 55 × 90μm |
| ⑤ | 回虫不受精卵 | 50 × 85μm |
| ⑥ | 日本住血吸虫卵 | 60 × 85μm |
| ⑦ | 縮小条虫卵 | 60 × 80μm |
| ⑧ | 日本海裂頭条虫卵 | 50 × 70μm |
| ⑨ | 回虫受精卵 | 45 × 60μm |
| ⑩ | 鉤虫卵 | 40 × 60μm |
| ⑪ | 鞭虫卵 | 25 × 55μm |
| ⑫ | 蟯虫卵 | 25 × 55μm |
| ⑬ | 小形条虫卵 | 40 × 50μm |
| ⑭ | 無鉤・有鉤条虫卵（幼虫被殻） | 30 × 40μm |
| ⑮ | 肝吸虫卵 | 15 × 30μm |
| ⑯ | 横川吸虫卵 | 15 × 25μm |

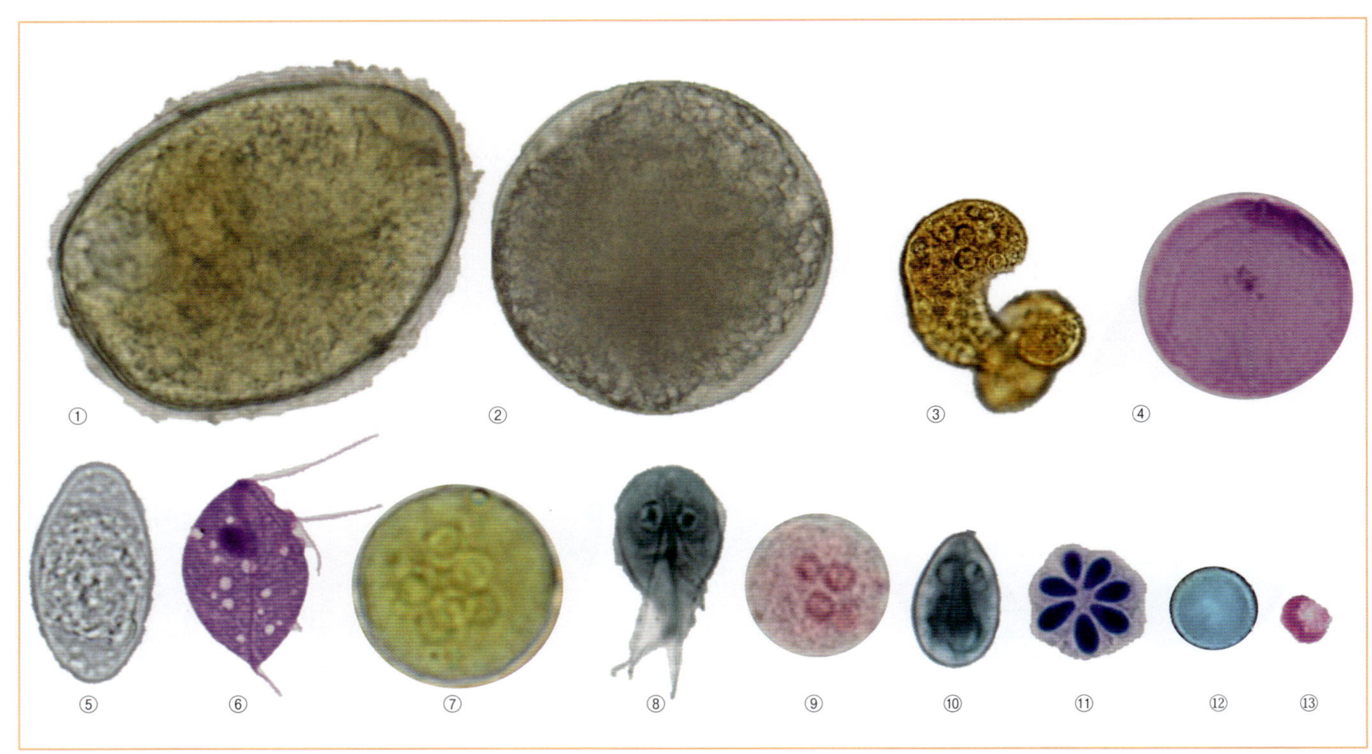


図 11.3.33　原虫の大きさ
番号は表 11.3.8 に対応している。

表 11.3.8　原虫の大きさ

| 番号 | 名　前 | 形　態 | 染色など | おおよそのサイズ |
|---|---|---|---|---|
| ① | 大腸バランチジウム | 栄養型 | 無染色 | 70 × 80μm |
| ② | 大腸バランチジウム | シスト | 無染色 | 50 ～ 70μm |
| ③ | 赤痢アメーバ | 栄養型 | ヨード染色 | 15 ～ 45μm |
| ④ | ブラストシスチス | 栄養型 | Giemsa 染色 | 5 ～ 50μm |
| ⑤ | 戦争シストイソスポーラ | 未成熟オーシスト | 無染色 | 14 × 27μm |
| ⑥ | 腟トリコモナス | 栄養型 | Giemsa 染色 | 10 × 20μm |
| ⑦ | 大腸アメーバ | シスト | ヨード染色 | 15 ～ 25μm |
| ⑧ | ランブル鞭毛虫 | 栄養型 | Kohn 染色 | 8 × 18μm |
| ⑨ | 赤痢アメーバ | シスト | トリクローム染色 | 10 ～ 15μm |
| ⑩ | ランブル鞭毛虫 | シスト | Kohn 染色 | 8 × 12μm |
| ⑪ | ナナホシクドア | 胞子 | メチレン青 | 10μm |
| ⑫ | サイクロスポーラ | 未成熟オーシスト | U- 励起 | 8 ～ 10μm |
| ⑬ | クリプトスポリジウム | オーシスト | Kinyoun 染色 | 4.5 × 5μm |

［松村隆弘］

## 参考文献

1）吉田幸雄：図説 人体寄生虫学 改訂 10 版，日本寄生虫学会「図説人体寄生虫学」編集委員会（編），南山堂，2021.
2）上村　清，他：寄生虫学テキスト 第 4 版，文光堂，2019.

# 11.4 ｜ 衛生動物

寄生虫学には，内部寄生虫や外部寄生虫だけでなく，病原体を媒介する動物や有毒動物，不快害虫などの衛生動物も領域に含まれる。本書では病原体を媒介する昆虫やダニ類などについて整理したものを提示する（表11.4.1）。

表11.4.1　媒介動物と媒介疾患

| 媒介動物 | おもな媒介疾患 | 備　考 |
|---|---|---|
| ハマダラカ属 | ①バンクロフト糸状虫症，マレー糸状虫症，②マラリア | 雌のみが吸血 |
| アカイエカ | ①バンクロフト糸状虫症，イヌ糸状虫症，③日本脳炎，ウエストナイル熱 | |
| ネッタイイエカ | ①バンクロフト糸状虫症，③ウエストナイル熱 | |
| ヤブカ属 | ①バンクロフト糸状虫症，マレー糸状虫症，イヌ糸状虫症，③ウエストナイル熱 | |
| ヌマカ属 | ①マレー糸状虫症 | |
| シマカ属 | ③デング熱，ジカウイルス感染症，チクングニア熱，黄熱 | |
| ブユ | ①オンコセルカ症 | |
| ケオプスネズミノミ | ④ペスト | 雌雄ともに吸血 |
| コロモジラミ | ④塹壕熱，回帰熱，⑤発疹チフス | 雌雄の成虫，幼虫が吸血 |
| マダニ属 | ②バベシア症，③重症熱性血小板減少症候群（SFTS），ウエストナイル熱，ロシア春夏脳炎，クリミア・コンゴ熱，④野兎病，ライム病，回帰熱，⑤日本紅斑熱，Q熱 | 雌雄の成虫・幼虫・若虫すべてが吸血 |
| ツツガムシ属 | ⑤ツツガムシ病 | 幼虫のみ吸血・刺咬 |

①蠕虫感染症，②原虫感染症，③ウイルス感染症，④細菌感染症，⑤リケッチア感染症

### (1) マダニ（図11.4.1）

卵→幼虫→若虫→成虫（不完全変態）

雌雄の成虫・幼虫・若虫すべてが吸血。

形態：幼虫は脚が6本，若虫と成虫は8本。顎体部（頭様）と胴体部（腹様）に大きく分けられる。

その他：刺咬されると，口器と皮膚が膠着するため引っ張るとちぎれやすく，刺咬部が化膿することがある。皮膚科にて皮膚片を小さく切除し，摘出することが薦められる。

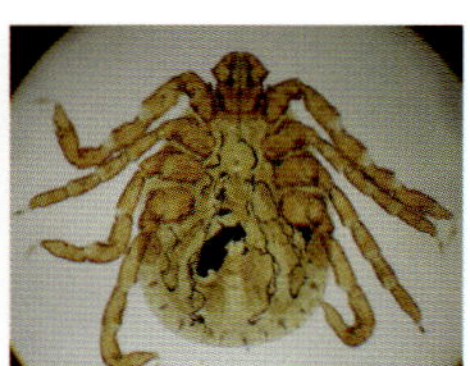

図11.4.1　チマダニ（左：幼虫，右：成虫）

### (2) その他ダニ（図11.4.2）

1) ツツガムシ：幼虫のみがヒトを吸血。幼虫は脚が6本。ツツガムシ病の病原体は経卵感染するため，病原体保有の家系の幼虫に刺咬されると感染してしまう。

2) ヒゼンダニ：疥癬を引き起こす。皮下に寄生し，疥癬トンネルをつくって，産卵しながら移動する。剥離表皮（落屑）により，集団感染を起こすため，院内感染対策が必須である。

図11.4.2　その他ダニ（左：ツツガムシ，右：ヒゼンダニ）

### (3) ノミ（昆虫）（図11.4.3）

卵→幼虫→蛹→成虫（完全変態）

成虫は雌雄とも吸血，宿主特異性は強くない。

形態：翅は退化，脚発達，縦に扁平

### (4) シラミ（昆虫）（図11.4.4）

卵→幼虫→成虫（不完全変態）

雌雄ともに吸血，宿主特異性は強い。

形態：上下に扁平，翅は退化。脚先端の鉤爪をもち，毛や繊維にしがみつく。

卵：毛や繊維に糊付

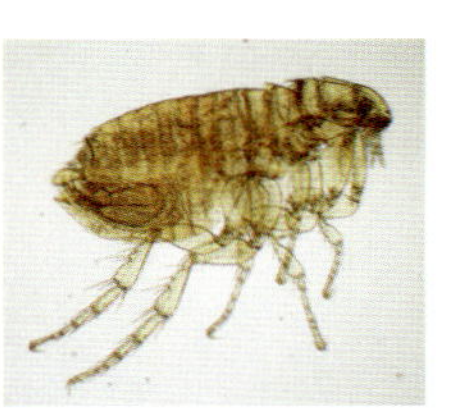

図11.4.3　ネコノミ（成虫）

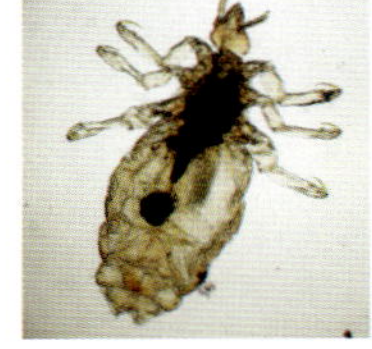

図11.4.4　アタマジラミ（左：成虫，右：卵）

［松村隆弘］

用語　重症熱性血小板減少症候群（severe fever with thrombocytopenia syndrome；SFTS）

## 参考文献

1）吉田幸雄：図説 人体寄生虫学 改訂 10 版，日本寄生虫学会「図説人体寄生虫学」編集委員会（編），南山堂，2021.
2）上村　清，他：寄生虫学テキスト 第 4 版，文光堂，2019.

# 付録　共用基準範囲一覧

表1　共用基準範囲（慣用単位）

| 項目名称 | 項目 | 単位 | M/F | 下限 | 上限 |
|---|---|---|---|---|---|
| 白血球数 | WBC | $10^3/\mu L$ | | 3.3 | 8.6 |
| 赤血球数 | RBC | $10^6/\mu L$ | M | 4.35 | 5.55 |
| | | | F | 3.86 | 4.92 |
| ヘモグロビン | Hb | g/dL | M | 13.7 | 16.8 |
| | | | F | 11.6 | 14.8 |
| ヘマトクリット | Ht | % | M | 40.7 | 50.1 |
| | | | F | 35.1 | 44.4 |
| 平均赤血球容積 | MCV | fL | | 83.6 | 98.2 |
| 平均赤血球血色素量 | MCH | pg | | 27.5 | 33.2 |
| 平均赤血球血色素濃度 | MCHC | g/dL | | 31.7 | 35.3 |
| 血小板数 | PLT | $10^3/\mu L$ | | 158 | 348 |
| 総蛋白 | TP | g/dL | | 6.6 | 8.1 |
| アルブミン | Alb | g/dL | | 4.1 | 5.1 |
| グロブリン | Glb | g/dL | | 2.2 | 3.4 |
| アルブミン，グロブリン比 | A/G | | | 1.32 | 2.23 |
| 尿素窒素 | UN | mg/dL | | 8 | 20 |
| クレアチニン | Cr | mg/dL | M | 0.65 | 1.07 |
| | | | F | 0.46 | 0.79 |
| 尿酸 | UA | mg/dL | M | 3.7 | 7.8 |
| | | | F | 2.6 | 5.5 |
| ナトリウム | Na | mmol/L | | 138 | 145 |
| カリウム | K | mmol/L | | 3.6 | 4.8 |
| クロール | Cl | mmol/L | | 101 | 108 |
| カルシウム | Ca | mg/dL | | 8.8 | 10.1 |
| 無機リン | IP | mg/dL | | 2.7 | 4.6 |
| グルコース | Glu | mg/dL | | 73 | 109 |
| 中性脂肪 | TG | mg/dL | M | 40 | 234 |
| | | | F | 30 | 117 |
| 総コレステロール | TC | mg/dL | | 142 | 248 |
| HDL-コレステロール | HDL-C | mg/dL | M | 38 | 90 |
| | | | F | 48 | 103 |
| LDL-コレステロール | LDL-C | mg/dL | | 65 | 163 |
| 総ビリルビン | TB | mg/dL | | 0.4 | 1.5 |
| アスパラギン酸アミノトランスフェラーゼ | AST | U/L | | 13 | 30 |
| アラニンアミノトランスフェラーゼ | ALT | U/L | M | 10 | 42 |
| | | | F | 7 | 23 |
| 乳酸脱水素酵素 # | LD | U/L | | 124 | 222 |
| アルカリホスファターゼ | ALP (JSCC) | U/L | | 106 | 322 |
| | ALP (IFCC) | U/L | | 38 | 113 |
| γグルタミルトランスフェラーゼ | γGT | U/L | M | 13 | 64 |
| | | | F | 9 | 32 |
| コリンエステラーゼ | ChE | U/L | M | 240 | 486 |
| | | | F | 201 | 421 |
| アミラーゼ | AMY | U/L | | 44 | 132 |
| クレアチン・ホスホキナーゼ | CK | U/L | M | 59 | 248 |
| | | | F | 41 | 153 |
| C反応性蛋白 | CRP | mg/dL | | 0.00 | 0.14 |
| 鉄 | Fe | μg/dL | | 40 | 188 |
| 免疫グロブリン | IgG | mg/dL | | 861 | 1747 |
| 免疫グロブリン | IgA | mg/dL | | 93 | 393 |
| 免疫グロブリン | IgM | mg/dL | M | 33 | 183 |
| | | | F | 50 | 269 |
| 補体蛋白 | C3 | mg/dL | | 73 | 138 |
| 補体蛋白 | C4 | mg/dL | | 11 | 31 |
| ヘモグロビンA1c | HbA1c | %(NGSP) | | 4.9 | 6.0 |

#　乳酸脱水素酵素（LD）の基準範囲は，JSCC法でもIFCC法でも使用できる。

測定値標準化は血球計数項目以外の項目は認証標準物質測定により評価した。特記すべきはAlbは改良型BCP法による，Gluは解糖阻止剤による採血の基準個体を使用した。血球計数項目は認証標準物質による校正が困難なため，国際標準測定操作法による測定値にトレーサブルな表示値を持つ試料（キャリブレータ）を測定し，その結果を用いて測定値の一致性を確認することで対応した。メーカー6社の基準分析装置にて新鮮なヒト血液を測定し確認した。

＊CBCの単位表記について
白血球数　$\times 10^3/\mu L$
赤血球数　$\times 10^6/\mu L$
血小板数　$\times 10^3/\mu L$
国内の状況はすべての施設で同じ報告単位を使用できているわけではない。国際的にも多くの国で10の3，6，9，12乗の桁数と/Lもしくは/μLとの組み合わせで慣用的に使用されているのが現状である。SIの接頭語が10の3乗を基本にしていることに合わせて，今回，共用基準範囲では上記の表記とした。

＊略号表記について
White blood cellのように独立した単語の略号は大文字でWBCと表記し，Albuminのような単一の単語の略号はAlbと頭文字だけを大文字とした3文字表記とした（例外　PLT，TG，電解質）。

（日本臨床検査標準協議会 基準範囲共用化委員会（編）：「日本における主要な臨床検査項目の共用基準範囲ー解説と利用の手引きー」，4，2022より転載）

表2　共用基準範囲（英語，SI 単位）

| | 項目 | 単位 | M/F | 下限 | 上限 |
|---|---|---|---|---|---|
| leukocytes | WBC | $10^9$/L | | 3.3 | 8.6 |
| erythrocytes | RBC | $10^{12}$/L | M | 4.35 | 5.55 |
| | | | F | 3.86 | 4.92 |
| hemoglobin | Hb | g/L | M | 137 | 168 |
| | | | F | 116 | 148 |
| hematocrit | Ht | L/L | M | 0.41 | 0.50 |
| | | | F | 0.35 | 0.44 |
| erythrocyte mean corpuscular volume | MCV | fL | | 83.6 | 98.2 |
| erythrocyte mean corpuscular hemoglobin | MCH | pg | | 27.5 | 33.2 |
| erythrocyte mean corpuscular hemoglobin concentration | MCHC | g/L | | 317 | 353 |
| platelets | PLT | $10^9$/L | | 158 | 348 |
| total, protein | TP | g/L | | 66 | 81 |
| albumin | Alb | g/L | | 41 | 52 |
| globulin | Glb | g/L | | 22 | 34 |
| albumin/globulin ratio | A/G | | | 1.3 | 2.2 |
| urea nitrogen | UN | mmol/L | | 2.7 | 7.1 |
| creatinine | Cr | μmol/L | M | 58 | 94 |
| | | | F | 41 | 70 |
| uric acid | UA | μmol/L | M | 220 | 463 |
| | | | F | 152 | 328 |
| sodium | Na | mmol/L | | 138 | 145 |
| potassium | K | mmol/L | | 3.6 | 4.8 |
| chloride | Cl | mmol/L | | 101 | 108 |
| calcium | Ca | mmol/L | | 2.18 | 2.53 |
| inorganic phosphate | IP | mmol/L | | 0.9 | 1.5 |
| glucose | Glu | mmol/L | | 4.1 | 6.1 |
| triglyceride | TG | mmol/L | M | 0.5 | 2.6 |
| | | | F | 0.3 | 1.3 |
| total cholesterol | TC | mmol/L | | 3.7 | 6.4 |
| HDL-cholesterol | HDL-C | mmol/L | M | 1.0 | 2.3 |
| | | | F | 1.2 | 2.7 |
| LDL-cholesterol | LDL-C | mmol/L | | 1.7 | 4.2 |
| total bilirubins | TB | μmol/L | | 6.8 | 26.3 |
| aspartate aminotransferase | AST | U/L | | 13 | 30 |
| alanine aminotransferase | ALT | U/L | M | 10 | 42 |
| | | | F | 7 | 23 |

| | 項目 | 単位 | M/F | 下限 | 上限 |
|---|---|---|---|---|---|
| lactate dehydrogenase # | LD | U/L | | 124 | 222 |
| alkaline phosphatase | ALP (JSCC) | U/L | | 106 | 322 |
| | ALP (IFCC) | U/L | | 38 | 113 |
| gamma glutamyl transferase | γGT | U/L | M | 13 | 64 |
| | | | F | 9 | 32 |
| cholinesterase | ChE | U/L | M | 240 | 486 |
| | | | F | 201 | 421 |
| amylase | AMY | U/L | | 44 | 132 |
| creatine kinase | CK | U/L | M | 59 | 248 |
| | | | F | 41 | 153 |
| C-reactive protein | CRP | mg/L | | 0.00 | 1.39 |
| iron | Fe | μmol/L | | 7.2 | 33.6 |
| IgG | IgG | g/L | | 8.6 | 17.4 |
| IgA | IgA | g/L | | 0.93 | 3.93 |
| IgM | IgM | g/L | M | 0.33 | 1.83 |
| | | | F | 0.50 | 2.69 |
| complement C3 | C3 | g/L | | 0.73 | 1.38 |
| complement C4 | C4 | g/L | | 0.12 | 0.31 |
| hemoglobin A1c | HbA1c | mmol/mol | | 30 | 42 |

#　lactate dehydrogenase（LD）の基準範囲は，JSCC 法でも IFCC 法でも使用できる。

分子量は以下のようになる。UN（28），Cr（113），UA（168），Ca（40），Glu（180），TG（885），TC（386），TB（584.7），Fe（55.85），HbA1c（10.93 × NGSP% -23.5）

（日本臨床検査標準協議会 基準範囲共用化委員会（編）：「日本における主要な臨床検査項目の共用基準範囲―解説と利用の手引き―」，5，2022 より転載）

# 略語一覧

**A/C 比**　albumin/creatinine ratio
アルブミン／クレアチニン比
**ACCP**　American College of Chest Physicians
米国胸部専門医学会
**AD**　Alzheimer's disease
アルツハイマー病
**ADA**　adenosine deaminase
アデノシンデアミナーゼ
**ADH**　antidiuretic hormone
抗利尿ホルモン
**A/G 比**　albumin/globulin ratio
アルブミン／グロブリン比
**AIDS**　acquired immunodeficiency syndrome
後天性免疫不全症候群
**Alb**　albumin
アルブミン
**AMP**　amphetamine
アンフェタミン
**AMS Ⅲ**　American Military Service Ⅲ
**ANCA**　anti-neutrophil cytoplasmic antibody
抗好中球細胞質抗体
**ANP**　atrial natriuretic peptide
心房性ナトリウム利尿ペプチド
**APD**　automated peritoneal dialysis
自動腹膜透析
**APRT**　adenine phosphoribosyltransferase
アデニンホスホリボシルトランスフェラーゼ
**ASM**　American Society for Microbiology
米国微生物学会
**ATI**　acute tubular injury
急性尿細管傷害
**ATLL**　adult T-cell leukemia/lymphoma
成人 T 細胞白血病・リンパ腫
**Aβ蛋白**　amyloid β protein
アミロイドベータ蛋白
**BAB**　blood-arachnoid barrier
血液くも膜関門
**BAR**　barbituric acid
バルビツール酸
**BBB**　blood-brain barrier
血液脳関門
**BCYE 寒天培地**　buffered charcoal-yeast extract agar medium
**BJ 蛋白**　Bence Jones protein
ベンス・ジョーンズ蛋白
**BSA**　body surface area
体表面積
**BSB**　blood-synovial barrier
血液滑膜関門
**BSL**　bio safety level
**BTB**　bromothymol blue
ブロモチモール青
**BUN**　blood urea nitrogen
血中尿素窒素
**BZO**　benzodiazepine
ベンゾジアゼピン
**CAP**　College of American Pathologists
米国病理学会
**CAPD**　continuous ambulatory peritoneal dialysis
連続携行式腹膜透析
**CBB**　Coomassie brilliant blue
クマシーブリリアントブルー
**CCD**　charge coupled device
電荷結合素子
**CCr**　creatinine clearance
クレアチニンクリアランス
**CD**　cluster of differentiation
**CD-RAP**　cartilage-derived retinoic acid sensitive protein
**CFU**　colony forming unit
コロニー形成単位
**CJD**　Creutzfeldt-Jakob disease
クロイツフェルト・ヤコブ病
**CK**　creatine kinase
クレアチンキナーゼ
**CKD**　chronic kidney disease
慢性腎臓病
**CL**　chloride
クロール
**CMOS**　complementary metal oxide semiconductor
相補性金属酸化膜半導体
**CoA**　coenzyme A
コエンザイム A
**COC**　cocaine
コカイン
**COMP**　cartilage oligomeric matrix protein
**COMT**　catechol-*O*-methyltransferase
カテコール-*O*-メチル転換酵素
***cox1***　cytochrome *c* oxidase subunit 1
チトクローム *c* 酸化酵素サブユニット 1
**CPPD**　calcium pyrophosphate dehydrate
ピロリン酸カルシウム
**CR**　complete remission
完全寛解

**Cr** creatinine
クレアチニン
**CRP** C-reactive protein
C 反応性蛋白
**CSF** cerebrospinal fluid
脳脊髄液（髄液）
**CT** computed tomography
コンピュータ断層撮影
**CVD** cardiovascular disease
心血管疾患
**DAB** 3' 3-diaminobenzidine
3' 3-ジアミノベンジジン
**DAPI** 4,6-diamidino-2-phenylindole
**DBDH** 1,4-diisopropylbenzenedihydroperoxide
1,4-ジイソプロピルベンゼンジヒドロパーオキサイド
**DFI** DNA fragmentation index
DNA 断片化指数
**DIC** disseminated intravascular coagulation
播種性血管内凝固
**DKA** diabetic ketoacidosis
糖尿病ケトアシドーシス
**DMSO** dimethyl sulfoxide
ジメチルスルホキシド
**DNA** deoxyribonucleic acid
デオキシリボ核酸
**DOMA** 3,4-dihydroxymandelic acid
3,4-ジヒドロキシマンデル酸
**EDTA** ethylenediaminetetraacetic acid
エチレンジアミン四酢酸
***ef1α*** elongation factor-1-α
伸長因子 -1-α
**eGFR** estimated glomerular filtration rate
推算糸球体ろ過量
**EIA** enzyme immunoassay
酵素免疫測定法
**ELISA** enzyme-linked immunosorbent assay
酵素結合免疫吸着測定法
**EO** eosinophil
好酸球
**EPO** erythropoietin
エリスロポエチン
**ER** endoplasmic reticulum
小胞体
**ESKD** end stage kidney disease
末期慢性腎不全
**F 型** filariform
フィラリア型
**FITC** fluorescein isothiocyanate
フルオレセインイソチオシアネート
**FSH** follicle-stimulating hormone
卵胞刺激ホルモン
**$FT_4$** free thyroxine
遊離サイロキシン
**FTA-ABS** fluorescent treponemal antibody absorption test
梅毒トレポネーマ蛍光抗体吸収試験
**GALE** UDP-galactose-4-epimerase
ウリジン二リン酸ガラクトース-4-エピメラーゼ
**GALK** galactokinase
ガラクトキナーゼ
**GALT** galactose-1-phosphate uridylyltransferase
ガラクトース-1-リン酸ウリジルトランスフェラーゼ
**GBM** glomerular basement membrane
糸球体基底膜
**GBS** Group B *Streptococcus*
B 群溶血性連鎖球菌
**GC** gas chromatography
ガスクロマトグラフィー
**GC/MS** gas chromatography-mas spectrometry
ガスクロマトグラフィー質量分析
**G-CSF** glanulocyte-colony stimulating factor
顆粒球コロニー刺激因子
**GFAP** Glial fibrillary acid protein
グリア細胞線維性蛋白
**GFR** glomerular filtration rate
糸球体ろ過量
**GLA** galactosidase A
ガラクトシダーゼ A
**GnRH** gonadotropin-releasing hormone
性腺刺激ホルモン放出ホルモン
**GOD** glucose oxidase
グルコースオキシダーゼ
**HAM** HTLV-I-associated myelopathy
HTLV-I 関連脊髄症
**hCG** human chorionic gonadotropin
ヒト絨毛性ゴナドトロピン
**HIF-Ⅰ** hypoxia induced facter-Ⅰ
低酸素血症誘導因子-Ⅰ
**HIV** human immunodeficiency virus
ヒト免疫不全ウイルス
**HK・G-6-PDH** hexokinase・glucose-6-phosphate dehydrogenase
ヘキソキナーゼ・グルコース-6-リン酸脱水素酵素
**HMG-CoA** hydroxymethylglutaryl-coenzyme A
ヒドロキシメチルグルタリルコエンザイム A
**HPF** high power field
強拡大視野
**HPLC** high-performance liquid chromatography
高速液体クロマトグラフィー
**HPLC-UV** high-performance liquid chromatography-ultraviolet
高速液体クロマトグラフィー－紫外部法
**HRP2** histidine-rich protein 2
**HSL** hormone-sensitive lipase
ホルモン感受性リパーゼ
**HTLV-Ⅰ** human T-cell lymphotropic virus type Ⅰ
**HVA** homovanillic acid
ホモバニリン酸

**ICA** immunochromatographic assay
イムノクロマト法

**ID** identification

**Ig** immunoglobulin
免疫グロブリン

**IgM** immunoglobulin M
免疫グロブリン M

**IL** interleukin
インターロイキン

**JCCLS** Japanese Committee for Clinical Laboratory Standards
日本臨床検査標準協議会

**JSCC** Japan Society of Clinical Chemistry
日本臨床化学会

**JSCP** Japanese Society of Clinical Pathology
日本臨床病理学会

**KI** potassium iodide
ヨウ化カリウム

**LD** lactate dehydrogenase
乳酸脱水素酵素

**LDL** low density lipoprotein
低比重リポ蛋白

**LE** lupus erythematosus

**LH** luteinizing hormone
黄体形成ホルモン

**LPF** low power field
弱拡大

**LPS** lipopolysaccharide
リポ多糖類

**LYM** lymphocyte
リンパ球

**MAO** monoamine oxidase
モノアミン酸化酵素

**MB** methylene blue
メチレン青

**MCI** mild cognitive impairment
軽度認知障害

**M-CSF** macrophage-colony stimulating factor
マクロファージコロニー刺激因子

**MDMA** methylenedioxymethamphetamine
メチレンジオキシメタンフェタミン

**MGL 法** medical general laboratory method
ホルマリン・エーテル法

**MG 染色** May-Grünwald Giemsa 染色
メイ・グリュンワルド・ギムザ染色

**ML** malignant lymphoma
悪性リンパ腫

**MMP** matrix metalloproteinase
マトリックスメタロプロテアーゼ

**Mo** molybdic acid
モリブデン酸

**MO** monocyte
単球

**MR** methyl red
メチル赤

**MRI** magnetic resonance imaging
磁気共鳴画像法

**mRNA** messenger ribonucleic acid
メッセンジャーリボ核酸

**MS** multiple sclerosis
多発性硬化症

**MS/MS** tandem massspectrometry
タンデムマス

**MSU** monosodium urete
尿酸ナトリウム

**MTD** *Mycobacterium tuberclosis* direct test
結核菌群核酸増幅同定検査

**NADPH** nicotinamide adenine dinucleotide phosphate
ニコチンアミドアデニンジヌクレオチドリン酸

**N/C 比** nuclear-cytoplasmic ratio
核 / 細胞質比

**NEUT** neutrophil
好中球

**NGSP** National Glycohemoglobin Standardization Program

**NNN 培地** Novy-MacNeal-Nicolle 培地

**NST** nutrition support team
栄養サポートチーム

**NTDs** neglected tropical diseases
顧みられない熱帯病

**OGTT** oral glucose tolerance test
経口ブドウ糖負荷試験

**17-OHP** 17-hydroxyprogesterone
17-ヒドロキシプロゲステロン

**OPI** opium
アヘン

**ORP** oxidation-reduction potential
酸化還元電位

**OTC** over the counter
薬を処方箋なしで入手できるセルフメディケーション

**OXY** oxycodone
オキシコドン

**PBS** phosphate-buffered saline
リン酸緩衝生理食塩水

**PB 染色** Prescott-Brodie 染色
プレスコット・ブロディ染色

**P/C 比** protein/creatinine ratio
蛋白 / クレアチニン比

**PCP** phencyclidine
フェンシクリジン

**PCR** polymerase chain reaction
ポリメラーゼ連鎖反応

**PCR-RFLP** polymerase chain reaction-restriction fragment-length polymorphism
制限断片長多型 PCR

**pH** potential of hydrogen
水素イオン指数

**pLDH** Plasmodium lactate dehydrogenase
マラリア原虫特異的乳酸脱水素酵素

**PNH** paroxysmal nocturnal hemoglobinuria
発作性夜間血色素尿症
**POD** peroxidase
ペルオキシダーゼ
**PPX** propoxyphene
プロポキシフェン
**PR** pyrogallol red
ピロガロールレッド
**PR** progressive motile
前進運動精子
**PSP** phenolsulfonphthalein
フェノールスルホンフタレイン
**R 型** rhabditiform
ラブジチス型
**RA** renin-angiotensin
レニン－アンジオテンシン
**RAA** renin-angiotensin-aldosterone
レニン－アンジオテンシン－アルドステロン
**RBC** red blood cell
赤血球
**RNA** ribonucleic acid
リボ核酸
**RPF** renal plasma flow
腎血漿流量
**S 染色** Sternheimer 染色
ステルンハイマー染色
**SAAG** serum ascites albumin gradient
**SAF** sodium acetate, acetic acid, formalin
酢酸ナトリウム・酢酸・ホルマリン
**SARS-CoV-2** severe acute respiratory syndrome coronavirus 2
新型コロナウイルス
**SEAG** serum effusion albumin gradient
**SFTS** severe fever with thrombocytopenia syndrome
重症熱性血小板減少症候群
**SGLT** sodium-glucose cotransporter
**SH 基** sulfhydryl group
スルフヒドリル基
**SI** selectivity index
尿蛋白選択指数
**SIADH** syndrome of inappropriate secretion of antidiuretic hormone
抗利尿ホルモン不適合分泌症候群
**SSUrRNA** small subunit of ribosomal ribonucleic acid
小サブユニットリボソーム RNA
**STI** sexually transmitted infection
性感染症
**STS** serologic test for syphilis
梅毒血清試験
**TA** titration acid
滴定酸
**TBPB** tetrabromophenol blue
テトラブロモフェノール青
**TCA** tricyclic antidepressant
三環系抗うつ薬
**TCA 回路** tricarboxylic acid cycle
トリカルボン酸回路
**TG** triglyceride
トリグリセリド
**TGC** thioglycollate
チオグリコレート
**TH ムコ蛋白** Tamm-Horsfall mucoprotein
タム・ホースフォールムコ蛋白
**THBQ・3ol** 3-hydroxy-1,2,3,4-tetrahydro-7,8-benzoquinoline
3-ヒドロキシ-1,2,3,4-テトラヒドロ-7,8-ベンゾキノリン
**THC** tetrahydrocannabinol
テトラヒドロカンナビノール
**TIMP** tissue inhibitors of metalloproteinases
メタロプロテアーゼ阻害蛋白
**TMB** 3,3',5,5'-tetramethylbenzidine
3,3',5,5'-テトラメチルベンジジン
**TNF** tumor necrosis factor
腫瘍壊死因子
**TRITC** tetramethylrhodamine isothiocyanate
テトラメチルローダミンイソチオシアネート
**TSH** thyroid-stimulating hormone
甲状腺刺激ホルモン
**UDP** uridine diphosphate
ウリジンニリン酸
**UTI** urinary tract infection
尿路感染症
**UV** ultraviolet rays
紫外線
**VMA** vanillylmandelic acid
バニリルマンデル酸
**WBC** white blood cell
白血球
**WF** whole field
全視野
**WHO** World Health Organization
世界保健機関
**β2m** β2 microglobulin
ベータ 2 ミクログロブリン

# 査読者一覧

## 査 読 者


| 氏名 | 所属 |
|---|---|
| 小関　紀之 | 獨協医科大学埼玉医療センター　臨床検査部 |
| 田中　雅美 | 東京大学医学部附属病院　検査部 |
| 中山　茂 | 株式会社サンリツ　検査本部 |
| 野崎　司 | 東海大学医学部付属病院　臨床検査技術科 |
| 星　雅人 | 藤田医科大学　医療科学部 |
| 山下　美香 | 広島赤十字・原爆病院　検査部 |
| 油野　友二 | 北陸大学　医療保健学部 |
| 横山　貴 | 新潟医療福祉大学　医療技術学部 |


［五十音順，所属は2023年12月現在］

# 初版 査読者一覧

## 『一般検査技術教本』初版（2017年）

| | | | |
|---|---|---|---|
| 安藤　潤子 | 猪浦　一人 | 大沼健一郎 | 岡田　茂治 |
| 小郷　正則 | 小澤　　優 | 加藤　節子 | 川音　勝江 |
| 川満　紀子 | 石澤　毅士 | 佐伯　仁志 | 酒井　伸枝 |
| 白川千恵子 | 滝沢恵津子 | 田中　　佳 | 富永　美香 |
| 西山　大揮 | 保科ひづる | 堀田　真希 | 横山　　貴 |
| 横山　千恵 | 吉永　治代 | | |

［五十音順］

## 『髄液検査技術教本』（2015年）

| | | | |
|---|---|---|---|
| 安藤　潤子 | 大沼健一郎 | 加藤　節子 | 川音　勝江 |
| 川満　紀子 | 石澤　毅士 | 佐々木正義 | 滝沢恵津子 |
| 田中　　佳 | 富永　美香 | 西山　大揮 | 油野　友二 |
| 横山　千恵 | 吉永　治代 | | |

［五十音順］

# 索　引

● さ

JAMT技術教本シリーズ
一般検査技術教本 第2版

令和6年1月30日　発　行

監修者　一般社団法人 日本臨床衛生検査技師会

発行者　池　田　和　博

発行所　丸善出版株式会社
〒101-0051 東京都千代田区神田神保町二丁目17番
編集：電話(03)3512-3261／FAX(03)3512-3272
営業：電話(03)3512-3256／FAX(03)3512-3270
https://www.maruzen-publishing.co.jp



レイアウト・有限会社 アロンデザイン
組版・株式会社 リーブルプランニング
印刷・株式会社 加藤文明社／製本・株式会社 松岳社

ISBN 978-4-621-30881-3 C 3347　　Printed in Japan